D1247591

VERT-DE-GRIS

Né en 1956 à Édimbourg, Philip Kerr a fait ses études de droit à l'université de Birmingham. Il a travaillé dans la publicité et comme journaliste free-lance avant de se lancer dans l'écriture de fictions. Sa série centrée autour du détective Bernie Gunther, unanimement saluée par la critique et couronnée de nombreux prix a fait de lui un auteur internationalement reconnu. Ses romans sont traduits dans une trentaine de langues.

PHILIP KERR

Vert-de-gris

TRADUIT DE L'ANGLAIS PAR PHILIPPE BONNET

ÉDITIONS DU MASQUE

Titre original :

FIELD GREY
publié par Quercus, Londres.

Je n'aime pas Ike.

Graham Greene,
Un Américain bien tranquille

1

Cuba, 1954

« Cet Anglais avec Ernestina, fit-elle remarquer en contemplant la salle luxueusement décorée au-dessous. Il me fait penser à vous, *señor* Hausner. »

Doña Marina me connaissait aussi bien que quiconque à Cuba, sinon mieux, dans la mesure où nos relations reposaient sur un lien plus solide que la simple amitié : *doña* Marina tenait le plus important et le plus chic bordel de La Havane.

L'Anglais était grand et voûté, avec des yeux bleu pâle à l'expression lugubre. Il portait une chemise en lin bleue à manches courtes, un pantalon de coton gris et des chaussures noires bien cirées. Il me semblait l'avoir déjà vu quelque part, au bar Floridita ou peut-être dans le hall de l'hôtel Nacional, mais c'est à peine si je lui prêtai attention. M'intéressait davantage la nouvelle *chica* presque nue, assise sur les genoux de l'Anglais, et qui aspirait des bouffées de la cigarette qu'il était en train de fumer tandis qu'il s'amusait à soupeser ses énormes seins comme on évalue le degré de maturité de deux pamplemousses.

« De quelle façon ? » m'enquis-je avant de me tourner aussitôt vers le grand miroir accroché au mur en me demandant s'il existait réellement des similitudes entre nous à part notre fascination pour les seins d'Ernestina et pour les immenses mamelons sombres qui les ornaient telles de gigantesques patelles.

Le visage qui me retourna mon regard était plus empâté que celui de l'Anglais, avec une couronne de cheveux plus abondante, mais non moins cinquantenaire et entaillé par la vie. Peut-être *doña* Marina avait-elle l'impression qu'il n'y avait pas que la vie de gravé sur nos deux visages – un *chiaroscuro*, un clair-obscur de lucidité et de connivence éventuellement, comme si aucun de nous n'avait fait ce qu'il fallait ou, pis encore, comme si nous vivions l'un et l'autre avec un secret honteux.

« Vous avez les mêmes yeux, répondit *doña* Marina.

— Ah, vous voulez dire bleus, suggérai-je en sachant que ce n'était pas du tout ce qu'elle voulait dire, probablement.

— Non, ce n'est pas ça. Le *señor* Greene et vous, vous regardez les gens d'une drôle de façon. Comme si vous vouliez voir en eux. Comme un spirite. Ou un policier. Vous avez tous les deux des regards extrêmement incisifs, qui semblent transpercer les autres de part en part. C'est très intimidant. »

Il était difficile d'imaginer que qui ou quoi que ce soit puisse intimider *doña* Marina. Elle avait toujours l'air aussi détendue qu'un iguane sur un rocher chauffé par le soleil.

« Le *señor* Greene, hein ? »

Que *doña* Marina l'ait appelé par son nom n'avait rien pour me surprendre. La Casa Marina n'était pas le genre d'établissement où l'on se sent obligé d'utiliser un faux nom. Vous n'aviez besoin de recommandation que pour franchir la porte d'entrée.

« C'est peut-être un policier, effectivement. Avec d'aussi grands pieds, ça ne m'étonnerait pas le moins du monde.

— Il est écrivain.

— Quel genre ?

— Romans. Westerns, je crois. Il m'a dit qu'il écrivait sous le nom de Buck Dexter[1].

— Jamais entendu parler. Il habite Cuba ?

— Non, il vit à Londres. Mais il ne manque jamais de nous rendre visite quand il est à La Havane.

— Un voyageur, c'est ça ?

— Oui. Apparemment, cette fois, il fait route vers Haïti. » Elle sourit. « Vous ne voyez toujours pas la ressemblance ?

— Non, pas vraiment, répondis-je d'un ton ferme, et je fus soulagé lorsqu'elle fit mine de changer de sujet.

— Comment était-ce avec Omara aujourd'hui ? »
Je hochai la tête.
« Pas mal.

— Vous l'aimez bien, n'est-ce pas ?

— Beaucoup.

— Elle est de Santiago, précisa *doña* Marina, comme si ça expliquait tout. Mes meilleures filles viennent toutes de Santiago. À Cuba, ce sont celles qui ont le type africain le plus prononcé. Les hommes semblent aimer ça.

---

1. Pseudonyme sous lequel Rollo Martins, le protagoniste du *Troisième Homme* de Graham Greene, écrit des romans de cowboys.

— Je sais que moi, oui.

— À mon avis, cela tient au fait que, contrairement aux femmes blanches, les femmes noires ont un bassin presque aussi large que celui d'un homme. Un bassin anthropoïde. Et avant que vous me demandiez comment je le sais, c'est parce que j'ai été infirmière. »

Ce qui ne m'étonna pas outre mesure. *Doña* Marina accordait une grande importance à la santé et à l'hygiène sexuelle, et le personnel de son établissement sur le Malecón comprenait deux infirmières possédant une formation suffisante pour traiter à peu près tout, depuis une chaude-pisse jusqu'à une attaque foudroyante. On prétendait que vous aviez plus de chances de survivre à un arrêt du cœur à la Casa Marina qu'à la faculté de médecine de l'université de La Havane.

« Santiago est un véritable melting-pot, reprit-elle. Jamaïcains, Dominicains, Bahamiens…, c'est la ville la plus caribéenne de Cuba. Et la plus rebelle, bien entendu. Toutes nos révolutions commencent à Santiago. Pour la bonne raison, j'imagine, que les habitants ont tous, d'une façon ou d'une autre, des liens de parenté. »

Elle vissa une cigarette dans un petit fume-cigarette en ambre et l'alluma avec un splendide Tallboy en argent.

« Saviez-vous, par exemple, qu'Omara est parente de l'homme qui s'occupe de votre bateau à Santiago ? »

Je commençais à entrevoir que la conversation de *doña* Marina avait un but bien précis, parce qu'il n'y avait pas que Mister Greene à aller à Haïti, moi également, sauf que mon petit voyage devait être confidentiel.

« Non, je l'ignorais. »

Je jetai un coup d'œil à ma montre, mais je n'avais pas eu le temps de déguerpir en m'excusant que *doña* Marina m'avait fait entrer dans son salon privé pour m'offrir un verre. Et, songeant que j'aurais sans doute intérêt à écouter ce qu'elle avait à dire, vu qu'elle avait mentionné mon bateau, je répondis que je prendrais un *añejo*.

Elle alla chercher une bouteille de rhum d'un âge vénérable et m'en versa une bonne ration.

« Mister Greene apprécie beaucoup, lui aussi, notre rhum de La Havane, remarqua-t-elle.

— À présent, vous pourriez peut-être en venir au fait, dis-je. Vous ne croyez pas ? »

Ce qu'elle fit.

Moyennant quoi je me retrouvai, une semaine plus tard, avec une fille sur le siège passager de ma Chevrolet tandis que je roulais vers le sud-est le long de la route centrale de Cuba menant à Santiago, à l'autre bout de l'île. Mésaventure dont l'ironie était loin de m'échapper ; en cherchant à me soustraire au chantage d'un flic de la police secrète, j'avais réussi à me fourrer dans une situation telle qu'une tenancière de bordel, beaucoup trop futée pour me menacer ouvertement, estimait pouvoir me demander une faveur que je n'avais aucune envie d'accorder : emmener avec moi une *chica* d'une autre *casa* de La Havane lors de ma « sortie de pêche » en direction de Haïti. Il y avait gros à parier que *doña* Marina connaissait le lieutenant Quevedo et savait qu'il aurait vu d'un très mauvais œil que je fasse la moindre sortie en bateau ; mais elle ignorait probablement qu'il avait menacé de me renvoyer en Allemagne, où j'étais recherché pour meurtre, à moins que je n'accepte d'espionner Meyer Lansky, un gros bonnet de la pègre qui se trouvait être également mon employeur. Dans tous les cas, je n'avais pas d'autre solution que d'accéder à sa requête, bien que ma passagère n'eût pas vraiment de quoi me réjouir. Melba Marrero avait les flics à ses trousses à la suite de l'assassinat d'un capitaine de police de la neuvième circonscription, et des amis de *doña* Marina souhaitaient qu'elle quitte l'île de Cuba le plus vite possible.

Melba Marrero avait une vingtaine d'années, même si elle ne voulait pas que ça se sache. Je suppose qu'elle tenait à ce qu'on la prenne au sérieux, ce qui expliquait peut-être qu'elle ait tiré sur le capitaine Balart. Mais il était plus vraisemblable qu'elle l'avait descendu en raison des liens qu'elle entretenait avec les rebelles communistes de Castro. Elle était café au lait, avec des traits fins de gamine, un menton belliqueux et des lueurs d'orage dans son regard sombre. Ses cheveux étaient coupés à l'italienne : courts, bouclés en dégradé, quelques mèches vaporeuses ramenées en avant et lui tombant sur la figure. Elle portait un chemisier blanc uni, un pantalon fauve étroit, une ceinture en cuir marron clair et des gants assortis. On aurait dit qu'elle allait monter à cheval, lequel piaffait probablement d'impatience.

« Pourquoi ne pas avoir acheté une décapotable ? demanda-t-elle alors qu'il restait encore pas mal de chemin avant Santa Clara, qui devait être notre première étape. Une décapotable, c'est mieux à Cuba.

— Je n'aime pas les décapotables. Dans une décapotable, on attire davantage les regards, et je n'aime pas beaucoup qu'on me regarde.

— Vous êtes du genre timide, c'est ça ? Ou juste coupable de quelque chose ?

14

« — Ni l'un ni l'autre. Seulement réservé.

— Z'auriez une cigarette ?

— Il y a un paquet dans la boîte à gants. »

D'un doigt, elle frappa la serrure du couvercle, qui s'abattit devant elle.

« Des Old Gold. Je n'aime pas les Old Gold.

— Vous n'aimez pas ma voiture. Vous n'aimez pas mes cigarettes. Qu'est-ce que vous aimez ?

— Peu importe. »

Je lui lançai un regard en biais. Sa bouche semblait toujours sur le point de grogner, impression que les dents d'une blancheur éclatante qui la garnissaient ne faisaient qu'accentuer. En dépit de mes efforts, j'avais du mal à imaginer qu'on puisse la toucher sans y perdre un doigt. Elle poussa un soupir et joignit ses mains, qu'elle enfonça entre ses genoux.

« Eh bien, c'est quoi votre histoire, *señor* Hausner ?

— Je n'en ai pas. »

Elle haussa les épaules.

« Il y a onze cents kilomètres jusqu'à Santiago.

— Prenez un bouquin. »

Je savais qu'elle en avait un.

« C'est peut-être ce que je vais faire. »

Ouvrant son sac, elle en tira une paire de lunettes et un livre, et se mit à lire.

Au bout d'un moment, je réussis à jeter un coup d'œil furtif au titre. Elle était plongée dans *Et l'acier fut trempé* de Nikolaï Ostrovski. Je m'efforçai de ne pas sourire, sans résultat.

« Il y a quelque chose de drôle ? »

J'indiquai d'un signe de tête le livre sur ses genoux.

« Je n'y aurais pas pensé.

— Ça parle d'un type qui a participé à la révolution russe.

— C'est bien ce que je me disais.

— À quoi croyez-vous alors ?

— À pas grand-chose.

— Ça ne va pas aider qui que ce soit.

— Comme si ça avait de l'importance.

— Parce que ça n'en a pas ?

— Dans mon livre, le parti de pas grand-chose bat celui de l'amour fraternel à tous les coups. Le peuple et le prolétariat n'ont besoin de l'aide de personne. Certainement pas de la vôtre ni de la mienne.

— Ce n'est pas mon opinion.

— Oh, j'en suis persuadé. Mais c'est tout de même comique, vous ne trouvez pas ? Nous deux fuyant à Haïti comme ça. Vous parce que vous croyez à quelque chose et moi parce que je ne crois à rien du tout.

— D'abord, c'était à pas grand-chose que vous croyiez. Et maintenant, c'est à rien du tout. Marx et Engels avaient raison. La bourgeoisie produit ses propres fossoyeurs. »

Je ris.

« En tout cas, vous avez établi un point, reprit-elle. À savoir que vous fuyez.

— Oui. C'est ça, mon histoire. Toujours la même, si ça vous intéresse vraiment. Le "Hollandais volant". Le "Juif errant". Ce qui vous oblige à pas mal bourlinguer, d'une manière ou d'une autre. Je pensais être en sécurité à Cuba.

— Personne n'est en sécurité à Cuba, répliqua-t-elle. Plus maintenant.

— Je l'étais, continuai-je sans lui prêter attention. Jusqu'à ce que j'essaie de jouer les héros. Sauf que

16

j'avais oublié. Je ne suis pas de l'étoffe dont on fait les héros. Je ne l'ai jamais été. En outre, le monde ne rêve plus de héros. Ils sont passés de mode, comme les ourlets de l'année dernière. Aujourd'hui, ce qu'on veut, ce sont des combattants de la liberté et des indicateurs. Eh bien, je suis trop vieux pour les uns et trop scrupuleux pour les autres.

— Que s'est-il passé ?

— Un odieux lieutenant du renseignement militaire a voulu faire de moi son espion, mais il y avait quelque chose là-dedans qui me déplaisait.

— Alors vous avez eu raison. Il n'y a aucune honte à ne pas vouloir devenir un mouchard.

— À vous entendre, on croirait presque que j'accomplis un acte noble. Ce n'est pas du tout comme ça.

— Comment est-ce ?

— Je n'ai pas envie d'être un pantin dont on tire les ficelles. J'en ai eu mon content pendant la guerre. Je préfère suivre mon petit bonhomme de chemin. Mais ce n'est pas tout. Espionner est dangereux. Surtout quand on a de fortes chances de se faire pincer. Enfin, je suppose que vous le savez à présent.

— Qu'est-ce que Marina vous a raconté sur moi ?

— Le strict nécessaire. J'ai en quelque sorte cessé d'écouter quand elle a déclaré que vous aviez buté un flic. Ce qui a pas mal refroidi l'atmosphère. La mienne, en tout cas.

— Vous dites ça comme si vous désapprouviez.

— Les flics sont des gens comme les autres. Certains bons, d'autres mauvais. J'ai moi-même été flic jadis. Il y a longtemps de ça.

— Je l'ai fait pour la révolution.

— Je n'imaginais pas que vous l'aviez fait pour une noix de coco.

— C'était un salaud et il ne l'avait pas volé. Et je l'ai fait pour…

— Oui, je sais, la révolution.

— Vous ne pensez pas que Cuba a besoin d'une révolution ?

— On pourrait améliorer les choses, je ne le nie pas. Mais toutes les révolutions font une belle fumée avant de finir en cendres. Il en ira de la vôtre comme de celles qui l'ont précédée. Je vous le garantis. »

Melba secouait sa jolie tête, mais, échauffé par mon sujet, je poursuivis :

« Parce que, quand quelqu'un parle de bâtir une société meilleure, il y a fort à parier qu'il compte se servir d'un ou deux bâtons de dynamite. »

Après ça, elle garda le silence, et moi aussi.

Nous nous arrêtâmes un moment à Santa Clara. Située à environ deux cent cinquante kilomètres de La Havane, c'était une petite ville pittoresque, sans rien de particulier, avec un jardin public au milieu, entouré de quelques vieux édifices et hôtels. Melba partit de son côté. Je m'installai à la terrasse de l'hôtel Central et déjeunai seul, ce qui me convenait parfaitement. Lorsqu'elle réapparut, nous nous remîmes en route.

En début de soirée, nous atteignîmes Camagüey, qui était truffée de maisons triangulaires et de grandes jarres en terre cuite débordantes de fleurs. Pourquoi, je l'ignorais, et il ne me vint même pas à l'idée de poser la question. Parallèlement à la route, des trains de marchandises roulaient en sens inverse, chargés de bois d'œuvre provenant des nombreuses forêts de la région.

« On s'arrête ici, annonçai-je.

— Il vaudrait sûrement mieux continuer.

— Vous pouvez conduire ?

— Non.

— Moi non plus. Pas plus loin. Je suis claqué. Il reste plus de trois cents kilomètres jusqu'à Santiago, et si nous ne nous arrêtons pas bientôt, nous nous réveillerons tous les deux à la morgue. »

Près d'une brasserie – une des rares que comptait l'île –, nous croisâmes une voiture de police, ce qui me fit repenser à Melba et au crime qu'elle avait commis.

« Si vous avez descendu un flic, ils doivent avoir salement envie de vous mettre la main dessus.

— Très salement même. Ils ont bombardé la *casa* où je travaillais. Plusieurs filles ont été tuées ou gravement blessées.

— Raison pour laquelle *doña* Marina a accepté de vous aider à quitter La Havane ? » J'opinai du chef. « Oui, je comprends mieux maintenant. Quand une *casa* se fait bombarder, c'est mauvais pour les autres. Auquel cas, on partagera une chambre. Je dirai que vous êtes ma femme. De cette façon, vous n'aurez pas à montrer votre carte d'identité.

— Écoutez, *señor* Hausner, je vous suis reconnaissante de m'emmener avec vous à Haïti. Mais il y a une chose que vous devez savoir. Si j'ai consenti à jouer le rôle de *chica*, c'est uniquement pour pouvoir approcher le capitaine Balart.

— Je me le demandais.

— Je l'ai fait pour...

— La révolution. Je suis au courant. Écoutez, Melba, votre vertu, ou ce qu'il en reste, n'a rien à

19

craindre avec moi. Je vous le répète, je suis fatigué. J'arriverais à dormir sur un feu de camp. Mais je me contenterai d'un fauteuil ou d'un canapé et vous pourrez prendre le lit. »

Elle acquiesça.

« Merci, *señor*.

— Et laissez tomber le *señor*. Mon prénom est Carlos. Appelez-moi ainsi. Je suis censé être votre mari, vous vous rappelez ? »

Nous nous rendîmes au Gran Hotel, dans le centre-ville, et nous montâmes à la chambre. Je rampai directement jusqu'au canapé, ce qui veut dire que je dormis par terre. Durant l'été 1941, certains des planchers sur lesquels j'avais couché étaient les lits les plus douillets que j'aie jamais eus, mais celui-ci n'était pas aussi moelleux. Cela dit, j'étais nettement moins fatigué qu'à ce moment-là. Vers deux heures du matin, je me réveillai pour la trouver à genoux près de moi, enveloppée dans un drap.

« Que se passe-t-il ? »

Je m'assis et laissai échapper un grognement de douleur.

« J'ai si peur.

— Peur de quoi ?

— Vous savez ce qu'ils me feront s'ils m'attrapent.

— Qui ça ? La police ? »

Son signe de tête se changea en frisson.

« Eh bien, que voulez-vous que je fasse ? Que je vous lise un conte pour enfants ? Écoutez, Melba, dans la matinée, je vous conduirai à Santiago, on embarquera sur mon bateau et, demain soir, vous serez en sécurité à Haïti, d'accord ? Mais, pour l'instant, j'essaie de dormir. Sauf que le matelas est un peu trop mou pour moi. Alors si ça ne vous dérange pas…

— Curieusement, répondit-elle, ça ne me dérange pas. Le lit est très confortable. Et il y a de la place pour deux. »

Ce qui était la pure vérité. Le lit avait la taille d'une petite ferme avec une chèvre. J'étais à peu près sûr pour la chèvre étant donné la façon dont elle me prit par la main pour me conduire jusqu'au lit. Il y avait là quelque chose d'érotique et d'enivrant ; ou peut-être était-ce juste le fait qu'elle ait laissé le drap par terre. La nuit était torride, naturellement, mais ça ne me posait pas de problème. Mes meilleures idées me viennent souvent quand je suis aussi nu qu'elle l'était. J'essayai de m'imaginer en train de roupiller dans ce lit, mais ça ne marcha pas car, maintenant que j'avais vu ce qu'elle avait en devanture, j'étais prêt à écraser mon nez contre la vitre pour un examen plus attentif. Ce n'était pas ce qu'elle désirait de moi. De fait, je n'ai jamais compris qu'une femme puisse seulement désirer un homme – pas avec l'apparence qu'elles ont. Simplement, elle était jeune, apeurée et perdue, et elle avait besoin de quelqu'un – n'importe qui aurait fait l'affaire – pour la serrer dans ses bras et lui donner l'impression que le monde se souciait d'elle. Moi aussi, il m'arrive d'éprouver ce sentiment : on naît seul, on meurt seul, et le reste du temps on ne peut compter que sur soi-même.

Lorsque nous parvînmes à Santiago, le lendemain, cela faisait près de cent cinquante kilomètres que la sombre orchidée de sa tête reposait sur mon épaule. Nous nous comportions comme n'importe quel jeune couple d'amoureux quand l'un se trouve avoir le double de l'âge de l'autre, qui se trouve être par ailleurs un assassin. Peut-être était-ce un peu injuste. Melba n'était pas la seule d'entre nous à avoir tiré sur quelqu'un. Je possédais moi-même une certaine expérience en matière de meurtre. Et pas qu'un peu, en l'occurrence, sauf que je n'avais guère envie de lui en parler. Je préférais garder mes pensées pour ce qui nous attendait. L'avenir peut parfois sembler un peu sombre et effrayant, mais le passé est encore pire. Surtout le mien. Et, pour le moment, c'était le danger tout ce qu'il y a de plus présent que constituait la police de Santiago qui m'inquiétait. Elle avait une réputation de brutalité sans doute bien méritée, qu'expliquait aisément la vérité profonde de la remarque de *doña* Marina selon laquelle les révolutions cubaines commençaient toutes à Santiago.

On avait du mal à imaginer que grand-chose d'autre puisse commencer là. Un commencement suppose une activité, du mouvement, voire un labeur, mais il n'y avait aucun signe de ces substantifs épuisants dans les rues assoupies de Santiago. Des échelles se dressaient désœuvrées et solitaires, des brouettes reposaient ici et là sans surveillance, des chevaux battaient la semelle, des bateaux dansaient dans le port et des filets de pêche séchaient étalés au soleil. Les seules personnes, ou presque, qui paraissaient travailler étaient les flics, si on peut appeler ça travailler. Garés dans l'ombre des immeubles aux couleurs pastel de la ville, ils restaient là à fumer et à attendre que les choses refroidissent ou qu'elles s'embrasent, selon le point de vue où l'on se place. Peut-être le temps était-il trop chaud et trop ensoleillé pour des troubles ; le ciel trop bleu et les voitures trop étincelantes ; la mer trop semblable à un miroir et les feuilles de bananiers trop lustrées ; les statues trop blanches et les ombres trop courtes. Même les noix de coco portaient des lunettes de soleil.

Après quelques erreurs de direction, j'aperçus le dépôt de charbon de Cincoreales, point de repère pour trouver mon chemin au milieu du bidonville de chantiers navals, de jetées, de quais, de pontons, de bassins et de cales qui desservaient la flottille de bateaux dans la baie de Santiago. Je dévalai une côte pavée en pente raide, puis j'enfilai une rue étroite. De lourdes fixations de tramways qui ne circulaient plus pendaient au-dessus de nos têtes tel le gréement d'une goélette partie depuis longtemps sans lui. Je grimpai sur le trottoir face à une série de portes à double battant et plongeai mon regard dans les profondeurs d'un chantier.

Un barbu, le visage tanné, en short et en sandales, manœuvrait un bateau suspendu à une grue antédiluvienne. Je ne bronchai pas lorsque l'embarcation cogna contre la paroi du quai avant de heurter l'eau comme un pain de savon. Il est vrai que ce n'était pas mon bateau.

Nous descendîmes de la Chevy. Je sortis du coffre la valise de Melba et la portai dans le chantier, contournant avec précaution les pots de peinture, seaux, cordes et tuyaux, bouts de bois, pneus usagés et bidons d'huile. Le bureau, dans une petite cahute à l'arrière, était au moins aussi en désordre que le chantier lui-même. Mendy ne risquait pas d'obtenir de sitôt le label de qualité des bonnes pratiques domestiques, mais il connaissait bien les bateaux, et, comme j'avais des notions des plus sommaires sur la question, c'était parfait.

Autrefois, il y a longtemps de ça, Mendy avait été blanc. Mais toute une vie passée en mer ou à proximité avait donné à la partie de son visage que ne masquait pas une barbe poivre et sel la couleur et la texture d'un vieux gant de base-ball. On l'aurait bien vu dans un hamac sur un navire de pirates en route pour Saint-Domingue, un *hornpipe* dans une main et une bouteille de rhum dans l'autre. Il finit ce qu'il était en train de faire et n'eut pas l'air de me remarquer jusqu'à ce que la grue ait disparu, et même alors il se contenta d'un :

« *Señor* Hausner. »

Je lui rendis son signe de tête.

« Mendy. »

Il sortit un cigare à moitié fumé de la poche de poitrine de sa chemise sale et l'enfonça dans un espace entre barbe et moustache avant de passer les minutes suivantes à se palper à la recherche d'un briquet.

« Mendy, voici la *señorita* Otero. Elle vient sur le bateau avec moi. J'ai eu beau lui expliquer que ce n'était qu'un misérable rafiot de pêcheur, sa valise et elle semblent nourrir l'illusion que nous partons en croisière sur le *Queen Mary*. »

Mendy nous lança de petits coups d'œil tour à tour comme s'il regardait une partie de ping-pong. Puis il lui sourit et dit :

« Mais la *señorita* a entièrement raison, *señor* Hausner. La première règle quand on va en mer, c'est qu'il faut être prêt à tout et n'importe quoi.

— Merci, dit Melba. C'est ce que j'ai répondu. »

Se tournant vers moi, Mendy secoua la tête.

« Manifestement, vous ne connaissez rien aux femmes, *señor*.

— Encore moins qu'aux bateaux. »

Mendy laissa échapper un gloussement.

« Il vaudrait mieux pour vous que ce soit un peu plus que ça. »

Il nous emmena hors du chantier naval jusqu'à un ponton en forme de L où une vedette était amarrée. Nous montâmes à bord. Mendy démarra le moteur d'un coup sec puis se dirigea vers la baie. Cinq minutes plus tard, nous nous immobilisions à côté d'un bateau de pêche sportive en bois de onze mètres de long.

La Guajaba était étroite, avec une poupe large, un pont et trois compartiments. Elle avait deux moteurs Chrysler, développant dans les quatre-vingt-dix chevaux chacun, ce qui lui donnait une vitesse maximale d'environ neuf nœuds. Et c'était à peu près tout ce que je savais à son sujet, à part l'endroit où je rangeais le cognac et les verres. J'avais gagné le bateau au cours d'une partie de backgammon, à un Américain propriétaire du bar Bimini dans la calle Obispo. Avec le plein de carburant, *La Guajaba* possédait une autonomie de quelque huit cents kilomètres, et il y avait moitié moins jusqu'à Port-au-Prince. Je m'en étais servi trois fois en autant d'années, et ce que j'ignorais sur les bateaux aurait rempli plusieurs almanachs maritimes, sinon la totalité. Mais je savais me servir d'un compas et je pensais que tout ce que j'avais à faire, c'était de pointer l'avant vers l'est et, selon le principe de navigation de Thor Heyerdahl, de continuer jusqu'à ce qu'on atteigne quelque chose. Je voyais mal comment ce que nous atteindrions ne serait pas l'île d'Hispaniola ; après tout, la cible mesurait soixante-quinze mille kilomètres carrés.

Je tendis à Mendy une poignée de billets et mes clés de voiture, puis j'embarquai. J'avais bien songé à mentionner Omara et qu'il aurait mieux valu pour moi qu'il tienne sa langue, mais ça ne semblait guère opportun. Cela aurait risqué de m'attirer cette franchise brutale qui fait, à juste titre, la renommée des Cubains ; nul doute qu'il aurait répondu que je n'étais qu'un de ces *gringos* pleins aux as, indigne du bateau que je possédais, ce qui aurait été la vérité : qui devient sucre attire les mouches.

Nous étions à peine partis que Melba descendit passer un maillot de bain deux pièces motif léopard qui aurait fait siffler un maquereau. C'est ce qu'il y a de bien avec les bateaux par une chaude journée. Ils font ressortir le meilleur des gens. Sous les remparts du château del Morro, perché au sommet d'un promontoire rocheux de soixante mètres de haut, l'entrée du port est pratiquement aussi large. Depuis le bord de l'eau, une interminable volée de marches friables, taillées dans le roc, monte jusqu'à l'édifice, à laquelle je faillis faire grimper le bateau. Cinquante mètres de pleine mer, et je réussis presque à nous jeter contre les rochers. Aussi longtemps que je regarderais Melba, nos chances d'atteindre Haïti ne pèseraient pas lourd.

« Je préférerais que tu te rhabilles.

— Mon bikini ne te plaît pas ?

— Il est ravissant. Mais si Christophe Colomb n'a pas pris de femmes avec lui sur la *Santa María*, c'est pour une bonne raison. Quand elles portent des bikinis, ça influe sur la conduite du navire. Avec toi dans le coin, il aurait probablement découvert la Tasmanie. »

Elle alluma une cigarette, m'ignorant, et je fis de mon mieux pour ignorer son dos. Je vérifiai le tachymètre, le niveau d'huile, l'ampèremètre et la température du moteur. Puis je jetai un coup d'œil par la vitre de la timonerie. Smith Key, une petite île jadis occupée par les Britanniques, s'étendait devant nous. Y vivaient beaucoup de pilotes et de pêcheurs de Santiago, et ses maisons couvertes de tuiles rouges ainsi que sa petite chapelle en ruine lui donnaient un aspect des plus pittoresques. Mais rien de comparable, cependant, avec le décor dans le bas du bikini de Melba.

La mer demeura calme jusqu'à l'embouchure du port, où il commença à y avoir un peu de houle. Je poussai la manette des gaz, maintenant un cap est-sud-est jusqu'à ce que Santiago ait disparu. Derrière nous, le sillage du bateau creusait sur des centaines de mètres une grande cicatrice blanche dans l'océan. Assise dans le fauteuil de pêche, Melba poussait des cris d'excitation à mesure que la vitesse augmentait.

« Incroyable, non ? s'exclama-t-elle. J'habite une île et je n'étais encore jamais montée sur un bateau.

— Moi, je serai bien content quand nous aurons quitté ce sabot », dis-je, avant d'aller prendre une bouteille de rhum dans le tiroir des cartes.

Au bout de trois ou quatre heures, la nuit tomba. Je pouvais distinguer les lumières de la base américaine de Guantánamo, scintillant à bâbord. C'était comme contempler les anciennes étoiles d'une galaxie toute proche, qui incarnait en même temps la vision d'un futur où la démocratie américaine gouvernerait le monde avec un revolver dans une main et une tablette de chewing-gum dans l'autre. Quelque part dans l'obscurité tropicale de ce littoral yankee, des milliers d'hommes en costume blanc effectuaient les tâches vides de sens de leur service impérial de haute mer. En réponse à la froide nécessité de nouveaux adversaires et de nouvelles victoires, ils s'entassaient dans leurs cités de mort flottantes gris métallisé, buvant du Coca-Cola et fumant leurs Lucky Strike tout en se préparant à libérer le reste de la planète de son désir irréfléchi d'être différent. Car les Américains et non les Allemands étaient à présent la race des seigneurs, et l'Oncle Sam avait succédé à Hitler et à Staline comme visage du nouvel empire.

Voyant ma lèvre retroussée, Melba dut lire ce qui se passait dans ma tête.

« Je les déteste, dit-elle.

— Qui ça ? Les *yanquis* ?

— Qui d'autre ? Nos braves voisins ont toujours rêvé de faire de cette île un de leurs États-Unis. Et sans eux, Batista n'aurait jamais pu se maintenir au pouvoir. »

Je pouvais difficilement la contredire. Surtout maintenant que nous avions passé la nuit ensemble. Surtout maintenant que je projetais de recommencer, dès que nous serions installés dans un gentil petit hôtel. D'après ce que j'avais entendu dire, Le Refuge, dans la station balnéaire de Kenscoff, à une dizaine de kilomètres de Port-au-Prince, correspondait peut-être au genre d'endroit que je cherchais. À près de mille cinq cents mètres d'altitude, Kenscoff bénéficiait d'un climat agréable toute l'année. Ce qui était plus ou moins le temps que je comptais rester. Naturellement, Haïti avait ses problèmes, tout comme Cuba, mais ce n'étaient pas les miens, alors quelle importance ? J'avais d'autres chats à fouetter, comme de savoir ce que j'allais faire quand mon passeport argentin arriverait à expiration. Et dans l'immédiat, il y avait la petite question épineuse de faire traverser sans encombre le passage du Vent à une embarcation grande comme un mouchoir de poche. J'aurais probablement dû m'abstenir de boire, mais, même avec les feux de navigation de *La Guajaba*, l'idée de piloter un bateau à travers le détroit au milieu des ténèbres me rendait un tantinet nerveux. Et, craignant que nous ne heurtions quelque chose – un récif, ou même une baleine –, je savais que je serais incapable de me détendre jusqu'à ce qu'il fasse à nouveau jour. Heure à laquelle, espérais-je, nous serions à mi-chemin d'Hispaniola.

Soudain, il y eut un motif beaucoup plus palpable de se tracasser. Un navire approchait rapidement, venant du nord. Il allait trop vite pour être un bateau de pêche, et le gros projecteur nous arrachant à l'obscurité était trop puissant pour appartenir à quoi que ce soit d'autre qu'un patrouilleur de l'US Navy.

« Qui est-ce ? demanda Melba.

— La marine américaine, j'imagine. »

Même avec le bruit de nos deux moteurs Chrysler, j'entendis Melba avaler sa salive. Elle était toujours aussi belle, sauf que maintenant elle avait l'air inquiète également. Elle se tourna brusquement et me regarda en écarquillant ses yeux marron.

« Qu'allons-nous faire ?

— Rien. Ce bateau est capable de nous rattraper et de nous tirer dessus. Le mieux pour toi, c'est de descendre, de te mettre au lit et d'y rester. Je m'occuperai du reste. »

Elle secoua la tête.

« Je ne les laisserai pas m'arrêter. Ils me livreraient à la police et...

— Personne ne va t'arrêter, dis-je en lui touchant la joue pour essayer de la rassurer. Je suppose qu'ils veulent seulement nous examiner de plus près. Alors fais ce que je te dis et tout ira bien. »

Je ralentis puis mis le levier de vitesses au point mort. Lorsque je sortis de la timonerie, la lumière aveuglante du projecteur me frappa en pleine figure. Avec l'engin de patrouille décrivant des cercles à distance autour de moi, je me faisais l'effet d'être un énorme gorille au sommet d'un gratte-ciel. Je gagnai la poupe, qui tanguait mollement, me resservis un verre et attendis calmement leur bon plaisir.

Une minute s'écoula, puis un officier en uniforme blanc vint du côté tribord de la canonnière, un porte-voix à la main.

« Nous cherchons plusieurs marins, dit-il, me parlant en espagnol. Ils ont volé un bateau dans le port de Caimanera. Un bateau semblable à celui-ci. »

Je levai les bras et secouai la tête.

« Il n'y a aucun marin américain à bord.

— Ça vous ennuie que nous montions nous en assurer ? »

Très ennuyé, je répondis à l'officier américain que ça ne m'ennuyait pas du tout. Il paraissait inutile de discuter. Un matelot servant une mitrailleuse calibre 50 sur le pont avant avait de grandes chances de l'emporter sur tous les arguments susceptibles de me venir à l'esprit. Je leur lançai donc une corde, sortis quelques défenses et les laissai accoster le long de *La Guajaba*. L'officier se pointa en compagnie d'un de ses sous-officiers. Il n'y avait pas grand-chose à dire ni sur l'un ni sur l'autre, sinon que leurs chaussures étaient noires et qu'ils ressemblaient à n'importe quel quidam qu'on a privé des trois quarts de ses cheveux et de sa capacité d'initiative. Ils trimbalaient des armes de poing, une paire de torches électriques et une vague odeur de menthe et de tabac, comme s'ils venaient juste de se débarrasser de leurs chewing-gums et de leurs cigarettes.

« Quelqu'un d'autre à bord ?

— Une amie, dans la cabine avant, répondis-je. Elle dort. Seule. Le dernier marin américain que nous ayons vu était Popeye. »

L'officier sourit, d'un petit sourire en coin, et se haussa légèrement sur la pointe des pieds.

« Ça vous gêne si on jette un coup d'œil ?

— Pas du tout. Mais laissez-moi vérifier que mon amie est en état de recevoir des visites. »

Il acquiesça. J'allai à l'avant et descendis. La cabine à l'odeur de moisi possédait un placard, un petit meuble de rangement et une couchette double contenant Melba, une couverture tirée jusqu'au menton. En dessous, elle portait encore son bikini, et je me promis de jeter l'ancre pour l'aider à l'enlever dès que les Amerloques auraient fichu le camp. Il n'y a rien de tel que l'air de la mer pour vous donner de l'appétit.

« Que se passe-t-il ? demanda-t-elle craintivement. Qu'est-ce qu'ils veulent ?

— Des marins américains ont volé un bateau à Caimanera, expliquai-je. Ils sont à leur recherche. Je ne pense pas qu'il y ait vraiment lieu de s'inquiéter. »

Elle roula les yeux.

« Caimanera. Oui, j'imagine ce qu'ils faisaient là, ces porcs. À peu près chaque hôtel de Caimanera est un bordel. Les *casas* portent même des noms patriotiques américains, comme le Roosevelt Hotel. Bande de salauds. »

J'aurais pu me demander comment elle était au courant, mais satisfaire leur curiosité me préoccupait bien davantage que la question futile de savoir comment ils satisfaisaient leurs désirs sexuels.

« C'est ce qu'Eisenhower appelle l'effet domino. Il y a des types qui ne peuvent pas se taper une nana sans faire tout un cirque. » J'indiquai du pouce la porte de la cabine derrière moi. « Bon, écoute, ils sont dehors. Ils veulent juste contrôler que leurs hommes ne sont pas cachés sous le lit ni rien. Je leur ai dit que j'allais voir si tu étais décente.

— Ça prendrait beaucoup plus de temps qu'il ne semblerait raisonnable. » Elle haussa les épaules. « Tu ferais mieux de les faire entrer, de toute façon. »

Je remontai sur le pont et leur indiquai le bas d'un signe de tête.

Ils franchirent la porte de la cabine d'un pas traînant, le visage rose d'embarras en constatant que Melba était toujours au lit, et, si je n'avais pas savouré la scène, je ne me serais peut-être pas aperçu que le sous-officier la fixait des yeux, puis la fixait de nouveau, sauf que la seconde fois ce n'était pas pour la raison qu'on devine, à savoir qu'elle faisait partie d'une photo accrochée sur la cloison au-dessus de son hamac. Ces deux-là s'étaient déjà rencontrés. J'en étais convaincu et lui également, si bien que, lorsque les Ricains retournèrent à la timonerie, le sous-officier prit son supérieur à part et lui dit quelque chose à voix basse.

Leur conversation devenant un peu plus houleuse, j'aurais peut-être dû m'en mêler, si ce n'est que l'officier déboutonna l'étui de son arme de poing, ce qui m'incita à me replier vers la poupe, où je m'installai dans le fauteuil de pêche. Je crois même avoir souri au type derrière le calibre 50, sauf que le fauteuil en question rappelait beaucoup trop une chaise électrique à mon goût, ce qui fait que, changeant de place, j'allai m'asseoir sur la glacière, qui pouvait contenir une tonne de glace. Je m'efforçai d'avoir l'air froid et distant. S'il y avait eu du poisson ou de la glace à l'intérieur, je me serais peut-être même glissé au milieu. À défaut, je bus une nouvelle goulée à la bouteille et fis de mon mieux pour garder le contrôle du mince fil retenant mes nerfs. Sans grand succès. Les Amerloques m'avaient planté un hameçon dans la bouche, et j'avais l'impression de faire des bonds de dix mètres dans les airs pour essayer de le recracher.

Lorsque l'officier revint à l'arrière, il tenait un Colt 45 automatique. Armé de surcroît. Bien que pas encore braqué sur moi. Il était juste là pour bien souligner un point, à savoir qu'il n'y avait pas de place sur le bateau pour la négociation.

« Je dois malheureusement vous prier de nous accompagner tous les deux à Guantánamo, monsieur », dit-il poliment, en Américain digne de ce nom, comme s'il n'y avait pas eu la plus petite arme dans sa main.

Je hochai lentement la tête.

« Puis-je vous demander pourquoi ?

— On vous donnera toutes les explications quand on sera à Gitmo.

— Si vous pensez vraiment que c'est nécessaire. »

De la main, il fit signe à deux marins de venir à mon bord, ce qui n'était pas plus mal, dans la mesure où l'un et l'autre se trouvaient entre la mitrailleuse et moi quand nous entendîmes soudain un coup de feu provenant du compartiment avant. Je sautai sur mes pieds, puis jugeai préférable d'en rester là.

« Surveillez-le ! hurla-t-il avant de descendre voir ce qui se passait, me laissant avec deux Colt pointés sur l'abdomen et le calibre 50 dirigé vers le lobe de l'oreille. Je me rassis dans le fauteuil de pêche, qui grinça comme une tronçonneuse lorsque je me laissai aller en arrière pour observer les étoiles. Il n'y avait pas besoin d'être Madame Blavatsky[1] pour savoir qu'elles ne présageaient rien de bon. Pas pour Melba. Ni pour moi, vraisemblablement.

Il s'avéra qu'elles ne présageaient rien de bon non plus pour le sous-officier américain. Il émergea sur le pont en titubant, pareil à l'as de carreau, ou peut-être bien l'as de cœur. Au milieu de sa chemise blanche se trouvait une petite tache rouge, et plus on la regardait, plus elle grossissait. Il oscilla comme un ivrogne pendant un moment, avant de s'écrouler lourdement sur le dos. En un sens, il avait l'air de ce que j'éprouvais à présent.

« Je me suis pris une balle », dit-il de façon superflue.

---

1. Célèbre spirite d'origine russe (1831-1891), membre fondateur de la Société théosophique et auteur de *La Doctrine secrète*.

2

Cuba, 1954

Plusieurs heures s'étaient écoulées. Le marin blessé avait été emmené à l'hôpital de Guantánamo, Melba faisait le pied de grue dans une cellule, et j'avais déjà raconté mon histoire, deux fois de suite. Je me débattais avec un double casse-tête, dont un seulement à l'intérieur de mon crâne. Nous étions quatre dans un bureau humide du bâtiment des maîtres d'armes de la marine américaine. Maîtres d'armes, c'est ainsi que l'US Navy appelait les marins responsables de l'application de la loi et des incarcérations. Des pandores en costume de marin. Les trois qui avaient écouté mon récit ne semblaient pas l'avoir trouvé davantage à leur goût la seconde fois. Ils remuaient leur gros derrière sur leurs chaises trop frêles, ôtaient de minuscules fils et peluches de leur uniforme d'un blanc immaculé et contemplaient leur reflet dans le bout renforcé de leurs chaussures noires et brillantes. C'était comme être interrogé par une assemblée syndicale de personnel hospitalier.

L'immeuble était silencieux, à l'exception du bourdonnement des tubes fluorescents au plafond et du cliquetis d'une machine à écrire ayant la taille et la couleur de l'USS *Missouri* ; chaque fois que je répondais à une question et que le flic de la marine tapait sur les touches de ce truc, c'était comme entendre quelqu'un – moi, selon toute vraisemblance – se faire couper les cheveux à grands coups de ciseaux bien aiguisés.

De l'autre côté d'une petite fenêtre grillagée, le jour naissant s'élevait au-dessus de l'horizon bleuté telle une traînée de sang. Ce qui ne semblait pas de bon augure dans la mesure où, de façon assez justifiée, les Amerloques me soupçonnaient à l'évidence d'avoir des liens beaucoup plus étroits avec Melba Marrero et ses crimes – au pluriel – que je ne l'avais admis. Il leur avait été d'autant plus facile d'en arriver à cette conclusion que je n'étais pas américain moi-même et que j'empestais le rhum.

Sur une table en Formica bleu clair, couverte de brûlures de cigarettes marronnasses, reposaient un certain nombre de dossiers ainsi que deux armes avec des étiquettes fixées au pontet comme si elles étaient à vendre. L'une d'elles était le petit pistolet de poche Beretta que Melba avait utilisé pour tirer sur le quartier-maître de troisième classe ; et l'autre, le Colt automatique qu'on lui avait dérobé quelques mois plus tôt et qui avait servi à assassiner le capitaine Balart devant l'hôtel Ambos Mundos, à La Havane. À côté des dossiers et des pistolets se trouvait mon passeport argentin bleu et or, et, de temps à autre, le flic de la marine chargé de mon interrogatoire le prenait et tournait les pages comme s'il n'en revenait pas qu'on puisse passer sa vie comme citoyen d'un autre pays que les États-Unis d'Amérique. Il se nommait le capitaine Mackay, et, de même que ses questions, il fallait se farcir son haleine. Chaque fois qu'il avançait son visage aplati, chaussé de lunettes, vers le mien, j'étais enrobé des relents aigres de ses dents cariées, de sorte qu'au bout d'un moment, je commençai à avoir la sensation d'être une chose mastiquée mais seulement à moitié digérée dans les profondeurs de ses entrailles yankees.

Avec un mépris mal dissimulé, il déclara :

« Cette histoire, comme quoi vous ne l'aviez jamais vue voilà encore deux ou trois jours, ça ne tient pas debout. Vraiment pas. Vous dites que c'est une *chica* avec qui vous avez eu des relations ; que vous lui avez proposé de partir quelques semaines sur votre bateau, ce qui expliquerait la somme considérable que vous aviez sur vous.

— C'est exact.

— Et malgré ça, vous prétendez ne savoir pratiquement rien d'elle.

— À mon âge, quand une jolie fille accepte de venir avec vous, mieux vaut ne pas poser trop de questions. »

Mackay eut un mince sourire. La trentaine environ, il était trop jeune pour que l'intérêt porté aux jouvencelles par un type d'âge mûr lui inspire beaucoup de sympathie. Il y avait une alliance à son doigt charnu, et je me figurai une fille saine, aux cheveux permanentés et avec un saladier sous un bras potelé, attendant son retour dans quelque logement public style jeu de construction, sur une base navale lugubre.

« Je vais vous donner mon avis. Je pense que vous vous dirigiez vers la République dominicaine pour acheter des armes destinées aux rebelles. Le bateau, l'argent, la fille, tout colle, aussi sûr que deux et deux font quatre.

— Eh bien, je vois que vous aimez les additions, capitaine. Mais je suis un homme d'affaires respectable. Plutôt à l'aise. Je possède un appartement très agréable à La Havane. Un emploi dans un hôtel-casino. Je ne suis guère le genre à travailler pour les communistes. Quant à la fille ? C'est seulement une *chica*.

— Certes. Mais elle a abattu un policier cubain. Et bien failli tuer un des miens.

— Peut-être. Mais m'avez-vous vu tirer sur qui que ce soit ? Je n'ai même pas élevé la voix. Dans ma branche, les filles – les filles comme Melba – rentrent dans les avantages en nature. Ce qu'elles font de leur temps libre… » Je marquai un temps d'arrêt, cherchant la meilleure formule. « N'est pas vraiment mon affaire.

— Sauf quand elle tire sur un Américain à bord de votre bateau.

— Je ne savais même pas qu'elle était armée. Si je l'avais su, j'aurais balancé le pétard par-dessus bord. Et elle aussi, éventuellement. Et si j'avais eu la moindre idée qu'on la soupçonnait d'avoir tué un policier, jamais je n'aurais invité la *señorita* Marrero à m'accompagner.

— Laissez-moi vous raconter quelque chose au sujet de votre petite amie, monsieur Hausner. » Mackay étouffa un rot, mais pas suffisamment pour mon propre confort. Puis, ôtant ses lunettes, il souffla dessus, et elles réussirent apparemment à ne pas se craqueler. « Elle s'appelle de son vrai nom María Antonia Tapanes, et elle était prostituée dans une *casa* de Caimanera, ce qui lui a permis de voler une arme de poing appartenant au quartier-maître Marcus. Voilà pourquoi il l'a reconnue quand il l'a vue sur votre bateau. Nous la soupçonnons fortement d'avoir été chargée par les rebelles d'assassiner le capitaine Balart. En fait, nous en sommes à peu près sûrs.

— Voilà qui me paraît difficile à croire. À aucun moment, elle ne m'a parlé politique. Elle avait l'air beaucoup plus encline à prendre du bon temps qu'à faire la révolution. »

Le capitaine ouvrit un des dossiers posés devant lui et le poussa dans ma direction.

« Il est pratiquement certain que votre petite amie est une communiste et une rebelle depuis déjà pas mal de temps. Voyez-vous, María Antonia Tapanes a passé trois mois à la prison de femmes de Guanajay pour son rôle dans le complot du dimanche de Pâques d'avril 1953. Puis, en juillet de l'année dernière, son frère Juan Tapanes a été tué lors de l'attaque contre la caserne de Moncada dirigée par Fidel Castro. Tué ou exécuté, ce n'est pas très clair. Lorsque María est sortie de prison et a appris la mort de son frère, elle s'est rendue à Caimanera, où elle a travaillé comme *chica* pour se procurer une arme. Un cas fréquent. Pour être franc, bon nombre de nos hommes se servent de leur arme comme monnaie d'échange pour acheter du sexe. Après quoi ils la déclarent volée. Bref, lorsque l'arme en question a refait surface, elle avait été utilisée pour tuer le capitaine Balart. Il y avait des témoins, par-dessus le marché. Une femme répondant à la description de María Tapanes lui a tiré une balle en pleine figure. Et une autre dans la nuque alors qu'il gisait sur le sol. Peut-être n'a-t-il eu que ce qu'il méritait. Qui peut le dire ? Et qui s'en soucie ? Ce que je sais, c'est que le quartier-maître Marcus a de la chance d'être en vie. Si elle s'était servie du Colt au lieu de ce petit Beretta, il serait aussi mort que le capitaine Balart.

— Est-ce qu'il va s'en sortir ?

— Il vivra.

— Et pour elle, qu'est-ce qui va se passer ?

— Nous devrons la remettre à la police de La Havane.

— J'imagine que c'est précisément ce qu'elle craignait. La raison qui l'a poussée à tirer sur le quartier-maître. Elle a dû s'affoler. Vous savez très bien ce qu'ils vont lui faire, non ?

— Cela ne me regarde pas.

— Alors peut-être que ça devrait. Peut-être que c'est votre problème à Cuba. Peut-être que si vous autres Américains accordiez un peu plus d'attention aux hommes qui gouvernent ce pays…

— Et peut-être que vous devriez vous soucier un peu plus de ce qui va vous arriver. »

C'était l'autre officier. On ne m'avait pas dit son nom. Tout ce que je savais sur lui, c'est que, chaque fois qu'il se grattait l'arrière de la tête, il en tombait des pellicules. Au total, il en avait un sacré paquet. Même ses cils avaient de minuscules flocons de peau coincés dedans.

« Supposons que ce ne soit pas le cas, répondis-je. Plus maintenant.

— Pardon ? »

Cessant de se gratter la tête, l'homme aux pellicules se mit à examiner ses ongles avant de me gratifier d'un froncement de sourcils.

« Nous en avons discuté toute la nuit, dis-je. Vous n'arrêtez pas de me poser les mêmes questions et moi de vous faire les mêmes réponses. Je vous ai donné ma version. Mais vous dites que vous n'y croyez pas. D'accord. Même moi, je peux discerner les failles. Vous en avez assez. J'en ai assez. Nous en avons tous assez. Pour autant, je n'ai pas l'intention de troquer ma version contre une autre. À quoi bon ? Si elle sonnait tellement mieux que l'originale, j'aurais commencé par celle-là. Donc, une chose est sûre, je ne vois pas l'intérêt de vous en raconter une deuxième. À partir de quoi, on vous en voudrait difficilement de penser que je me moque pas mal que vous me croyiez ou pas, vu que je n'ai aucun moyen, semble-t-il, de vous convaincre. D'une manière ou d'une autre, vous avez déjà votre idée. C'est toujours comme ça avec les flics. J'en sais quelque chose, j'ai moi-même été flic. Et comme le fait que vous me croyiez ou pas est désormais le cadet de mes soucis, vous pourriez légitimement en conclure que je me moque comme de l'an quarante de ce qui peut m'arriver. Eh bien, peut-être que oui ou peut-être que non, mais c'est moi qui sais et vous qui jugez, messieurs. »

Le flic aux pellicules recommença à se gratter, ce qui donna à la pièce l'allure d'une scène enneigée dans une petite boule en verre.

« Vous êtes bien bavard, m'sieur, pour quelqu'un qui ne parle pas beaucoup.

— C'est vrai, mais ça permet de tenir les coups-de-poing américains à l'écart de ma pomme.

— J'en doute, répondit le capitaine Mackay. J'en doute beaucoup.

— Je sais. Je ne suis plus aussi séduisant. Ce qui devrait d'autant plus vous inciter à me croire. Vous avez vu cette fille. Elle filait la trique à tous les matelots. J'étais aux anges. Comment dites-vous en anglais ? À cheval donné on ne regarde pas les dents ? Et si l'on va par là, c'est ce que vous devriez faire vous aussi, capitaine. Vous n'avez rien sur moi et un tas de choses sur elle. Elle a tiré sur ce quartier-maître. C'est évident. Et ça ne commence à se compliquer que lorsque vous essayez de m'impliquer dans une espèce de complot rebelle. Moi ? Je me réjouissais à l'idée de prendre de gentilles petites vacances avec du sexe à gogo. J'avais plein de pognon sur moi parce que j'envisageais d'acheter un bateau plus grand, et il n'y a pas de loi qui l'interdise. Je vous le répète, j'ai un bon boulot. À l'hôtel Nacional. Un joli appartement sur le Malecón, à La Havane. Je conduis une Chevrolet plutôt récente. Pourquoi renoncerais-je à tout ça pour Karl Marx et Fidel Castro ? Vous me dites que Melba, ou María, quel que soit son nom, est une communiste. Je l'ignorais. J'aurais peut-être dû lui poser la question, mais, quand je suis au lit, je préfère parler de choses cochonnes que de politique. Elle a envie de flinguer des flics et des marins américains, alors moi je dis qu'elle devrait aller en prison.

— Pas très galant de votre part.

— Galant ? Qu'est-ce que ça veut dire… galant ?

— Chevaleresque. » Le capitaine haussa les épaules. « Courtois.

— Ah, *cortés*. *Caballeroso*. Oui, je vois. » Je haussai les épaules à mon tour. « Et qu'est-ce que vous diriez de ceci, je me demande ? Elle essayait seulement de me protéger ? Fichez-lui la paix, capitaine, c'est juste une gosse ? Elle a eu une enfance difficile ? Bon. Si ça fait la moindre différence, je pense réellement que cette fille avait les chocottes, vous savez. Comme je l'ai déjà dit, vous n'ignorez pas ce qui se passera quand vous la remettrez aux autorités locales. Avec un peu de chance, ils lui laisseront ses fringues quand ils la baladeront à travers les cellules du poste de police. Et peut-être qu'ils ne la frapperont avec un nerf de bœuf qu'une fois tous les deux jours. Mais j'en doute.

— Ça n'a pas l'air de vous inquiéter outre mesure, dit le flic aux pellicules.

— Je prierai pour elle, c'est sûr. J'irai peut-être même jusqu'à lui payer un avocat. L'expérience vous enseigne que payer est plus utile que prier. Le Seigneur et moi, nous ne formons plus un ménage aussi uni qu'auparavant. »

Le capitaine eut un sourire railleur.

« Je ne vous aime pas, Hausner. La prochaine fois que je parlerai au Seigneur, je risque de le féliciter pour son bon goût. Vous avez un boulot à l'hôtel Nacional ? Allez vous faire voir. Je n'ai jamais aimé ce foutu hôtel non plus. Vous avez un chouette appartement sur le Malecón ? J'espère qu'il sera emporté par un ouragan, espèce d'enculé d'Argentin. Vous vous fichez de ce qui peut vous arriver ? Idem en ce qui me concerne, mon pote. Pour moi, vous n'êtes qu'un de ces fumiers de Sud-Américains à la grande gueule. Vous ne pouvez pas trouver de meilleure histoire ? Alors vous êtes plus stupide que vous n'en avez l'air. Vous avez été flic jadis ? Je ne veux pas le savoir, tas de merde. Tout ce que je veux, c'est que vous m'expliquiez comment il se fait que vous aidiez une meurtrière à fuir cette putain d'île minable où vous vivez. Quelqu'un vous a demandé un service ? Dans ce cas, je veux un nom. Quelqu'un vous a présentés l'un à l'autre ? Je veux un putain de nom. Vous l'avez levée sur le trottoir ? Donnez-moi le nom de cette maudite rue, connard. Des détails ou le placard, mon pote. Des détails ou le placard. On est allés à la pêche hier soir et on vous a attrapé, Hausner. Et je peux vous garder dans ma glacière aussi longtemps que vous ne m'aurez pas dit tout ce que je veux savoir. Des détails ou le placard, et je jetterai la putain de clé jusqu'à ce que je sois certain qu'il ne reste pas la plus petite information dans votre corps exsangue que vous n'ayez crachée sur cette saloperie de plancher. La vérité ? Je m'en tape. Vous voulez sortir d'ici ? Donnez-moi des faits simples et clairs. »

J'acquiesçai.

« En voilà un pour vous. Les pingouins vivent presque exclusivement dans l'hémisphère Sud. Est-ce suffisamment clair ? »

Je me reculai, la chaise en équilibre sur deux pieds, ce qui fut ma première erreur, et je souris, ce qui fut la seconde. Le capitaine se leva avec une rapidité surprenante. Il me dévisagea comme si j'étais un serpent dans un berceau, et l'instant d'après il se mit à beugler comme s'il s'était flanqué un coup de marteau sur le pouce. Avant que j'aie eu le temps d'effacer le sourire de mon visage, il s'en était lui-même occupé, faisant basculer la chaise, puis m'empoignant par les revers de ma veste et me soulevant la tête, mais seulement pour la cogner de nouveau par terre.

Les deux autres le prirent chacun par un bras pour l'obliger à s'écarter, ce qui laissait ses jambes libres de me piétiner la figure comme s'il essayait d'éteindre un incendie. Non que ce fût particulièrement douloureux. Il avait une droite genre *medecine ball*, et je ne sentais plus grand-chose depuis qu'il était entré en contact avec mon menton. Bourdonnant à la manière d'un gymnote, je restais là, immobile, attendant qu'il s'arrête pour pouvoir lui montrer qui dirigeait vraiment l'interrogatoire. Lorsqu'ils réussirent enfin à passer un anneau dans son museau pointu et à le tirer de force, j'étais pratiquement prêt pour ma prochaine vanne. Que j'aurais peut-être balancée, d'ailleurs, si mon nez n'avait pas pissé le sang.

Lorsque je fus absolument sûr de ne pas retourner au tapis, je me relevai en me disant que, si jamais ils recommençaient à me tabasser, c'est que je l'aurais bien mérité et que ça en valait la peine.

« Être flic, dis-je, c'est un peu comme chercher un truc intéressant à lire dans le journal. Le temps que vous le trouviez, vous en avez déjà plein les doigts. Avant la guerre, la dernière guerre, j'étais flic en Allemagne. Un flic honnête en plus, même si ça ne signifie pas grand-chose pour des macaques comme vous. En civil. Mais on a envahi la Pologne et la Russie, ils nous ont mis en uniforme gris. Pas vert, pas noir, pas marron, *gris*. Vert-de-gris, qu'ils appelaient ça. L'avantage avec le gris, c'est qu'on peut se rouler dans la boue toute la sainte journée et avoir l'air encore suffisamment chic pour rendre son salut à un général. C'était une des raisons. L'autre raison pour laquelle on portait du gris, c'est sans doute que ça nous permettait de faire ce qu'on faisait tout en continuant à penser qu'on suivait des règles – si bien qu'on pouvait se regarder en face en se levant le matin. En théorie, du moins. Je sais, stupide, n'est-ce pas ? Mais aucun nazi n'a jamais été assez stupide pour nous demander de porter un uniforme blanc. Et vous savez pourquoi ? Parce qu'il est très difficile de le garder propre, pas vrai ? Je veux dire, j'admire votre courage de mettre du blanc. Dans la mesure où, il faut bien le reconnaître, messieurs, tout se voit sur le blanc. Le sang en particulier. Et la manière dont on se comporte. Ce qui est un gros handicap. »

Instinctivement, chacun des hommes baissa les yeux sur la toile blanche de son uniforme immaculé, comme pour vérifier sa fermeture Éclair. C'est alors que je pris mon nez plein de sang dans mes doigts et leur en donnai pour leur argent, style Jackson Pollock. On pourrait faire valoir que j'avais besoin d'extérioriser mes sentiments plus que de simplement les illustrer ; et que ma technique rudimentaire consistant à leur envoyer mon propre sang à travers les airs n'était qu'un moyen de délivrer un message. Dans un cas comme dans l'autre, ils comprirent parfaitement, semble-t-il, ce que j'essayais d'exprimer. Et lorsqu'ils eurent cessé de me caresser les côtes et fourré dans une cellule, j'avais enfin la satisfaction de me dire que j'étais réellement moderne. J'ignore si leur uniforme blanc aspergé d'hémoglobine était de l'art ou pas. Mais je sais que j'aimais ça.

3

Cuba et New York, 1954

La cellule de dégrisement à Gitmo était une grande baraque en bois installée sur la plage, mais, pour quiconque atterrissait là sans avoir bu une goutte, elle se situait quelque part entre le premier et le deuxième cercle de l'enfer. Il y faisait certainement assez chaud.

J'avais déjà connu la détention. J'avais été prisonnier de guerre en Union soviétique, ce qui n'avait rien d'une sinécure. Mais Gitmo ne valait guère mieux. Les trois choses qui rendaient la cellule de dégrisement quasiment intenable étaient les moustiques et les ivrognes – et le fait que j'avais maintenant dix ans de plus. Avoir dix ans de plus n'est jamais une bonne chose. Les moustiques étaient pires – la base navale se résumait à un vulgaire marécage –, mais pas autant que les ivrognes. On peut supporter d'être enfermé n'importe où à condition d'instaurer une sorte de routine. Mais il n'y avait aucune routine à Gitmo, à moins de compter le flux régulier, de la tombée de la nuit au lever du jour, de marins américains ivres morts. Presque tous arrivaient en sous-vêtements. Certains étaient violents ;

d'autres cherchaient à copiner avec moi ; d'autres encore s'amusaient à me faire cavaler à travers la cellule à coups de pied ; quelques-uns avaient envie de chanter ; d'autres, de crier ; d'autres, de démolir les murs avec leur crâne ; presque tous étaient incontinents ou dégueulaient tripes et boyaux, parfois même sur moi.

Au début, j'avais cette drôle d'idée qu'on m'avait fourré là parce qu'il n'y avait pas de place ailleurs ; mais, au bout de deux semaines, je commençai à me dire que, si on me gardait dans ce trou, c'était pour un autre motif. J'essayai de parler aux gardiens, leur demandai à plusieurs reprises de quel droit on me retenait captif, sans succès. Ils me traitaient comme n'importe quel autre prisonnier, ce qui aurait été très bien si les autres prisonniers n'avaient pas tous été couverts de bière, de sang et de vomi. La plupart du temps, ces détenus étaient relâchés en fin d'après-midi, alors qu'ils avaient cuvé leur vin, et, pendant quelques heures du moins, je parvenais à oublier l'humidité, la chaleur de quarante degrés et la puanteur des déjections humaines, et à dormir un peu ; avant d'être réveillé par l'arrivée de la « bouffe », par quelqu'un lavant la cellule à la lance d'incendie ou encore, le pire de tout, par un rat mangeur de bananes, si tant est qu'il s'agisse de rats : environ soixante-dix-sept centimètres de longueur pour une trentaine de kilos, ces rois des rongeurs semblaient tout droit sortis d'un film de propagande nazie ou d'un poème de Robert Browning.

Au début de la troisième semaine, un sous-officier du service des maîtres d'armes me fit sortir de la cellule, me conduisit à une salle de bains où je pus prendre une douche et me raser, et me rendit mes vêtements.

« On vous transfère aujourd'hui, m'annonça-t-il. À Fort Williams.

— Où est-ce ?

— À New York.

— New York ? Pourquoi ? »

Il eut un haussement d'épaules.

« Aucune idée.

— C'est quel genre, ce Fort Williams ?

— Une prison militaire américaine. On dirait que vous êtes le client de l'armée à présent, et plus de la marine. »

Il me donna une cigarette, sans doute pour que je la ferme, ce qui fonctionna. Il y avait un filtre au bout, censé protéger ma gorge, lequel remplit parfaitement son office, je présume, dans la mesure où je passai plus de temps à regarder la clope qu'à la fumer vraiment. J'avais fumé pendant la majeure partie de ma vie – à une période, j'avais même été accro au tabac –, mais on avait du mal à imaginer qu'on puisse devenir dépendant d'un truc ayant aussi mauvais goût qu'un filtre de cigarette. C'était comme manger un hot-dog après cinquante ans de Bratwurst.

Le sous-officier m'escorta jusqu'à une autre baraque, contenant un lit, une chaise et une table, dans laquelle il m'enferma. Il y avait même une fenêtre ouverte. Elle avait des barreaux, mais ça ne me dérangeait pas et, pendant un moment, je restai assis, respirant un air plus frais que celui auquel j'étais habitué et contemplant la mer. Une grande tache d'un bleu sombre. Malgré tout, je me sentais d'humeur encore plus sombre. Une prison militaire américaine, voilà qui paraissait beaucoup plus sérieux que la cellule de dégrisement de Gitmo. Et il ne me fallut pas longtemps pour en arriver à la conclusion que la marine avait dû parler de moi à la police de La Havane ; que la police avait été en contact avec le lieutenant Quevedo, du renseignement militaire cubain – le SIM ; lequel lieutenant du SIM avait révélé aux Américains mon vrai nom et mon passé. Avec un peu de chance, je pourrais peut-être raconter à quelqu'un du FBI tout ce que je savais sur Meyer Lansky et la pègre de La Havane, et m'éviter ainsi un voyage de retour en Allemagne, et très probablement un procès pour meurtre. La République fédérale avait aboli la peine capitale en 1949 ; mais, s'agissant des Américains, j'aurais été bien en peine de répondre. Les Yankees avaient pendu quatre criminels de guerre nazis à Landsberg pas plus tard qu'en 1951. Au demeurant, peut-être me renverraient-ils à Vienne, où on m'avait collé la mort de deux femmes sur le dos. Perspective encore moins rassurante. Les Autrichiens étant ce qu'ils sont avaient, eux, conservé la peine de mort en cas de meurtre.

Le lendemain, après m'avoir menotté, on m'emmena à un aérodrome, où je montai à bord d'un Douglas C-54 Skymaster en compagnie de militaires divers et variés allant retrouver femmes et enfants. Nous volâmes vers le nord sept heures durant avant de nous poser sur la base aérienne Mitchell, comté de Nassau, État de New York. Là, je fus confié aux bons soins de la police de l'armée de terre américaine. Sur le bâtiment principal de l'aéroport se trouvaient un tableau indiquant les unités affectées à la base de Mitchell ainsi qu'une pancarte sur laquelle on pouvait lire : *Bienvenue aux États-Unis*. Dans mon cas, ça n'en donnait pas vraiment l'impression. Les menottes de l'aviation furent échangées contre celles, tout aussi inconfortables, des forces armées, et on me fourra dans un panier à salade tel un chien errant infesté de puces. Le fourgon était dépourvu de fenêtres, mais je savais que nous roulions vers l'ouest. Comme nous avions atterri sur la côte nord-est des États-Unis, notre convoi solitaire ne pouvait aller nulle part ailleurs. Un des MP portait un fusil de chasse, au cas où nous rencontrerions des Indiens ou des bandits. Ce qui semblait une sage précaution. Après tout, il restait toujours la possibilité que Meyer Lansky s'inquiète du pétrin dans lequel j'étais ; peut-être même suffisamment pour faire quelque chose. Lansky était un type sérieux. Du genre à prendre constamment soin de ses employés, d'une façon ou d'une autre. Comme tous les joueurs, il avait une préférence pour les certitudes. Et rien n'est plus certain qu'une balle dans la tête.

Quatre-vingt-dix minutes plus tard, les portes du panier à salade s'ouvrirent devant une forteresse apparemment bâtie sur une île. En grès, d'environ quinze mètres de haut, avec trois étages. Vieille et laide, elle aurait été plus à sa place dans le vieux Berlin, ailleurs qu'à New York en tout cas, impression que ne faisait qu'accentuer la vue des immeubles beaucoup plus élevés du sud de Manhattan. Lesquels se dressaient, miroitants, sur l'autre rive d'une vaste étendue d'eau et ressemblaient étrangement aux murailles de quelque Troie moderne. C'était la première fois que je voyais New York et, tout comme Tarzan, je ne fus pas aussi impressionné que j'aurais peut-être dû. Il est vrai que j'avais toujours les menottes.

Les MP me firent monter jusqu'à une arche cintrée, puis ils me détachèrent et me laissèrent sous la garde d'un sergent noir. Celui-ci me passa une nouvelle paire de menottes et, tirant dessus, se dirigea vers une cour en forme de trou de serrure où au moins deux cents hommes en treillis vert déambulaient sans but. Une tour biscornue en brique, plus haute que les murs crénelés, donnait sur une série de balcons en béton, où des gardiens armés nous surveillaient derrière une grande vitre en verre renforcé. La cour avait beau être à l'air libre, elle n'en sentait pas moins la cigarette, le bois fraîchement coupé et les corps mal lavés des soldats en détention, qui observèrent mon arrivée avec un mélange de curiosité et de dédain.

Il faisait plus chaud qu'en Russie et il n'y avait pas de portraits de Staline et de Lénine à admirer, mais, pendant un instant, je me crus revenu au camp n° 11, à Voronej. Que New York fût à deux kilomètres seulement semblait totalement impensable. Pourtant, je pouvais presque entendre le grésillement des hamburgers et des frites, et aussitôt je me mis à avoir faim. En rentrant au camp n° 11, nous avions toujours faim, du matin au soir, tous les jours de la semaine ; en prison, certains jouent aux cartes, d'autres essaient de garder la forme, mais, à Voronej, notre principal passe-temps consistait à attendre qu'on nous nourrisse. Non pas que nous étions nourris avec de la nourriture : potage de *kacha* et *chleb* – un truc humide, noirâtre, ressemblant à du pain et ayant goût de mazout –, voilà ce que nous mangions. Ces types à Fort Williams étaient mieux lotis. Dans leurs yeux continuait à briller la lueur de la résistance et de l'évasion. Jamais un *pleni* dans un camp de travail russe n'avait cet air-là. Le seul fait de regarder un garde du MVD[1] avec une telle

---

1. Le MVD désigne à partir de 1946 le ministère de l'Intérieur soviétique, c'est-à-dire la police politique. Les *pleni* sont des prisonniers dans les camps russes.

insolence aurait signifié risquer un passage à tabac, sinon pire ; et personne ne songeait à essayer de s'enfuir : il n'y avait nulle part où s'enfuir.

M'entraînant dans la tour biscornue, le sergent grimpa un escalier métallique en colimaçon jusqu'au deuxième niveau de la forteresse.

« On va te donner une cellule rien que pour toi, expliqua-t-il. Vu que tu restes pas longtemps avec nous.

— Ah ? Et où est-ce que je vais ?

— L'isolement, ça vaut nettement mieux pour toi, dit-il, ignorant ma question. Nettement mieux pour toi, nettement mieux pour les hommes. La nouvelle merde et la vieille merde se mélangent pas bien dans ce putain d'égout. Surtout quand la nouvelle merde a une odeur différente. J'veux pas savoir ce que t'es, espèce de larve, mais tu fais pas partie de l'armée. Alors t'es en quarantaine le temps qu'on te reçoit chez nous. Comme si t'avais une putain de fièvre jaune un jour et de la dysenterie le lendemain. T'entends ce que je te dis ?

— Oui, monsieur. »

Il ouvrit une porte en acier et me fit signe d'entrer.

« Ça vous ennuierait de me dire ce que c'est que cet endroit ?

— Fort Williams est la caserne disciplinaire de la 1re armée. Portant le nom du commandant du corps des ingénieurs qui l'a construit.

— Et l'île ? On est bien sur une île, n'est-ce pas ?

— Governors Island, dans la baie de New York. Et ne va pas te fourrer en tête l'idée stupide que tu pourrais te carapater.

— Jamais de la vie, monsieur.

— C'est pas seulement ton odeur qu'est différente, nouvelle merde. Ta façon de parler aussi. D'où tu es ?

— Peu importe. De loin d'ici et ça fait un bail. C'est de là que je viens. Et je n'attends pas de visites. Du moins, personne que j'aie envie de voir.

— Pas de famille, hein ?

— De famille ? Je ne sais même pas comment ça s'écrit.

— Alors heureusement qu'on t'a donné une vue sur la ville. Des fois que tu te sentirais un peu seul. »

Je m'approchai de la fenêtre et contemplai l'autre côté de la baie. Derrière moi, la porte se referma avec un claquement sonore semblable à un coup de canon. Je poussai un soupir. New York était immense, à tel point que je me sentis soudain tout petit ; si petit qu'il aurait fallu un microscope géant rien que pour me voir.

4

New York, 1954

Fort Williams avait servi de caserne jusqu'en 1865,
avant de devenir un centre de détention pour les prisonniers de guerre confédérés, ce qui lui donnait, pour
moi, des allures de second chez-soi. Puis, en 1903, le
fort avait été converti en prison modèle de l'armée
américaine. En 1916, on avait même installé l'électri-
cité et le chauffage central. Toutes choses que je tenais
d'un des gardiens, seuls êtres humains à m'adresser
la parole. Sauf qu'il n'avait plus rien d'une prison
modèle, à coup sûr. En ruine et surpeuplé, il puait
fréquemment la merde quand la plomberie se détra-
quait, c'est-à-dire sans arrêt. Le système d'écoulement
semblait laisser à désirer, le fort ayant été construit sur
de la terre de remblai apportée de Manhattan. Dont je
supposais, bien évidemment, qu'il s'agissait de cail-
lasse ; en Russie, terre de remblai avait souvent une
signification tout autre.

La vue depuis ma fenêtre constituait le principal
attrait de Fort Williams. Parfois, je pouvais voir des
yachts sillonner la baie en une sorte de géométrie

maritime. Mais, en majorité, c'étaient des bateaux bruyants transportant des déchets et faisant mugir leur sirène, et la ville s'étendant implacablement. Je n'avais quasiment rien d'autre à faire que regarder par cette fenêtre. En prison, on passe beaucoup de temps à regarder. On regarde les murs. On regarde le sol. On regarde le plafond. On regarde dans le vide. Une jolie vue était un peu un luxe. Quand des prisonniers mettent fin à leurs jours, ou à ceux des autres, c'est générale-ment parce qu'ils manquent d'occupation.

Moi aussi, je songeais pas mal à me suicider, car même la vue d'une ville ne vous soutiendra pas si longtemps que ça. J'imaginais également comment faire. J'avais beau ne pas avoir de ceinture ni de lacets, la plupart des détenus arrivent très bien à se pendre avec une chemise en coton. Presque tous les prison-niers que je connaissais qui s'étaient pendus – en Russie, il y en avait environ un par semaine – s'étaient servis de leur chemise. Par la suite, cependant, je décidai de me surveiller d'un peu plus près pour ne pas risquer de faire une bêtise et, de temps à autre, j'essayais de dialoguer avec moi-même. Ce qui n'était pas facile. Tout d'abord, je n'aimais pas beaucoup Bernhard Gunther. Il était cynique et blasé, ne pensait pas grand bien de ses semblables, et surtout pas de lui. Il avait vécu une guerre plutôt dure, d'une manière ou d'une autre, et fait un certain nombre de choses dont il n'était pas fier. Certes, des tas de gens éprouvaient le même sentiment, mais, dans son cas, ça n'avait pas été une partie de plaisir depuis ; quel que soit l'endroit où il étalait le tapis de la vie, il y avait toujours, semble-t-il, un étron dans l'herbe.

« Je parie que tu as eu une enfance difficile, toi aussi, dis-je. C'est pour ça que tu as choisi d'être flic ? Pour te venger de ton père ? Tu n'as jamais su t'y prendre avec les figures d'autorité, n'est-ce pas ? À l'évidence, tu ne serais pas dans ce pétrin si tu étais resté à La Havane et que tu avais accepté de travailler pour le lieutenant Quevedo. Essayer de faire ce qu'il faut n'a jamais vraiment été ton truc, hein, Gunther ? Tu aurais dû devenir un criminel, comme la plupart. Ainsi, tu aurais été du côté des vainqueurs un peu plus souvent.

— Hé, je croyais que tu étais censé m'empêcher de me suicider. Pour me saper le moral, je n'ai besoin de personne.

— D'accord, d'accord. Écoute, cet endroit n'est pas si mal. Trois repas par jour, une chambre avec vue et toute la paix et la tranquillité que puisse souhaiter un homme de ton âge. Ils lavent même les assiettes. Tu te souviens de ces boîtes de conserve rouillées dans lesquelles vous deviez manger en Russie ? Et de ce voleur de pain que tu as permis de liquider. Ou de tous ces camarades morts qu'il fallait empiler comme des fagots parce que le sol était trop froid et trop dur pour pouvoir les enterrer. Et peut-être as-tu oublié comment les "bleus[1]" avaient l'habitude de vous faire pelleter la chaux dans le vent. À tel point que tu saignais du nez toute la journée. Eh bien, comparé au camp n° 11, c'est l'hôtel Adlon ici.

— Tu m'as convaincu. Peut-être que je ne me suiciderai pas. Simplement, j'aimerais bien savoir ce qui se passe. »

---

1. Les « bleus » sont les gardes du MVD dans les camps russes.

Après toute cette discussion, je me sentis aussi serein que Hegel pendant un certain laps de temps ; peut-être des jours, probablement des semaines, je l'ignore. Je ne les avais pas marqués sur les murs comme il se doit, avec six traits verticaux et un septième en travers. On avait cessé de fabriquer ce genre de calendriers après que le gus au masque de fer se fut plaint de tous les graffitis couvrant les murs de sa cellule. De plus, le meilleur moyen de tuer le temps, c'est encore de faire comme s'il n'existait pas. Les gens font beaucoup « comme si » en prison. Et juste au moment où vous avez réussi à vous persuader qu'être enfermé comme une bête féroce a quelque chose de presque normal, deux types bizarres en costume et chapeau se ramènent pour vous annoncer que vous êtes expulsé vers l'Allemagne ; l'un d'eux vous menotte et, en moins de temps qu'il n'en faut pour le dire, vous voilà reparti pour l'aéroport.

Les costumes étaient de bonne qualité. Avec des plis de pantalon presque parfaits, semblables à l'étrave d'un grand vaisseau gris. Les chapeaux avaient une jolie forme et les chaussures, un poli étincelant, tout comme leurs ongles. Ils ne fumaient pas – du moins, pas pendant le travail – et ils sentaient légèrement l'eau de Cologne. L'un d'eux avait une petite chaîne de montre en or sur laquelle il gardait la clé de mes menottes. L'autre portait une chevalière qui brillait comme un bourgogne blanc bien frais. Ils étaient calmes, zélés et plutôt coriaces vraisemblablement. Ils avaient de belles dents blanches, du genre qui me rappelait que j'avais sûrement besoin d'aller voir un dentiste. Et ils ne m'avaient pas en odeur de sainteté. Loin de là. En fait, ils me détestaient cordialement. Je le savais parce que, chaque fois qu'ils me regardaient, ils faisaient la grimace, grommelaient tout bas ou grinçaient des dents et donnaient tous les signes de vouloir me mordre. Pendant la plus grande partie du trajet, il n'y eut que ces crocs éclatants à affronter ; puis, au bout d'une demi-heure, il leur fut impossible de se retenir plus longtemps et ils se mirent à aboyer.

« Foutu nazi ! » fit l'un.

Je ne répondis pas.

« Qu'est-ce qui t'arrive, salopard de nazi ? Tu as perdu ta langue ? »

Je secouai la tête.

« Allemand. Mais nazi, jamais.

— Aucune différence. Pas pour moi.

— Sans compter, reprit le premier, que tu étais dans la SS. Ce qui te rend encore pire qu'un assassin nazi. Ça fait de toi un mec qui aimait ça. »

Je ne pouvais pas en discuter avec lui. À quoi cela aurait-il servi ? Ils s'étaient déjà fait leur idée sur moi : John Wilkes Booth[1] aurait été écouté avec davantage de bienveillance que j'avais des chances d'en obtenir de ces deux-là. Mais, après des semaines de solitude, ça me démangeait de bavarder un peu.

« Vous êtes quoi ? Le FBI ? »

Le premier acquiesça.

« Exact.

— Un tas de SS étaient des flics comme vous, dis-je. Quand la guerre a commencé, j'étais inspecteur de police. On ne m'a pas laissé le choix en la matière.

---

1. John Wilkes Booth (1838-1865), acteur de théâtre américain et sympathisant des confédérés, qui assassina Abraham Lincoln.

— Je n'ai rien à voir avec toi, mon pote, répliqua le second agent. Rien. Tu m'entends ? » Il me tapota l'épaule avec son index pour faire bonne mesure ; on aurait dit qu'il forait un puits de pétrole. « Penses-y quand tu voleras vers tes petits copains responsables de massacres. Aucun Américain n'a jamais tué de Juif, m'sieur.

— Et les Rosenberg ? demandai-je.

— Un nazi ayant le sens de l'humour. Qu'est-ce que tu dis de ça, Bill ?

— Il va lui en falloir quand il retournera en Allemagne, Mitch.

— Les Rosenberg. Très drôle. Quel dommage qu'on ne puisse pas te faire frire, Gunther, comme on a fait frire ces deux-là.

— Ils étaient assistés par des avocats et ils ont eu un procès équitable. Et je sais que le juge et le procureur étaient juifs eux aussi. Juste pour ton information, le Boche.

— Très rassurant, dis-je. Malgré tout, je me sentirais encore plus rassuré si j'avais moi-même vu un avocat. Il paraît qu'il n'est pas rare dans ce pays que quelqu'un faisant l'objet d'une mesure d'expulsion soit présenté à un tribunal. Surtout alors que je risque, semble-t-il, de passer en jugement en Allemagne. J'avais cette curieuse idée que les droits de l'individu avaient réellement un sens pour les Américains.

— L'extradition n'a jamais été faite pour les fumiers de ton espèce, Gunther, rétorqua le fonctionnaire fédéral nommé Bill.

— En outre, précisa Mitch, tu n'as pas mis les pieds ici, d'un point de vue juridique. De sorte que tu ne peux pas être extradé officiellement. En ce qui concerne les tribunaux américains, tu n'existes même pas.

— Alors ce n'était qu'un mauvais rêve, hein ? »

Bill s'enfonça une tablette de chewing-gum dans la bouche et se mit à mastiquer.

« Exactement. Tu as tout imaginé, le Boche. Ça n'a jamais eu lieu. Et ceci non plus. »

J'aurais dû être prêt à signer. Depuis qu'on était montés dans le fourgon, leurs visages n'avaient cessé de m'envoyer des télégrammes. Je suppose qu'ils n'attendaient que le moment d'effectuer la livraison, et soudain ce fut chose faite, dans l'estomac, violemment, jusqu'au coude. J'entendais encore les cloches tinter dix minutes plus tard lorsque nous nous arrêtâmes, que les portes s'ouvrirent et qu'ils m'étendirent sur la piste tel du linge qu'on fait sécher. Un vrai coup de professionnel. Je grimpai les marches et me retrouvai dans l'avion avant d'avoir repris suffisamment mon souffle pour leur dire au revoir à tous les deux.

Comme nous décollions, j'avais une excellente vue de la statue de la Liberté. Il me vint cette idée bizarre que la femme en toge faisait le salut hitlérien. À tout le moins, pensais-je, le livre sous son bras gauche devait avoir quelques pages importantes qui manquaient.

5

Allemagne, 1954

J'étais déjà allé à Landsberg, mais en tant que visiteur seulement. Avant la guerre, des tas de gens allaient visiter la prison de Landsberg pour voir la cellule n° 7, où Adolf Hitler avait été enfermé en 1923 à la suite du putsch manqué de la brasserie et où il avait écrit *Mein Kampf* ; mais je ne faisais assurément pas partie de ceux-là. Je n'ai jamais été un grand amateur de biographies. Ma propre visite remontait à 1949, alors que, détective privé travaillant pour un client de Munich, j'étais venu interroger un officier SS condamné pour crimes de guerre du nom de Fritz Gebauer.

C'étaient les Américains qui dirigeaient la place, et il y avait là plus de criminels de guerre nazis sous les verrous que partout ailleurs en Europe. Deux ou trois cents avaient fini sur la potence de la prison entre 1946 et 1951, et beaucoup avaient été relâchés depuis, mais elle continuait à abriter certains des plus grands massacreurs de l'histoire. Dont plusieurs que je connaissais, même si j'évitais la plupart d'entre eux pendant les moments où nous autres prisonniers avions le droit de nous réunir librement. Il y avait même quelques condamnés japonais des procès de Shanghai. Mais nous avions peu ou pas de contacts avec eux.

La forteresse datait de 1910 et se trouvait, contrairement au reste de la vieille ville, à l'ouest du Lech : quatre blocs de brique disposés en forme de croix, au centre de laquelle se dressait une tour où nos gardes, casque d'acier, visage de marbre, faisaient des moulinets avec leurs bâtons blancs genre Fred Astaire et nous surveillaient.

Je me rappelais avoir reçu un jour une carte postale représentant la cellule de Hitler, et j'avais l'impression que la mienne ne s'en différenciait pas tellement : il y avait un étroit châlit en fer muni d'une petite table de nuit et d'une lampe de chevet, une table et une chaise ; et une grande fenêtre double avec plus de barreaux à l'extérieur qu'une cage de dompteur de lion. Elle était orientée au sud-ouest, ce qui veut dire que j'avais le soleil l'après-midi et le soir, ainsi qu'une jolie vue du cimetière de Spöttingen, où plusieurs des hommes pendus à la Prison pour criminels de guerre n° 1, la WCPN1 – comme l'appelaient les Américains –, étaient maintenant enterrés. Ce qui me changeait agréablement de ma vue de la baie de New York et du sud de Manhattan. Les morts font des voisins moins bruyants que les barges de transport de déchets.

La nourriture était bonne, sans être franchement allemande. Mais je n'aimais pas beaucoup les vêtements qu'on nous obligeait à porter. Le gris avec des rayures violettes ne m'a jamais vraiment convenu ; et, détail primordial, il manquait au petit chapeau blanc ce large bord inclinable qui a toujours eu mes faveurs, de sorte que j'avais l'air d'un singe jouant de l'orgue de Barbarie.

Peu après mon arrivée, j'eus la visite du père Morgenweiss, l'aumônier catholique, de Herr Doktor Glawik, un avocat désigné par le ministère de la Justice bavarois, et d'un membre de l'Association d'aide aux prisonniers allemands dont j'ai oublié le nom. La plupart des Bavarois, de même qu'un grand nombre d'Allemands, considéraient les détenus de la WCPN1 comme des prisonniers politiques. Point de vue que ne partageait pas l'armée américaine, bien évidemment, et il ne s'écoula pas longtemps avant que je reçoive aussi la visite de deux avocats américains de Nuremberg. Avec leur allemand au fort accent yankee et leur bonhomie de pacotille, ces deux-là étaient patients et très, très tenaces. Et cela ne me soulagea qu'en partie de m'apercevoir qu'ils ne semblaient guère intéressés par les deux meurtres de Vienne – dans lesquels je n'étais pour rien – et pas du tout par la mort des deux tueurs israéliens à Garmisch-Partenkirchen, dont j'étais indéniablement responsable, même s'il s'agissait d'un cas de légitime défense. Ce qui les intéressait en fait, c'étaient mes années de service pendant la guerre au sein du RSHA – l'Office central de la sécurité du Reich, créé en 1939 par la fusion du SD (le service de renseignements de la SS), de la Gestapo et de la Kripo.

Plusieurs fois par semaine, nous nous rencontrions dans une salle de réunion au rez-de-chaussée, près de l'entrée principale de la forteresse. Ils m'apportaient toujours du café et des cigarettes, un peu de chocolat et parfois un journal de Munich. Ni l'un ni l'autre ne dépassait la quarantaine, et le plus jeune était l'officier supérieur. Il s'appelait Jerry Silverman et, avant de venir en Allemagne, il avait été avocat à New York. Immensément grand, il portait une veste militaire verte en gabardine sur un pantalon clair en toile ; plusieurs rubans ornaient sa poitrine, mais, au lieu des barrettes en métal que la plupart des officiers américains arboraient sur l'épaule pour indiquer leur grade, Silverman et son sergent avaient une pièce de tissu cousue sur leurs manches qui les identifiait comme appartenant à l'OCCWC – l'*Office of the Chief Counsel for War Crimes*. De fait, ils portaient des uniformes, mais n'appartenaient pas à l'armée. C'étaient des bureaucrates du Pentagone, des procureurs du ministère américain de la Défense. Il n'y a qu'en Amérique qu'on pouvait avoir mis un uniforme à des avocats.

L'autre, plus âgé, était le sergent Jonathan Earp. Il mesurait une tête de moins que le capitaine Silverman et sortait de la fac de droit de Harvard – me confia-t-il durant un creux lorsque je lui posai la question – quand il avait rejoint les rangs de l'OCCWC.

L'un comme l'autre avaient un ou deux parents allemands, raison pour laquelle ils parlaient cette langue avec une telle aisance, même si Earp était le plus à l'aise ; toutefois, Silverman était plus malin.

Ils débarquaient armés de plusieurs attachés-cases bourrés de dossiers, mais ils les consultaient rarement ; chacun d'eux semblait balader tout un classeur dans sa tête. En revanche, ils prenaient des notes à tire-larigot ; Silverman avait une petite écriture extrêmement soignée et élégante qu'on aurait pu croire sortie de la plume de Völundr, le souverain des elfes.

Tout d'abord, je crus qu'ils avaient dans le collimateur les activités du RSHA et ma connaissance du Département VI, qui était le bureau du renseignement étranger ; mais ils avaient l'air d'en savoir autant que moi sur la question. Sinon plus. Et c'est seulement

petit à petit qu'il devint évident qu'ils me soupçonnaient de quelque chose de bien plus grave qu'un
double meurtre dans la région.

« Voyez-vous, expliqua Silverman, il y a certains
aspects de votre histoire qui ne sont tout simplement
pas clairs.

— On me le dit souvent.

— Vous dites avoir été Kommissar à la Kripo
jusqu'en…

— Jusqu'à ce que la Kripo fasse partie du RSHA,
en septembre 1939.

— Mais vous affirmez n'avoir jamais été membre
du parti. »

Je secouai la tête.

« N'était-ce pas inhabituel ?

— Pas du tout. Ernst Gennat, le directeur adjoint
de la Kripo de Berlin jusqu'en août 1939, n'a jamais
été, à ma connaissance, membre du parti nazi.

— Qu'est-il devenu ?

— Il est mort. De causes naturelles. Et il y en avait
d'autres. Heinrich Muller, le chef de la Gestapo. Lui
non plus n'a jamais adhéré au parti.

— Du reste, fit remarquer Silverman, il n'en avait
peut-être pas besoin. Il était, comme vous venez de le
dire, à la tête de la Gestapo.

— Je pourrais vous en citer encore pas mal. Mais
il faut vous souvenir que les nazis étaient des hypo-
crites. Parfois, ça les arrangeait de pouvoir utiliser des
gens qui n'appartenaient pas à l'organisation du parti.

— Ainsi, vous admettez vous être laissé utiliser, dit
Earp.

— Je suis en vie, non ? » Je haussai les épaules.
« Je suppose que c'est suffisamment parlant.

— Reste à savoir à quel point vous vous êtes laissé utiliser, répliqua Silverman.

— Ça m'ennuyait, moi aussi. »

Il était intelligent, mais il n'aurait jamais pu jouer au poker ; son visage était beaucoup trop expressif. Quand il pensait je mentais, il ouvrait toute grande la bouche et remuait sa mâchoire inférieure comme une vache mastiquant du tabac ; et quand une réponse le satisfaisait, il regardait ailleurs ou émettait un petit son triste comme s'il était désappointé.

« Vous aimeriez peut-être vous soulager d'un poids, suggéra Earp.

— Sérieusement. Vous voulez me faire plonger ou quoi ?

— C'est à nous d'en décider, Herr Gunther.

— Vous pourriez me l'arracher de force en me flanquant une raclée, comme vos amis de la marine et du FBI.

— Décidément, il semble que tout le monde ait envie de vous taper dessus, fit remarquer Earp.

— Je me demande seulement à quel moment vous deux allez vous figurer que c'est votre tour.

— Nous ne sommes pas comme ça au bureau du Chief Counsel. »

Silverman paraissait tellement sincère que je faillis le croire.

« Eh bien, pourquoi ne pas l'avoir dit plus tôt ? Maintenant, je me sens complètement rassuré.

— La plupart des individus qui sont ici nous ont parlé parce qu'ils en éprouvaient le désir, dit Earp.

— Et les autres ?

— Parfois, il est difficile de garder le silence quand tous vos amis vous ont débiné, répondit Silverman.

— Alors c'est parfait, je n'ai aucun ami. Et certainement pas ici. De sorte que celui qui me débinerait serait probablement un plus gros fumier lui-même. »

Silverman se leva et ôta sa veste.

« Ça vous ennuie si j'ouvre une fenêtre ? »

La formule de politesse était machinale, et il l'ouvrit de toute façon. D'ailleurs, je n'aurais pas pu sauter ; la fenêtre avait des barreaux, tout comme celle de ma cellule. Silverman resta là à regarder dehors, les bras croisés, l'air songeur, ce qui me fit repenser à une photo de presse montrant Hitler dans une attitude semblable lors d'une visite à Landsberg après qu'il fut devenu chancelier du Reich. Au bout de quelques instants, il demanda :

« Avez-vous déjà rencontré un certain Otto Ohlendorf ? Il était Gruppenführer – général de division – dans le RSHA. »

Il revint s'asseoir à la table.

« Oui, je l'ai rencontré une ou deux fois. Il s'occupait du Département III, je pense. Renseignement intérieur.

— Et quelle impression vous a-t-il faite ?

— Très forte. Un nazi convaincu.

— Il était également responsable d'une unité SS opérant dans le sud de l'Ukraine et en Crimée, expliqua Silverman. Unité qui a assassiné quatre-vingt-dix mille personnes avant qu'Ohlendorf regagne son bureau de Berlin. Comme vous dites, c'était un nazi convaincu. Mais, lorsque les Britanniques l'ont capturé en 1945, il est devenu bavard comme une pie. Avec eux et avec nous. En fait, on n'arrivait plus à l'arrêter. C'était incroyable. Il n'y avait ni contrainte, ni transaction, ni offre d'immunité. Il voulait tout simplement parler, semble-t-il. Vous devriez peut-être songer à en faire autant. Sortir ce que vous avez sur le cœur, comme lui. Il occupait cette chaise où vous êtes assis actuellement, et, pendant quarante-deux jours d'affilée, ça a été un vrai moulin à paroles. Ce qui ne l'empêchait pas de se conduire de façon extrêmement pragmatique. On pourrait même dire "normale". Il n'a pas pleuré, ne s'est pas excusé, mais je suppose qu'il y avait quelque chose qui tourmentait son âme.

— Certains des types ici l'aimaient beaucoup, ajouta Earp. Jusqu'à ce qu'on le pende. »

Je secouai la tête.

« Avec tout le respect que je vous dois, vous aurez du mal à fourguer cette idée que je m'épanche si la seule récompense à la clé se trouve au ciel. Et moi qui croyais que les Américains avaient la bosse du commerce.

— Ohlendorf était également un des protégés de Heydrich, dit Silverman.

— Ce qui signifie que moi aussi, d'après vous ?

— Vous avez déclaré vous-même que c'est Heydrich qui vous avait fait revenir à la Kripo, en 1938. Je ne vois pas comment il pourrait en être autrement, Gunther.

— Il avait besoin d'un vrai policier spécialisé dans les homicides. Pas d'un quelconque nazi obnubilé par l'antisémitisme. Lorsque je suis revenu à la Kripo, j'avais cette idée saugrenue que j'arriverais peut-être à empêcher un cinglé de zigouiller des jeunes filles.

— Mais ensuite…

— Vous voulez dire après que j'ai résolu l'affaire ?

— … vous avez continué à travailler pour la Kripo. À la demande du général Heydrich.

— Je n'avais pas vraiment le choix. C'était un homme difficile à décevoir.

— Mais qu'attendait-il de vous ?

— Heydrich avait beau être un salaud d'assassin à sang froid, c'était aussi quelqu'un de réaliste. Parfois, il préférait l'honnêteté à une loyauté indéfectible. Pour une ou deux personnes telles que moi, qu'elles suivent la ligne officielle du parti importait moins que le fait qu'elles accomplissent du bon travail. Surtout si, comme moi, elles se souciaient fort peu de gravir les échelons de la SS.

— Curieusement, c'est aussi de cette façon qu'Otto décrivait ses propres relations avec Heydrich, fit observer Earp. De même que Jost. Heinz Jost ? Peut-être que vous vous souvenez de lui ? C'est l'homme que Heydrich avait désigné pour succéder à votre ami Walter Stahlecker à la tête de l'Einsatzgruppe[1] A lorsqu'il a été tué par des partisans estoniens.

— Walter Stahlecker n'a jamais été mon ami. Où avez-vous pêché ça ?

— C'était le frère de votre associé, non ? À l'époque où vous dirigiez ensemble une agence de détectives privés à Berlin, en 1937.

---

1. Les Einsatzgruppen (« groupes d'intervention ») étaient des unités de police militarisées opérant à l'arrière des troupes allemandes lors de l'invasion de la Pologne puis de l'Union soviétique et des États baltes. Ils assassinèrent plus d'un million de personnes de 1940 à 1943, essentiellement des Juifs et des prisonniers de guerre soviétiques. Au nombre de quatre (A, B, C, D), ils étaient divisés en Einsatzkommandos (« commandos d'intervention ») et en Sonderkommandos (« commandos spéciaux »).

— Depuis quand est-on responsable des actes de son frère ? Bruno Stahlecker n'aurait pas pu être plus différent de Walter. Il n'était même pas nazi.

— Mais vous avez bien rencontré Walter Stahlecker, tout de même.

— Il est venu à l'enterrement de Bruno. En 1938.

— Et en d'autres circonstances ?

— Probablement. Je ne me rappelle pas à quelle date exactement.

— À votre avis, avant ou après qu'il eut orchestré le massacre de deux cent cinquante mille Juifs ?

— Eh bien, ce n'était pas après. Et, soit dit en passant, il s'appelait Franz Stahlecker, pas Walter. Bruno ne l'a jamais appelé Walter. Mais, pour en revenir un instant à Heinz Jost, le type qui a repris l'Einsatzgruppe A lorsque Franz Stahlecker s'est fait tuer. Serait-ce le même Heinz Jost qui a été condamné à perpétuité puis libéré sur parole de cet endroit il y a deux ans ? C'est de lui que vous voulez parler ?

— Nous ne faisons que les poursuivre, protesta Silverman. Quel individu est libéré et quand, cela dépend du haut-commissaire américain en Allemagne.

— Et le mois dernier, j'ai appris que ça avait été le tour de Willy Seibert de sortir d'ici. Bon, corrigez-moi si je me trompe, mais n'était-ce pas l'adjoint d'Otto Ohlendorf ? Au moment où ces quatre-vingt-dix mille Juifs ont été assassinés ? Quatre-vingt-dix mille, et vous autres le laissez sortir d'ici ? J'ai l'impression que McCloy ferait bien d'aller voir un psychiatre.

— Le haut-commissaire est maintenant James Conant, précisa Earp.

— Dans tous les cas, je ne vois vraiment pas pourquoi vous vous emmerdez, les gars. Moins de dix ans pour quatre-vingt-dix mille meurtres ? Ça ne semble pas très approprié. Je ne suis pas un aigle en maths, mais je dirais que ça représente environ une journée pour vingt-cinq meurtres. J'ai tué des gens pendant la guerre, c'est vrai. Mais, au regard de la condamnation prononcée contre des lascars comme Jost et Seibert, et cet autre nazi – Erwin Schulz, en janvier –, putain, j'aurais dû être libéré sur parole le jour même de mon arrestation.

— Au moins, ça nous donne un quota sur lequel nous baser, murmura Earp.

— Sans parler des SS qui sont toujours ici, continuai-je sans lui prêter attention. Vous ne pouvez pas croire sérieusement que je mérite de me retrouver dans la même prison que des Martin Sandberger et des Walter Blume.

— Parlons-en, dit Silverman. Parlons de Walter Blume. Lui, vous devez sûrement le connaître, parce que, comme vous, il a été policier et il bossait pour votre ancien patron, Arthur Nebe, dans l'Einsatzgruppe B. Blume était responsable d'une unité spéciale, un Sonderkommando, sous les ordres de Nebe, avant que ce dernier passe le relais à Erich Naumann en novembre 1941.

— En effet, je l'ai rencontré.

— Nul doute qu'une foule de souvenirs ont dû vous revenir en mémoire à tous les deux depuis que vous êtes arrivé ici et que vous avez pu renouer le contact.

— Je l'ai vu, naturellement. Depuis que je suis ici. Mais on ne s'est pas parlé. Et on n'est pas près de le faire.

— Pourquoi ça ?

— Je croyais qu'il s'agissait de réunions libres. Est-ce que je dois expliquer avec qui j'accepte de parler et avec qui je préfère m'abstenir ?

— Il n'y a rien de libre ici, rétorqua Earp. Allons, Gunther. Vous pensez être meilleur que Blume ? C'est ça ?

— Vous semblez avoir déjà les réponses à un tas de choses. Pourquoi ne pas me le dire ?

— Je ne comprends pas. Pourquoi parleriez-vous ici à un homme comme Waldemar Klingelhöfer et pas à Blume ? Klingelhöfer appartenait à l'Einsatzgruppe B, lui aussi. L'un et l'autre se valent assurément.

— En somme, ajouta Silverman, ça doit être comme au bon vieux temps pour vous, Gunther. Revoir tous vos vieux potes. Adolf Ott, Eugen Steimle, Blume, Klingelhöfer.

— Allons, insista Earp. Pourquoi lui parler à lui et pas aux autres ?

— C'est parce que les autres prisonniers refusent de lui adresser la parole sous prétexte qu'il a trahi un collègue officier SS ? demanda Silverman. Ou parce qu'il paraît regretter ses agissements à la tête du Vorkommando Moskau ?

— Avant de prendre en charge ce commando, dit Earp, votre ami Klingelhöfer a fait ce que vous prétendez avoir fait vous-même. Il a mené une chasse aux partisans. À Minsk, n'est-ce pas ? Où étiez-vous ?

— En train d'exécuter des Juifs, comme Klingelhöfer ?

— Vous pourriez peut-être me laisser répondre à une question à la fois, répliquai-je.

— Rien ne presse, fit remarquer Silverman. Nous avons tout le temps. Pourquoi ne pas commencer par le commencement ? Vous dites avoir reçu l'ordre de rejoindre un bataillon de réserve de la police, le 316e, à l'été 1941, dans le cadre de l'opération Barbarossa.

— C'est exact.

— Alors comment se fait-il que vous ne soyez pas allé à Pretzsch au printemps ? demanda Earp. À l'école de police pour la formation et l'affectation installée là-bas. De l'avis général, presque tous ceux qui devaient se rendre en Russie allaient à Pretzsch. Gestapo, Kripo, Waffen-SS, SD, tout le RSHA.

— Heydrich, Himmler et plusieurs milliers d'officiers, ajouta Silverman. D'après les témoignages que nous avons entendus précédemment, après ça tout le monde savait de quoi il retournait quand on partait pour la Russie. Mais vous prétendez ne pas avoir été à Pretzsch, raison pour laquelle toute cette affaire de massacre de Juifs aurait été une surprise particulièrement désagréable pour vous. Eh bien, pourquoi n'étiez-vous pas à Pretzsch ?

— Qu'est-ce que vous aviez dégoté ? Un certificat médical ?

— J'étais encore en France, répondis-je. En mission spéciale, pour le compte de Heydrich.

— Commode, n'est-ce pas ? Que je comprenne bien : quand vous avez rejoint le 316e bataillon, à la frontière russo-polonaise, en juin 1941, vous aviez réellement l'impression que votre tâche se résumerait à faire la chasse aux partisans et au NKVD, c'est bien ça ?

— Oui. Mais avant même que j'arrive à Vilnius, j'avais commencé à entendre raconter des histoires de pogroms locaux comme quoi les Juifs du NKVD s'évertuaient à tuer tous leurs prisonniers plutôt que de les relâcher. Tout ça était extrêmement confus. À quel point, vous n'en avez pas idée. Franchement, je n'y ai pas cru tout d'abord. Pendant la Grande Guerre, il circulait un tas de rumeurs du même genre, qui se sont ensuite révélées fausses pour la plupart. » Je haussai les épaules. « Dans ce cas précis, cependant, les rumeurs même les plus terrifiantes et les plus farfelues étaient presque toutes vraies.

— Quels étaient vos ordres au juste ?

— Notre travail consistait à assurer la sécurité. À mettre de l'ordre derrière les lignes de notre armée en marche.

— Et vous faisiez ça comment ? demanda Silverman. À coups de meurtres ?

— Vous savez, en tant que détective dans un bataillon de police, j'ai eu tout le temps d'étudier mes soi-disant camarades. Et il s'est avéré qu'un grand nombre de ces salauds de criminels au sein des Einsatzgruppen étaient des avocats. Comme vous, les gars. Blume, Sandberger, Ohlendorf, Schulz et d'autres, je pense, mais j'ai oublié leurs noms. Il m'arrivait souvent de me demander pourquoi il y avait autant d'avocats impliqués dans ces tueries. Qu'en dites-vous ?

— C'est nous qui posons les questions, Gunther.

— Voilà qui est parler en véritable avocat, Mister Earp. Entre parenthèses, comment se fait-il que je n'en aie pas un avec moi ? Sauf votre respect, messieurs, cet interrogatoire n'est guère conforme aux règles de la justice allemande ; ni même, j'imagine, à celles de la justice américaine. Est-ce que chaque Américain ne bénéficie pas du droit, garanti par le cinquième amendement, de refuser de témoigner contre lui-même ?

— Cet interrogatoire constitue une étape nécessaire

afin de déterminer si vous devez être jugé ou relaxé, répondit Silverman.

— C'est ce que nous appelions, nous autres flics de Berlin, une partie de pêche esquimau. Vous faites descendre une ligne à travers un trou dans la glace en espérant attraper quelque chose.

— En l'absence de preuves et de documentation suffisantes, continua Silverman, la seule façon d'avoir connaissance d'un délit est parfois d'interroger un suspect tel que vous, Gunther. C'est ce que nous a appris notre expérience avec les affaires de crimes de guerre.

— Des conneries. Nous savons tous les deux que vous êtes assis sur une tonne de documentation. Et tous ces papiers que vous avez récupérés dans les locaux de la Gestapo et qui se trouvent à présent au Berlin Document Center ?

— Deux tonnes, en fait. Entre huit et neuf millions de documents pour être précis. Et huit ou neuf représente le total de notre effectif à l'OCC. Avec le procès des Einsatzgruppen, nous avons eu du pot : nous avions réussi à mettre la main sur les rapports proprement dits rédigés par les responsables des groupes d'intervention. Douze classeurs contenant une vraie mine d'informations. Par conséquent, nous n'avions même pas besoin de témoins à charge. Malgré tout, il nous a fallu quatre mois pour monter le dossier. Quatre mois. Avec vous, cela risque de prendre plus longtemps. Vous tenez vraiment à moisir ici encore quatre mois pendant que nous essayons de savoir si vous devez répondre à des accusations ?

— Allez-y, vérifiez ces rapports des chefs des groupes d'intervention. Ils me disculperont certainement. Pour la bonne raison que je n'en faisais pas partie, comme je l'ai déjà déclaré. J'ai reçu l'autorisation de retourner à Berlin, grâce à Arthur Nebe. Hors de la zone d'action. Il l'a forcément mentionné dans son rapport.

— C'est bien là que réside votre problème, Gunther, expliqua Silverman. Votre vieil ami Arthur Nebe. Voyez-vous, les rapports pour les Einsatzgruppen A, C et D étaient extrêmement détaillés.

— Otto Ohlendorf était un modèle de précision, dit Earp. Vous pourriez dire un enfoiré d'avocat tout ce qu'il y a de plus typique à cet égard. »

Silverman secouait la tête.

« Mais il n'existe aucun rapport original rédigé par Arthur Nebe touchant l'Einsatzgruppe B. À vrai dire, il n'existe aucun rapport émanant de l'Einsatzgruppe B jusqu'à la nomination d'un nouveau commandant, en novembre 1941. Ce qui explique, à notre avis, que Walter Blume ait succédé à Arthur Nebe. Parce que Nebe n'était pas à la hauteur de sa tâche. Pour une raison quelconque, il ne tuait pas autant de Juifs que les trois autres groupes. Pourquoi ça, d'après vous ? »

Arthur Nebe. Cela faisait un bon moment que je n'avais pas vraiment songé à l'homme qui m'avait sauvé la vie, et avait peut-être aussi sauvé mon âme, et que j'avais si mal payé de retour : en réalité, j'avais tué Nebe à Vienne pendant l'hiver 1947-1948, alors qu'il travaillait pour l'organisation d'anciens camarades du général Gehlen, mais je n'étais pas très chaud pour en parler aux deux Yankees. L'organisation de Gehlen avait été parrainée par la CIA, quel que soit le nom qu'on lui donnait à l'époque, et l'était peut-être encore.

« Il y avait chez Nebe deux hommes différents, dis-je. Sinon plus. En 1933, il pensait que les nazis étaient la seule alternative au communisme et qu'ils rétabliraient l'ordre en Allemagne. En 1938, et même sans doute un peu plus tôt, il a compris son erreur et s'est mis à comploter avec des membres de la police et de la Wehrmacht pour renverser Hitler. Il existe une photo du ministère de la Propagande représentant Nebe avec Himmler, Heydrich et Müller en train de planifier l'enquête sur un attentat à la bombe contre la vie du Führer. C'était en novembre 1939. Et Nebe faisait partie du complot. Je le sais parce que j'en étais également. Toutefois, Nebe n'a pas tardé à changer d'avis après la défaite française et britannique de 1940. Beaucoup de gens ont changé d'avis sur Hitler avec le miracle de la Bataille de France. Même moi, pendant quelques mois du moins. Nous avons tous les deux changé à nouveau d'opinion lorsque Hitler a attaqué la Russie. Personne ne pensait que c'était une bonne idée. Et pourtant, Nebe a fait ce qu'on lui ordonnait. Il complotait tout en faisant ce qu'on lui disait, même si cela signifiait exterminer les Juifs de Minsk et de Smolensk. Faire ce qu'on vous disait était toujours le meilleur type de couverture si vous projetiez en même temps un coup d'État contre les nazis. C'est pour ça, d'après moi, qu'il donne l'impression d'un personnage tellement ambigu. Et c'est pour ça, d'après moi également, qu'il se montrait incapable d'accomplir sa tâche de commandant de l'Einsatzgruppe B. Parce que le cœur n'y était pas. Avant tout, Nebe était un rescapé.

— Comme vous.

— Dans une certaine mesure, oui, c'est vrai.

— Racontez-nous ça.

— Je l'ai déjà fait.

— Pas dans le détail.

— Qu'est-ce que vous voulez ? Que je vous fasse un dessin ?

— Quand quelqu'un ment, répondit Silverman, dans la plupart des cas il se met à se contredire sur des points de détail. Vous devriez le savoir, si vous avez été flic. Quand des suspects commencent à se couper sur de petites choses, il y a fort à parier qu'ils mentent aussi sur les grandes. »

Je hochai la tête.

« Eh bien, revenons à Goloby, où vous avez liquidé les membres d'une escouade du NKVD.

— Dont vous prétendez qu'elle avait massacré tous les détenus d'une prison du NKVD à Loutsk, ajouta Earp. À en croire les Soviétiques, ce n'était que de la propagande allemande, un mensonge forgé de toutes pièces afin de persuader vos propres hommes que l'exécution sommaire des Juifs et des Soviétiques était justifiée.

— Encore un peu et vous allez me dire que c'est l'armée allemande qui a buté tous ces Polonais dans la forêt de Katyn.

— Peut-être était-ce le cas.

— Pas d'après votre propre enquête parlementaire.

— Vous êtes bien informé. »

Je haussai les épaules.

« À Cuba, j'achetais tous les journaux américains. Dans le but d'améliorer mon anglais. 1952, c'est ça ? L'enquête. Quand la commission Malden a suggéré que les Soviétiques soient traduits devant la Cour internationale de justice de La Haye ? Écoutez, c'est une histoire à laquelle je m'intéresse depuis longtemps. Nous savons tous les deux que le NKVD a fait autant de victimes que nous autres Allemands. Alors, pourquoi ne pas le reconnaître ? Les cocos sont l'ennemi à présent. Ou c'est juste de la propagande américaine ? »

Je pris un paquet de cigarettes dans la poche de ma veste rayée et en allumai une, lentement. J'étais las de répondre à des questions, mais je savais que j'allais devoir entrouvrir la porte du sous-sol le plus sombre de mon esprit et réveiller de très mauvais souvenirs. Même dans une pièce avec des barreaux aux fenêtres, l'opération Barbarossa semblait extrêmement lointaine. Dehors, le soleil brillait et, même s'il avait fait une chaleur pratiquement identique en ce jour de juin où la Wehrmacht avait envahi l'Union soviétique, ce n'était pas l'image que j'en avais gardée. Chaque fois que je repensais à des noms comme Goloby, Loutsk, Bialystok et Minsk, cela m'évoquait une chaleur insupportable, ainsi que les décors, les sons et les odeurs d'un enfer sur terre ; mais surtout, je revoyais un jeune homme rasé de près, d'environ vingt ans, debout sur une place pavée, une barre de fer à la main, ses bottes épaisses enfoncées dans une mare de sang d'un pouce d'épaisseur, provenant d'une trentaine d'hommes étendus, morts ou mourants, à ses pieds. Je me souvenais du rire abasourdi de certains des soldats allemands qui observaient cette démonstration de bestialité ; je me souvenais du son d'un accordéon jouant un air plein d'entrain tandis qu'un vieillard à la longue barbe s'avançait en silence, presque avec calme, vers le type armé de la barre de fer pour être frappé aussitôt à la tête, comme dans quelque horrible sacrifice hindou ; je me souvenais du bruit fait par le vieil homme en tombant sur le sol, et de ses jambes raidies s'agitant par saccades à la façon d'un pantin, jusqu'à ce que la barre de fer le frappe de nouveau.

Du pouce, j'indiquai la fenêtre derrière moi.

« Bon, d'accord. Je vais tout vous dire. Mais vous ne voyez pas d'inconvénient à ce que je me mette un moment le visage au soleil ? Ça m'aide à me rappeler que je suis encore en vie.

— Contrairement à des millions d'autres, laissa tomber Earp d'un ton plein de sous-entendus. Allez-y. Nous ne sommes pas pressés. »

Je m'approchai de la fenêtre et jetai un coup d'œil. Près de l'entrée principale, une petite foule s'était rassemblée pour attendre quelqu'un. Ça ou bien ils cherchaient la fenêtre de la cellule n° 7, ce qui semblait légèrement moins probable.

« Est-ce qu'on doit relâcher un prisonnier aujourd'hui ? » demandai-je.

Silverman vint à la fenêtre.

« Oui, répondit-il. Erich Mielke.

— Mielke. » Je secouai la tête. « Vous vous trompez. Mielke n'est pas ici. C'est impossible. »

Au même instant, une porte plus petite s'ouvrit dans le portail et un homme trapu, aux cheveux grisonnants, la soixantaine environ, sortit et fut acclamé par les sympathisants en train d'attendre.

« Ce n'est pas Mielke ! m'exclamai-je.

— Vous voulez sans doute parler d'Erhard Milch, patron, fit Earp à Silverman. Le général de la Luftwaffe. C'est lui qu'on relâche aujourd'hui.

— C'est donc ça, dis-je. Pendant un instant, j'ai cru qu'il s'agissait d'un véritable criminel de guerre.

— Milch est – était – un criminel de guerre. En charge de la production de l'armement aérien sous l'autorité d'Albert Speer.

— Et qu'est-ce qu'il y a de criminel dans le fait de

construire des avions ? demandai-je. Vous avez bien dû en construire quelques-uns vous-mêmes, à en juger d'après l'état de Berlin en 1945.

— Mais nous, nous ne nous servions pas de main-d'œuvre forcée », répliqua Silverman.

Je vis Erhard Milch recevoir un bouquet de fleurs des mains d'une jolie fille, puis lui faire poliment la révérence avant de s'en aller dans une élégante Mercedes flambant neuve commencer le reste de sa vie.

« De combien a-t-il écopé pour ça ?

— Réclusion à perpétuité, répondit Silverman.

— Réclusion à perpétuité, hein ? Il y en a qui ont vraiment de la chance.

— Ramenée à quinze ans.

— À mon avis, l'algèbre de votre haut-commissaire a quelque chose qui cloche. Qui d'autre doit sortir d'ici ? »

Tirant une bouffée de ma cigarette insipide, j'expédiai le mégot par la fenêtre d'une chiquenaude et suivis sa spirale jusqu'au sol, où il s'écrasa dans une traînée de fumée tel un de ces avions invincibles de la Luftwaffe fabriqués par Milch.

« Vous alliez nous parler de Minsk », dit Silverman.

6

Minsk, 1941

Le matin du 7 juillet 1941, je commandai un peloton d'exécution qui passa par les armes trente prisonniers de guerre russes. Sur le moment, ça ne me posa pas de problème dans la mesure où ils appartenaient tous au NKVD et que, douze heures plus tôt, ils avaient eux-mêmes exécuté deux ou trois mille détenus à la prison du NKVD de Loutsk. Spectacle navrant, ils avaient également supprimé plusieurs prisonniers de guerre allemands qui se trouvaient avec eux. On pourrait dire, je suppose, qu'ils avaient parfaitement le droit d'agir ainsi étant donné que nous avions envahi leur pays. On pourrait dire aussi que les supprimer en représailles était nettement moins justifiable, et on aurait sans doute raison dans les deux cas. Eh bien, nous l'avons fait, mais pas à cause de l'« ordre sur les commissaires politiques » ou du « décret Barbarossa », comme on les appelait, qui n'étaient rien d'autre qu'un permis de tuer octroyé par les quartiers généraux de campagne. Nous l'avons fait parce que nous pensions – parce que je pensais – qu'ils ne l'avaient pas volé, et qu'ils nous auraient certainement fait sauter la cervelle dans la même situation.

On les fusilla donc par groupes de quatre. On ne les força pas à creuser leurs propres tombes ni rien de semblable. Je me fichais pas mal de ce genre de trucs. Ça avait des relents de sadisme. On les fusilla et on les laissa là où ils étaient tombés. Par la suite, alors que j'étais un *pleni* dans un camp de travail russe, il m'arrivait de regretter de ne pas en avoir zigouillé beaucoup plus qu'une trentaine, mais c'est une autre histoire.

Ça ne me posa pas de problème jusqu'au lendemain, lorsque nous rencontrâmes par hasard, mes hommes et moi, un ancien collègue du Praesidium de l'Alex, à Berlin. Un dénommé Becker, qui faisait partie d'un autre bataillon de police. Je le trouvai en train de flinguer des civils dans un village à l'ouest de Minsk. Il y avait déjà une centaine de cadavres dans un fossé, et il me sembla que Becker et ses hommes avaient bu. Même alors, je n'arrivais pas à comprendre. Je m'obstinais à chercher des raisons à ce qui était foncièrement inexplicable et assurément inexcusable. Et c'est seulement quand je m'aperçus que, parmi les personnes que Becker et ses compagnons s'apprêtaient à abattre, figuraient des vieilles femmes que je dis quelque chose.

« Bon Dieu, qu'est-ce que tu fous ?

— J'obéis aux ordres.

— Quoi ? Tuer des vieillards ?

— Ce sont des Juifs, répondit-il comme s'il n'y avait pas besoin d'autre explication. On m'a ordonné de tuer le plus de Juifs possible, et c'est ce que je fais.

— Des ordres de qui ? Qui est ton chef et où est-ce qu'il se trouve ?

— Le major Weis. » Becker indiqua un long bâtiment en bois derrière une clôture blanche, à une cinquantaine de mètres en bas de la route. « Il est là-bas. En train de déjeuner. »

Alors que je me dirigeais vers le bâtiment en question, Becker me lança :

« Ne crois pas que ça me plaise. Mais les ordres sont les ordres, pas vrai ? »

Comme j'atteignais le baraquement, j'entendis une nouvelle salve de coups de feu. Une des portes était ouverte, et un major SS était assis, la tunique défaite. D'une main il tenait une miche de pain à moitié entamée et de l'autre une bouteille de vin et une cigarette. Il m'écouta jusqu'au bout avec une expression où l'amusement se mêlait à la fatigue.

« Écoutez, je n'y suis strictement pour rien. C'est un gaspillage de temps et de munitions, si vous voulez mon avis. Mais je fais ce qu'on me dit, d'accord ? C'est comme ça que fonctionne une armée. Un officier supérieur me donne un ordre et j'obéis. » Il désigna un téléphone de campagne posé par terre. « Appelez le quartier général si ça vous chante. Ils vous diront la même chose qu'à moi. De continuer. » Il secoua la tête. « Vous n'êtes pas le seul à penser que c'est de la folie, capitaine.

— Ce qui signifie que vous avez déjà demandé confirmation ?

— Bien entendu. Le QG de campagne m'a dit de m'adresser au QG de division.

— Et qu'est-ce qu'ils ont répondu ? »

Le major Weis dodelina du chef.

« Contester une directive du QG de division ? Vous êtes tombé sur la tête ? Je ne resterais pas longtemps major si je faisais un truc pareil. Ils m'arracheraient les galons et les couilles, et pas nécessairement dans cet ordre-là. » Il se mit à rire. « Je vous en prie. Allez-y, appelez-les. Mais arrangez-vous pour ne pas mentionner mon nom. »

Au-dehors, il y eut une nouvelle salve. Je pris le téléphone et tournai la manivelle comme un forcené. Trente secondes plus tard, je discutais avec quelqu'un du QG de division. Le major se leva et colla son oreille à l'écouteur. Quand je me mis à pousser des jurons, il sourit puis s'éloigna.

« À présent, vous les avez fichus en rogne », commenta-t-il.

Je raccrochai brutalement le téléphone et restai là, tremblant de rage.

« Je me suis engagé à aller faire un rapport à la division, à Minsk, expliquai-je. Immédiatement.

— Je vous avais prévenu. » Il me tendit la bouteille, et j'avalai une lampée de ce qui s'avéra être non pas du vin mais de la vodka. « Ils vont vous rétrograder, ça ne fait pas un pli. J'espère pour vous que ça en valait la peine. D'après ce que j'entends, ce... » Il indiqua la porte. « C'est seulement la fumée au bout du fusil. Quelqu'un d'autre appuie sur la détente. Voilà ce que vous devez vous mettre dans le crâne, mon petit vieux. Et rappelez-vous les paroles de Goethe. Goethe disait : "La plus grande félicité pour nous autres Allemands, c'est de comprendre ce que nous pouvons comprendre et ensuite, une fois cette question réglée, de faire ce qu'on nous dit de faire, bordel de merde." »

Je sortis et informai les hommes que j'avais amenés avec moi dans un camion Panzer et une voiture blindée Puma que nous allions à Minsk présenter un rapport sur les actions antipartisans de la matinée. Durant le trajet, je me sentais d'humeur morose, mais ça n'avait qu'en partie à voir avec le sort de quelques centaines de Juifs innocents. Je m'inquiétais pour la réputation des Allemands et de l'armée allemande en général. Jamais je n'aurais imaginé, c'est sûr, qu'on était en train de massacrer des milliers de Juifs de la même façon.

Minsk était facile à trouver. Il vous suffisait de suivre une longue route toute droite – assez bonne, même d'après les critères allemands – en prenant comme point de repère le panache de fumée grise à l'horizon. La Luftwaffe avait bombardé la ville quelques jours plus tôt et détruit la plus grande partie du centre. Ce qui n'empêchait pas les véhicules allemands circulant sur la route de se tenir à distance les uns des autres en cas d'attaque aérienne russe. Autrement, l'Armée rouge avait mis les voiles, et le service de renseignement de la Wehrmacht indiquait que les trois cent mille personnes composant la population auraient déjà quitté la ville si notre bombardement de la route passant à l'est de Minsk – et reliant Moguilev à Moscou – n'avait contraint quatre-vingt mille d'entre elles à regagner leurs pénates, ou du moins ce qu'il en restait. Ce qui ne paraissait pas une très bonne idée non plus. La majorité des maisons en bois situées à la périphérie était toujours en flammes, tandis que, plus près du centre, des montagnes de gravats s'adossaient à des immeubles de bureaux et d'habitation éventrés. Je n'avais jamais vu une ville ayant subi une destruction aussi complète. Ce qui rendait d'autant plus surprenant le fait que l'*ouprava*, la mairie et siège du parti communiste, soit sortie pratiquement indemne des bombardements. Les habitants l'appelaient la Grande Maison, ce qui tenait de l'euphémisme : neuf ou dix étages en béton blanc, l'*ouprava* ressemblait à une série d'armoires de classement géantes contenant les fiches de chaque citoyen de Minsk. Devant l'édifice, une énorme statue en bronze de Lénine considérait la multitude de voitures et de camions allemands avec un regard d'angoisse et d'inquiétude compréhensible, ce que lui-même n'aurait pas manqué de faire dans la mesure où le bâtiment était à présent le quartier général du Reichskommissariat Ostland – un territoire administratif de création allemande s'étendant de la Biélorussie à la mer Baltique.

Poussant une porte en bois tellement haute qu'elle avait dû continuer à grandir dans une forêt, je pénétrai dans un hall revêtu de marbre bon marché qui aurait été mieux à sa place dans une station de métro et m'approchai d'un guichet central de la taille d'une locomotive où plusieurs SS et soldats allemands s'efforçaient d'imposer une espèce d'ordre administratif à des types gris de poussière qui n'arrêtaient pas d'entrer et de sortir telle une colonie de fourmis. Ayant capté l'attention d'un des officiers SS derrière le guichet, je demandai le bureau du commandant de division, et l'on me dirigea vers le deuxième étage en me conseillant de prendre l'escalier car l'ascenseur ne fonctionnait pas.

En haut de la première volée de marches se trouvait un buste en bronze de Staline, et en haut de la seconde un buste en bronze de Félix Dzerjinski. Manifestement, l'opération Barbarossa n'allait pas être une bonne nouvelle pour les sculpteurs russes, ni pour qui que ce soit d'autre, d'ailleurs. Le sol était jonché de verre brisé, et il y avait une rangée d'impacts de balles sur le mur grisâtre tout le long du vaste couloir menant à deux portes ouvertes situées en vis-à-vis et par lesquelles d'autres officiers SS ne cessaient de passer dans un nuage de fumée de cigarettes. Au nombre desquels l'officier commandant mon unité, le Standartenführer Mundt, qui appartenait à cette race d'hommes ayant l'air d'être sortis des entrailles de leur mère avec un uniforme sur eux. En me voyant il leva un sourcil puis une main tandis qu'il répondait nonchalamment à mon salut.

« Cet escadron de la mort, demanda-t-il, vous l'avez capturé ?

— Oui, Herr Oberst.

— Bon travail. Et qu'est-ce que vous en avez fait ?

— Nous les avons fusillés. »

Je lui tendis une poignée de papiers d'identité communistes que j'avais pris aux Russes avant leur exécution.

Mundt se mit à les parcourir comme un agent de l'immigration en quête d'un détail suspect.

« Les femmes aussi ?

— Oui, Herr Oberst.

— Dommage. À l'avenir, toutes les femmes partisans et du NKVD devront être pendues sur la place publique, pour servir d'exemples aux autres. Ordre de Heydrich. Compris ?

— Oui, Herr Oberst. »

Mundt n'était pas beaucoup plus vieux que moi. Lorsque la guerre avait éclaté, il était colonel dans la Schutzpolizei de Hambourg. Intelligent, sauf que la sienne n'était pas la bonne sorte d'intelligence pour la Kripo : pour faire un bon policier, il est nécessaire de comprendre les gens et, pour les comprendre, encore faut-il en faire partie. Mundt n'était pas comme les gens. Ce n'était même pas une personne. Raison pour laquelle, je suppose, il avait un teckel comme animal de compagnie ; afin de pouvoir paraître un peu plus humain. Mais je savais à quoi m'en tenir. C'était un sale fumier froid et vaniteux. Chaque fois qu'il ouvrait la bouche, on aurait dit qu'il se croyait en train de réciter du Rilke, et j'avais envie de bâiller, de me fendre la pêche ou de lui flanquer un coup de pied dans les dents. Ce que j'aurais certainement dû faire.

« Vous n'êtes pas d'accord, capitaine ?

— Pendre des femmes ne me plaît pas beaucoup. »

Il me regarda avec condescendance et sourit.

« Vous préféreriez peut-être faire autre chose avec elles ?

— Vous devez me confondre avec quelqu'un d'autre, Herr Oberst. Ce que je veux dire, c'est que je n'aime pas beaucoup faire la guerre aux femmes. Je suis du genre conventionnel. Je parle de la Convention de Genève, au cas où vous vous poseriez la question. »

Mundt prit l'air perplexe.

« Vous avez une curieuse façon de respecter la Convention de Genève. Fusiller trente prisonniers. »

Je jetai un regard circulaire à la pièce, qui paraissait de bonne dimension pour seulement une table. Elle aurait été de bonne dimension même pour une scierie. Dans un coin, on voyait un placard encastré, avec un petit lavabo où un homme à moitié nu était en train de se laver le torse. Dans le coin opposé se trouvait un coffre. Un sergent SS l'écoutait comme s'il s'agissait d'une radio et s'efforçait, sans succès, de persuader le machin de s'ouvrir. Sur la table était posé un trio de téléphones de couleurs différentes, qui avait dû être laissé là par trois sages originaires de l'Est ; derrière la table, un autre officier SS était assis sur une chaise ; et derrière l'officier s'étalait une grande carte murale de Minsk. Sur le sol gisait un soldat russe, et, pour autant qu'il l'ait jamais été, le bureau n'était plus le sien ; le trou derrière son oreille gauche et le sang sur le linoléum semblaient indiquer qu'on allait bientôt le reloger dans un espace plus réduit et plus définitif.

« En outre, capitaine Gunther, ajouta Mundt, cela vous a peut-être échappé, mais les Russes n'ont jamais signé la Convention de Genève.

— Alors je suppose que rien n'empêche de tous les fusiller, Herr Oberst. »

L'officier à la table se leva brusquement.

« Vous avez bien dit capitaine Gunther ? »

C'était aussi un Standartenführer, un colonel, de même que Mundt, ce qui signifie que, comme il contournait la table pour se planter devant moi, je fus contraint de me remettre au garde-à-vous. Il avait été pondu dans le même marécage aryen que Mundt et n'avait pas moins d'arrogance.

« Oui, Herr Oberst.

— Êtes-vous le capitaine Gunther qui a téléphoné pour discuter mes ordres d'abattre ces Juifs sur la route de Minsk, ce matin ?

— Oui, c'était moi. Vous devez être le colonel Blume.

— Qu'est-ce qui vous prend de contester un ordre ? beugla-t-il. Vous êtes un officier SS, ayant prêté serment au Führer. Cet ordre a été donné dans le but d'assurer la sécurité à l'arrière pour nos forces de combat. Ces Juifs mettent le feu à leurs maisons quand le commandant local leur dit de les mettre à la disposition de nos troupes. Je ne peux pas imaginer de meilleur motif pour une action de représailles que l'incendie de ces maisons.

— Je n'ai pas vu de maisons brûler dans ce secteur. Et le Sturmbannführer Weis avait l'impresssion qu'on tuait ces vieilles femmes uniquement parce qu'elles étaient juives.

— Et quand bien même ? Les Juifs de la Russie soviétique sont les piliers intellectuels de l'idéologie bolchevique, ce qui fait d'eux nos ennemis naturels. Peu importe leur âge. Tuer des Juifs constitue un acte de guerre. Même eux semblent l'avoir compris, contrairement à vous. Je vous le répète : ces ordres doivent être exécutés pour la sécurité de toutes les zones militaires. Si chaque soldat n'appliquait un ordre qu'après avoir examiné sous toutes les coutures s'il s'accorde avec sa propre conscience, alors il n'y aurait bientôt plus ni discipline ni armée. Êtes-vous fou ? lâche ? malade ? Ou peut-être aimez-vous les Juifs, en réalité ?

— Je me moque de qui ou de ce qu'ils sont, répondis-je. Je ne suis pas venu en Russie pour tirer sur de vieilles femmes.

— Écoutez-vous, capitaine ! s'exclama Blume. Quel genre d'officier êtes-vous donc ? Vous êtes censé servir d'exemple à vos hommes. J'ai bien envie de vous emmener au ghetto rien que pour voir s'il s'agit là d'une espèce de comédie ; si ça vous dégoûte vraiment de tuer des Juifs. »

Mundt s'était mis à rire.

« Blume, dit-il.

— En tout cas, je peux vous promettre une chose, capitaine, continua le colonel Blume. Vous pouvez dire adieu à vos galons si vous n'y parvenez pas. Vous serez le dernier *Schütze*[1] de la SS. Vous m'entendez ?

— Blume, répéta Mundt. Regardez ça. » Il tendit à Blume les papiers des membres du NKVD que j'avais exécutés à Goloby. « Regardez. »

Blume jetait un coup d'œil aux documents à mesure que Mundt les lui ouvrait. Mundt lut :

« Sara Kagan, Solomon Geller, Josef Zalmonowitz. Julius Polonski. Rien que des noms juifs. Vinokurova Kieper. » Son sourire s'agrandit tandis qu'il se délectait de mon malaise croissant. « J'ai travaillé au Bureau des affaires juives à Hambourg, alors je m'y connais un peu pour ce qui est de ces vermines. Joshua Pronicheva. Fania Glekh. Aaron Levin. David Schepetovka. Saul Katz. Stefan Marx. Vladia Polichov. Ce sont tous les youtres qu'il a tués ce matin. Autant pour vos foutus scrupules, Gunther. Vous avez ramassé un escadron juif du NKVD pour l'exécuter. Vous avez liquidé trente youpins, que vous le vouliez ou non. »

Blume ouvrit au hasard un autre document d'identité. Puis encore un autre.

« Micha Blyatman. Hersh Gebelev. Moishe Ruditzer. Nahum Yoffe. Chaïm Serebrianski. Ziama Rosenblatt. » Il riait à présent. « Vous avez raison. Qu'est-ce que vous dites de ça ? Israel Weinstein. Ivan Lifshitz. J'ai l'impression que vous avez gagné le gros lot, Gunther. Jusqu'à présent, vous avez réussi à tuer plus de Juifs que moi dans toute cette campagne. Je devrais peut-être vous recommander pour une décoration. Ou de l'avancement, à tout le moins. »

---

1. Soldat de 2e classe.

Mundt lut à haute voix quelques noms supplémentaires, histoire d'enfoncer le clou.

« Vous devriez être fier de vous. » Puis il me donna une claque sur l'épaule. « Eh bien. Vous pouvez certainement voir le côté comique de la chose.

— Et si vous ne pouvez pas, ça ne la rend que plus comique encore, dit Blume.

— Qu'est-ce qu'il y a de comique ? » demanda une voix.

Nous tournâmes la tête pour voir Arthur Nebe, le général responsable de l'Einsatzgruppe B, planté sur le seuil. Tout le monde se mit au garde-à-vous, moi y compris. Alors qu'il pénétrait dans le bureau et se dirigeait vers la carte murale sans m'accorder un regard, Blume tenta de donner une explication :

« Je crains que cet officier n'ait fait montre, concernant l'exécution de Juifs, d'un degré de scrupule un tant soit peu déplacé, général. Il semble qu'il ait fusillé trente agents du NKVD ce matin. Sans savoir, apparemment, qu'ils étaient tous juifs.

— C'est la distinction subtile entre les deux que nous trouvions comique, ajouta Mundt.

— Tout le monde n'est pas taillé pour ce genre de travail, murmura Nebe tout en continuant à examiner la carte. J'ai entendu dire que Paul Blobel se trouvait dans un hôpital de Lublin à la suite d'une action spéciale en Ukraine. Dépression nerveuse. Et peut-être avez-vous oublié les paroles du Reichsführer Himmler à Pretzsch. Toute répugnance à l'égard de l'extermination de Juifs mérite des félicitations dans la mesure où elle indique que nous sommes un peuple civilisé. Aussi, je ne vois vraiment pas ce qu'il y a de comique là-dedans. À l'avenir, je vous serai reconnaissant de traiter avec plus de délicatesse tout homme exprimant son incapacité à tuer des Juifs. Est-ce clair ?

— Oui, général. »

Nebe toucha un carré rouge dans le coin supérieur droit de la carte.

« Et ça... qu'est-ce que c'est ?

— Drozdy, répondit Blume. À trois kilomètres au nord d'ici. Nous y avons établi un camp de prisonniers assez sommaire, le long de la Svislotch. Rien que des hommes. Juifs et non-juifs.

— Combien au total ?

— Environ quarante mille.

— Séparés ?

— Oui, général. » Blum rejoignit Nebe devant la carte. « Prisonniers de guerre pour une moitié, Juifs pour l'autre.

— Et le ghetto ?

— Au sud du camp de Drozdy, au nord-ouest de la ville. Il s'agit du vieux quartier juif de Minsk. » Il posa un doigt sur la carte. « À cet emplacement. À partir de la Svislotch, puis à l'ouest dans la rue Nemiga, au nord le long de la lisière du cimetière juif et de nouveau à l'est en direction de la Svislotch. Republikanskaïa, l'artère principale, se trouve ici, et là où elle croise Nemiga, ce sera l'entrée principale.

— Quel genre de contructions ? demanda Nebe.

— Des maisons en bois d'un ou deux étages derrière des clôtures bon marché. Au moment où nous parlons, général, on est en train d'entourer tout le ghetto de fil barbelé et de miradors.

— Bouclé la nuit ?

— Bien entendu.

— Je veux des actions mensuelles afin de réduire le nombre de Juifs biélorusses et de pouvoir loger les Juifs qu'on nous envoie de Hambourg.

— Oui, général.

— Vous pouvez commencer à diminuer dès à présent le nombre de ceux qui se trouvent dans le camp de Drozdy. Faites une sélection sur la base du volontariat. Demandez à ceux qui possèdent des diplômes universitaires et des qualifications professionnelles de s'avancer. Privez-les tous d'eau et de nourriture pour encourager les bonnes volontés. Ces Juifs-là, vous pouvez les garder pour l'instant. Les autres, vous n'avez qu'à les liquider sans attendre.

— Bien, général.

— Himmler sera ici dans quelques semaines, de sorte qu'il voudra voir les progrès que nous avons réalisés. Compris ?

— Oui, général. »

Se tournant, Nebe finit par me regarder.

« Vous, capitaine Gunther, venez avec moi. »

Je le suivis dans le bureau voisin, où quatre officiers subalternes SS lisaient des dossiers pris dans un classeur ouvert.

« Vous autres, leur lança Nebe. Foutez-moi le camp. Et fermez la porte derrière vous. Et dites à cette bande de fainéants à côté de se débarrasser de ce cadavre avant qu'il se mette à empuantir tout le bâtiment par cette chaleur. »

Il y avait dans ce bureau deux tables que dominaient une série de portes-fenêtres et un mauvais portrait de Staline, en uniforme gris avec une bande rouge le long de sa jambe de pantalon, l'air un peu moins caucasien et plus oriental qu'à l'accoutumée.

Nebe sortit une bouteille de schnaps et deux verres d'un des tiroirs et les remplit à ras bord. Il but le sien sans un mot, comme un homme fatigué de regarder les choses en face, puis s'en versa un autre alors que j'en étais encore à flairer le mien, le foie crispé.

7

Minsk, 1941

Je n'avais pas vu Nebe depuis plus d'un an. Il paraissait plus vieux et plus usé que dans mon souvenir. Ses
cheveux auparavant gris avaient maintenant la couleur
argentée de sa croix du Mérite de guerre, tandis que
ses yeux étaient plus minces que la fente de casemate
qui lui servait de bouche. Seuls son long nez et ses
grandes oreilles semblaient ne pas avoir changé.

« Ça fait plaisir de vous revoir, Bernie.

— Arthur.

— Toute une vie à arrêter des criminels et voilà que
j'en suis devenu un moi-même. » Il eut un petit rire
las. « Qu'est-ce que vous pensez de ça ?

— Vous pourriez y mettre un terme.

— Que puis-je faire ? Je ne suis qu'un rouage dans
la machine de mort de Heydrich. Laquelle fonctionne
à plein, par-dessus le marché. Même si je le voulais,
il me serait impossible de l'arrêter.

— Vous pensiez pouvoir modifier le cours des événements.

— C'était avant. Hitler est le maître depuis l'effondrement de la France. Plus personne n'ose s'opposer à lui. Les choses devront aller très mal pour nous en Russie avant que ça se reproduise. Ce qui ne manquera pas d'arriver, bien sûr. J'en suis persuadé. Mais pas tout de suite. Les gens comme vous et moi, nous devrons attendre notre heure.

— Et jusque-là, Arthur ? Que vont-ils devenir ?

— Vous voulez dire les youtres ? »

Je fis un signe affirmatif.

Il vida son second verre puis haussa les épaules.

« En réalité, vous vous en moquez, n'est-ce pas ? »

Nebe éclata de ce qui ressemblait à un rire ironique.

« J'ai pas mal de choses en tête, Bernie. Himmler vient le mois prochain. Que voulez-vous que je fasse ? Que je l'emmène dans un coin tranquille pour lui expliquer que tout ça est complètement absurde. Que les Juifs sont des êtres humains eux aussi ? Que je dise à l'empereur Charles Quint et à la diète de Worms : "Je ne puis et ne veux rien rétracter[1]" ? Soyez raisonnable, Bernie.

— Raisonnable ?

— Ces hommes – Himmler, Heydrich, Müller –, ce sont des fanatiques. On ne peut pas discuter avec des fanatiques. » Il secoua la tête. « Des soupçons pèsent déjà sur moi depuis le complot d'Elser[2].

---

1. Luther, devant la diète de Worms, lors de sa comparution en 1521.

2. Le 8 novembre 1939, Georg Elser, un ébéniste, avait fait exploser une bombe visant les dirigeants du parti nazi à Munich, dans la cave de la brasserie Bürgerbräu. C'est Nebe qui avait dirigé l'enquête.

— Si vous ne le faites pas, vous ne valez pas mieux qu'eux.

— Je dois me montrer prudent, Bernie. Je ne suis en sécurité qu'aussi longtemps que je fais exactement ce qu'on me dit. Et il faut que je sois en sécurité au cas où s'offrirait à nous une nouvelle occasion de nous débarrasser de Hitler. » Il se versa un troisième verre – un par minute. « Si quelqu'un peut comprendre ça, c'est bien vous.

— Tout ce que je sais, c'est que vous projetez des tueries dans cette ville.

— Alors, allez-y, arrêtez-moi, Kommissar. Bon Dieu, ce que je regrette que ce ne soit pas possible. En ce moment même, je rêverais de voir l'intérieur d'une cellule de police de l'Alex au lieu de cette affreuse ville-frontière. » Il posa son verre et tendit les poignets. « Tenez. Passez-moi les menottes. Et sortez-moi d'ici si vous y arrivez. Non ? Je pensais bien. Vous êtes aussi désarmé que moi. » Il leva son verre, le but et alluma une nouvelle cigarette. « Bon, qu'avez-vous raconté au juste à ces deux salopards ? Blume et Mundt ?

— Moi ? Que je n'étais pas venu en Russie pour tuer des vieilles femmes. Même si elles étaient juives.

— Imprudent, Bernie. Très imprudent. Mundt est hautement apprécié à Berlin. Il a sa carte du parti depuis 1926. Autrement dit, encore plus longtemps que moi. Ce qui ne compte pas pour rien avec Hitler. Vous feriez mieux de vous abstenir de ce genre de propos. En tout cas, devant des types comme Mundt. Il pourrait vous rendre la vie extrêmement désagréable. Vous n'avez pas idée de quoi sont capables certains de ces SS.

100

— Je commence à en avoir une idée claire.

— Écoutez, Bernie, il y en a d'autres en Biélorussie et en Allemagne qui pensent de la même façon que vous et moi. Qui sont prêts à se dresser contre Hitler quand l'heure aura sonné. Nous aurons besoin d'hommes tels que vous. Mais, jusque-là, il serait préférable que vous fermiez votre gueule.

— Fermer ma gueule et fusiller quelques Juifs, c'est ça ?

— Pourquoi pas ? Parce que, vous pouvez me croire sur parole, fusiller les Juifs n'est qu'un début. Du reste, c'est loin d'être la méthode la plus efficace pour tuer des milliers de gens. Vous n'imaginez pas les pressions que je subis pour trouver d'autres moyens de les exterminer.

— Pourquoi ne pas les faire sauter ? répliquai-je. Prenez tous les Juifs de Biélorussie, rassemblez-les dans un champ avec deux ou trois mille tonnes de TNT sous les pieds et balancez une allumette. Voilà qui devrait résoudre bien gentiment votre problème.

— Je me demande si ça marcherait », répondit pensivement Nebe.

Je secouai la tête en désespoir de cause et m'envoyai le schnaps.

« J'aimerais pouvoir compter sur vous, Bernie. Après tout, nous avons traversé des moments difficiles. À Berlin. Il n'y a personne dans ce trou perdu à qui je puisse réellement faire confiance, vous savez. Certainement pas à ces officiers.

— Je ne suis même pas sûr de pouvoir me faire confiance à moi-même, Arthur. Pas après avoir vu tout ce que j'ai vu. Pas en sachant tout ce que je sais. »

Nebe remplit de nouveau les verres.

« Hmm. C'est exactement ce que je craignais, espèce de pauvre cinglé. Vous en seriez bien capable, hein ? De la ramener au sujet des Juifs quand Himmler débarquera à Minsk le mois prochain. Ou une sottise dans ce goût-là. Qu'est-ce que je dois faire avec vous ?

— On pourrait me fusiller. Comme un vieux Juif.

— Si c'était aussi simple, répliqua Nebe, je pourrais peut-être m'arranger. Mais vous êtes naïf, comme toujours. Il n'y a pas moyen de fusiller un officier allemand du RSHA sans que la Gestapo s'en mêle. Surtout un homme avec vos antécédents. Qui a été proche de Heydrich. Et de moi. Ils voudront vous interroger. Vous poser des questions auxquelles il est impossible de répondre par oui ou par non. Et je ne peux pas me permettre que vous leur racontiez quoi que ce soit sur moi. Sur mon passé. Sur notre passé. »

Je secouai la tête, mais je savais qu'il avait probablement raison.

Nebe sourit et se mit à se ronger les ongles, qui, notai-je, étaient déjà réduits à la portion congrue.

« J'aimerais bien pouvoir arrêter, déclara-t-il. Ma mère avait l'habitude de m'enfoncer les doigts dans de la crotte de chat pour m'en empêcher. Il semble que ça n'ait pas marché, n'est-ce pas ?

— Vous continuez à avoir de la merde sur les doigts, Arthur.

— Mais je me rends compte à présent que c'est moi qui étais naïf. À votre sujet. Il est indispensable que je vous fasse quitter Minsk avant que vous ouvriez votre stupide clapet quand je ne suis pas là pour y mettre un frein et qu'on vous embarque. Et moi avec, le cas échéant. Vous êtes trop vieux pour servir sur le front. Ils ne voudront pas de vous. C'est donc hors de question. » Il poussa un soupir. « Je suppose qu'il ne reste guère que les renseignements. Comme la jugeote est une denrée plutôt rare dans cette guerre, vous devriez convenir. Bien entendu, ils croiront que vous êtes un espion, il faudra donc que ce soit une affectation temporaire. Le temps que je réfléchisse à un autre moyen de vous réexpédier sans risque à Berlin, où vous ne pourrez pas causer de dégâts.

— Ne me faites aucune faveur. Je tente ma chance.

— Mais ce n'était pas dans mes intentions. Je pense avoir été assez clair sur ce point. » Il indiqua mon verre. « Allons. Buvez ça et ne vous laissez pas abattre. Et cessez de vous tracasser pour quelques Juifs. Les peuples tuent des Juifs depuis que l'empereur Claude les a expulsés de Rome. Que disait Luther ? Qu'après le diable, il n'existait pas d'ennemi plus rude, plus pernicieux, plus véhément qu'un vrai Juif. Et n'oublions pas le Kaiser, Guillaume II, qui estimait qu'un Juif ne pouvait pas être un authentique patriote, qu'il était d'une nature foncièrement différente, comme un insecte nuisible. Benjamin Franklin lui-même pensait que les Juifs étaient des vampires. » Nebe secoua la tête et sourit jusqu'aux oreilles. « Non, Bernie. Vous feriez mieux de choisir une autre raison de haïr les nazis. Des raisons, il y a une multitude. Mais pas les Juifs. Pas les Juifs. Peut-être que, s'il y avait suffisamment de pogroms en Europe, ils arrive-raient à obtenir leur foutue patrie, comme l'a promis cet imbécile de Balfour[1], et qu'ils nous ficheraient enfin la paix. »

---

1. Allusion à la « déclaration Balfour » de 1917, dans laquelle le ministre britannique des Affaires étrangères indiquait que la

J'avalai le schnaps. Qu'est-ce que j'en aurais fait d'autre ? Les gens racontent toutes sortes de trucs absurdes quand ils ont un verre dans le nez, moi y compris. Ils parlent de Dieu et des saints, se vantent d'entendre des voix et de voir le diable ; ils braillent qu'il faut étriper tous les Franzis et les Tommies, et entonnent des chants de Noël en plein été. Leur femme ne les comprend pas et leur mère ne les a jamais aimés. Ils prétendent que le noir est blanc, que le haut est le bas et que le chaud est froid. Aucun homme ne s'attend à ce qu'un verre lui donne du discernement. Arthur Nebe avait bu plusieurs verres, mais il n'était pas ivre. Malgré tout, ce qu'il disait paraissait encore plus insensé que les balbutiements de n'importe quel ivrogne qu'il m'ait été donné de rencontrer ou que je puisse espérer rencontrer encore.

Je restai deux ou trois semaines à la Maison Lénine, partageant un cantonnement au septième étage avec Waldemar Klingelhöfer, qui était SS-Obersturmbannführer – lieutenant-colonel –, responsable de l'ensemble des actions antipartisans dans la zone de Minsk.

Minsk était un des rares endroits où la propagande allemande n'exagérait pas la force des partisans locaux, qui profitaient des immenses et épaisses forêts, appelées *pushcha*, caractérisant la région. La plupart de ces combattants étaient de jeunes soldats de l'Armée rouge, mais il y avait aussi pas mal de Juifs qui avaient fui les pogroms pour la sécurité relative de la forêt. Qu'avaient-ils à perdre ? Non que les Juifs fussent toujours accueillis à bras ouverts : un certain nombre

Grande-Bretagne favoriserait la création en Palestine d'un foyer national pour le peuple juif.

de Biélorusses n'étaient pas moins antisémites que les Allemands, et plus de la moitié de ces réfugiés juifs ont été assassinés par les Popov.

Klingelhöfer parlait le russe couramment – il était né à Moscou –, mais il ne connaissait rien au travail de police ni à la chasse aux partisans. Je lui donnai quelques conseils sur la façon de recruter des indicateurs.

Conseils d'une portée toute relative, car, à la fin juillet, Nebe l'envoya à Smolensk se procurer des fourrures destinées à l'habillement d'hiver de l'armée allemande, tandis que je recevais l'ordre de me rendre à Baranowicze, à environ cent cinquante kilomètres au sud-est de Minsk, en attendant qu'on me ramène à Berlin.

Autrefois polonaise jusqu'à ce qu'elle soit occupée par les Russes au début de la guerre, Baranowicze était une petite ville prospère d'environ trente mille habitants, dont plus d'un tiers de Juifs. Au centre passait une longue rue spacieuse bordée d'arbres typique d'une banlieue, avec des maisons et des magasins de deux étages, que l'armée d'occupation allemande avait rebaptisée la Kaiser Wilhelm Strasse. Il y avait une cathédrale orthodoxe, construite depuis peu, dans le style néoclassique, et un ghetto – six immeubles à la périphérie de la ville, où plus de douze mille Juifs étaient maintenant confinés ; du moins ceux d'entre eux qui n'avaient pas trouvé refuge dans les marais du Pripet. Deux régiments entiers de cavalerie SS, placés sous le commandement du Sturmbannführer Bruno Magill, ratissaient les trois mille huit cents hectares de terres marécageuses, tuant tous les Juifs qu'ils pouvaient dénicher. Ce qui laissa la ville dans un calme total – au point que, durant quelques jours, avant qu'une place se libère à bord d'un Ju 52 regagnant l'aéroport de Tegel à Berlin, je pus coucher dans un lit digne de ce nom, à l'intérieur de ce qui avait été le magasin de chaussures et de maroquinerie Girsh Bregman.

J'essayais de ne pas penser à la fatalité qui s'était soudain abattue sur Girsh Bregman et sa famille, dont les photos encadrées reposaient encore sur un piano droit Rheinberg Söhne, dans le petit salon derrière la boutique ; mais il n'était que trop facile de les imaginer en butte aux lourdes privations du ghetto ou, peut-être, fuyant leurs persécuteurs, qui ne comprenaient pas seulement la SS, mais aussi la police polonaise, les anciens soldats de l'armée polonaise et même une partie du clergé ukrainien local, empressée à bénir ces « pacifications ». Naturellement, il se pouvait fort bien que les Bregman aient déjà été pacifiés, autrement dit qu'ils soient morts. À l'été 1941, on ne pouvait pas faire plus pacifié. Néanmoins, j'espérais qu'ils étaient toujours en vie. Mais c'était le genre d'espoir qui ressemble à un canari dans une mine pleine de gaz. Moi-même, un peu de gaz ne m'aurait pas dérangé. Juste de quoi dormir une centaine d'années et m'éveiller ensuite du cauchemar qu'était ma vie.

8

Allemagne, 1954

« Vous voilà enfin réveillé, dit Silverman. À la différence de six millions d'autres.

— Quel boute-en-train vous faites. Vous êtes toujours aussi rapide en maths, ou c'est juste un chiffre qui vous plaît ?

— Il n'a rien qui me plaise, Gunther, répondit Silverman.

— À moi non plus. Et, de grâce, ne commettez pas l'erreur de penser qu'il puisse en aller autrement.

— Ce n'est pas moi qui commets des erreurs, Gunther. C'est vous.

— Vous avez raison. J'aurais dû demander à naître ailleurs qu'en Allemagne en 1896. Ainsi, je me serais peut-être retrouvé dans le camp des vainqueurs. Deux fois de suite. Quel effet est-ce que ça vous fait, les gars ? De vous poser en juges des erreurs d'autrui ? Plutôt agréable, j'imagine. À la façon dont vous vous conduisez tous les deux, on pourrait penser que vous les Américains vous croyez meilleurs que tout le monde.

— Pas tout le monde, rétorqua Earp d'un ton hargneux. Juste vos petits copains nazis et vous.

— Vous pouvez continuer à vous répéter ça autant que vous voudrez. Mais nous savons très bien que c'est faux. Ou est-ce que tenir le haut du pavé de la morale est plus qu'une aspiration chez vous, les Ricains ? Peut-être est-ce également une nécessité constitutionnelle. Sauf que, derrière toute cette bigoterie, je vous soupçonne d'être exactement comme nous autres Allemands. De croire, en réalité, que la force prime le droit.

— Pour l'instant, dit Silverman, la seule chose qui compte vraiment, c'est ce que nous croyons à votre sujet.

— Il nous a raconté une excellente histoire. » Earl s'adressait à Silverman. « Un vrai Jakob Grimm, ce type. Il ne manquait plus que le "il était une fois" et "ils vécurent heureux et eurent beaucoup d'enfants". On devrait lui mettre des escarpins en fer chauffés à blanc et le faire danser autour de la pièce comme la belle-mère de Blanche-Neige, jusqu'à ce qu'il joue franc jeu avec nous.

— Absolument, répondit Silverman. Et vous savez, seul un Allemand aurait pu inventer un châtiment pareil.

— Vous n'avez pas dit que vous aviez des parents allemands ? demandai-je. Uniquement une mère dont vous êtes sûrs, je présume.

— Aucun de nous ne se sent très fier de ses origines allemandes, répondit Earp. Grâce à des individus comme vous. »

Pendant un moment, nous restâmes tous les trois silencieux. Puis Silverman dit :

« Il y avait, paraît-il, un Gunther dans cette ville dont vous avez parlé. Baranowicze. Il était SS-Sturmbannführer d'une de ces petites unités de tuerie rattachées à l'Einsatzgruppe B d'Arthur Nebe. Un Sonderkommando. Il a organisé un des premiers gazages. Tous les malades d'un hôpital psychiatrique de Moguilev sont morts. Ce ne serait pas vous, par hasard ?

— Non. » Mais sachant qu'ils ne se satisferaient pas d'une simple dénégation, je levai un doigt pour indiquer que j'essayais de me souvenir de quelque chose. Et, tout à coup, ça me revint. « Il me semble qu'il y avait un SS-Sturmbannführer du nom de Günther Rausch. Affecté à l'Einsatzgruppe B durant l'automne 1941. C'est sûrement à lui que vous pensez. Je n'ai jamais gazé qui que ce soit. Même pas les puces dans mon lit.

— Mais c'est bien vous qui avez suggéré à Arthur Nebe l'idée d'utiliser des explosifs pour tuer à grande échelle, n'est-ce pas ? Vous l'avez vous-même admis.

— Il s'agissait d'une blague.

— Pas une blague très drôle.

— Pour ce qui est de faire sauter les gens, je crois bien que personne n'y est parvenu avec plus d'efficacité que l'Amérique, dis-je. Combien en avez-vous foutu en l'air à Hiroshima ? Et à Nagasaki ? Deux cent mille, et on n'a pas encore fini de compter. C'est ce que j'ai lu. L'Allemagne a peut-être lancé le processus de l'extermination industrielle de masse, mais vous les Américains l'avez indéniablement perfectionné.

— Êtes-vous déjà allé à l'Institut de criminologie à Berlin ?

— Oui. Ça m'arrivait souvent quand j'étais officier de police. Pour des analyses et des résultats médico-légaux.

— Avez-vous déjà rencontré un chimiste nommé Albert Wildmann ?

— Oui. Je l'ai rencontré. À de nombreuses reprises.

— Et Hans Schmidt ? De l'Institut également ?

— Il me semble. Où voulez-vous en venir ?

— N'est-ce pas pour cette raison que vous êtes retourné de Minsk à Berlin sur l'ordre d'Arthur Nebe ? Non pas pour rejoindre le Bureau allemand des crimes de guerre, comme vous nous l'avez dit, mais pour rencontrer Wildmann et Schmidt afin de mettre en œuvre votre idée d'explosifs ? »

Je secouai la tête, mais Silverman ne regardait pas, ce qui ne fit qu'augmenter mon respect pour lui en tant qu'interrogateur.

« Puis, ayant discuté cette idée en détail, vous êtes reparti pour Smolensk avec Wildmann et Schmidt en septembre 1941.

— Non. C'est faux. Je vous le répète, vous devez confondre avec Günther Rausch.

— N'est-il pas exact que vous avez apporté avec vous une grande quantité de dynamite ? Que vous vous en êtes servi pour miner une casemate russe ? Que vous avez ensuite rassemblé à l'intérieur près d'une centaine de pensionnaires d'un asile d'aliénés de Minsk ? Et que vous avez alors fait exploser la charge ? N'est-ce pas ce qui s'est passé ?

— Non. C'est faux. Je n'ai rien à voir là-dedans.

— D'après les rapports que nous avons lus, les têtes et les membres des cadavres étaient éparpillés à cinq cents mètres à la ronde. Des SS ont retiré des morceaux de corps des arbres pendant encore plusieurs jours. »

Je secouai de nouveau la tête.

« Lorsque j'ai fait cette remarque à Nebe, à propos de faire sauter les Juifs dans un champ, je ne me doutais pas un instant qu'il essaierait réellement un machin pareil. Il s'agissait d'un simple sarcasme. Pas d'une suggestion à proprement parler. » Je haussai les épaules. « Cela dit, je ne sais pas pourquoi ça me surprend, avec tout ce qui s'est produit.

— Nous avons toujours pensé que c'est Arthur Nebe lui-même qui avait eu l'idée des camions à gaz, déclara Silverman. Alors peut-être s'agissait-il là encore d'une de vos plaisanteries. Dites-moi, êtes-vous jamais allé à cette adresse à Berlin : n° 4, Tiergartenstrasse ?

— J'étais flic. Je suis allé à un tas d'adresses dont je n'ai aucun souvenir.

— Celle-là avait quelque chose de particulier.

— Les usines à gaz de Berlin se trouvaient ailleurs, si c'est ce que vous insinuez.

— Le n° 4 de la Tiergartenstrasse était une villa juive confisquée, expliqua Silverman. Un bureau depuis lequel le programme d'euthanasie de l'Allemagne concernant les personnes handicapées a été conçu et appliqué.

— Alors je suis certain de n'y être jamais allé.

— Peut-être aviez-vous entendu parler de ce qu'on y faisait et l'avez-vous mentionné en passant à Nebe. Pour le remercier de vous avoir fait quitter Minsk.

— Au cas où vous l'auriez oublié, répondis-je, Nebe était le chef de la Kripo et, avant ça, général dans la Gestapo. Il connaissait très probablement Wildmann et Schmidt pour la même raison que moi. Et j'ajouterai qu'il devait tout savoir également sur cette baraque de la Tiergartenstrasse. Mais pas moi.

— Vos relations avec Waldemar Klingelhöfer, fit Silverman. Vous lui avez été très utile. Par des conseils.

— Oui. J'ai essayé.

— Lui avez-vous été utile d'une autre manière ? »
Je fis non de la tête.

« L'avez-vous accompagné à Moscou, par exemple ?

— Non, je n'ai jamais mis les pieds à Moscou.

— Et pourtant, vous parlez russe presque aussi bien que lui.

— C'est plus tard que je l'ai appris. Dans le camp de travail, principalement.

— Ainsi, vous prétendez que, entre le 28 septembre et le 26 octobre 1941, vous n'étiez pas avec le Vorkommando Moskau de Klingelhöfer, mais à Berlin ?

— Oui.

— Et que vous n'êtes pour rien dans le meurtre de cinq cent soixante-douze Juifs au cours de cette période ?

— Rien du tout, non.

— Un certain nombre de ces Juifs étaient des éleveurs de vison qui n'avaient pas fourni à Klingelhöfer le quota de fourrures prescrit.

— Jamais fusillé un éleveur de vison juif, Gunther ?

— Ou pulvérisé un dans une casemate ?

— Non. »
Les deux avocats gardèrent un moment le silence, comme s'ils étaient à court de questions. Le moment ne dura pas longtemps.

« Donc, attaqua Silverman, vous n'êtes pas à Moscou, mais dans un avion vous ramenant à Berlin. Un Junkers 52, avez-vous dit. Des témoins ? »

Je réfléchis.

« Un type du nom de Schulz. Erwin Schulz.

— Continuez.

— Un SS lui aussi. Sturmbannführer, si je ne m'abuse. Mais auparavant, il avait été flic à Berlin. Puis instructeur à l'école de police de Brême. Et, après ça, quelque chose dans la Gestapo. Peut-être à Brême également. Je ne me rappelle pas. Mais cela faisait plus de dix ans que je ne l'avais pas revu quand on est montés tous les deux à bord de cet avion, à Baranowicze.

« Il avait quelques années de moins que moi, me semble-t-il. Pas beaucoup. Je crois qu'il avait été dans l'armée durant les derniers mois de la Grande Guerre. Et ensuite dans les Freikorps, alors qu'il faisait des études universitaires, à Berlin. De droit, je crois. Grand, blond, avec une moustache un peu à la Hitler, et très bronzé. Non qu'il eût spécialement bonne mine, dans cet avion. Il avait d'énormes valises sous les yeux, qui ressemblaient plutôt à des bleus, presque comme si on lui avait tapé dessus.

« Bon, on s'est reconnus et, au bout d'un moment, on a commencé à discuter. Je lui ai offert une cigarette et j'ai remarqué que sa main tremblait comme une feuille. Sa jambe n'arrêtait pas non plus. Comme s'il avait la danse de Saint-Guy. Il souffrait d'une dépression nerveuse. Petit à petit, il est apparu qu'il rentrait à Berlin pratiquement pour la même raison que moi. Parce qu'il avait demandé une mutation.

« Schulz m'a raconté que son unité opérait dans un endroit appelé Zhitomir. Un bled paumé entre Kiev et Brest. Aucun individu sensé ne voudrait aller à Zhitomir. Ce qui explique probablement que le gratin de la SS en la personne du général Jeckeln y ait installé son QG ukrainien. Jeckeln n'a jamais eu toutes ses facultés mentales, d'après ce que j'ai pu voir. Bref, ce dernier avait informé Schulz que tous les Juifs de Zhitomir devaient être éliminés sans délai. S'agissant des hommes, ça ne dérangeait pas trop Schulz, mais il avait plus que des réticences en ce qui concernait les femmes et les enfants. Putain, pas ça, disait-il. Mais personne ne l'écoutait. Les ordres étaient les ordres, et il n'avait qu'à la fermer et se dépêcher de faire le boulot. Il semblait y avoir un tas de Juifs à Zhitomir. Pourquoi, Dieu seul le sait. Après tout, ce n'est pas comme si les Popov avaient mis les petits plats dans les grands pour les accueillir. Le tsar les haïssait également, et il y avait eu des pogroms à Zhitomir en 1905 et 1919. Je veux dire, on aurait pu s'attendre à ce qu'ils aient pigé le message et débarrassé le plancher. Mais non. Rien du tout. Zhitomir possédait trois synagogues, et, quand les SS débarquèrent, ils étaient trente mille à attendre que quelque chose se produise. Et ça n'a pas manqué.

« D'après Schulz, dès le premier jour, les SS pendirent le maire, ou peut-être était-ce le juge local, qui était juif, en compagnie de plusieurs autres. Après quoi ils en exécutèrent quatre cents pour une raison quelconque. Ils les conduisirent hors de la ville jusqu'à une fosse, les obligèrent à se coucher, serrés comme des sardines, les uns sur les autres, puis ils les abattirent par strates. Schulz crut alors que ça s'arrêterait là. Il avait fait sa part, et c'était suffisant. C'est-à-dire les quatre cents, pensait-il. Mais non, ils continuèrent ainsi. Jour après jour. Et les quatre cents Juifs devinrent bientôt quatorze mille.

« Puis on expliqua à Schulz qu'il leur faudrait s'occuper aussi des femmes et des enfants, et, pour lui, ce fut la goutte qui fait déborder le vase. Pas question, se dit-il, même si Dieu tout-puissant en a donné l'ordre, je ne tuerai pas des femmes et des gosses. Il écrivit au gestionnaire du personnel au siège du RSHA. Un certain général Bruno Streckenbach. Afin d'être muté. Raison pour laquelle il se trouvait dans cet avion avec moi.

« Ils en avaient plutôt ras le bol de lui, apparemment. Surtout son commandant, Otto Rasch. Lequel l'accusa d'être une femmelette et de baisser les bras. Il demanda à Schulz où était son sens du devoir et autres conneries du même genre. Ce qui ne l'étonna pas outre mesure. D'après lui, Rasch était un de ces salopards qui se faisaient un plaisir de veiller à ce que chacun, officiers compris, ait descendu au moins un Juif. Pour qu'on soit tous aussi coupables les uns que les autres, j'imagine. Sauf qu'il n'utilisait pas ce mot-là. Il lui préférait une des expressions employées par Himmler à Pretzsch. La part du sang, me semble-t-il.

« Cependant, Schulz ne savait pas le sort qui l'attendait une fois à Berlin. Il était nerveux et inquiet, c'est le moins qu'on puisse dire. Il espérait, je suppose, qu'on fermerait les yeux sur sa conduite et qu'il serait autorisé à reprendre son métier de flic à Hambourg, ou à Brême. Je ne suis pas fait pour ce genre de chose, affirmait-il. Comprends-moi bien, je n'éprouve aucune sympathie pour les Juifs, mais on ne devrait demander à personne de faire un travail comme celui-là. Personne. On devrait trouver d'autres moyens pour ça. C'est en tout cas ce qu'il m'a déclaré.

— Eh bien, intervint Earp, êtes-vous en train de nous dire que votre alibi repose sur un autre criminel de guerre condamné ?

— Schulz a été condamné ? Je l'ignorais.

— Il s'est livré en 1945, répondit Earp. Il a été reconnu coupable de crimes contre l'humanité en octobre 1947 et condamné à vingt ans de prison. Ramenés à quinze ans en 1951.

— Alors il est ici, à Landsberg ? Dans ce cas, il pourra vous confirmer la conversation que nous avons eue sur ce vol à destination de Berlin. Que je lui ai dit ce que je vous ai déjà raconté. À savoir que j'ai été renvoyé parce que je refusais de tuer des Juifs.

— Il a été libéré sur parole en janvier dernier, répondit Earp. Dommage, Gunther.

— Je ne pense pas qu'il aurait constitué pour vous un témoin de première importance, de toute manière, fit remarquer Silverman. Il était brigadier dans la SS lorsqu'il s'est livré.

— La raison pour laquelle Bruno Streckenbach y est allé doucement avec Schulz paraît évidente, dit Earp. Parce qu'il avait participé à l'assassinat de quinze mille Juifs, avant d'en avoir sa claque. Streckenbach se figurait probablement que Schulz avait fait plus que sa juste part de tuerie.

— Et c'est aussi pour ça, je présume, que vous l'avez laissé sortir.

— Je vous le répète, dit Silverman. La décision dépend du haut-commissaire. Et des recommandations émises par le Comité des grâces et des probations concernant les criminels de guerre. »

Je hochai la tête. J'étais fatigué. Ils m'avaient talonné toute la journée comme deux chiens de chasse en col blanc. J'avais le sentiment d'être coincé dans un arbre sans nulle part où me réfugier.

« Avez-vous envisagé un seul instant la possibilité que je dise la vérité ? Et même si tel n'était pas le cas, je pourrais avoir la tentation de lever les mains en l'air pour ne plus vous avoir sur le paletot. Vu la façon dont vous distribuez les libérations conditionnelles par ici, il faudrait que je sois Hideki Tojo[1] pour récolter plus de six mois.

— Nous aimons les dossiers bien ficelés, affirma Silverman.

— Et il y a plus de fils épars dans vos déclarations que dans le panier à couture d'une vieille fille, ajouta Earp.

— Or nous voulons pouvoir être sûrs, une fois la besogne terminée, que nous avons fait de notre mieux.

— Fier de son boulot, hein ? Je peux comprendre ça.

— En conséquence, poursuivit Silverman, nous allons nous pencher sur votre histoire. La passer au peigne fin pour y chercher des poux.

— Ce qui ne fera pas de moi une ordure pour autant.

— Vous étiez dans la SS, répliqua Silverman. Je suis juif. Alors, pour moi, vous serez toujours une ordure, Gunther. »

---

1. Premier ministre du Japon pendant la Seconde Guerre mondiale. Condamné à mort pour crimes de guerre, il fut pendu à Tokyo le 22 décembre 1948.

9

Allemagne, 1954

Il était facile d'oublier qu'on était en Allemagne. Il y avait un drapeau américain dans le hall principal, et les cuisines – qui semblaient sans cesse sur la brèche – servaient des plats simples comme on en fait chez soi, étant entendu que chez soi se trouvait à six mille kilomètres à l'ouest. De plus, la plupart des voix qu'on entendait étaient américaines : des voix fortes, viriles, qui vous disaient ce qu'il fallait faire, ou ne pas faire – en anglais. Et on ne lambinait pas par-dessus le marché, ou on avait droit à de petites bourrades de la pointe d'une matraque ou à des coups de pied aux fesses. Personne ne se plaignait. Du reste, personne n'aurait écouté, à l'exception peut-être du père Morgenweiss. Les gardiens étaient des MP, choisis à dessein pour leur gabarit d'armoire à glace. On voyait mal comment l'Allemagne aurait pu espérer gagner une guerre contre cette race des seigneurs encore plus manifeste. Ils arpentaient les étages et les couloirs de la prison de Landsberg tels des pistoleros sortis d'OK Corral, ou peut-être des boxeurs montant sur le ring.

Entre eux, ils faisaient preuve de décontraction : tous costauds, avec des sourires bien brossés et des rires tonitruants, ils lançaient à tue-tête des blagues et des scores de matchs de base-ball. En revanche, pour nous, les détenus, ils n'étaient que visages de marbre et attitude belliqueuse. Allez vous faire foutre, avaient-ils l'air de dire ; vous avez beau avoir votre propre gouvernement fédéral, les véritables maîtres dans ce pays de parias, c'est nous.

J'avais une cellule de deux pour moi tout seul. Pas parce que j'avais quoi que ce soit d'exceptionnel ou qu'on ne m'avait pas encore inculpé, mais parce que la WCPN1 était à moitié vide. Chaque semaine, apparemment, on relâchait quelqu'un. Juste après la guerre, Landsberg débordait de prisonniers. Les Amerloques avaient été jusqu'à incarcérer des Juifs déplacés provenant des camps de concentration de Kaufering situés non loin, en même temps que des nazis et des criminels de guerre importants ; mais forcer ces mêmes Juifs misérables, en guenilles, à revêtir des uniformes SS témoignait de la part des Ricains d'un manque de délicatesse frisant le comique. Même s'ils avaient, en général, quelques difficultés à voir le côté amusant des choses.

À présent, les Juifs déplacés avaient depuis longtemps quitté Landsberg, pour Israël, la Grande-Bretagne ou l'Amérique, mais les potences étaient toujours là, et, de temps à autre, les gardiens les testaient, histoire de s'assurer que tout fonctionnait au poil. Des gars vraiment scrupuleux. Personne ne croyait sérieusement que le gouvernement de la République fédérale d'Allemagne rétablirait la peine de mort ; cela dit, personne ne croyait que les Amerloques avaient quoi que ce soit à faire de ce que pouvait bien penser le gouvernement fédéral. Assurément, ils se fichaient pas mal de flanquer la frousse aux détenus, dans la mesure où, parallèlement à la vérification des potences, ils répétaient l'ensemble de l'horrible rituel de l'exécution avec un prisonnier volontaire jouant le rôle du condamné. Ces répétitions mensuelles avaient lieu le vendredi car, en vertu d'une vieille tradition, le vendredi était un jour de pendaison à Landsberg. Un groupe de huit MP conduisait solennellement le condamné dans la cour centrale puis lui faisait grimper les marches jusqu'au toit où se dressait la potence ; là, on lui passait une cagoule sur la tête et un nœud coulant autour du cou ; le directeur de la prison lisait même une sentence de mort pendant que les autres restaient au garde-à-vous, faisant comme s'il s'agissait du truc réel – et regrettant probablement que ce ne soit pas le cas. C'est du moins ce qu'on racontait. On pouvait raisonnablement se demander pourquoi quiconque, surtout un officier allemand, se porterait volontaire pour une telle corvée ; mais, comme pour tout le reste en Allemagne, les Ricains obtenaient exactement ce qu'ils voulaient en offrant au volontaire en question des cigarettes, du chocolat ou un verre de schnaps. Et c'était toujours le même prisonnier qui se proposait pour monter à la potence : Waldemar Klingelhöfer. Peut-être les Amerloques faisaient-ils montre en l'occurrence d'une certaine désinvolture, étant donné qu'il avait déjà essayé de s'ouvrir les veines du poignet avec une grosse épingle de sûreté ; cela dit, il faut savoir se contenter de ce qu'on a.

Ce n'était pas le regret d'avoir tué des Juifs qui avait poussé Klingelhöfer à tenter de se suicider et à jouer les cobayes pour un simulacre d'exécution ; c'était sa culpabilité d'avoir trahi un autre officier SS, Erich Naumann. Naumann avait écrit une lettre à Klingel-höfer pour lui indiquer ce qu'il devait dire aux inter-rogateurs et lui rappeler qu'il n'existait pas le moindre rapport sur les activités de l'Einsatzgruppe B, qu'il avait lui-même commandé à la suite de Nebe ; mais ces conseils révélaient en même temps le véritable degré de responsabilité de Naumann à Minsk et à Smo-lensk. Profondément partagé au sujet de la chute du Reich, Klingelhöfer remit la lettre de Naumann aux Américains, qui la produisirent en 1948 au procès des Einsatzgruppen et s'en servirent, en tant qu'élément de preuve recevable, contre lui. La lettre permit de condamner Naumann et de l'envoyer à la potence en juin 1951.

Pour toutes ces raisons, les autres prisonniers refu-saient d'adresser la parole à Klingelhöfer. Tous, sauf moi. Et personne, probablement, ne m'aurait adressé la parole non plus si je n'avais pas été actuellement le seul à être interrogé par les Américains. Ce qui rendait mes anciens camarades extrêmement nerveux, cela va de soi. De sorte qu'un jour deux d'entre eux me sui-virent alors que je sortais de la salle commune, où l'on mangeait, jouait aux cartes et écoutait la radio, pour me rendre dans la cour.

« Capitaine Gunther. Nous voudrions vous dire un mot, s'il vous plaît. »

Ernst Biberstein et Walter Haensch étaient tous les deux des officiers supérieurs SS, et, se considérant non comme des criminels mais comme des prisonniers de guerre, ils persistaient dans l'usage des grades mili-taires. C'est surtout Biberstein, un Standartenführer

– l'équivalent de colonel –, qui tenait le crachoir, tandis que Haensch, un peu plus jeune – et seulement lieutenant-colonel –, faisait le plus gros des hochements de tête.

« Voilà déjà plusieurs années que j'ai moi-même été interrogé par les Ricains, commença Biberstein. Presque cinq ans maintenant, si je ne me trompe. Nul doute que ces choses-là ne se passent plus comme avant. Nous vivons une période nettement plus encourageante, sinon éclairée, qu'à ce moment-là.

— Les Américains ne sont plus animés, semble-t-il, par le même sentiment de supériorité morale ni la même soif de vengeance, ajouta Haensch, histoire d'en remettre une couche.

— Néanmoins, continua Biberstein, il convient de faire attention à ce qu'on leur raconte. Au cours des interrogatoires, il leur arrive d'avoir l'air ouvert et d'adopter une attitude amicale, alors qu'ils sont tout sauf ça, en réalité. Je ne suis pas sûr que vous ayez connu notre regretté camarade Otto Ohlendorf. Pendant longtemps, il se montra extrêmement serviable avec les Ricains, leur donnant des renseignements sans contrainte dans l'espoir malavisé de gagner leurs faveurs et, par conséquent, d'obtenir sa libération. Trop tard, hélas, il se rendit compte de son erreur. Ayant fourni des preuves à l'encontre du général Kaltenbrunner à Nuremberg et, de fait, provoqué sa mort, il découvrit qu'il avait réussi par ses bavardages à s'envoyer lui-même à la potence. »

Biberstein possédait un visage grave, un front large et une bouche empreinte de scepticisme. Il y avait chez lui quelque chose du clown blanc : à la fois une figure d'autorité et un faire-valoir au teint blême, dont les diphtongues montantes, acides, et la façon de se parler à lui-même au lieu de parler aux autres me rappelèrent qu'avant de faire partie de la SS et du SD, Biberstein avait été le pasteur luthérien d'une petite ville de culs-terreux dans le Nord, où ça ne semblait pas les gêner que leur révérend soit un vieux membre du parti nazi. Sans doute que ça ne les gênait pas non plus qu'il ait dirigé un commando de la mort en Russie avant de recevoir de l'avancement et de prendre en main la Gestapo dans le sud de la Pologne. Un tas de luthériens avaient vu en Hitler le véritable héritier de Luther. Ce qu'il était peut-être. Je ne pense pas que j'aurais éprouvé beaucoup plus de sympathie pour Luther que je n'en ai jamais eu pour Hitler. Ou pour Biberstein.

« Je ne voudrais pas que vous fassiez la même erreur qu'Otto, continua-t-il. Aussi, j'aimerais vous donner quelques conseils. Si vous n'arrivez pas à vous rappeler quelque chose, eh bien, il vous suffit de le dire, tout bonnement. Peu importe que cela puisse sembler déri-soire ou que cela vous donne l'air coupable. Si vous avez le moindre doute, rappelez aux Ricains que tout cela s'est produit il y a près de quinze ans et que vous êtes absolument incapable de vous en souvenir.

— Personnellement, dit Haensch, j'ai toujours sou-tenu qu'un prisonnier avait le droit de garder le silence. C'est un principe juridique connu et respecté dans tous les pays civilisés. Et en particulier dans les États-Unis d'Amérique. J'ai moi-même été avocat à Hirschfelde avant de rejoindre le RSHA, et je vous garantis qu'il n'y a pas une seule cour dans le monde occidental qui puisse obliger un homme à fournir des preuves contre lui-même.

— Ils ont quand même réussi à vous condamner, non ? rétorquai-je.

— J'ai été condamné par erreur, affirma le lunet-teux Haensch, qui avait une tronche mielleuse d'avocat pour aller avec ses manières mielleuses d'avocat et avec son baratin encore plus mielleux. Heydrich ne m'a donné l'ordre d'aller en Russie qu'en mars 1942, date à laquelle l'Einsatzgruppe C avait plus ou moins achevé sa tâche. Bref, il ne restait plus de Juifs à tuer. Quoi qu'il en soit, la question n'est pas là. Comme vient de le déclarer Biberstein, tous ces événements ont eu lieu il y a près de quinze ans. Et on ne peut pas exiger de vous que vous vous souveniez de ce qui s'est passé alors. »

Il ôta ses lunettes, les nettoya et ajouta, de manière exaspérante :

« De plus, c'était la guerre. Nous nous battions pour notre propre survie en tant que race. Il arrive pendant les guerres des choses que l'on regrette en temps de paix. C'est bien normal. D'ailleurs, les Amerloques eux-mêmes n'ont pas été précisément des saints. Demandez à Peiper. Demandez à Dietrich. Ils vous le diront. Il n'y a pas que les SS qui tuaient leurs prison-niers, les Ricains également. Sans parler des mauvais traitements systématiques infligés aux prisonniers de guerre de Malmedy[1], ici comme dans d'autres pri-sons. »

---

1. Le 17 décembre 1944, une unité SS commandée par le co-lonel Peiper avait abattu des prisonniers de guerre américains non loin de la ville de Malmedy, en Belgique. Les responsables furent jugés en 1946. Seize mois après le procès, les accusés revinrent sur leurs déclarations antérieures, affirmant avoir été l'objet de sévices graves de la part des autorités d'occupation américaines. Ces révélations ont été largement utilisées par les négationnistes.

Haensch se tortilla nerveusement. Il avait ce genre de visage aux traits mous et au menton fuyant qui donne mauvaise réputation aux criminels de guerre et aux meurtriers de masse. Pour autant, les Américains ne le considéraient pas avec davantage de dégoût. Ils réservaient cette distinction particulière à Sepp Dietrich, Joachim Peiper et aux auteurs du massacre de Malmedy, comme on l'appelait.

« Rappelez-vous simplement ceci, dit Biberstein. Nous ne manquons pas d'amis à l'extérieur. Vous ne devez surtout pas vous sentir seul. Le Dr Rudolf Aschenauer a représenté des centaines de vieux camarades, dont Walter Funk, notre ancien ministre de l'Économie. Il s'agit d'un juriste extrêmement habile. Outre qu'il a été membre du parti, c'est un catholique fervent. Je ne connais pas votre appartenance religieuse, capitaine Gunther, mais on ne peut nier que, dans cette partie du pays, les catholiques ont une voix prépondérante. L'évêque de Munich, Johannes Neuhäusler, et le cardinal de Cologne, Joseph Frings, œuvrent activement en notre faveur. Toutefois il en va de même de l'évêque évangélique de Bavière, Hans Meiser. Autrement dit, vous auriez peut-être intérêt à retrouver votre foi, dans la mesure où l'une et l'autre Églises soutiennent l'Association d'aide chrétienne aux prisonniers.

— J'ai moi-même reçu l'appui personnel de l'évêque évangélique du Wurtemberg, Theo Wurm, dit Haensch. Tout comme notre camarade Martin Sandberger. Et vous n'avez pas à vous soucier de payer un avocat. L'association prendra en charge tous vos frais d'assistance juridique. Elle a même le soutien d'un certain nombre de sénateurs et parlementaires américains qui nous sont favorables.

— Parfaitement, approuva Biberstein. Ces hommes ont exprimé très nettement leur opposition aux idées de vengeance inspirées par les Juifs. » Se tournant, il montra d'un signe méprisant les murs de brique de Landsberg. « Tout cela n'ayant pas d'autre objectif, naturellement. Nous garder ici, contre toutes les règles du droit international.

— L'important, c'est que nous demeurions soudés, affirma Haensch. La dernière chose dont nous avons besoin actuellement, ce sont des spéculations gratuites sur ce que quelques-uns ont fait ou non. Comprenez-vous ? Cela ne servirait qu'à compliquer la situation.

— En d'autres termes, il serait souhaitable, capitaine Gunther, que vos déclarations aux Américains ne concernent que vous.

— Bon, j'ai pigé, répondis-je. Et moi qui croyais que vous étiez vraiment préoccupés par mon bien-être.

— Oh, mais nous le sommes, protesta Haensch. Nous le sommes, mon cher ami.

— Vous avez un gros tas de patates au bureau du Comité des grâces et des probations et vous ne tenez pas à ce que quelqu'un comme moi flanque un coup de pied dedans.

— Naturellement, nous voulons sortir d'ici. Certains d'entre nous ont une famille.

— Que nous soyons libérés sous peu n'est pas uniquement dans notre intérêt, fit valoir Biberstein. Il est dans celui de l'Allemagne que l'on tire un trait sur ce qui s'est passé et que l'on tourne la page. Ce n'est qu'à ce moment-là, lorsque le dernier prisonnier de guerre, ici et en Russie, aura recouvré la liberté, que nous pourrons, nous les Allemands, faire des plans pour l'avenir.

— Pas seulement l'intérêt de l'Allemagne, renchérit Haensch. Il est aussi dans l'intérêt des Américains et des Britanniques d'établir de bonnes relations avec un gouvernement allemand pleinement souverain, de manière à combattre efficacement le véritable ennemi idéologique.

— Vous ne trouvez pas que nous en avons assez tué comme ça en Russie ? demandai-je. Staline est mort. La guerre de Corée est finie.

— Il ne s'agit pas de tuer qui que ce soit, se récria Biberstein. Mais nous sommes encore en guerre avec les communistes, que vous le vouliez ou non. Une guerre froide, certes, mais une guerre tout de même. Écoutez, je ne sais pas ce que vous avez fait pendant la guerre et je n'ai pas envie de le savoir. Ni moi ni aucun d'entre nous. Personne ici ne parle des événements qui ont eu lieu à cette époque. Il importe d'avoir à l'esprit que chaque homme dans cette prison s'accorde sur une chose : pas un de nous n'est ou n'était pénalement responsable de ses actes ou de ceux de ses hommes parce que nous suivions tous les ordres. Quels qu'aient été nos sentiments personnels ou nos doutes à propos de la tâche odieuse dont nous avions la charge, il s'agissait d'un ordre du Führer, et il était impossible de désobéir. Tant que nous nous en tiendrons à cette version, il est certain que nous pouvons tous avoir quitté cet endroit avant la fin de la décennie.

— Et même bien avant, espérons-le », ajouta Haensch.

J'acquiesçai, un geste quelque peu trompeur car il me donnait l'air d'avoir quoi que ce soit à fiche de ce qui pouvait leur arriver aux uns comme aux autres. En réalité, j'acquiesçai parce que je ne voulais pas m'attirer d'ennuis et que le simple fait d'être des détenus ne les empêchait pas de m'en créer. Cela n'aurait pas du tout dérangé les Amerloques. Contrairement au Comité des grâces et des probations, la plupart des MP à Landsberg estimaient que nous méritions tous d'être pendus ; et peut-être n'avaient-ils pas tort. Cependant, la principale raison qui me faisait acquiescer, c'est que j'en avais assez de n'être aimé de personne, moi y compris. Ce qui est somme toute bénin tant que vous pouvez noyer cette impression sous plusieurs millimètres d'alcool, mais les bars dans ce genre d'auberge ne sont jamais ouverts, surtout quand vous avez besoin d'un verre autant que j'en avais besoin. La vie quotidienne dans la plupart des prisons pourrait être grandement améliorée avec une dose d'un dé à coudre d'alcool, comme dans la Royal Navy. Ce n'est pas un principe pénal avec lequel Jeremy Bentham aurait été d'accord, mais vous pouvez parier là-dessus.

En particulier, un verre n'aurait pas été de refus le soir avant de me coucher. Peut-être était-ce d'avoir à évoquer et à revivre l'été 1941, mais, pendant mon séjour à Landsberg, dormir ne me permettait guère d'oublier les soucis du monde. Fréquemment, il m'arrivait de me réveiller dans l'obscurité complète de ma cellule, trempé de sueur parce que j'avais fait un cauchemar. D'ordinaire, c'était toujours le même. Je rêvais que la terre bougeait bizarrement sous mes pieds, secouée non par un animal invisible, mais par une force élémentaire souterraine plus obscure. Et, comme je regardais attentivement, je voyais le sol noirâtre remuer de nouveau tandis que la tête aux yeux vides et les mains aux longs doigts de quelque Lazare assassiné, renaissant des gaz de son propre cadavre, surgissaient de cette surface mystérieuse. Décharnée et aussi blanche qu'une pipe en plâtre, la créature nue soulevait son postérieur, sa poitrine et enfin son crâne, se déplaçant à reculons et de façon anormale, tel un pantin désarticulé qui mettrait de l'ordre dans ses divers organes, jusqu'à ce qu'elle semble agenouillée devant un nuage de fumée qui se dissipait brusquement, aspiré dans la gueule du pistolet que je tenais d'une main ferme.

10

Allemagne, 1954

C'est une de ces petites ironies de la vie que, chaque fois que vous vous dites que les choses pourraient difficilement aller plus mal, c'est en général ce qu'elles font.

J'avais dû me rendormir et, pendant un moment, je crus qu'il s'agissait encore d'un mauvais rêve. Je sentis plusieurs paires de mains sur moi, me tournant sur le ventre et m'arrachant ma veste de pyjama ; après quoi je fus cagoulé et menotté en même temps. Comme les menottes me serraient cruellement les poignets, je poussai un cri, lequel me valut un coup de poing sur le crâne.

« Silence ! rugit une voix – une voix américaine. Ou tu vas t'en prendre un autre. »

Les mains, qui portaient des gants en caoutchouc, me hissèrent sur les pieds. Quelqu'un baissa mon pantalon de pyjama et on me traîna hors de ma cellule, puis le long de l'étage, avant de me faire descendre les escaliers. Une brève incursion dehors, et on traversa la cour. Des portes s'ouvraient et se refermaient en claquant derrière nous. Après ça, je perdis toute notion de l'endroit où je me trouvais, au-delà du fait évident que j'étais toujours entre les murs de Landsberg. Je sentis une main appuyer sur le haut de ma tête cagoulée.

« Assis ! » ordonna une voix.

Je m'assis, ce qui aurait été acceptable, sauf qu'il n'y avait pas de chaise, et j'entendis de gros éclats de rire alors que j'étais affalé, le dos endolori, sur le sol dallé.

« Vous avez trouvé ça tout seul ? demandai-je. Ou vous avez piqué l'idée dans un film ?

— Je t'ai dit de la fermer. » On me flanqua un coup de pied dans les reins, pas assez fort pour occasionner des dommages, mais suffisamment pour me faire taire. « Tu parleras quand on t'aura sonné. »

D'autres mains me relevèrent pour me déposer sur une chaise. Cette fois-ci, il y en avait une.

Ensuite j'entendis un brouhaha de pas quittant la pièce, puis une porte qu'on refermait sans la verrouiller, et j'aurais pu me croire seul sauf que je pouvais flairer la fumée d'une cigarette. J'en aurais bien demandé une si j'avais cru pouvoir la fumer avec une cagoule sur la tête. Ça et la perspective de me prendre de nouveau des coups de poing ou des coups de pied. Aussi je gardai le silence, me disant qu'en dépit de leurs menaces, c'était le contraire de ce qu'ils désiraient. À moins que vous ne vous apprêtiez à mettre un type sur la trappe d'une potence et à le pendre, vous ne le cagoulez que pour une seule raison : tenter de l'intimider afin de le forcer à parler. La seule chose, c'est que je n'arrivais pas à imaginer ce qu'ils voulaient que je dise que je ne leur avais pas déjà raconté.

Dix minutes s'écoulèrent. Peut-être davantage, mais

probablement moins. Le temps se met à s'étirer quand on vous prive de votre chandelle. Je fermai les yeux. De cette façon, c'est moi qui avais le contrôle et pas eux. Même s'ils me retiraient la cagoule à cette seconde, je ne verrais rien du tout. J'avalai une longue bouffée d'air et la laissai s'échapper aussi régulièrement que possible, m'efforçant de maîtriser ma peur. De me dire que j'avais déjà connu des situations bien plus délicates. Qu'après la gadoue d'Amiens en 1918, c'était de la roupie de sansonnet. Il n'y avait même pas d'obus éclatant au-dessus de ma tête. J'avais encore mes quatre membres et mon service trois pièces. Une cagoule, de la pure rigolade. Ils voulaient que je ne voie rien, eh bien, pas de problème en ce qui me concerne. J'avais déjà vécu des journées noires et aveugles. On pouvait difficilement faire plus noir qu'Amiens. La journée noire de l'armée allemande, comme l'appelait, non sans raison, Ludendorff. Quel autre nom donner à ça quand vous aviez devant vous une force de quatre cent cinquante chars et treize divisions d'Australiens et de Néo-Zélandais ? Et qu'il en venait toujours plus.

J'entendis craquer une allumette et sentis la fumée d'une seconde cigarette. Un fumeur à la chaîne, peut-être ? Ou quelqu'un d'autre ? J'inspirai à fond, tâchant d'introduire un peu de fumée dans mes propres poumons. Du tabac américain, comme l'indiquait clairement l'odeur douceâtre. Ils mettaient probablement du sucre dedans, de même qu'ils mettaient du sucre dans presque tout – le café, l'alcool, et sur les fruits frais. Ils en mettaient peut-être aussi sur leurs femmes. À en croire ce qu'ils racontaient, elles avaient probablement besoin d'un peu d'édulcorant.

Peu après mon arrivée à Landsberg, Hermann Priess, l'ancien commandant de la division SS à Malmedy lors de la bataille des Ardennes, m'avait décrit le genre de traitement brutal qu'il avait subi de la part des Américains. Avant leur procès pour le meurtre de quatre-vingt-dix soldats américains, Priess, Peiper et soixante-quatorze autres avaient été cagoulés, battus et contraints de signer des aveux. L'incident avait provoqué un tollé à la Cour internationale de justice et au Sénat des États-Unis. Comme on ne m'avait pas encore passé à tabac, il était peut-être un peu tôt pour dire que les Américains étaient incapables de tirer des leçons en matière de droits de l'homme, mais, sous ma cagoule, je n'en menais pas large.

« Bravo, Gunther. C'est le plus long temps qu'un type cagoulé ait passé ici bouche cousue. »

L'homme parlait allemand, un excellent allemand de surcroît, et, de toute évidence, ce n'était ni Silverman ni Earp.

Pour le moment, je continuai à me taire. D'ailleurs, qu'y avait-il à dire ? C'est ce qu'il y a de bien avec les interrogatoires : vous savez toujours que quelqu'un finira par vous poser une question.

« J'ai lu les notes du dossier, dit la voix. Votre dossier. Celles que Silverman et Earp ont rédigées. Au fait, ils ne se joindront pas à nous pour la suite de votre déposition. Ils n'approuvent pas notre façon de faire. »

Pendant qu'il parlait, j'attendais, crispé, le coup dont je savais qu'il allait venir. Un autre prisonnier m'avait raconté que les Ricains l'avaient roué de coups une heure durant à Schwäbisch Hall pour l'obliger à compromettre Joachim Peiper.

« Du calme, Gunther. Personne ne va vous frapper. Tant que vous coopérez, vous n'avez rien à craindre. La cagoule est destinée à me protéger. À l'extérieur de cette enceinte, cela risquerait d'être gênant pour nous deux si vous me reconnaissiez. Voyez-vous, je travaille pour la CIA.

— Et votre ami ? L'autre type qui se trouve ici ? Il travaille également pour l'Agence ?

— Vous avez l'ouïe fine, Gunther, je vous l'accorde, dit l'autre Amerloque. C'est peut-être pour ça que vous avez vécu si longtemps. » Son allemand n'était pas moins impeccable. « Oui, j'appartiens aussi à la CIA.

— Félicitations. Ça doit vous rendre extrêmement fiers tous les deux.

— Non, non. Félicitations à vous, Gunther. Silverman et Earp vous ont disculpé de tout agissement répréhensible. » C'était maintenant la première voix qui parlait. « Ils sont convaincus que vous n'avez assassiné personne. En tout cas, pas dans des proportions aussi élevées que ceux qui sont ici. » Il rit. « Je sais, ça ne signifie pas grand-chose. Mais c'est ainsi. Pour l'Oncle Sam, vous n'êtes pas un criminel de guerre.

— Eh bien, quel soulagement, répondis-je. Sans ces menottes, je lèverais le poing en l'air.

— Ils prétendent que vous avez une grande gueule. Et ils n'ont pas tort. Ils sont seulement un peu… naïfs, peut-être. À votre sujet, je veux dire.

— Toutes ces années, dit l'autre type, vous nous avez donné pas mal de fil à retordre. Vous savez ça ?

— Je suis ravi de l'entendre.

— À Garmisch-Partenkirchen. À Vienne. En fait, on s'est déjà rencontrés, vous et moi. À l'hôpital militaire de la Stiftskaserne ?

— Vous ne parliez pas allemand alors, remarquai-je.

— À vrai dire, si. Mais cela m'arrangeait que vous et cet officier de l'armée américaine, Roy Shields, pensiez le contraire.

— Je me souviens de vous. Comme si c'était hier.

— Évidemment que vous vous en souvenez.

— Et n'oublions pas notre ami commun, Jonathan Jacobs. Comment va-t-il ? Mort, j'espère.

— Non. Mais il continue à prétendre que vous avez essayé de le tuer. Apparemment, il a trouvé une boîte pleine de moustiques anophèles sur le siège arrière de sa Buick. Heureusement pour lui, ils étaient tous morts de froid.

— Dommage.

— Les hivers allemands peuvent être brutaux.

— Pas suffisamment, semble-t-il. Voilà près de dix ans que la guerre est finie, et vous êtes toujours là.

— C'est une guerre d'un autre genre à présent. Nous sommes tous du même côté.

— Bien sûr, dis-je. Je connais. Mais si c'est comme ça que vous traitez vos amis, je commence à comprendre pourquoi les Russes sont passés dans l'autre camp.

— Il ne serait pas raisonnable de jouer au plus fin avec nous, Gunther. Pas dans votre position. Nous n'aimons pas les petits malins.

— J'avais toujours cru qu'être malin constituait une partie utile du métier du renseignement.

— Faire ce qu'on vous dit quand on vous le dit est bien plus profitable dans notre boulot.

— Vous me décevez.

— Ça vaut largement mieux plutôt que ce soit vous qui nous déceviez.

— Je sens ça. Je n'arrive pas à sentir mes mains,

mais ça je peux très bien le sentir. Cependant, je dois vous avertir. J'ai beau porter une cagoule, j'ai vu vos cartes. Vous voulez quelque chose de moi. Et comme ça ne peut pas être mon cadavre, c'est forcément parce que vous pensez que je détiens des informations importantes pour vous. Et croyez-moi, ce ne sera pas le même topo si vous m'abîmez le portrait.

— Nous avons d'autres moyens de vous délier la langue que de vous abîmer le portrait.

— Sûr et certain. Et je peux faire de la fiction aussi bien que de la non-fiction. Vous ne verrez même pas le raccord. Écoutez, la guerre est finie maintenant. Je ne demande pas mieux que de vous dire tout ce que vous désirez. Mais vous vous rendrez compte que je réagis mieux au pain de sucre qu'à la cravache. Alors pourquoi ne pas me retirer ces menottes et me trouver des vêtements ? Vous avez été parfaitement clairs. »

Les deux agents de la CIA restèrent un instant silencieux. Je les imaginais, l'un opinant en direction de l'autre, lequel secouait la tête en faisant un grand « Non » avec les lèvres, telles deux vieilles commères. Puis l'un d'eux se mit à rire.

« Avez-vous vu ce mec apporter une valise pleine d'échantillons ici ?

— Un vrai vendeur Fuller Brush[1], pas vrai ?

— Red Skelton[2] avec un sac sur la tête. Essayant quand même de faire une vente.

---

1. Célèbre entreprise américaine spécialisée dans les produits et ustensiles d'entretien, et qui faisait principalement de la vente au porte-à-porte.

2. Acteur comique américain (1913-1997) s'étant illustré dans des comédies musicales.

— Vous n'êtes pas acheteur, hein ? dis-je. Dommage. Je devrais peut-être parler au chef de famille.

— J'ai l'impression qu'un sac sur la tête ne lui suffit pas.

— Il n'est pas trop tard pour un nœud coulant. Peut-être que nous devrions le livrer aux Popov et alors la question serait réglée.

— Tiens, voilà qu'il ne dit plus rien.

— Nous avons votre attention, Red ?

— Vous ne voulez pas de mes balais-brosses, répondis-je. Bon, d'accord. Alors pourquoi ne pas me dire ce que vous voulez ?

— Quand nous serons prêts, Gunther, pas avant.

— Mon ami ici présent est capable de déchirer en deux un annuaire téléphonique, mais il préfère ceci comme démonstration de notre pouvoir sur vous. Ça demande beaucoup moins d'effort et, en plus d'observer le pouvoir de l'esprit, vous pouvez le sentir également. Nous ne voudrions pas qu'en sortant d'ici, vous racontiez à tous vos petits copains nazis que nous sommes des mous.

— On a compris la leçon. Les gens avaient bien plus peur des Popov que de nous.

— En vertu de quoi vous avez décidé de leur ressembler davantage, dis-je. De la jouer aussi à la dure qu'eux. Bien sûr, je comprends.

— C'est exact, Gunther. Ce qui nous ramène aux balais-brosses. Ou plutôt à un balai-brosse en particulier.

— Un nom que vous avez mentionné devant Silverman et Earp. Erich Mielke.

— Je m'en souviens. Qu'est-ce qu'il a de spécial ?

— Ils ont eu la nette impression que vous le connaissiez.

— Nous nous sommes rencontrés. Et après ?

— Vous devez l'avoir très bien connu.

— Qu'est-ce qui vous fait croire ça ?

— Vous regardiez Ehrard Milch par une fenêtre au moment où il a franchi le portail. Combien ça fait ?

— Vingt, vingt-cinq mètres. Vous devez avoir une bonne vue, Gunther.

— Pour lire, je mets des lunettes, répliquai-je.

— Vous pourrez les récupérer. Quand vous signerez vos aveux.

— Quels aveux ?

— Ceux que vous allez signer, Gunther.

— Je croyais que vous aviez dit que Silverman et Earp m'avaient blanchi.

— En effet. Il s'agit de notre contrat d'assurance Ohio. Il ajoute l'obligation de loyauté et de sécurité à tout ce que vous nous raconterez sur Erich Mielke.

— Ce qui signifie que nous vous tenons par les couilles, Gunther.

— Qu'y a-t-il dans ces aveux ?

— Quelle importance ? »

Il avait raison. Ils pouvaient dire ce que bon leur semblait, je n'aurais qu'à l'avaler.

« Très bien. Je signerai.

— Ça n'a pas l'air de vous troubler.

— Avant, je faisais l'homme-serpent dans un cirque. De plus, voilà déjà un bout de temps que je tourne en rond, et je suis fatigué. Je n'ai qu'une envie, c'est de rentrer chez moi et de reposer mes longues jambes.

— Et si vous nous interprétiez un autre numéro ? Monsieur Mémoire, par exemple.

— Vous ne m'avez toujours pas dit pourquoi vous vous intéressiez tellement à lui, fis-je observer. De sorte que j'ignore ce que je dois garder ou exclure.

— Toute l'histoire, affirma l'autre. On veut toute l'histoire. Chaque détail. On s'occupera du pourquoi plus tard.

— Vous voulez l'ensemble du Lévitique ? Ou seulement Mielke ?

— Revenons au début.

— La Genèse alors. Sûr. Il y avait des ténèbres à la surface de Berlin. Pour moi, en tout cas. Et Walter Ulbricht dit : que les bandits communistes soient ; et Adolf Hitler dit : que les bandits nazis soient également. Et le chancelier Brüning dit : laissons les flics s'interposer entre les deux camps. Et Dieu dit : pourquoi ne pas donner aux flics un boulot un peu plus facile ? Car, soir et matin, ça n'arrêtait pas. Les problèmes. La rivière s'appelait la Spree, et chaque jour on y repêchait des cadavres. Tantôt un communiste, tantôt un nazi. Et certains, en voyant ça, disaient que c'était bon. Tant qu'ils s'entretuent, qu'est-ce que ça peut bien foutre, n'est-ce pas ? Moi, je croyais à la République et à l'État de droit. Mais beaucoup de flics étaient des nazis et n'en avaient pas honte. Dès lors, on peut dire que Berlin et l'Allemagne étaient finies, et avec elles toute leur armée. » Je poussai un soupir. « Je perds la mémoire. Vous ne le saviez pas ? C'est notre passe-temps favori en Allemagne.

— Eh bien, réfléchissez.

— Laissez-moi une minute. Ça fait maintenant

vingt-trois ans qu'on en parle. On ne crache pas ça comme une touffe de poils.

— 1931.

— Une année funeste pour l'Allemagne. Il y avait, voyons, combien ? Quatre millions de chômeurs dans le pays ? Et une crise bancaire. En Autriche, la Kreditanstalt avait mis la clé sous le paillasson, quoi, deux ou trois semaines plus tôt. Ça me revient à présent. C'était le 11 mai. L'avenir paraissait sombre. Ce que tous les nazis attendaient, je suppose. Pour tirer les marrons du feu. Oui, les choses allaient mal. Mais pas pour Mielke. La chance était sur le point de lui sourire. Vous avez votre bloc-notes à portée de main ?

— Comme si j'étais votre aide de bureau. »

11

Allemagne, 1931

On était le mardi 23 mai. Je le sais parce que c'était mon anniversaire. On a tendance à se rappeler son anniversaire quand on doit le passer à la prison de Tegel, à interroger un des hommes condamnés dans le procès du Tanzpalast Eden. Un membre de la SA[1] du nom de Konrad Stief. Juste un gosse en réalité, vingt-deux ans tout au plus, avec deux ou trois condamnations pour de menus larcins, et qui avait rejoint la SA au printemps précédent. Dans les dernières années de la République de Weimar, son cas illustrait assez bien le climat régnant à Berlin : le 22 novembre 1930, Stief et trois de ses copains de la brigade 33 s'étaient rendus à une salle de bal. Rien de mal à ça, sauf qu'ils n'y allaient pas pour pratiquer le Lindy Hop[2] ; à la place

---

1. Première organisation paramilitaire nazie, la Sturmabteilung (en français « section d'assaut »), abrégée en SA, avait été créée par Hitler à Munich en 1921.
2. Danse qui se développa dans la communauté noire de Harlem vers la fin des années 1920, en même temps que le jazz et le swing.

de la cravate et des cheveux soigneusement peignés, ils avaient pris des pistolets. Voyez-vous, le Tanzpalast Eden était fréquenté par un club de randonnée communiste. Curieusement, dans les salles de bal, les clubs de randonnée communistes avaient l'habitude de faire comme tout le monde : ils dansaient. Mais pas ce soir-là. Toujours est-il que, à leur arrivée, les nazis montèrent directement sur la piste et ouvrirent le feu. Plusieurs des gais randonneurs furent touchés, dont deux gravement blessés.

Comme je viens de le dire, il s'agissait d'une histoire typiquement berlinoise, et j'aurais sans doute oublié bon nombre de ces détails, si ce n'est que le procès du Tanzpalast Eden, devant la Cour criminelle centrale de Berlin, dans le vieux Moabit, n'avait, lui, rien de typique. En effet, l'avocat de la défense, un dénommé Hans Litten, appela Hitler à la barre et lui fit subir un contre-interrogatoire portant sur ses véritables relations avec la SA et les méthodes violentes employées par celle-ci ; et Hitler, qui essayait de se poser en champion de l'ordre public, n'avait guère apprécié la chose, ni Herr Litten, qui se trouvait être juif. Quoi qu'il en soit, les quatre hommes furent déclarés coupables. Stief écopa de deux ans et demi à Tegel, et, dès le lendemain, je me pointais là-bas pour voir s'il pouvait m'éclairer sur une autre affaire. Relative au meurtre d'un SA. L'arme que Stief avait utilisée au Tanzpalast Eden avait en effet servi à tuer un autre SA. Et ma question était la suivante : ledit SA avait-il été assassiné par les communistes parce qu'il appartenait aux sections d'assaut ? Ou, comme cela semblait de plus en plus probable, avait-il été assassiné par les nazis parce qu'il était en réalité un communiste envoyé pour espionner la brigade 33 ?

Je finis par arracher un nom à Stief, celui d'une taverne mal famée de la vieille ville que fréquentait la brigade 33. La taverne Reisig, dans la Hebbelstrasse, dans l'ouest de Charlottenburg. Laquelle n'était pas très éloignée du Tanzpalast Eden. De sorte qu'en quittant Tegel je décidai d'aller y jeter un coup d'œil. Mais je m'étais à peine garé devant que je vis un groupe de SA s'entasser dans un camion. Armés jusqu'aux dents et manifestement en partance pour une mission sanguinaire. Il était trop tard pour appeler le commissariat, aussi, songeant que, pour une fois, je pourrais peut-être empêcher un meurtre plutôt que de simplement enquêter dessus, je m'élançai dans leur sillage.

Cela peut paraître courageux et même téméraire, mais ça ne l'était pas. À cette époque, un tas de flics avaient l'habitude de se balader avec un Bergmann MP18 dans le coffre de leur bagnole au lieu d'un vulgaire pétard. Le Bergmann était un pistolet-mitrailleur de 9 mm avec un magasin de trente-deux cartouches, parfait pour nettoyer la pourriture des rues. Je suivis donc la bande jusqu'à la colonie Felseneck, dans Reinickendorf, un bastion du parti communiste. La colonie Felseneck n'était qu'une série de jardins ouvriers pour les rouges désirant faire pousser leurs propres légumes ; et, avec la dureté des temps, beaucoup d'entre eux en avaient besoin pour vivre, purement et simplement. Quelques-uns habitaient là, en réalité. Ils avaient leurs propres gardes, censés les protéger des nazis, sauf qu'ils n'avaient pas fait leur boulot. Ils avaient fichu le camp ou avaient été mis au parfum, à moins qu'ils ne se soient trouvés à l'intérieur au moment de l'attaque, qui sait ?

Quand j'arrivai, les nazis s'apprêtaient à rosser un jeune type d'une vingtaine d'années. Je ne le vis pas très bien sur le moment – il y avait trop de chemises brunes après lui, tels des chiens. Ils prévoyaient probablement de casser la gueule au môme, puis de l'embarquer ailleurs et de lui loger une balle dans le crâne avant de se débarrasser du cadavre. Je balayai l'air au-dessus de leur tête avec le Bergmann, les obligeai à regagner leur camion et leur ordonnai de se barrer parce qu'ils étaient trop nombreux pour que je les arrête. Puis, au cas où ils décideraient de revenir, je dis au garçon de monter dans ma voiture, que je le déposerais quelque part – un endroit plus sûr que là où nous étions, de toute manière. Il me remercia et me demanda si je pouvais l'emmener à la Bülowplatz. Et c'est alors que, pour la première fois, j'examinai attentivement Erich Mielke. Dans ma bagnole, en route pour Berlin.

Vingt-quatre ans environ. Un mètre soixante-dix, musclé, avec un tas de cheveux ondulés, et berlinois – de Wedding, je crois. Communiste de toujours, à l'instar de son père, qui était charpentier ou charron. Et il avait deux sœurs et un frère plus jeunes, également membres du parti communiste. C'est du moins ce qu'il m'expliqua.

« Alors c'est vrai ce qu'on prétend, lui dis-je. Que la folie est héréditaire. »

Il sourit. Mielke avait encore le sens de l'humour à l'époque. C'était avant que les Russes le prennent en main. À propos de Marx, Engels et Lénine, ils n'ont jamais eu tellement le sens de l'humour.

« Il n'y a rien de fou là-dedans, répondit-il. Le KPD est le plus grand parti communiste après celui de l'Union soviétique. Vous n'êtes pas un nazi, c'est évident. Je présume que vous êtes social-démocrate.

— Exact.

— C'est bien ce que je me disais. Un social-fasciste. Vous nous détestez encore plus que vous ne détestez les nazis.

— Ben voyons, mais bien sûr. Si je vous ai aidé là-bas, c'est uniquement parce que j'avais envie que vous creviez de honte quand il vous faudrait raconter à vos petits copains gauchistes que c'est un flic soutenant le SPD qui a retiré votre pot-au-feu du poêle. Ou mieux encore, parce que j'espérais que vous iriez vous pendre comme Judas l'Iscariote pour cette trahison du mouvement commise par un rouge ayant une dette envers un républicain.

— Qui dit que je vais le leur raconter ?

— Je suppose que vous avez raison. Qu'est-ce qu'un mensonge de plus, après tous les mensonges déjà proférés par le KPD ? » Je secouai la tête. « Décidément, c'est une décennie bien vulgaire et malhonnête qui nous attend.

— Ne croyez pas que je ne vous suis pas reconnaissant, poulet, dit Mielke. Ces salauds m'auraient certainement coupé la gorge. Ils voulaient ma peau parce que je suis journaliste pour le *Rote Fahne*[1]. J'étais en train d'écrire un article sur la communauté ouvrière de la colonie Felseneck.

— Ouais, ouais. L'amour fraternel et toutes ces sornettes.

---

1. « Le Drapeau rouge ». Journal fondé en 1918 à Berlin par Karl Liebknecht et Rosa Luxemburg. Devenu l'organe central du KPD, il sera interdit lors de l'arrivée au pouvoir de Hitler.

— Vous ne croyez pas à l'amour fraternel, poulet ?

— L'amour fraternel, les gens s'en moquent comme de leur première chemise. Ils veulent seulement quelqu'un à aimer et qui les aime aussi. Tout le reste n'est que de la foutaise. La plupart échangeraient volontiers la clé de la porte du paradis des travailleurs contre une chance d'être aimés pour eux-mêmes, et pas parce qu'ils sont allemands, ou la classe ouvrière, ou aryens, ou le prolétariat. Personne ne croit réellement à un rêve euphorique bâti sur tel bouquin ou telle vision historique ; ils croient à un mot gentil, à un baiser d'une jolie fille, à une bague au doigt, à un sourire heureux. C'est ça, les gens – les individus qui forment un peuple –, c'est à ça qu'ils veulent croire.

— Des niaiseries sentimentales, railla Mielke.

— Probablement.

— C'est le problème avec vous autres démocrates. Vous débitez tellement d'âneries indicibles. Eh bien, l'heure n'est plus à ce genre de boniments. Vous tiendrez ce discours au cimetière si votre classe et vous ne vous réveillez pas sans tarder. Hitler et les nazis se moquent bien de vos chères petites personnes. Tout ce qui les intéresse, c'est le pouvoir.

— Et les choses seront différentes quand nous prendrons nos ordres de Staline dans un État ouvrier dégénéré.

— Vous parlez comme Trotsky, dit Mielke.

— C'est un social-démocrate lui aussi ?

— Un fasciste.

— Ce qui signifie que ce n'est pas un authentique communiste.

— Exactement. »

Le trajet de retour vers le centre de Berlin nous obligea à prendre la Bismarckstrasse. À un arrêt de tram, juste avant le Tiergarten, Mielke pivota soudain sur son siège.

« C'était Elisabeth. »

Je me rangeai le long du trottoir, et Mielke fit un signe de la main à une ravissante brune. Comme elle se penchait par la fenêtre de la voiture, je sentis distinctement des relents de transpiration, mais je ne lui en tins pas rigueur par cette chaude journée. J'étais moi-même quelque peu échauffé.

« Qu'est-ce que tu fais ici ? demanda Mielke.

— J'ajustais une robe pour une cliente qui est comédienne au Schiller Theater.

— Voilà un métier qui me plairait », remarquai-je.

La brune me sourit.

« Je suis couturière.

— Elisabeth, voici le Kommissar Gunther, de l'Alex.

— Tu as des ennuis, Erich ?

— C'est sûrement ce qui se serait produit sans l'extraordinaire bravoure du Kommissar. Il a mis en fuite des nazis qui s'apprêtaient à me flanquer une raclée.

— Puis-je vous déposer quelque part ? demandai-je à la brune, changeant de sujet.

— Eh bien, vous pourriez me laisser près de l'Alexanderplatz », répondit-elle.

Elle grimpa sur la banquette arrière et, nous dirigeant de nouveau vers l'est, nous enfilâmes la Berliner Strasse, avant de franchir le canal et de traverser le parc. Tout d'abord, je crus, non sans un pincement de jalousie, que la brune entretenait des rapports étroits avec Mielke, ce qui était effectivement le cas, mais pas de la façon dont je l'avais cru ; apparemment, elle avait été très amie avec la mère de Mielke, Lydia, qui était aussi couturière, et, après la mort de celle-ci, la brune s'était efforcée d'aider le père veuf de Mielke à élever ses quatre enfants. Par conséquent, Erich Mielke semblait considérer Elisabeth davantage comme une grande sœur, ce qui m'allait à merveille. Cette année-là, j'avais un penchant pour les jolies brunes et je résolus sur-le-champ d'essayer de la revoir, dans la mesure du possible.

Dix minutes plus tard, nous approchions de la Bülow-platz, la direction favorite d'Erich Mielke, pour être le siège du KPD à Berlin. Occupant tout un coin d'une des places les plus étroitement surveillées d'Europe, la Maison Karl-Liebknecht était un présage ostensible de ce à quoi risquaient de ressembler tous les édifices si jamais les gauchistes accédaient au pouvoir, chacun de ses cinq étages pavoisé de plus d'étendards qu'une plage dangereuse et de plusieurs slogans d'une euphorique platitude en gigantesques majuscules blanches. Si l'architecture est de la musique gelée, c'était une Lotte Lenya[1] à moitié dégelée nous exhortant à mourir sans poser de questions.

À peine avions-nous pénétré sur la place que Mielke s'enfonça dans le siège du passager.

« Laissez-moi après le carrefour, dans la Linien-strasse. Au cas où on me verrait descendre de votre bagnole et où on me prendrait pour un espion.

---

1. Chanteuse et actrice autrichienne, épouse de Kurt Weill. Elle joua le rôle de Jenny lors de la création en 1928, à Berlin, de *L'Opéra de quat'sous* de Bertolt Brecht.

— Du calme, dis-je. Je suis en civil. »

Il rit.

« Vous croyez que ça vous sauvera quand viendra la révolution ?

— Non, mais ça vous a probablement sauvé cet après-midi.

— D'accord, Kommissar. Si je peux vous paraître ingrat, c'est qu'il ne m'arrive pas souvent d'être traité de façon équitable par un flic de Berlin. Je suis plus habitué aux roussins du genre Joues de porc.

— Joues de porc ?

— Cette espèce de salaud d'Anlauf. »

Je hochai la tête. Le capitaine Anlauf était – chez les communistes, en tout cas – le policier le plus détesté de la capitale.

Je m'arrêtai dans la Weydingerstrasse et attendis que Mielke soit sorti.

« Merci encore. Je ne l'oublierai pas, poulet.

— Évitez les ennuis, hein ?

— Vous de même. »

Puis il embrassa la brune sur la joue et partit. J'allumai une cigarette et le regardai retourner à pied jusqu'à la Bülowplatz puis disparaître dans un groupe d'hommes.

« Il ne faut pas lui en vouloir, dit la brune. Ce n'est pas un mauvais garçon, en fait.

— Je ne lui en veux pas autant qu'il semble m'en vouloir.

— Eh bien, fit-elle, merci pour le trajet. Ici, ça me va très bien. »

Elle portait une robe imprimée en percale de couleur vive, avec un bouton en forme de cœur à la taille, un col en dentelle et d'élégantes manches bouffantes. Le motif imprimé consistait en une profusion de fleurs et de fruits rouges et blancs sur fond noir. On aurait dit un jardin maraîcher à minuit. Sur sa tête, le petit chapeau mou avec un ruban en soie rouge ressemblait à un gâteau, comme si c'était l'anniversaire de quelqu'un. Le mien, peut-être. Ce qui était le cas, bien sûr. L'odeur de sueur qu'elle dégageait était sans chichis et plus provocatrice pour moi que je ne sais quel parfum coûteux et écœurant. Sous le jardin de minuit se trouvait une vraie femme, avec de la peau sur chaque partie de son corps, des organes et des glandes, et tout ce que j'aimais chez elles, mais que j'avais presque oublié. Parce que c'était le genre de journée où les jeunes filles comme Elisabeth mettaient de nouveau des robes d'été, et que je me rappelais combien l'hiver à Berlin m'avait paru interminable, à dormir dans cette grotte avec mes rêves pour seule compagnie.

« Venez prendre un verre », dis-je.

Elle eut l'air tentée, encore qu'un instant seulement.

« Ce serait avec plaisir, mais… il faut vraiment que je retourne travailler.

— Allons, il fait chaud et j'ai besoin d'une bière. Il n'y a rien de tel que de passer quelques heures au violon pour donner soif à un homme. Surtout quand c'est son anniversaire. Vous ne voudriez pas que je boive seul le jour de mon anniversaire, n'est-ce pas ?

— Non. Si c'est vraiment votre anniversaire.

— Et si je vous montre ma carte d'identité, vous viendrez ?

— D'accord. »

Ce que je fis. Et elle tint parole. Juste à côté du poste de police de la Bülowplatz, il y avait un café appelé le Braustübl et, laissant la voiture où elle était, nous entrâmes.

La salle était remplie de communistes, naturellement. Mais ce n'est pas à eux que je pensais, ni à Erich Mielke, même si Elisabeth continua à me parler de lui pendant un certain temps comme si ça m'intéressait, ce qui n'était pas le cas. Simplement, j'aimais bien voir ses lèvres rouges s'ouvrir et se fermer pour faire admirer ses dents blanches. Je trouvais particulièrement séduisants ses éclats de rire, vu qu'elle semblait apprécier mes blagues, et c'était tout ce qui comptait en réalité car, au moment de nous séparer, elle accepta de me revoir.

Lorsqu'elle fut partie, j'achetai des cigarettes et, regagnant ma voiture, j'accrochai le regard d'un des agents en uniforme postés sur la place. Je m'arrêtai pour bavarder avec lui au soleil. Bauer, tel était son nom, le sergent Adolf Bauer. Notre conversation relevait des propos de comptoir : le procès de Charlie Urban pour un meurtre au Mercedes-Palast, les décrets-lois de Brüning, le témoignage de Hitler au tribunal de Moabit. Bauer était un bon flic et, pendant tout le temps que nous parlions, je remarquai qu'il avait un œil sur une voiture stationnée devant la Maison Karl-Liebknecht, comme si elle lui rappelait quelque chose, elle ou le lascar attendant patiemment sur le siège du conducteur. Puis, soudain, nous vîmes trois autres types sortir du Braustübl et aller retrouver le premier dans la voiture. L'un d'entre eux était Erich Mielke.

« Hé, fit Bauer, va y avoir du grabuge.

— Je connais le gosse. Celui avec la mèche. Mais pas les autres.

— Celui qui conduit, c'est Max Thunert, dit Bauer. Un petit voyou du KPD. Dans le trio figurait Heinz Neumann. Il siège au Reichstag, mais ça ne l'empêche pas de semer la pagaille quand il est là. Je n'ai pas reconnu l'autre zèbre.

— J'étais dans ce café il y a un instant. Et je n'en ai pas vu un seul.

— Il y a une salle privée en haut dont ils se servent, expliqua Bauer. Je parierais qu'ils y gardent des armes. Au cas où on déciderait de fouiller la Maison Karl-Liebknecht. Sans compter que, si les SA organisent une manifestation ici, ils ne s'attendront à rien depuis l'étage de ce bistrot.

— Vous l'avez dit au Hussard ? »

Le Hussard était un sergent en uniforme du nom de Max Willig, qui se trouvait fréquemment dans les parages de la Bülowplatz et était presque aussi impopulaire que le capitaine Anlauf.

— Oui, je lui ai dit.

— Et il ne vous a pas cru ?

— Si. Mais pas le juge Bode quand on est allés chercher un mandat. L'a répondu qu'il nous fallait plus d'éléments qu'une simple démangeaison au bout de mon nez.

— Ils mijotent quelque chose, à votre avis ?

— Ils mijotent toujours quelque chose. Ce sont des communistes, non ? Des criminels, pour la plupart.

— J'ai horreur des criminels qui bafouent les lois.

— Parce qu'il en existe d'une autre espèce ?

— L'espèce qui fabrique les lois. Ce sont les Hindenburg et les Schleicher de ce monde qui torpillent la République, bien plus que tous les cocos et les nazis réunis.

— Pour ça, vous avez raison, mon vieux. »

Il est probable que je n'aurais jamais plus entendu le nom d'Erich Mielke sans deux choses. La première, c'est que je voyais fréquemment Elisabeth et que, de temps à autre, elle me racontait l'avoir rencontré, lui ou une de ses sœurs. Et puis il y eut les événements du 9 août 1931. Il n'y a pas un policier du Berlin de Weimar qui ne se souvienne du 9 août 1931. Tout comme les Américains se souviennent du *Maine*[1].

---

1. Le 15 février 1898, l'USS *Maine*, cuirassé de la marine des États-Unis, coula dans le port de La Havane à la suite d'une explosion. Attribuant l'incident à un acte de sabotage commis par les Espagnols, la presse américaine exhorta l'opinion publique à réclamer la guerre au cri de : « Remember the *Maine* ! » (Souvenez-vous du *Maine*).

12

Allemagne, 1931

Nous avions eu un été difficile, c'est le moins qu'on puisse dire. En dépit des nouvelles lois qui faisaient de la violence politique un délit majeur, les nazis tuaient des communistes à raison de pratiquement deux pour un. Après les élections de mars, où le parti national-socialiste avait obtenu trois fois plus de voix que le KPD, les communistes devinrent de plus en plus agressifs, de désespoir sans doute. Puis, début août, se tinrent des élections pour le Parlement de Prusse. Ce qui avait très probablement à voir avec la crise économique mondiale. Après tout, on était en 1931, au beau milieu de la Grande Dépression. Près de la moitié des banques avaient fait faillite aux États-Unis et, en Allemagne, on en était encore à essayer de payer la guerre avec près de six millions d'hommes sans emploi. Situation dont on peut dire qu'elle était en grande partie la faute des Français avec leur paix carthaginoise.

Les élections en Prusse étaient toujours un baromètre pour le reste de l'Allemagne, et généralement une sacrée foire d'empoigne. Pour ça, on peut dire que

154

la faute en revenait au caractère prussien. *Jedem das Seine* était une devise prussienne. Littéralement, ça signifiait « À chacun son dû », mais aussi, de manière plus figurée, « Chacun a ce qu'il mérite ». Ce qui explique qu'ils l'aient mise au-dessus des portes du camp de concentration de Buchenwald. Et sans doute aussi, étant donné le caractère particulier du Parlement prussien, que nous ayons eu ce que nous méritions lorsque, le 9 août, les résultats furent proclamés et qu'il se révéla que trop peu de gens avaient voté pour provoquer des élections au niveau national. Faute de quorum, les esprits dans tout Berlin ne firent que s'aigrir davantage. Et tout spécialement sur la Bülowplatz, devant la Maison Karl-Liebknecht. Soupçonnant qu'un accord pourri avait été passé entre les nazis et l'administration prussienne, des milliers de communistes se rassemblèrent. Peut-être avaient-ils raison au sujet de l'accord. Mais la manifestation tourna au vinaigre lorsque la police antiémeutes rappliqua et se mit à casser des têtes de bolcheviques comme des œufs. Les flics de Berlin ont toujours été doués pour faire des omelettes.

Il est problable que la pluie n'aida pas non plus. Il avait fait chaud et sec pendant plusieurs semaines, mais ce jour-là il pleuvait des cordes, et les flics de Berlin n'ont jamais aimé se mouiller. À cause de tout le cuir qu'il y a sur leur shako[1]. Certes, il existait des protections qu'on était censé mettre par mauvais temps, mais personne n'y pensait, ce qui veut dire que vous deviez passer ensuite des heures à nettoyer et à astiquer votre

---

1. Couvre-chef en forme de cône tronqué avec une visière, d'abord porté par l'armée prussienne.

shako. S'il y avait bien un truc qui faisait chier un poulet berlinois, c'était de mouiller son couvre-chef.

Je suppose que les rouges décidèrent qu'ils en avaient largement soupé. D'un autre côté, ils n'arrêtaient pas de dénoncer ce qu'ils appelaient un régime policier, même quand la police se conduisait avec une impartialité exemplaire. Ce n'était pas la première fois que la Schupo faisait l'objet de menaces. Mais là, c'était autre chose. On parlait de buter les flics. Vers huit heures ce soir-là, des coups de feu furent tirés, provoquant entre la police et le KPD une importante fusillade – la plus importante qu'on ait vue depuis l'insurrection de 1919.

Aux environs de neuf heures, la nouvelle parvint au siège de la police sur l'Alexanderplatz que plusieurs officiers, dont deux capitaines, avaient été abattus. On enquêtait déjà sur le meurtre en juin d'un autre flic. J'avais aidé à porter son cercueil. Lorsque j'arrivai à la Bülowplatz avec d'autres inspecteurs, le plus gros de la foule avait disparu, mais la fusillade n'avait pas cessé pour autant. Les communistes étaient montés sur les toits de plusieurs bâtiments, et les flics, munis de projecteurs, ripostaient, tandis que leurs collègues fouillaient les immeubles du quartier à la recherche d'armes ou de suspects. Une centaine de personnes furent arrêtées, peut-être plus, tandis que la bataille se poursuivait. Ce qui veut dire que nous ne pouvions pas aller chercher les corps, et, pendant plusieurs heures, nous échangeâmes des coups de feu avec les rouges ; à un moment donné, une balle de fusil sectionna un morceau de brique juste au-dessus de ma tête et, plus de rage que dans l'espoir d'atteindre quoi que ce soit, j'y allai de mon Bergmann jusqu'à ce que le magasin fût vide. Il nous fallut attendre une heure du matin pour arriver jusqu'aux officiers de police en détresse, qui gisaient dans l'entrée du cinéma Babylon. À ce stade, un communiste avait été tué et dix-sept autres blessés.

Sur les trois policiers se trouvant dans l'entrée, deux avaient rendu l'âme. Le troisième, le sergent Willig, le « Hussard », était gravement blessé. Il avait été touché au ventre et au bras, et sa tunique gris-bleu était rouge de sang, lequel n'était pas entièrement le sien.

« On s'est fait avoir, murmura-t-il en suffoquant alors que nous lui tenions compagnie en attendant l'ambulance. Ils n'étaient pas sur les toits, ceux qui nous ont rectifiés. Ces salauds-là se planquaient sous un porche, et ils nous ont tiré dessus par-derrière au moment où on passait. »

L'officier responsable, l'inspecteur de police et conseiller Reinhold Heller, lui dit d'économiser sa salive, mais Willig appartenait à cette catégorie de flics pour qui faire son rapport ne saurait souffrir aucune exception.

« Ils étaient deux. Pistolets. Automatiques. J'ai tiré dans le tas. Un chargeur plein. Pourrais pas dire si j'en ai touché un. Des jeunots. Casse-cou. La vingtaine. Se sont marrés en voyant les deux capitaines toucher le sol. Puis ils se sont engouffrés dans le cinéma. » Il essaya de sourire. « Sûrement des admirateurs de Garbo. Personnellement, je ne l'ai jamais beaucoup aimée. »

Les ambulanciers arrivèrent et l'emportèrent sur une civière, nous laissant avec les deux cadavres.

« Gunther, dit Heller. Allez parler au gérant. Essayez de savoir si quelqu'un a vu quelque chose de plus que simplement le film. »

Heller était juif, mais ça ne me posait pas de problème. Contrairement à certains. C'était l'enfant chéri de Bernard Weiss, le chef de la Kripo, ce qui n'aurait dérangé personne sauf que Weiss était juif également. Je considérais Heller comme un bon policier, et, pour moi, c'est tout ce qui comptait. Naturellement, les nazis n'étaient pas de cet avis.

Le film, c'était *Mata Hari*, avec Garbo dans le rôle-titre et Ramon Novarro dans celui du jeune officier russe qui tombe amoureux d'elle. Pour ma part, je ne l'avais pas vu, mais il marchait pas mal à Berlin. Garbo est tuée par le perfide Français et, avec une intrigue pareille, il pouvait difficilement faire un flop auprès des Allemands. Le gérant du cinéma attendait dans le hall. Il avait le teint basané et l'air inquiet, avec une moustache comme un sourcil de lilliputien et, sur ce plan-là du moins, il n'était pas sans rappeler Ramon Novarro. Mais ce n'était peut-être pas plus mal que la blonde au guichet ne ressemble pas à Garbo, en tout cas la Garbo sur l'affiche : elle avait une tignasse effrayante à voir, comme celle du Struwwelpeter[1].

Autour de nous, tout était rouge. Tapis rouge, murs rouges, plafond rouge, fauteuils rouges et rideaux rouges sur les portes de la salle. Ce qui semblait on ne peut plus approprié, étant donné l'orientation politique du coin. La blonde était en larmes, le gérant simplement nerveux. Il n'arrêtait pas d'ajuster ses boutons de manchettes tout en débitant son récit d'une voix de

---

1. Héros du livre de comptines du même nom, écrit en 1844 par Heinrich Hoffmann. Très célèbre dans la littérature enfantine anglo-saxonne, *Der Struwwelpeter* met en scène un jeune garçon désobéissant aux cheveux ébouriffés.

stentor, comme s'il jouait un personnage dans une pièce.

« Mata Hari avait juste fini de séduire le général russe, Shubin, quand nous avons entendu les premiers coups de feu. De sorte qu'il devait être à peu près dix heures huit.

— Combien de coups de feu ?

— Une rafale. Six ou sept. Des armes légères. Pistolets. J'ai fait la guerre, vous comprenez. Alors je connais la différence entre un coup de pistolet et un coup de fusil. J'ai passé la tête par la porte de la caisse et j'ai vu Fräulein Wiegand couchée par terre. Tout d'abord, j'ai cru qu'il s'agissait d'un vol. Qu'elle avait été victime d'une agression. Mais il y a eu une seconde rafale, et plusieurs balles ont atteint la vitre de la caisse. Deux hommes ont dévalé le hall et sont entrés dans la salle sans payer. Et comme ils tenaient des pistolets, il n'était pas question que j'insiste pour qu'ils achètent des tickets. Je ne peux pas dire que je les ai regardés attentivement, parce que j'avais la frousse. Puis de nouveaux coups de feu ont éclaté, dehors. Des coups de fusil, je pense, et les gens se sont mis à courir jusqu'ici pour s'abriter. À ce moment-là, le projectionniste avait interrompu le film et allumé les lumières. Et les spectateurs s'en allaient par la porte de sortie, dans la Hirtenstrasse. Il était clair d'après le vacarme et la cohue que le film ne pouvait pas continuer, et avant qu'un de vos collègues vienne me dire de rester à l'intérieur, presque tout le monde avait quitté la salle par la porte du fond. Y compris les deux types armés de pistolets. » Il cessa un instant de tripoter ses boutons de manchette et se frotta le front avec vigueur. « Ils sont morts, n'est-ce pas ? Ces deux officiers de police. »

Je hochai la tête.

« Mmm hmm.

— Fâcheux. Vraiment fâcheux.

— Et vous, Fräulein ? Les deux avec des pistolets. Vous les avez bien regardés ? »

Elle secoua la tête et pressa un mouchoir trempé contre son nez rouge.

« Ça a été un choc terrible pour Fräulein Wiegand, dit le gérant.

— Pour nous aussi, monsieur. »

J'entrai dans la salle, enfilai l'allée centrale en direction de la sortie et poussai la porte. Je me trouvais à présent dans un petit escalier rouge. Que je descendis quatre à quatre pour arriver à une autre porte avant de déboucher enfin dans la Hirtenstrasse, juste au moment où une rame de métro passait sous mes pieds en faisant trembler tout le quartier, comme s'il n'avait pas été suffisamment secoué comme ça. Il faisait noir et il n'y avait pas grand-chose à voir dans la lumière jaunâtre des becs de gaz : quelques drapeaux rouges abandonnés, deux ou trois pancartes de manifestants et peut-être l'arme du crime si je me donnais la peine de chercher. Il semblait peu probable que les assassins aient pris le risque de conserver leurs pétards très longtemps avec autant de flics dans les parages.

Dans l'entrée du cinéma, ces derniers délimitaient un périmètre de scène de crime, ce qui veut dire qu'ils espéraient que le tout pourrait être plus grand que la somme de ses parties.

Le capitaine Anlauf avait reçu deux balles dans le cou et s'était de toute évidence vidé de son sang. La quarantaine environ, costaud, avec un visage plein qui avait valu au commissaire divisionnaire du septième arrondissement son surnom de Joues de porc. Son arme était encore dans son étui.

« Quelle pitié ! s'exclama un des inspecteurs. Sa femme est morte il y a trois semaines.

— De quoi ? m'entendis-je demander.

— Maladie des reins, répondit Heller. Ce qui laisse trois filles orphelines.

— Il va falloir les prévenir, dit quelqu'un.

— Je m'en chargerai. » L'homme qui venait de parler était en uniforme, et chacun se redressa en s'apercevant qu'il s'agissait du commandant de la Schupo de Berlin, Magnus Heimannsberg. « Vous n'avez pas besoin de vous en occuper.

— Merci, monsieur, dit Heller.

— Qui est le second ? Je ne le reconnais pas.

— Le capitaine Lenck, monsieur.

— Franz Lenck ? Qu'est-ce qu'il fabriquait ici ? Ce genre de travail n'était pas du tout de son ressort.

— On a fait venir tous les hommes en uniforme disponibles, répondit Heller. Quelqu'un sait s'il était marié ?

— Oui, dit Heimannsberg. Mais pas d'enfants. C'est toujours ça, je suppose. Écoutez, Reinhard, je lui parlerai également. À la veuve. »

Lenck avait la quarantaine lui aussi. Un visage plus mince que celui d'Anlauf et de profondes rides de sourire qui ne serviraient plus. Il avait encore un pince-nez sur la figure, ou presque, et le shako était resté sur sa tête, la jugulaire bien serrée sous le menton. On lui avait tiré dans le dos, et, comme pour Anlauf, son arme reposait dans l'étui, ainsi que Heimannsberg le fit remarquer à cet instant.

« Ils n'ont même pas eu la possibilité de sortir leur arme », dit-il avec amertume. Indiquant d'un signe de tête un Luger près de sa botte, il ajouta : « Je suppose que c'est le pistolet du sergent Willig.

— Il a vidé tout un chargeur, monsieur, dit Heller. Avant qu'ils se réfugient ici.

— Il a fait mouche ? »

Heller se tourna vers moi.

« Je ne pense pas, monsieur, répondis-je. Notez que, dans ce décor, c'est un peu difficile à dire. Tout est rouge. Tapis, murs, rideaux et le reste. Impossible de distinguer des taches de sang. Ils ont filé par la sortie au fond, dans la Hirtenstrasse. Si je pouvais avoir deux ou trois hommes avec des lampes électriques pour passer la rue au peigne fin. Les gens ont balancé drapeaux rouges et pancartes. Ils ont peut-être jeté leurs pistolets également. »

Heller opina.

« Soyez tranquilles, les gars, assura Heimannsberg, qui, ayant commencé sa carrière comme simple agent, était très apprécié de tous dans la police, on les attrapera, les fumiers qui ont fait ça. »

Quelques minutes plus tard, je parcourais la Hirtenstrasse en compagnie de deux flics en uniforme. Comme nous poussions plus à l'ouest, vers la Mulackstrasse et le territoire du Toujours Loyal, un gang berlinois tristement célèbre, ils commencèrent à devenir nerveux. Nous nous arrêtâmes près du marchand de tabac, Fritz Hempel. Il était fermé, bien évidemment. Je braquai ma lampe dans une direction puis dans l'autre. Les deux Schupos se rapprochèrent de moi, un peu plus détendus alors qu'on voyait au loin un fourgon blindé de la police stopper au carrefour.

« Si près de la Mulackstrasse et du Toujours Loyal, ils se sont sans doute dit qu'ils pouvaient garder leurs calibres, suggéra un des condés.

— Possible. »

Je me mis à rebrousser chemin le long de la Hirtenstrasse tout en continuant à scruter le sol, jusqu'à ce que j'aperçoive une bouche d'égout dans le caniveau. C'était une simple grille en fonte, mais quelqu'un l'avait soulevée, et récemment. Il n'y avait pas de boue sur deux des barreaux, là où on avait dû l'empoigner. Un des Schupos la tira tandis que j'enlevais mon veston puis ma chemise ; après quoi, inspectant les pavés autour de l'égout ouvert, je décidai d'ôter aussi mon pantalon.

« Il a été danseur au Haller-Revue avant de faire partie de la police, commenta un des flics en pliant mes vêtements sur son bras.

— Plein de ressources, hein ?

— Heimannsberg serait là, répliquai-je, il vous obligerait à le faire, alors bouclez-la.

— Je mettrais toute ma putain de tête dans cet égout si je pensais pouvoir y trouver le salopard de Juif qui a tué le capitaine Anlauf. »

Je m'allongeai à côté de l'égout et plongeai mon bras dans l'eau épaisse et noire jusqu'à l'épaule.

— Qu'est-ce qui vous fait croire qu'il s'agit d'un Juif ? demandai-je.

— Tout le monde sait que Juifs et marxistes, c'est du pareil au même.

— Je ne répéterais pas ça devant le conseiller Heller, si j'étais vous.

— Cette ville est corrompue par les Juifs, affirma le Schupo.

— Ne l'écoutez pas, dit l'autre flic. Pour lui, tout ce qui a un chapeau et un gros nez est juif. Voyez si vous pouvez dénicher des réparations de guerre pendant que vous y êtes.

— Très drôle. Si je n'avais pas de l'eau stagnante jusqu'à l'épaule, je me taperais sur les cuisses de rire. À présent, mettez-la en veilleuse. »

Je sentis un objet dur, en métal, et repêchai un pistolet à canon long. Je le tendis au flic qui ne tenait pas mes vêtements.

« Un Luger, hein ? déclara-t-il en essuyant une partie de la saleté qui recouvrait l'arme. On dirait un modèle d'artillerie. Ça vous ferait un trou de serrure supplémentaire dans votre porte. »

Je continuai à explorer le fond de la canalisation.

« Pas de cocos ici, dis-je. Juste ça. »

Je levai l'autre pistolet, un automatique avec une forme curieuse, irrégulière, comme si on avait essayé de séparer la glissière du canon.

Nous les emportâmes jusqu'à une bouche d'incendie pour les nettoyer. Le petit automatique était un Dreyse .32.

Je me lavai le bras, me rhabillai et rapportai les deux armes au poste de police du septième arrondissement, sur la Bülowplatz. Dans la salle des inspecteurs, Heller salua mon arrivée par une tape dans le dos verbale.

« Bravo, Gunther.

— Merci. »

D'autres flics rassemblaient déjà les boîtes de photos à apporter à l'hôpital pour que le sergent Willig y jette un coup d'œil lorsqu'on l'aurait opéré.

« Vous savez, ça risque de prendre du temps, fis-je observer au bout d'un moment. Je veux dire, avant

164

qu'il émerge. Les assassins auront alors quitté la ville. S'ils ne sont pas en route pour Moscou.

— Vous avez une meilleure idée ?

— Possible. Écoutez, au lieu de montrer au sergent Willig les photos de tous les rouges qui ont jamais été arrêtés à Berlin, on pourrait en sélectionner quelques-unes seulement.

— De qui ? Ces fripouilles se comptent par centaines.

— Il y a de grandes chances pour que l'attaque ait été orchestrée depuis la Maison Karl-Liebknecht. Pourquoi ne pas sortir les dossiers de juste soixante-dix rouges ? Parce que c'est le nombre de ceux qu'on a arrêtés quand on a effectué une descente à Karl-Liebknecht en janvier dernier. Tenons-nous-en à ces bobines-là pour l'instant.

— Oui, vous avez raison », admit Heller. Il saisit le téléphone. « Passez-moi l'hôpital. » Il fit signe à un autre inspecteur. « Montez au département A. Renseignez-vous pour savoir qui on a embarqué au cours de cette descente. Et dites aux gars des archives de trouver les dossiers d'arrestation et de nous rejoindre à l'hôpital. »

Vingt minutes plus tard, nous roulions vers l'hôpital de Friedrichshain.

On était en train de pousser Willig dans le bloc opératoire lorsque nous arrivâmes, chargés des dossiers d'arrestation de la Maison Karl-Liebknecht. Le blessé avait déjà reçu une injection, mais, en dépit de l'avis des médecins, soucieux d'opérer le plus vite possible, Willig comprit immédiatement l'urgence de ce qu'on lui demandait. Et le sergent eut vite fait d'identifier l'un de ses agresseurs.

« Lui, c'est sûr, dit-il d'une voix rauque. Il a fait feu sur le capitaine Anlauf, aucun doute.

— Erich Ziemer, précisa Heller avant de me passer le procès-verbal.

— L'autre avait à peu près le même âge, la même corpulence et la même couleur de cheveux que ce fils de pute. Ils auraient pu être frères tellement ils se ressemblaient. Mais il ne figure pas dans le lot. J'en suis certain.

— Très bien », fit Heller.

Il adressa quelques paroles d'encouragement au sergent avant que les médecins ne reprennent possession de leur patient.

« J'ai déjà vu ce Ziemer, dis-je. En mai, il se trouvait dans une voiture en compagnie de trois types. Ils étaient garés devant la Maison Karl-Liebknecht et, d'après le sergent Adolf Bauer, qui patrouillait sur la place, l'un d'eux était Heinz Neumann.

— Le député au Reichstag ? »

Je fis un signe de tête affirmatif.

« Et les deux autres ?

— Pour l'un, je ne sais pas. Peut-être que Bauer s'en souviendra.

— Oui, peut-être. »

Il marqua une pause, l'air d'attendre.

« Et le rouge que vous connaissez ? »

Je lui parlai de la fois où j'avais sauvé la vie à Erich Mielke en l'arrachant des mains d'une bande de SA bien décidés à lui faire la peau.

« C'était le quatrième type dans la voiture. Et ce que dit le sergent Willig est exact. Il ressemble beaucoup à Erich Ziemer.

— Bon. Alors vous croyez que nous sommes à la recherche de deux Erich, hein ? »

J'opinai.

« Gunther ? Je n'aimerais pas être connu à l'Alex comme l'homme qui a sauvé la vie à un tueur de flics.

— Je n'y avais pas vraiment réfléchi.

— Eh bien, peut-être que vous devriez. Et voici ce que je vous conseille à partir de cet instant : abstenez-vous de mentionner la manière exacte dont vous avez rencontré cet Erich Mielke jusqu'à ce qu'il soit en prison sous bonne garde. Surtout actuellement. C'est le genre d'histoire dont les nazis adorent se servir pour fustiger ceux d'entre nous, au sein de la police, qui se considèrent encore comme des démocrates, compris ?

— Oui, monsieur. »

Nous prîmes à l'ouest puis au nord du Ring jusqu'à la Biesenthaler Strasse, l'adresse marquée sur le procès-verbal d'Erich Ziemer. C'était une rue morne, non loin de la Christiana Strasse et à quelques reniflements de distance de la Löwen-Brauerei et de l'odeur de houblon caractéristique flottant constamment dans l'air au-dessus de cette partie de Berlin.

Ziemer avait loué une grande chambre lugubre dans une grande maison lugubre appartenant à un vieil homme au faciès rappelant le suaire de Turin. Bien que mécontent d'être réveillé à une heure aussi matinale, il ne parut guère surpris de s'entendre poser des questions sur son locataire, qui ne se trouvait pas dans sa chambre, et qui, semble-t-il, n'était pas près d'y retourner. Mais nous demandâmes malgré tout à la voir.

Contre la fenêtre se trouvait un canapé déglingué de la taille et de la couleur d'un hippopotame en train de faire la sieste. Sur le mur légèrement humide, une gravure représentait Alexander von Humboldt avec un spécimen botanique posé sur un livre ouvert. Herr Karpf, le propriétaire, se gratta la barbe, haussa les épaules et nous expliqua que Ziemer avait disparu comme une brume la veille en lui laissant trois semaines de loyer impayées et en emportant toutes ses affaires, sans parler d'une chope de bière en ivoire et argent d'une valeur de sept cents marks. On avait du mal à imaginer que Herr Karpf puisse posséder quoi que ce soit de valeur, mais nous promîmes de faire de notre mieux pour la retrouver.

Il y avait une cabine téléphonique sur l'Oskar Platz, près de l'hôpital, et de là nous appelâmes l'Alex, où un inspecteur s'était mis en quête d'une fiche de renseignements et d'une adresse pour Erich Mielke, jusqu'ici sans succès.

« Alors, c'est dans le lac, dit Heller.

— Non. Il y a encore une chance. Dirigez-vous vers le sud, jusqu'aux installations électriques de la Voltastrasse. »

Heller conduisait un joli petit cabriolet DKW de couleur crème avec un minuscule moteur deux cylindres de 600 centimètres cubes, mais il avait la traction avant et se cramponnait dans les virages comme une console soudée, si bien qu'en un clin d'œil on était là-bas. Au carrefour de la Brunnenstrasse et de la Voltastrasse, je lui dis de tourner à gauche dans la Lortzingstrasse et de s'arrêter.

« Donnez-moi dix minutes », dis-je.

Puis, enjambant la petite portière de la DKW, je marchai rapidement vers un immeuble d'habitation à l'allure imposante, tout en brique jaune et rouge, avec des balcons garnis de jardinières et un toit mansardé, qui faisait penser à une forteresse marocaine.

Frau Bayer, la corpulente logeuse d'Elisabeth, ne fut guère étonnée de me voir débarquer aussi tôt, dans la mesure où j'avais pris l'habitude de rendre visite à la couturière dès que j'avais terminé mon service. Elle savait que j'étais policier, ce qui suffisait normalement à couper court à ses plaintes d'être tirée du lit. La plupart des Berlinois avaient le respect de la loi, à moins d'être communistes ou nazis. Et quand ça ne suffisait pas à mettre fin à ses récriminations, je glissais quelques marks dans sa poche de robe de chambre à titre de dédommagement.

L'appartement était un dédale de pièces miteuses, pleines de vieux meubles en cerisier, d'écrans chinois et d'abat-jour à glands. Comme à l'accoutumée, je m'assis dans le salon le temps que Frau Bayer aille chercher sa locataire ; et, comme toujours, en me voyant Elisabeth me gratifia d'un sourire ravi bien que somnolent et me prit par la main pour m'emmener dans sa chambre, où un accueil digne de ce nom m'attendait ; si ce n'est que, cette fois, je restai rivé au canapé du salon.

« Qu'est-ce que tu as ? demanda-t-elle. Ça ne va pas ?

— C'est Erich. Il a des problèmes.

— Quelle sorte de problèmes ?

— Des problèmes sérieux. Deux policiers tués par balle hier soir.

— Et tu penses qu'Erich a quelque chose à voir là-dedans ?

— Ça en a tout l'air.

— Tu en es sûr ?

— Oui. Écoute, Elisabeth, je n'ai pas beaucoup de temps. Le mieux, pour lui, c'est que je le trouve avant que quelqu'un d'autre s'en charge. Je pourrai lui expliquer ce qu'il est préférable de dire et, plus important, de ne pas dire. Tu comprends ?

Elle hocha la tête et s'efforça d'étouffer un bâillement.

« Qu'est-ce que tu attends de moi ?

— Une adresse.

— Tu veux que je le trahisse, c'est ça ?

— C'est une façon de voir, évidemment. Je ne le nie pas. Mais on peut aussi voir ça comme ça : peut-être que j'arriverai à le persuader de raconter tout ce qu'il sait. Parce que c'est la seule chose qui puisse encore lui sauver la vie.

— Ils n'iraient pas jusqu'à le décapiter, n'est-ce pas ?

— Pour le meurtre d'un policier ? Détrompe-toi. Un des flics abattus était veuf avec trois filles à présent orphelines. La République n'aura pas d'autre choix que de faire de lui un exemple, ou de risquer de s'exposer à une tempête de critiques dans les journaux. Ce qui rendrait les nazis fous de joie. Mais, si c'est moi qui l'arrête, je réussirai peut-être à le convaincre de donner des noms. Il se peut que d'autres dans le KPD l'aient poussé à ce geste, auquel cas il lui suffit de le dire. Il est jeune et impressionnable, ça plaidera en sa faveur. »

Elle fit la grimace.

« Ne me demande pas de le trahir, Bernie. Je le connais depuis qu'il est tout gosse. J'ai aidé à l'élever.

— Je te le demande. Je te promets que je ferai ce que j'ai dit et que je prendrai sa défense devant le tribunal. Tout ce que je désire, c'est une adresse, Elisabeth. »

Se laissant tomber sur une chaise, elle joignit les mains avec force et ferma les yeux comme si elle récitait une prière muette. Ce qui était peut-être le cas.

« Je savais que quelque chose de ce genre finirait par se produire. C'est la raison pour laquelle je ne lui ai jamais dit qu'on se voyait, toi et moi. Parce que ça l'aurait mis en colère. Et je commence à comprendre pourquoi.

— Je ne lui dirai pas que c'est toi qui m'as donné l'adresse, si c'est ça qui t'inquiète.

— Ce n'est pas ça, murmura-t-elle.

— Quoi alors ? »

Elle se leva brusquement.

« Je suis inquiète pour Erich, bien sûr, répondit-elle avec énergie. Je suis inquiète pour ce qui va lui arriver. »

Je hochai la tête.

« Bon, oublie ça. Il nous faudra le trouver d'une autre façon. Désolé de t'avoir dérangée.

— Il habite chez son père, Emil, chuchota-t-elle d'un ton las. Stettiner Strasse, n° 25. L'appartement au dernier étage.

— Merci. »

J'attendis qu'elle dise autre chose puis, comme elle restait silencieuse, je m'agenouillai devant elle et tentai de lui prendre la main pour la réconforter, mais elle la retira. En même temps, elle fuyait mon regard comme si j'avais les yeux qui me sortaient des orbites.

« Maintenant, va-t'en. Va faire ton devoir. »

C'était presque l'aube dans la rue devant l'immeuble d'Elisabeth, mais j'avais le sentiment que quelque chose d'important venait de se passer entre nous ; que quelque chose avait changé, peut-être pour toujours. Je montai dans la voiture de Heller et lui communiquai l'adresse. Je suppose qu'en voyant mon expression il préféra ne pas me demander comment je me l'étais procurée.

Nous élançant vers le nord, nous prîmes la Swinemünder Strasse, puis la Bellermannstrasse et la Christiana Strasse. Le 25 Stettiner Strasse était un ensemble de bâtiments grisâtres entourant une cour centrale, lesquels se seraient probablement effondrés tout seuls sans le secours d'énormes étais. Encore que cela aurait très bien pu être de la mousse ou de la moisissure, un tapis vert pendait à la fenêtre ouverte d'un des étages supérieurs, seule tache de couleur dans cet affreux sarcophage de briques crues et de pavés branlants. En dépit de ce qui s'annonçait rapidement comme une belle matinée d'été, jamais le soleil n'atteignait les niveaux inférieurs des immeubles de la Stettiner Strasse : Nosferatu aurait pu passer toute une journée parfaitement à l'aise dans le monde crépusculaire d'un des appartements du rez-de-chaussée.

Nous tirâmes sur une sonnette pendant plusieurs minutes avant qu'une tête grisonnante apparaisse à une fenêtre crasseuse.

« Oui ?

— Police, dit Heller. Ouvrez.

— Qu'est-ce qu'il y a ?

— Comme si vous ne le saviez pas, répliquai-je. Ouvrez ou nous enfonçons la porte.

— Très bien. »

La tête disparut. Au bout d'un moment, nous entendîmes la porte s'ouvrir, et nous grimpâmes les escaliers au pas de course comme si nous pensions réellement avoir encore une chance d'appréhender Erich Mielke. À la vérité, nous savions l'un comme l'autre qu'il n'y avait pas grand espoir. Pas dans Gesundbrunnen. C'était le genre de quartier où l'on apprenait aux enfants à avoir une longueur d'avance sur les flics avant même qu'ils sachent faire une division.

En haut des marches, un homme vêtu d'un pantalon et d'une veste de pyjama nous fit entrer dans un petit appartement qui constituait un véritable temple à la gloire de la lutte des classes. Tous les murs étaient tapissés d'affiches du KPD, d'appels à la grève ou à manifester, ainsi que de portraits bon marché de Rosa Luxemburg, Karl Liebknecht, Marx et Lénine. Contrairement à eux, l'individu qui se tenait devant nous avait au moins l'air d'un ouvrier. La cinquantaine, il était court et trapu, avec un cou de taureau, un front commençant à se dégarnir et un tour de taille en expansion. Il fixait sur nous de petits yeux rapprochés, chargés de méfiance, semblables à des signes diacritiques à l'intérieur d'un zéro. Sauf à porter une serviette et un peignoir en soie, il n'aurait pas pu avoir l'air plus revêche et plus agressif.

« Eh bien, qu'est-ce que me veut la poulaille de Berlin ?

— Nous cherchons un certain Herr Erich Mielke », répondit Heller.

Très méticuleux, comme à son habitude. On ne devient pas conseiller dans la police berlinoise sans avoir le sens du détail, surtout quand on est juif également. C'était sans doute l'ex-juriste en lui. C'était aussi le côté de Heller que je n'aimais pas, l'homme de loi pointilleux. Le petit homme trapu en veste de pyjama ne sembla pas aimer non plus.

« Il n'est pas ici, dit-il sans pouvoir dissimuler un petit sourire satisfait.

— Et vous êtes ?

— Son père.

— Quand avez-vous vu votre fils pour la dernière fois ?

— Il y a quelques jours. Qu'est-ce qu'on lui reproche ? D'avoir frappé un perdreau ?

— Non, dit Heller. Cette fois-ci, il semble qu'il en ait tué au moins un par balle.

— C'est bien regrettable. »

Mais le ton de l'homme laissait supposer qu'il ne jugeait pas ça regrettable du tout.

À présent, la ressemblance entre le père et le fils ne me paraissait que trop évidente. Pivotant, je me rendis dans la cuisine, au cas où l'envie de lui coller mon poing dans la figure deviendrait irrésistible.

« Vous ne le trouverez pas là-dedans non plus. »

Je posai la main sur le réchaud. Qui était encore tiède. Des cigarettes à moitié fumées s'entassaient dans un cendrier, comme abandonnées là par quelqu'un ayant de quoi se sentir nerveux. Personne dans Gesundbrunnen n'aurait gaspillé ainsi du tabac. Je me représentai un type assis sur une chaise près de la fenêtre. Un type qui avait essayé de s'occuper l'esprit en lisant, peut-être, dans l'attente qu'une voiture vienne le chercher pour le conduire, lui et Ziemer, dans une planque du KPD. Je pris le livre posé sur la table de la cuisine. C'était *À l'Ouest, rien de nouveau*.

« Savez-vous où votre fils pourrait être en ce moment ? demanda Heller.

— Je n'en ai pas la moindre idée. Franchement, ça

174

pourrait être n'importe où. Il ne me dit jamais où il est allé ni où il va. Enfin, vous connaissez les jeunes. »

Revenant dans la pièce, je me plantai derrière lui.

« Vous êtes du KPD ? »

Il regarda par-dessus son épaule et sourit.

« C'est pas illégal, non ? Jusqu'à présent ?

— Peut-être étiez-vous également sur la Bülow-platz, hier soir. »

Tout en parlant, je feuilletai le bouquin.

Il secoua la tête.

« Moi ? Non. J'ai passé la soirée ici.

— Vous en êtes sûr ? Après tout, il y avait là-bas plusieurs centaines de vos camarades, dont votre fils. Peut-être un millier. Vous n'auriez certainement pas raté une telle fiesta.

— Non, répéta-t-il fermement. Je suis resté à la maison. Le dimanche soir, je reste toujours à la maison.

— Vous êtes croyant ? Vous n'en avez pas l'air.

— Étant donné que je dois partir travailler dans… » Il indiqua d'un signe de tête une petite horloge en bois sur le manteau carrelé de la cheminée. « Oui, c'est ça, dans tout juste deux heures.

— Quelqu'un pour témoigner que vous êtes resté ici toute la soirée ?

— Les Geisler, la porte à côté.

— Ce livre vous appartient ?

— Je n'aurais pas pensé que c'était votre goût.

— Ah ? Pourquoi ça ?

— Il paraît que les nazis veulent l'interdire.

— Possible. Mais je ne suis pas un nazi. Non plus que le conseiller de la police ici présent.

— Pour moi, tous les flics sont des nazis.

— Bon, si vous y tenez. Sauf qu'il n'est pas à vous. Je veux dire, le livre. »

Tournant la page, je retirai un ticket du Ring Bahn marquant l'endroit où s'était arrêté le lecteur. « Ce ticket prouve que vous mentez.

— Comment ça ?

— Il est pour la station de Gesundbrunnen, à seulement quelques minutes à pied d'ici. Il a été acheté à Schönbauer Tor à huit heures vingt hier soir, soit dix minutes environ après le meurtre des deux policiers sur la Bülowplatz. Laquelle se situe à moins de cent mètres de la station de Schönbauer Tor. Ce qui place le propriétaire de ce livre aux premières loges.

— Je ne dirai rien.

— Herr Mielke, intervint Heller, vous êtes déjà suffisamment dans le pétrin sans vous obstiner à fermer votre clapet.

— Vous ne l'attraperez pas, affirma-t-il avec défi. Plus maintenant. Si je connais mon Erich, il est déjà presque à Moscou.

— Pas si loin, répliquai-je. Et pas à Moscou non plus, je parie. Pas si vous le dites. Il doit donc s'agir de Leningrad. Ce qui signifie qu'il voyage probablement par bateau, en réalité. Ainsi il y a des chances qu'il se dirige vers un des deux ports allemands, Hambourg ou Rostock. Rostock est le plus près, de sorte qu'il s'imaginera sans doute nous prendre à contrepied en se rendant à Hambourg. Qui se trouve à combien ? Deux cent cinquante kilomètres ? Peut-être y sont-ils à l'heure qu'il est s'ils ont filé avant minuit. Ça ne m'étonnerait pas qu'Erich soit dans les docks de Grasbrook ou de Sandtor à cet instant précis, en train de se glisser à bord d'un cargo russe et de se vanter d'avoir descendu un flic fasciste en lui tirant dans le dos. Ils décoreront probablement ce petit lâche de l'ordre de Lénine pour acte de bravoure. »

Une partie de mes paroles dut toucher une corde sensible dans le corps d'humanoïde de Mielke. Une seconde auparavant, son visage trollesque de buveur de bière exprimait une hideuse tranquillité, mais soudain sa mâchoire s'avança en un geste belliqueux et, maugréant des insultes, il me décocha un coup de poing. Heureusement, je m'y attendais à moitié et je me penchais déjà en arrière lorsqu'il m'atteignit, pourtant on aurait dit que j'avais été percuté par un sac de sable. Me sentant mal en point, je me laissai tomber lourdement sur une chaise à coussin. Pendant un moment, je vis le monde d'une manière nouvelle, mais cela n'avait rien à voir avec l'avant-garde berlinoise. Mielke père arborait maintenant un grand sourire, un rictus de grignoteur de lune sur sa bouche édentée, son poing pareil à une massue de tranchée déjà pointé vers Heller ; et, lorsque ce poing eut achevé son orbite autour du corps de Mielke, il atterrit sur le crâne du conseiller de la police, l'envoyant à terre, où il poussa un gémissement et demeura immobile.

Je me relevai.

« Ça va être un régal, espèce de salopard de coco. »

Mielke père se tourna juste à temps pour rencontrer mon poing venant en sens inverse. Le coup fit osciller sa grosse tête sur ses épaules charnues telle une mauvaise odeur assaillant ses narines, et, au moment où il faisait un pas en arrière, je lui expédiai encore un droit, qui fila vers sa tempe comme un premier service de

Borotra[1]. Ça le souleva du sol à la manière d'un train d'atterrissage, et, pendant une fraction de seconde, il sembla réellement voler dans les airs avant de retomber à quatre pattes. Comme il roulait sur le côté, je lui tordis un bras dans le dos, puis l'autre, et réussis à les maintenir assez longtemps pour qu'un Heller visiblement groggy lui passe les bracelets. Puis je me levai et lui flanquai un violent coup de pied parce que je ne pouvais pas en faire autant avec son rejeton, dont je regrettais d'avoir sauvé la peau. Je l'aurais de nouveau frappé, mais Heller m'en empêcha, et, sans le fait qu'il était conseiller et que je me sentais encore patraque, je l'aurais peut-être frappé lui aussi.

« Gunther ! hurla-t-il. Ça suffit ! »

Il eut un hoquet et s'appuya pesamment contre un mur, tout en s'efforçant de retrouver ses esprits.

Je fis bouger ma mâchoire ; ma tête semblait plus large d'un côté que de l'autre et quelque chose sifflait dans mes oreilles, sauf que ce n'était pas une bouilloire.

« Avec tout mon respect, monsieur, ce n'est pas tout à fait assez. »

Sur ce, je balançai un nouveau coup de pied à Mielke avant de sortir de l'appartement en titubant pour aller sur le palier et dégueuler, une ou deux minutes plus tard, par-dessus la rampe d'escalier.

---

1. Jean Borotra (1898-1994). Célèbre joueur de tennis français, médaille de bronze aux Jeux olympiques de Paris en 1924, il avait été surnommé le « Basque bondissant ».

13

Allemagne, 1954

Je m'interrompis. J'avais la gorge serrée, mais pas aussi serrée que les menottes.

« Est-ce tout ? s'enquit un des deux Amerloques.

— Il y a plus. Beaucoup plus. Mais je ne sens pas mes mains. Et je dois aller aux toilettes.

— Vous avez revu Erich Mielke ?

— Plusieurs fois. La dernière en 1946, quand j'étais prisonnier en Russie. Voyez-vous, Mielke était…

— Non, non. N'anticipons pas. Nous voulons que tout soit dans l'ordre d'apparition exact. À l'allemande, hein ?

— Si vous le dites.

— Très bien. Vous êtes allé chez lui. Vous aviez un policier comme témoin. Vous avez retrouvé les armes du crime dans l'égout. Je suppose qu'il s'agissait des armes du crime ?

— Un Luger à canon long et un Dreyse .32. Le pistolet automatique standard de la police à l'époque. Oui, il s'agissait bien des armes du crime. Écoutez, j'ai vraiment besoin de faire une pause. Je ne sens pas mes mains…

— Oui, vous l'avez déjà dit.

— Je ne demande pas de la tarte aux pommes avec de la crème glacée, seulement qu'on m'enlève cette paire de menottes. Ça paraît raisonnable, non ?

— Après ce que vous venez de nous raconter ? Sur les coups de pied dont vous avez criblé le père de Mielke alors qu'il était allongé par terre, menotté ? Ce n'était pas très raisonnable de votre part, Gunther.

— Il avait passé lui-même la commande, par service en chambre. Vous frappez un flic, vous vous mettez dans de sales draps. Je ne vous ai pas frappé, n'est-ce pas ?

— Pas encore.

— Avec ces mains ? Je n'arriverais même pas à me taper sur les genoux. » Je bâillai sous la cagoule. « Non, vraiment, ça suffit comme ça. J'en ai ma dose de toutes ces conneries. Maintenant que je sais ce que vous voulez, ça me permet de tenir ma langue plus facilement. Indépendamment des aspects légaux, ou illégaux, de cette situation…

— Là où vous vous trouvez, il n'y a pas de loi. La loi, c'est nous. Vous voulez vous pisser dessus, alors allez-y, ne vous gênez pas. Vous verrez bien ce qui se passe.

— Je commence à piger…

— J'espère bien, pour vous.

— Ça vous amuse de jouer à la Gestapo. Ça vous donne des petits frissons de plaisir de vous y prendre ainsi. En votre for intérieur, vous les admirez probablement, eux et la façon dont ils arrachaient les dents et les informations. »

Au même instant, ils s'approchèrent de moi, élevant la voix au-delà de ce qui était un confort d'écoute.

« Allez vous faire foutre, Gunther.

— Vous nous avez vexés avec cette remarque sur la Gestapo.

— Je la retire. Vous êtes pires que la Gestapo. Elle au moins ne faisait pas semblant de défendre le monde libre. C'est votre hypocrisie qui est offensante, pas votre brutalité. Vous êtes la pire espèce de fascistes. De celle qui se croit libérale. »

L'un d'eux se mit à me cogner sur le crâne avec la jointure de son doigt ; c'était moins douloureux qu'agaçant.

« Quand allez-vous vous enfoncer dans votre putain de tête de bois…

— Vous avez raison. Je ne comprends toujours pas pourquoi vous faites cela, alors que je suis tout prêt à coopérer.

— On ne vous demande pas de comprendre. Quand allez-vous piger ça, connard ? Nous voulons davantage que votre bonne volonté à coopérer. Ce qui supposerait que vous ayez le choix en la matière. Alors qu'il n'en est rien. C'est à nous de fixer votre niveau de coopé-ration, pas à vous.

— Nous voulons avoir la certitude que, lorsque vous nous dites la vérité, il ne peut absolument pas en aller autrement. La vérité, toute la vérité et rien que la vérité. Ce qui signifie que c'est nous qui décidons quand vous avez besoin de faire une pause, quand vous avez besoin d'aller aux chiottes, quand vous voyez la lumière du jour. Quand vous respirez et quand vous lâchez un pet. Bien. Revenons à Erich Mielke. Où est-il allé, à Hambourg ou à Rostock ?

— Une fois Mielke senior sous les verrous, nous avons pris le premier train pour Hambourg, un collègue et moi.

— Pourquoi vous ? Pourquoi pas quelqu'un d'autre ? Pourquoi étiez-vous un élément aussi central dans cette enquête ? Pourquoi ne pas laisser ça à la police de Hambourg ?

— Je pensais que c'était évident. Ou peut-être que vous n'écoutiez pas, Yankee. J'avais rencontré Erich Mielke. Je savais de quoi il avait l'air, vous vous rappelez ? De plus, j'avais un intérêt personnel à ce qu'il soit arrêté. Je lui avais sauvé la vie. Bien entendu, nous avions alerté la police de Hambourg, qui avait ordre d'appréhender Ziemer et Mielke. L'ennui, c'est que quelqu'un à l'Alex les avait affranchis, si bien que, lorsque je suis arrivé à Hambourg avec Kestner…

— Kestner ?

— Oui. Il faisait partie de la police politique. Sergent-détective. On était de vieux amis, Kestner et moi. Plus tard, quand les nazis ont gagné les élections de mars 1933, il a rejoint le parti. Comme des tas de gens. Les "violettes de mars", ou les "tombés de mars", on les appelait. Quoi qu'il en soit, c'est à ce moment-là que nous avons cessé d'être amis, lui et moi.

« Par la suite, j'ai appris que Mielke et Ziemer avaient été pris en charge à Anvers par des agents du Komintern. Là, on leur avait donné de faux passeports, puis on les avait mis sur un bateau à destination de Leningrad en les faisant passer pour des membres d'équipage. Après quoi on les avait conduits à Moscou pour y suivre une formation au sein de la Guépéou, la police secrète de Staline.

— Il y avait donc des communistes aussi bien que des nazis dans la police berlinoise.

— Oui. D'après Eldor Borck – un major à la retraite avec qui j'avais des liens d'amitié –, dix pour cent des policiers de Berlin sympathisaient avec les bolcheviques. Mais il n'y a jamais eu de cellules rouges dans la Schupo, comme l'ont prétendu les nazis. La majeure partie du personnel de la police se composait de conservateurs du style habituel. Des fascistes émotionnels plutôt qu'idéologiques. Toujours est-il que Ziemer et Mielke passèrent les cinq années suivantes en Russie.

— Comment le savez-vous ?

— J'y viendrai. Même si nous n'avions pas réussi à mettre les auteurs des meurtres d'Anlauf et de Lenck en prison, les nazis n'allaient pas laisser un détail aussi insignifiant les empêcher de faire un exemple, naturellement. Il était d'une grande importance sur le plan de la propagande d'effectuer des arrestations et d'obtenir des condamnations.

— D'autres communistes ?

— Bien sûr, d'autres communistes. Et il est indéniable que Ziemer et Mielke n'avaient pas agi seuls. En fait, il y avait même de bonnes raisons de penser que toute cette émeute sur la Bülowplatz avait été manigancée à seule fin d'attirer Anlauf et le sergent Willig dans un piège. Comme je l'ai déjà dit, ces deux-là étaient véritablement haïs par les communistes. Pour Lenck, il s'agissait d'un accident, plus ou moins. Le mauvais endroit au mauvais moment.

« Cela faisait peu de temps que j'avais quitté la police pour aller travailler à l'hôtel Adlon lorsqu'une arrestation eut lieu. Un dénommé Max Thunert. Très probablement, ils lui enfoncèrent un sac sur la tête et le persuadèrent de donner des noms. Et des noms, il en donna. Quinze hommes furent jugés en juin 1933, dont plusieurs communistes de premier plan. Qui sait ? Peut-être certains d'entre eux avaient-ils incité Mielke et Ziemer à tuer.

« Quatre furent condamnés à la peine capitale. Onze, envoyés en camp de concentration. Mais il s'écoula encore deux ans avant que trois des condamnations à mort soient appliquées. Ce qui était typique des nazis. Forcer un homme à attendre des années avant de l'exécuter. À mon avis, les nazis pourraient encore vous en apprendre en matière de cruauté. C'était dans tous les journaux, ça va sans dire. Mai 1935. Je n'arrive pas à me rappeler leurs noms, à ceux qui sont allés à l'échafaud. Mais je me suis souvent demandé ce que Mielke et Ziemer, sains et saufs à Moscou, avaient ressenti. Dans quelle mesure on les avait tenus au courant. Curieusement, c'est ce mois-là, mai 1935, que Staline a décidé qu'une partie des nombreux communistes allemands et italiens qui avaient fui à Moscou après l'arrivée au pouvoir de Hitler et de Mussolini n'étaient plus dignes de confiance. Le communisme européen avait toujours été trop divers au goût de Staline. Beaucoup trop de factions. Beaucoup trop de trotskystes. Je soupçonne Mielke et Ziemer d'avoir été nettement plus préoccupés par ce qui pouvait leur arriver à eux que par ce qui avait déjà commencé à arriver à de vieux camarades tels que Max Matern. Oui, ça me revient à présent. C'est un de ceux qui ont été guillottinés.

« À Moscou, la plupart des communistes allemands étaient logés à l'hôtel du Komintern, l'hôtel Lux. Il y a eu une purge, et plusieurs d'entre eux parmi les plus éminents – Kippenberger, Neumann, paradoxalement les hommes même qui avaient ordonné le meurtre d'Anlauf et de Lenck – ont été fusillés. La femme de Kippenberger a été envoyée dans un camp de travail soviétique et personne ne l'a jamais revue. La femme de Neumann est allée elle aussi dans un camp, mais je crois qu'elle a survécu. Au moins jusqu'au pacte de non-agression Staline-Hitler de 1939, date à laquelle elle a été remise à la Gestapo. Après ça, je ne sais absolument pas ce qu'elle est devenue.

— Vous semblez très bien informé. Comment se fait-il que vous en sachiez autant là-dessus, Gunther ? Mielke. Toute cette satanée bande de communistes allemands.

— Pendant un moment, il a été ma bière. Comment dites-vous ? Mon pigeon. Mon problème. Jusqu'en 1946, il n'y a pas grand-chose que j'ignore sur Mielke.

— Et ensuite ?

— Ensuite, je n'avais pas vraiment songé à lui jusqu'à ce que l'avocat du bureau du Chief Counsel mentionne son nom. Pour être franc, j'aurais préféré ne l'avoir jamais entendu.

— Mais vous l'avez entendu. Et vous voilà.

— La dernière fois que je l'ai rencontré, il était… il travaillait pour la Guépéou, devenue alors le MVD. C'était il y a sept ans.

— Le ministère est-allemand de la Sécurité d'État, ça vous dit quelque chose ?

— Non.

— Un certain nombre d'Allemands l'appellent déjà la Stasi. Votre ami Erich Mielke est le chef adjoint de la Sécurité d'État. Un policier des services secrets et pro-bablement l'un des trois hommes les plus importants dans l'appareil sécuritaire de l'Allemagne de l'Est, sinon le pays tout entier.

— Il a survécu à Staline, à Beria, il a même survécu à la chute de Wilhelm Zaisser après le soulèvement ouvrier de l'année dernière à Berlin. Survivre est la spécialité de votre ami Mielke.

— Je crois que je vais tourner de l'œil, murmurai-je.

— La commission de contrôle alliée a fait une tentative pour l'arrêter en février 1947, mais les Russes n'auraient jamais laissé faire ça. »

J'avais cessé d'écouter. Je me moquais éperdument de ce qu'ils pouvaient bien raconter. Sauf que ce n'était pas tout à fait exact. Il n'y avait rien à écouter, à moins de compter le sifflement dans mes oreilles, depuis que le père de Mielke m'avait frappé vingt-trois ans plus tôt. Sauf que ce n'était pas ça non plus. Quelque chose de froid et de lourd se pressait contre le côté de ma tête, et il me fallut une ou deux minutes pour comprendre que c'était le sol. L'engourdissement de mes mains envahissait tout mon corps à la manière d'un fluide d'embaumement. La cagoule sur ma tête se faisait de plus en plus épaisse et serrée, comme si j'avais un nœud coulant autour du cou. J'avais du mal à respirer, mais je n'en avais rien à fiche. Plus maintenant. Ouvrant le sac, je grimpai dedans. Puis quelqu'un le jeta d'un pont. Je sentis que je faisais une chute libre de vingt-trois ans. Lorsque j'atterris, je ne savais plus qui j'étais, ni quoi, ni où.

14

Allemagne, 1954

J'eus l'impression qu'on m'emportait. Puis je m'évanouis à nouveau. Lorsque je revins à moi, j'étais allongé à plat ventre sur un lit, on m'avait enlevé une menotte et j'avais presque recouvré l'usage de mes mains. Puis on me leva et on me laissa un moment debout. J'avais soif, mais je ne réclamai pas d'eau. Je restai immobile, attendant qu'on me crie après ou qu'on me tape sur le crâne, de sorte que j'eus un léger tressaillement en sentant une couverture sur mes épaules et une chaise derrière mes jambes nues ; et, comme je me rasseyais, une main saisit le sac et l'arracha de ma tête.

Je me trouvais dans une cellule plus spacieuse et plus confortablement meublée que la mienne. Elle contenait une table avec un mince rebord tout autour qui aurait peut-être empêché un crayon de tomber par terre mais pas grand-chose d'autre et dessus une petite plante en pot, morte. Sur le mur au-dessus de moi, on voyait une marque là où une image avait été fixée et, devant la double fenêtre – garnie de barreaux –, une table de toilette équipée d'un broc et d'une cuvette en porcelaine.

Il y avait deux hommes avec moi dans la pièce, dont aucun n'avait particulièrement l'air d'un tortionnaire. Ils portaient des vestons croisés et des nœuds papillons en soie. L'un d'eux avait une paire de lunettes à monture d'écaille sur le nez et l'autre une pipe en merisier, non allumée, entre les dents. L'homme à la pipe prit le broc d'eau et remplit un verre poussiéreux qu'il me tendit. J'eus envie de le lui balancer à la figure, mais à la place je me rinçai le gosier avec. Celui aux lunettes alluma une cigarette et la glissa entre mes lèvres. J'aspirai la fumée comme du lait maternel.

« C'est quelque chose que j'ai dit ? »

Je souris, sans grande conviction.

De la fenêtre du premier étage, on apercevait le jardin et le toit conique d'une petite tour blanche se dressant dans l'enceinte de la prison. À ma connaissance, ce n'était pas une perspective que les vestes rouges de Landsberg avaient l'habitude de voir. Clignant des yeux à cause du soleil arrivant par la fenêtre et de la fumée m'arrivant dans la figure, je me frottai le menton avec lassitude et retirai la cigarette de ma bouche.

« Peut-être bien », dit l'homme à la pipe.

Sa lèvre supérieure s'ornait d'une moustache ayant la taille et la forme de son petit nœud papillon bleu. Il avait plus de menton que ce qui l'aurait rendu séduisant, et, comme nous ne vivions pas précisément au temps de Charles Quint, d'aucuns, moi y compris, auraient fait pousser une courte barbe pour le faire paraître plus petit, par exemple. Encore qu'à mes yeux la lèpre lui aurait beaucoup mieux convenu.

188

La porte s'ouvrit. Il n'y avait pas besoin de clé pour ouvrir cette cellule. Le battant pivota donc librement et un gardien entra, portant des vêtements, suivi d'un autre portant un plateau avec du café et un repas chaud. Les vêtements ne m'enthousiasmèrent que moyennement parce que c'étaient ceux que j'avais déjà la veille ; en revanche, le café et la nourriture dégageaient un arôme délicieux comme s'ils avaient été préparés à l'hôtel Kempinski. Je me mis à manger avant qu'ils changent d'idée. Quand on a faim, les vêtements ne semblent pas si importants. Je n'utilisai pas le couteau et la fourchette vu que je n'arrivais pas encore à les tenir correctement, aussi je mangeai avec les doigts. Je n'allais quand même pas me biler pour une question de bienséance. Aussitôt, je commençai à me sentir beaucoup mieux. C'est étonnant à quel point même une tasse de café américain peut avoir bon goût quand vous avez le ventre creux.

« À partir de maintenant, c'est votre cellule, annonça l'homme à la pipe. La cellule n° 7.

— Ce chiffre ne vous rappelle pas quelque chose ? »

L'autre Amerloque – celui avec les lunettes – avait des cheveux gris coupés ras et ressemblait à n'importe quel prof de collège. Les branches des lunettes étant trop courtes pour sa tête, les extrémités s'écartaient de ses oreilles, si bien qu'on aurait dit deux minuscules ombrelles. Peut-être les lunettes étaient-elles trop petites pour son visage. Ou peut-être les avait-il empruntées à quelqu'un. Ou peut-être son crâne était-il anormalement volumineux afin d'emmagasiner toutes les pensées anormalement déplaisantes – la plupart me concernant – qui bouillonnaient à l'intérieur.

Je haussai les épaules. J'avais l'esprit vide.

« Vous devriez, pourtant. C'est la cellule du Führer. À l'endroit où vous vous remplissez la panse, il a écrit son bouquin. Et je ne sais pas ce que je trouve le plus répugnant. De l'imaginer couchant sur le papier ses idées pernicieuses. Ou de vous mangeant avec les doigts.

— J'essaierai de ne pas laisser cette évocation me couper l'appétit, n'en doutez pas.

— De l'avis général, Hitler a vécu comme un coq en pâte à Landsberg.

— Je présume que vous ne bossiez pas encore là, à l'époque.

— Dites-moi, Gunther ? Vous l'avez lu ? Le livre de Hitler ?

— Oui. Je préfère Ayn Rand[1]. Mais tout juste.

— Vous aimez Ayn Rand ?

— Non. N'empêche, je crois qu'elle aurait plu à Hitler. Il voulait être architecte lui aussi, comme chacun sait. Seulement, il n'avait pas les moyens de se payer le papier et les crayons. Sans parler des cours. En outre, il n'avait pas un ego suffisamment développé. Et, d'après moi, il faut être sacrément coriace pour réussir en ce monde.

— Vous êtes assez coriace également, Gunther, fit remarquer celui aux lunettes.

---

1. Philosophe et romancière américaine (1905-1982), qui prône un individualisme radical reposant sur un ordre que l'être humain doit s'imposer à lui-même. Dans *La Grève*, roman qui connut un immense succès, elle met en scène des entrepreneurs en butte à une société de plus en plus collectivisée et étatique, tandis que *La Source vive* a pour héros un architecte idéaliste.

— Moi ? Non. Avec combien de types coriaces avez-vous pris le petit déjeuner alors qu'ils étaient à poil ?

— Pas beaucoup.

— Du reste, il est facile d'avoir l'air coriace avec un sac sur la tête. Même si ça vous amène à vous demander comment c'est de n'avoir rien sous les pieds.

— Dès que vous tenez à le savoir, dites-le-nous.

— Sûr, il vous suffit de prendre la place de Klingelhöfer pour la répétition.

— On était là quand ils ont exécuté ces quatre criminels de guerre en juin 51.

— Je suis prêt à parier que vous avez un album de souvenirs captivant.

— Ils sont morts de façon tout à fait paisible. Comme s'ils étaient résignés à leur sort. Ce qui ne manque pas d'ironie quand on songe qu'ils disaient la même chose de tous ces Juifs qu'ils exterminaient. »

Avec un haussement d'épaules, je repoussai mon plateau de petit déjeuner vide.

« Personne n'a envie de mourir. Mais continuer à vivre semble parfois encore pire.

— Oh, je pense qu'ils voulaient bel et bien continuer à vivre. Surtout ceux qui avaient présenté un recours en grâce. C'est-à-dire tous. J'ai lu certaines des lettres reçues par McCloy. Toutes égocentriques, comme de bien entendu.

— Ah, fis-je, eh bien, là réside toute la différence entre eux et moi. Il m'est impossible d'être égocentrique. Voyez-vous, j'ai viré mon propre ego depuis belle lurette. Ces temps-ci, j'essaie de m'en sortir tout seul.

— Vous dites ça comme si vous n'aviez plus envie de vivre vous non plus, Gunther.

— Et vous, comme si votre hospitalité devait m'en

mettre plein la vue. C'est le problème avec vous, les Ricains. Vous passez les gens à tabac et vous vous attendez à ce qu'ils se joignent à vous pour quelques couplets du *Star-Spangled Banner*.

— On ne vous demande pas de pousser la chansonnette, Gunther », rétorqua l'Amerloque avec la pipe. Allait-il jamais l'allumer ? « Seulement de continuer à vider votre sac. Comme vous l'avez fait jusqu'ici. » Il lança un paquet de cigarettes sur la table, là où Hitler avait écrit son best-seller. « Au fait, qu'est devenu ce sergent à qui Zeimer et Mielke avaient tiré dans le ventre ?

— Willig ? » J'allumai une cigarette. J'avais le souvenir qu'il s'en était tiré ; trois mois après la fusillade, on l'avait nommé lieutenant. « Je ne sais plus.

— Vous avez réintégré la Kripo en septembre 1938, est-ce exact ?

— Je ne l'ai pas réintégrée à proprement parler. J'y suis retourné sur l'ordre du général Heydrich. Pour élucider une série d'assassinats commis à Berlin. Une fois l'affaire résolue, je suis resté. Là encore, c'était la volonté de Heydrich. Il y a une chose qu'il faut bien voir à propos de Heydrich : il obtenait toujours ce qu'il voulait.

— Et il vous voulait.

— J'avais la réputation de mener le boulot à bien. Ce qui suscitait son admiration.

— Vous êtes donc resté.

— J'ai essayé de quitter la Kripo, pour de bon. Mais Heydrich a rendu la chose plus ou moins impossible.

— Racontez-nous ça. Ce que vous faisiez pour Heydrich.

— La Kripo dépendait de la Sipo, la police de sûreté de l'État. On m'avait promu Oberkommissar, commissaire principal. Le plus gros des infractions était alors de nature politique, ce qui n'empêchait pas les maris de continuer à trucider leur femme et les malfaiteurs professionnels de vaquer à leurs occupations. J'ai effectué plusieurs enquêtes au cours de cette période, mais en réalité les nazis se moquaient pas mal de diminuer la criminalité selon les bonnes vieilles méthodes éprouvées, et la plupart des services de police ne se donnaient guère la peine de faire ce que fait la police habituellement. Pour la bonne raison que les nazis préféraient "réduire" le crime en décrétant tous les ans des amnisties, ce qui signifiait que la majorité des délits n'allait jamais devant les tribunaux. Tout ce qui intéressait les nazis, c'est de pouvoir dire que les chiffres de la délinquance avaient baissé. En fait, la criminalité – la vraie – connut une recrudescence sous les nazis : vols, meurtres, délinquance juvénile, tout ça allait de mal en pis. Pour ma part, je continuais à fonctionner comme de coutume à l'Alex. Je procédais à des arrestations, montais des dossiers, envoyais les papiers au ministère de la Justice, et, le moment venu, l'affaire était frappée de nullité ou les charges abandonnées, et l'accusé ressortait libre.

« Un jour, en septembre 1939, peu après le début de la guerre et l'incorporation de la Sipo dans le RSHA, j'allai trouver le général Heydrich à son bureau de la Prinz Albrechtstrasse. Je lui expliquai que je perdais mon temps et le priai de bien vouloir accepter ma démission. Il m'écouta patiemment, mais continua à écrire pendant près d'une minute après que j'eus fini de parler, avant de tourner la tête vers un support garni de timbres en caoutchouc qui se trouvait sur la table. Il y en avait bien trente ou quarante. Il en prit un, l'appliqua sur un tampon encreur puis en pressa soigneusement la feuille de papier sur laquelle il venait d'écrire. Après quoi, toujours en silence, il se leva et alla fermer la porte. Il y avait un piano à queue dans le bureau : un Blüthner noir de plus de deux mètres cinquante. À ma grande surprise, il s'assit devant et se mit à jouer, plutôt bien, je dois dire. En même temps, il remua son gros derrière sur la banquette – il avait pris du poids depuis la dernière fois que je l'avais vu – avant d'indiquer d'un signe de tête la place qu'il avait libérée pour que je m'assoie à côté de lui.

« J'obéis sans trop savoir à quoi m'attendre et, pendant un moment, aucun de nous ne parla tandis que ses mains maigres et osseuses de Christ mort voletaient au-dessus du clavier luisant. J'écoutai, tout en fixant des yeux la photographie posée sur le couvercle du piano. C'était un portrait de Heydrich de profil, vêtu d'un justaucorps blanc d'escrime et ressemblant à un dentiste de cauchemar – le genre de dentiste qui vous arracherait toutes les dents pour améliorer votre hygiène dentaire.

« — Guan Zhong était un philosophe chinois vivant au VIIe siècle avant Jésus-Christ, déclara tranquillement Heydrich. Il est l'auteur d'un célèbre recueil de dictons, parmi lesquels celui-ci : "Même les murs ont des oreilles." Comprenez-vous ce que je dis, Gunther ?

« — Oui, général, répondis-je, avant de regarder autour de moi pour essayer de deviner où on aurait pu dissimuler un micro.

« — Bien. Alors je vais continuer à jouer. Il s'agit d'un morceau de Mozart, qui suivit l'enseignement de Salieri. Salieri n'était pas un grand compositeur. Nous le connaissons mieux aujourd'hui comme celui qui a assassiné Mozart.

« — Je ne savais même pas qu'il avait été assassiné.

« — Oh si. Salieri était jaloux de Mozart, comme cela se produit fréquemment avec les êtres inférieurs. Seriez-vous étonné d'apprendre que quelqu'un essaie de m'assassiner ?

« — Qui ?

« — Himmler, bien sûr. Le Salieri de notre temps. Himmler n'est pas un grand esprit. Ses idées les plus importantes sont celles que je dois encore lui souffler. C'est un type qui va aux toilettes en se demandant probablement ce que Hitler souhaiterait qu'il fasse quand il est là-dedans. Mais l'un de nous détruira certainement l'autre, et, avec un peu de chance, c'est lui qui perdra la partie. Cependant, il ne faut surtout pas le sous-estimer. C'est pourquoi je vous garde à la Sipo, Gunther. Parce que, s'il advenait que Himmler gagne notre petite partie, j'ai besoin de quelqu'un pour découvrir les indices qui permettront de le détruire, lui. Quelqu'un possédant une expérience confirmée d'enquêteur à la Kripo, quelqu'un d'intelligent et de débrouillard. Et cet homme, c'est vous, Gunther. Vous êtes le Voltaire du Frédéric le Grand que je suis. Je vous garde auprès de moi pour votre honnêteté et votre indépendance d'esprit.

« — Je suis flatté, Herr General. Et quelque peu horrifié. Qu'est-ce qui vous fait penser que je sois à même de détruire un homme comme Himmler ?

« — Ne soyez pas stupide, Gunther. Et écoutez : j'ai dit permettre de le détruire. Si jamais Himmler l'emporte et que je suis assassiné, cela donnera, bien sûr, l'impression d'un accident. Ou qu'un tiers est responsable de ma mort. Dans ce cas, il y aura obligatoirement une enquête. En tant que chef de la Kripo, Artur Nebe a le pouvoir de désigner quelqu'un pour diriger cette enquête. Et ce quelqu'un, ce sera vous, Gunther. Vous aurez l'appui de mon épouse, Lina, et de mon plus sûr confident – un homme du nom de Walter Schellenberg, du service de renseignement étranger de la SS. Vous pouvez compter sur Schellenberg pour trouver la manière la plus politique de porter la preuve de mon assassinat à l'attention du Führer. Certes, j'ai des ennemis. Mais ce salopard de Himmler également. Et certains de ses ennemis sont mes amis. »

Je haussai les épaules.

« Comme vous voyez, il m'avait pratiquement mis dans l'impossibilité de quitter la Kripo.

— Et c'est pour ça, en réalité, que Nebe vous a ordonné de quitter Minsk pour retourner à Berlin, dit l'Amerloque à la pipe. Ce que vous avez raconté à Silverman et à Earp – que Nebe craignait que vous ne le flanquiez dans la merde –, ce n'était que la moitié de l'histoire, n'est-ce pas ? Il vous protégeait, sur les instructions personnelles de Heydrich. Pas vrai ?

— Je suppose, oui. Ce n'est qu'après être rentré à Berlin et avoir rencontré Schellenberg que je me suis souvenu des paroles de Heydrich. Et, bien évidemment, lorsqu'il a été assassiné en 1942.

— Revenons à Mielke, dit l'Amerloque aux lunettes qui ne lui allaient pas. Est-ce Heydrich qui a fait de lui votre pigeon ?

— Oui.

— Ça s'est passé quand ?

— À la suite de la conversation au piano. Deux ou trois jours après la chute de la France.

— En juin 1940 alors.

— C'est ça. »

15

Allemagne, 1940

Je fus convoqué de nouveau à la Prinz Albrechtstrasse, où régnait une atmosphère pour le moins fré-
nétique. Les gens couraient en tous sens avec des
dossiers, des téléphones sonnaient presque sans inter-
ruption, des coursiers dévalaient les couloirs porteurs
de dépêches urgentes. Il y avait même un gramophone
jouant la chanson *Erika*, comme si on était en réalité
avec les unités SS motorisées fonçant vers la côte nor-
mande. Et, phénomène exceptionnel, tout le monde
avait l'air aux anges. D'habitude, personne n'était particulièrement gai dans l'immeuble, mais ce jour-là, si.
Même moi, j'avais le sourire aux lèvres. Vaincre la
France aussi rapidement que nous l'avions fait semblait
quasiment miraculeux. Il faut bien se rendre compte
que beaucoup d'entre nous avaient passé quatre ans
dans les tranchées du nord de la France. Quatre années
de carnage et de stagnation. Et ensuite une victoire sur
notre vieille ennemie en seulement quatre semaines !
Il n'était pas nécessaire d'être nazi pour se réjouir. Et,
s'il faut dire la vérité, c'est à l'été 1940 que j'ai été le

plus près d'avoir bonne opinion des nazis. En effet, être nazi ne paraissait guère avoir d'importance à ce moment-là. Brusquement, nous nous sentions tous de nouveau fiers d'être allemands.

Bien sûr, les gens se réjouissaient aussi parce qu'ils pensaient – nous pensions – que la guerre était finie avant même d'avoir commencé. Pratiquement pas de morts, comparé aux millions de soldats ayant péri pendant la Grande Guerre. L'Angleterre devrait faire la paix. La porte arrière russe était sûre. Et l'Amérique n'avait aucune envie de s'en mêler, comme de coutume. Somme toute, ça ressemblait à une commutation de peine inespérée. Je présume que les Français éprouvaient des sentiments tout autres, mais, en Allemagne, c'était la liesse générale. Et franchement, la dernière personne à laquelle je songeais en entrant dans le bureau de Heydrich ce matin-là, c'était à un sale petit emmerdeur comme Erich Mielke.

À la table à côté de Heydrich était assis un autre SS en uniforme que je ne connaissais pas. La trentaine, mince, une tête pleine de cheveux châtain clair, une bouche délicate, presque féminine, et les yeux les plus perçants qu'il m'ait été donné de voir hors de l'enclos des léopards au zoo de Berlin. L'œil gauche avait quelque chose de particulièrement félin. Tout d'abord, je crus qu'il était plissé à cause de la fumée montant du fume-cigarette en argent, mais, au bout d'un moment, je compris qu'il s'agissait d'un état permanent, comme s'il avait perdu son monocle. Il sourit lorsque Heydrich fit les présentations, et je me rendis compte qu'il avait plus qu'une vague ressemblance avec Bela Lugosi jeune, pour autant que Bela Lugosi ait jamais été jeune. Cet officier SS se nommait Walter

Schellenberg, et je crois qu'il était alors major – bien plus tard, il deviendrait général –, mais je ne prêtai pas vraiment attention aux galons sur son col. J'étais davantage intéressé par l'uniforme de Heydrich, celui de major de réserve dans la Luftwaffe. Encore plus intéressant, le fait qu'il avait le bras en écharpe, et, pendant quelques instants de nervosité, je supposai que ma présence avait quelque chose à voir avec un attentat perpétré contre lui et sur lequel il voulait que j'enquête.

« L'Oberkommissar Gunther est l'un des meilleurs détectives de la Kripo, dit Heydrich à Schellenberg. Un métier non sans risque dans la nouvelle Allemagne. La plupart des philosophes débattent pour savoir si l'univers est en dernière instance esprit ou matière. Schopenhauer affirme que l'ultime réalité est la volonté de l'homme. Mais, chaque fois que je vois Gunther, cela me rappelle également l'importance primordiale que revêt pour le monde la curiosité humaine. À l'instar d'un scientifique ou d'un inventeur, un bon détective doit faire preuve de curiosité. Il doit échafauder des hypothèses. Et il doit toujours s'efforcer de les confronter aux faits observables. N'est-ce pas, Gunther ?

— Oui, Herr General.

— Sans nul doute, il est même en train de se demander pourquoi je porte cet uniforme de la Luftwaffe et il prie en son for intérieur pour que ce soit un signe annonciateur de mon départ de la Sipo, ce qui lui permettrait d'avoir une vie beaucoup plus facile et calme. » Heydrich sourit de sa petite plaisanterie. « Allons, Gunther, n'est-ce pas exactement ce que vous pensez ?

— Vous quittez la Sipo, Herr General ?

— Non. »

Il avait l'air content de lui comme un écolier particulièrement astucieux.

Je gardai le silence.

« Essayez de contenir votre soulagement manifeste, Gunther.

— Très bien, général. Je ferai assurément de mon mieux.

— Vous voyez ce que je veux dire, Walter ? Il reste maître de lui-même en toute circonstance. »

Schellenberg se contenta de sourire, de tirer sur son fume-cigarette et de m'observer sans rien dire de ses yeux de félin. Nous avions au moins une chose en commun. Avec Heydrich, rien était toujours ce qu'il y avait de plus sûr à dire.

« Depuis l'invasion de la Pologne, expliqua-t-il, je me suis porté volontaire comme membre d'équipage à bord d'un bombardier. J'ai été mitrailleur arrière dans une attaque aérienne contre Lublin.

— Voilà qui paraît plutôt dangereux, Herr General, remarquai-je.

— En effet. Mais, croyez-moi, il n'y a rien de tel que de piquer sur une ville ennemie à trois cents kilomètres à l'heure avec un MG 17 entre les mains. Je voulais montrer à certains de ces militaires d'opérette de quelle étoffe est faite la SS. Que nous ne sommes pas uniquement une bande de soldats d'asphalte[1]. »

Je supposai qu'il faisait allusion à Himmler.

« Très louable, Herr General. Est-ce ainsi que vous vous êtes blessé au bras ?

---

1. Ce surnom avait été donné à la Division SS Adolf Hitler en raison de son apparence impeccable et de son maniement d'armes lors des cérémonies et des parades.

— Non. Non, ça, c'était un accident, répondit-il. Je m'entraîne aussi comme pilote de chasse. Je me suis écrasé au moment du décollage. Une erreur stupide de ma part.

— En êtes-vous sûr ? »

Le sourire autosatisfait de Heydrich décrocha en plein vol, et, pendant un moment, je me dis que j'étais allé trop loin.

« Ce qui veut dire ? demanda-t-il. Que ce n'était pas un accident ? »

Je haussai les épaules.

« Ce qui veut dire seulement que vous souhaiteriez, j'imagine, savoir tout ce qui n'a pas fonctionné avant de voler de nouveau. » J'essayai de revenir un peu sur ce que, imprudemment peut-être, je lui avais déjà fourré dans la tête. « De quel type d'avion s'agissait-il, Herr General ? »

Heydrich hésita comme s'il soupesait cette idée.

« Un Messerschmitt, répondit-il à voix basse. Le Bf 110. Il n'est pas considéré comme un appareil très agile.

— Eh bien, inutile de chercher plus loin. Je ne vois vraiment pas pourquoi j'ai posé cette question. Il n'était nullement dans mon intention de mettre en doute vos qualités de pilote, général. Je suis certain qu'ils ne vous auraient jamais laissé grimper dans le cockpit s'ils n'avaient pas eu la certitude que l'avion était en état de voler. Personnellement, je n'ai jamais quitté le plancher des vaches, mais je préférerais malgré tout avoir la garantie qu'il n'y avait pas de problème mécanique avant de repartir.

— Oui, peut-être avez-vous raison. »

Schellenberg hochait à présent la tête.

« Cela ne peut sûrement pas faire de mal, Herr General. Gunther n'a pas tort. »

Il avait une voix bizarrement haut perchée, avec un soupçon d'accent que j'avais du mal à situer ; et il y avait chez lui quelque chose d'extrêmement soigné et de pimpant qui me faisait penser à un maître d'hôtel, ou à un vendeur de vêtements pour hommes.

Une jolie secrétaire SS – une souris grise, ainsi qu'on les surnommait – entra en portant un plateau avec trois tasses de café et trois verres d'eau, comme si nous étions à une terrasse sur le Ku'damm, et, Dieu merci, notre attention fut distraite de l'accident de Heydrich – Schellenberg par la jeune femme elle-même et Heydrich par le son du gramophone s'échappant à travers la porte ouverte. Pendant un instant, il frappa le sol de ses bottes en cadence tout en souriant, l'air béat.

« Quel air merveilleux, n'est-ce pas ?

— Formidable, Herr General », répondit Schellenberg, qui continuait à reluquer la secrétaire de Heydrich, de sorte que la remarque pouvait aussi bien s'appliquer à elle qu'à la musique.

Je comprenais son point de vue. Elle s'appelait Bettina et paraissait un peu trop gentille pour un démon comme Heydrich.

Alors qu'elle repartait, on se mit à chanter en chœur. C'était un des rares chants SS qui ne me donnaient pas de l'urticaire, vu qu'il n'avait strictement rien à voir avec la SS, ni même avec la guerre. Et, l'espace d'un moment, j'oubliai où j'étais et avec qui.

Sur la lande pousse une petite fleur,
Qui a pour nom Erika.
Des milliers de jeunes abeilles

Bourdonnent autour d'Erika.
Car son cœur est plein de douceur
Et sa corolle exhale un délicat parfum.
Sur la lande pousse une petite fleur,
Qui a pour nom Erika[1].

Nous chantâmes les trois couplets, et à la fin nous étions de si joyeuse humeur que Heydrich demanda à Bettina d'aller nous chercher du cognac. Quelques minutes plus tard, nous levions nos verres à la défaite de la France, après quoi Heydrich expliqua la raison de ma présence dans son bureau. M'ayant tendu un dossier, il attendit que je l'aie ouvert pour dire :

« Vous reconnaissez le nom sur la couverture, naturellement. »

Je hochai la tête.

« Erich Mielke. Qu'est-ce qu'il a ?

— Vous lui avez sauvé la vie, puis il a assassiné deux policiers avec l'aide d'un complice. Et son arrestation a été sabotée par le Juif chargé de l'enquête.

— Vous voulez parler du Kriminal-Polizeirat Heller. Oui, je me souviens de lui. N'est-ce pas Heller qui a mené avec succès l'enquête sur le meurtre de ce jeune SA dans Beussellkietz ? Celui qui a été

---

1. *Auf der Heide blüht ein kleines Blümelein*
Und das heißt : Erika.
Heiß von hunderttausend kleinen Bienelein
Wird umschwärmt Erika.
Denn ihr Herz ist voller Süßigkeit,
Zarter Duft entströmt dem Blütenkleid
Auf der Heide blüht ein kleines Blümelein
Und das heißt : Erika.
(*Erika* signifie en allemand « bruyère ».)

poignardé par des fripouilles communistes. Comment s'appelait-il ? Herbert Norkus ?

— Merci pour cette leçon d'histoire, Gunther, dit patiemment Heydrich. Aucun d'entre nous n'est près d'oublier Herbert Norkus. »

Ce qui n'avait rien d'étonnant, le meurtre de Norkus ayant fait l'objet du tout premier film de propagande nazie consacré aux Jeunesses hitlériennes. Pour ma part, je ne l'avais pas vu, mais il me paraissait peu probable que le rôle de Heller ait seulement figuré dans le scénario. Toutefois, je jugeai préférable de ne pas m'appesantir sur ce genre de détail avec Heydrich.

« Vous serez heureux d'apprendre que le renseignement étranger a réussi à suivre la trace de Mielke depuis que Heller et vous l'avez laissé vous filer entre les doigts, continua-t-il. Walter, pourquoi ne pas informer l'inspecteur principal de ce que nous avons sur lui ?

— J'en serai ravi, répondit Schellenberg. Nous savons qu'à Moscou Mielke a fréquenté l'École Lénine sous le nom de Walter Scheuer. Puis il a été rebaptisé Paul Bach, et nous pensons que c'est ce même Paul Bach qui a témoigné contre un grand nombre de cadres communistes allemands à la suite de la purge stalinienne de l'hôtel Lux en mai 1935. Naturellement, la Gestapo surveillait en parallèle le domicile de la famille Mielke ; et, peu après l'assassinat d'Anlauf et de Lenck, la famille a quitté l'appartement de la Stettiner Strasse pour une adresse dans la Grüntaler Strasse où, en septembre 1936, Gertrud, la sœur cadette de Mielke, a reçu une carte postale de Madrid. Ce qui semblait confirmer ce que nous suspections déjà, à savoir que Mielke avait été envoyé en Espagne comme tchékiste. Pendant la guerre civile, il se faisait appeler le capitaine Fritz Leissner et était affecté auprès d'un certain général Gomez, mieux connu de nos services comme Wilhelm Zaisser, un communiste allemand lui aussi. Il semble que ces salopards aient passé davantage de temps à tuer d'autres républicains qu'à tirer sur des nationalistes, et ce n'est pas un hasard si la 13e Brigade internationale, encore appelée la Brigade Dabrowski, s'est mutinée peu après la bataille de Brunete en juillet 1937, en raison des pertes effroyables qu'elle avait subies du fait de l'incompétence de ses officiers.

« Après la défaite républicaine de janvier 1939, Mielke a fait partie des milliers de combattants à franchir la frontière pour se réfugier en France. Les Français se sont mis presque aussitôt à les enfermer. En octobre 1939, un de nos agents se présentant comme un membre du parti communiste français – on les internait dans les mêmes camps de concentration que les communistes allemands – a fait la connaissance d'un homme qu'il pensait être Erich Mielke au stade Buffalo, dans le sud de Paris, qui servait aux Français de camp provisoire pour les étrangers indésirables. À l'en croire, Mielke lui aurait confié qu'il avait été transféré d'un autre camp provisoire, le stade de tennis Roland-Garros. Peu après, Mielke a été expédié dans un des deux camps de concentration de nature plus permanente installés dans le sud de la France : soit au Vernet, en Ariège, près de Toulouse, soit à Gurs, en Aquitaine. Nous pensons qu'il se trouve toujours dans l'un d'eux. Comme il sait que nous le recherchons, il utilise sans doute un autre nom. Bien que les conditions dans ces camps passent généralement pour abominables, il se pourrait bien, l'Union soviétique ayant signé le pacte de non-agression avec l'Allemagne, que ce soit l'endroit le plus sûr pour lui. Staline a déjà renvoyé ici plusieurs communistes allemands afin de montrer ses bonnes dispositions envers le Führer. Et il y a fort à parier qu'il en ferait autant avec Erich Mielke. La France à présent aux mains du Troisième Reich, cela représente notre meilleure chance de le capturer en près de dix ans.

— Et, ajouta Heydrich, étant donné que vous êtes le seul homme de la Sipo à avoir jamais eu le plaisir de rencontrer Mielke, cela fait de vous le plus compétent pour aller en France procéder à son arrestation. Les Français se montrent déjà extrêmement coopératifs sur ce plan. Ils sont aussi pressés de se débarrasser d'un certain nombre de leurs Allemands indésirables que nous de les récupérer. Et vous ne manquerez pas de constater que vous n'êtes pas le seul officier de police à faire le voyage jusque là-bas pour arrêter un criminel ayant fui la justice allemande. Seulement un des plus importants. Car, ne vous y trompez pas, Gunther, Erich Mielke figure presque en tête de liste des personnes que nous recherchons.

— J'ai quelques questions, Herr General. »

Heydrich hocha la tête.

« Tout d'abord, je ne parle pas français.

— Ce n'est absolument pas un problème. À Paris, vous vous mettrez en rapport avec le Hauptmann Paul Kestner, que vous connaissez, je crois, du temps où vous étiez tous les deux à la Kripo. Kestner est alsacien et parle couramment le français. Il a reçu pour instruction de vous fournir toute l'aide dont vous auriez besoin. Vous rendrez compte tous les deux à mon propre adjoint, le général Werner Best, de la Gestapo.

En collaboration avec Helmut Knochen, qui est commandant en chef de la sécurité de Paris, il vous assignera des policiers français pour vous assister dans votre mission, nom de code FAFNIR. »

J'acquiesçai.

« Fafnir, très bien, Herr General. Je me réjouis que vous n'ayez pas dit Hagen. »

Cela n'arrivait pas très souvent, mais Heydrich eut l'air perplexe.

« Dans le cycle du Ring, expliquai-je, Hagen tue Gunther. »

Heydrich sourit.

« Eh bien, je vous tuerai si vous ne retrouvez pas Mielke. Compris ? »

Heureusement qu'il avait le sourire.

« Oui, Herr General.

— Il lui faudra un uniforme, dit Schellenberg.

— Avez-vous un uniforme, Gunther ?

— Non, Herr General. Pas encore.

— C'est bien ce que je pensais. Bon. Cela nous donnera l'occasion d'échanger quelques mots en privé. Venez avec moi. Et emportez le dossier de Mielke. Vous en aurez besoin. »

Il se leva, ramassa son chapeau et marcha vers la porte. Je le suivis dans l'antichambre, où il priait déjà Bettina de faire amener sa voiture devant la porte d'entrée, puis il saisit la mallette que lui tendait Schellenberg. Il me reprit le dossier qu'il rangea à l'intérieur.

« Allons-nous quelque part ? demandai-je.

— Mon tailleur », fit-il, et il se dirigea vers l'immense escalier en marbre.

Au moment où nous sortions de l'immeuble, les plantons dans la Prinz Albrechtstrasse se mirent au garde-à-vous, et nous attendîmes que la voiture fasse son apparition. Heydrich me laissa lui allumer sa cigarette puis me remit la mallette.

« Tout ce qu'il vous faut pour l'opération FAFNIR se trouve à l'intérieur. Argent, laissez-passer, documents de voyage et bien plus. Beaucoup plus. Raison pour laquelle je désirais vous parler seul à seul. »

Il jeta un rapide coup d'œil aux deux gardes SS comme pour s'assurer qu'ils ne pouvaient pas entendre, puis il me dit cette chose tout à fait extraordinaire :

« Voyez-vous, Gunther, nous avons un point commun, vous et moi. Il y a de cela quelques années, on nous a tous les deux dénoncés comme étant des *Mischlings* parce que nous avions, prétendument, un grand-parent juif. Des sottises, bien sûr. Mais qui ne sont pas sans rapport avec ce que je vous ai déjà dit.

— À propos du fait qu'on essaie de vous tuer ?

— Oui. N'étant pas parvenu à convaincre le Führer qu'il y avait la moindre vérité dans ces infâmes ragots, Himmler a certainement l'intention de me faire assassiner. Naturellement, je ne suis pas sans ressource de mon côté. Certains procès-verbaux se rapportant au passé de ma famille à Halle, et qui auraient pu prêter à confusion, ont été détruits. Et la personne qui m'a dénoncé – un cadet de la marine que je connaissais à l'Académie de Kiel – a été victime d'un malheureux accident. Il a péri dans l'incident du *Deutschland* en 1937, quand l'aviation républicaine a attaqué le port d'Ibiza. C'est en tout cas la version officielle. »

La voiture arriva. Une grosse Mercedes noire décapotée. Le chauffeur, un sergent SS, sortit d'un bond, salua puis ouvrit la porte de la place du mort et rabattit le siège avant.

« Qu'est-ce qui vous a pris si longtemps, Klein ?
s'enquit Heydrich.

— Je suis désolé, mon général. Je faisais le plein
au moment de votre appel. Où allons-nous ?

— Holters, les tailleurs.

— 16 Tauentzienstrasse. C'est comme si c'était
fait, mon général. »

Nous roulâmes vers le sud jusqu'à l'angle de la
Bülowstrasse, puis vers l'ouest.

« Cette mallette que je vous ai donnée, reprit Heydrich. Elle contient également un dossier sur l'homme
qui vous a dénoncé, Gunther. Dossier qui n'est pas
sans avoir un lien, en fait, avec celui de Mielke, comme
vous le découvrirez. Voyez-vous, l'homme qui vous a
dénoncé n'est autre que le Hauptmann Paul Kestner.
Votre ancien camarade de classe et collègue à la Kripo.

— Kestner. » Je hochai la tête. « J'ai toujours cru
qu'il s'agissait de quelqu'un d'autre. Cette fille que je
connaissais, et qui connaissait aussi Mielke.

— Mais que ce soit Kestner n'a pas l'air de vous
surprendre.

— Non. Peut-être pas, Herr General.

— Il a appartenu au KPD avant d'être nazi. Vous
le saviez ? »

Je fis signe que non.

« C'est Kestner qui a prévenu ses amis du KPD que
vous alliez tous les deux à Hambourg arrêter Mielke.
Après votre départ de la Kripo, il a essayé de détourner
les soupçons de sa propre personne en prétendant que
c'était vous qui aviez renseigné Mielke. Ce qui lui était
beaucoup plus facile s'il s'avérait que vous étiez en
partie juif. »

Je secouai la tête.

« Oh, tout se trouve dans le dossier, insista Heydrich.

— Non, il ne s'agit pas de ça, Herr General. Je suis simplement déçu, voilà tout. Comme vous l'avez dit, je connais Paul Kestner depuis que nous sommes allés au même lycée, ici à Berlin.

— Il est toujours décevant de s'apercevoir qu'on a été trahi. Mais, en un sens, c'est aussi libérateur. Cela sert à nous rappeler qu'en définitive, on ne peut vraiment compter que sur soi-même.

— Il y a quelque chose que je ne comprends pas, dis-je. Si vous savez tout cela, pourquoi dois-je rencontrer Kestner à Paris ? »

Heydrich eut une exclamation désapprobatrice et détourna un instant la tête alors que nous nous engagions sur la Nollendorfplatz. Il montra du doigt le cinéma Mozart.

« *Les Quatre Plumes blanches*. Un film splendide. Vous l'avez vu ?

— Oui.

— Vous avez eu raison. C'est un de ceux que le Führer préfère. Un film sur la vengeance, n'est-ce pas ? Bien qu'une vengeance d'un genre extrêmement sentimental et britannique. Harry Favisham restitue les quatre plumes blanches aux hommes et à la femme qui l'ont accusé de lâcheté. Absurde, vraiment. Pour ma part, j'aurais mieux aimé voir mes camarades souffrir un peu plus qu'ils ne le font. Et peut-être même mourir, mais pas sans m'être révélé leur pire ennemi. Vous me suivez ?

— Je commence, Herr General.

— Étant votre supérieur, je dois vous informer qu'avoir été membre du parti communiste avant d'avoir

210

entrevu la lumière en devenant un national-socialiste ne constitue pas un crime. Je tiens également à ce que vous sachiez que Paul Kestner n'est pas sans posséder des relations à la Wilhelmstrasse[1], lesquelles ont décidé de fermer les yeux sur son attitude déloyale dans l'affaire Mielke. Franchement, si nous devions congédier tous les fonctionnaires de la Sipo ayant un passé fâcheux, il ne resterait plus personne pour porter l'uniforme.

— Est-ce qu'il le sait ? demandai-je. Que ses supérieurs sont au courant de sa conduite ?

— Non. Nous préférons garder ce genre de choses en réserve. Pour quand nous avons besoin de faire entendre raison à quelqu'un et de le persuader de se montrer plus docile. Cependant » – Heydrich expédia sa cigarette dans la rue d'une chiquenaude et leva son bras blessé –, « comme vous pouvez le constater, des accidents se produisent. Surtout en temps de guerre. Et s'il devait arriver malheur au Hauptmann Kestner pendant qu'il se trouve en France occupée, je doute que quiconque en soit surpris. Moi encore moins. Après tout, le chemin est long entre Paris et Toulouse, et je dirais qu'il subsiste quelques poches de résistance française. Ce serait un drame de la guerre, tout comme la mort de Paul Bäumer à la dernière page de *À l'Ouest, rien de nouveau*. » Heydrich poussa un soupir. « Oui. Un drame. Mais guère regrettable.

— Je vois.

— Eh bien, c'est entièrement votre affaire, Hauptsturmführer Gunther. Votre grade d'inspecteur principal dans la Kripo vous confère le rang de capitaine SS. Le

---

1. Siège du ministère des Affaires étrangères, alors dirigé par Ribbentrop.

même que celui de Kestner. Qu'il vive ou qu'il meure, cela ne fait aucune différence pour moi. La décision vous appartient. »

La voiture longea en ronronnant la Tauentzien-strasse vers les clochers en stalagmites de l'église du Souvenir de l'empereur Guillaume puis s'arrêta dans un borborygme en face d'une boutique de tailleur. Dans la vitrine, un mannequin rappelant un torse sur une scène de crime ainsi que plusieurs rouleaux de tissu couleur étain. Les passants jetèrent à Heydrich des regards intrigués tandis qu'il descendait de voiture et allait jusqu'à la porte d'entrée de Wilhelm Holters de sa démarche en canard. On pouvait difficilement les blâmer. Avec tous les insignes et médailles ornant sa tunique de la Luftwaffe, il avait l'air d'un boy-scout accompli, encore qu'assez sinistre.

J'entrai à sa suite, la clochette du magasin résonnant à mes oreilles comme un signal destiné à prévenir les autres clients du fléau que nous apportions avec nous.

Un homme à l'allure modeste, portant un pince-nez, un brassard noir et un col dur, s'avança vers nous en se frottant les mains l'une contre l'autre tel Ponce Pilate et en souriant de façon sporadique comme s'il fonctionnait à mi-puissance seulement.

« Ah oui, fit-il à voix basse. Le général Heydrich, n'est-ce pas ? Oui, suivez-moi, s'il vous plaît. »

Il nous fit passer dans une pièce digne du Herren-klub[1]. Il y avait des fauteuils en cuir, une pendule

---

1. « Club des seigneurs ». Association conservatrice créée en 1924 et regroupant l'élite de l'ancienne classe dirigeante, désireuse de lutter contre la République afin de restaurer l'« esprit de l'Allemagne d'avant-guerre ».

égrenant son tic-tac sur le manteau de la cheminée, deux miroirs en pied et plusieurs vitrines contenant toute une panoplie d'uniformes militaires. Sur les murs, une multitude de brevets royaux et de photographies de Hitler et de Goering, dont la prédilection pour les uniformes de toutes les couleurs était bien connue. Au-delà d'un rideau en velours vert, j'aperçus plusieurs hommes occupés à couper du tissu ou à repasser au fer chaud des uniformes à moitié finis, parmi lesquels se trouvait, à ma grande surprise, un Juif orthodoxe. C'était un bel exemple de l'hypocrisie nazie que de faire faire un uniforme SS par un tailleur juif.

« Cet officier a besoin d'un uniforme SS, expliqua Heydrich. Vert-de-gris. Et il doit être prêt d'ici une semaine. En temps normal, je l'aurais adressé à l'intendance pour un uniforme Hugo Boss de confection, mais, comme il voyagera à bord du train personnel du Führer, il doit avoir l'air distingué. Pouvez-vous faire ça, Herr Holters ? »

Le tailleur parut étonné qu'on puisse seulement lui poser la question. Il laissa échapper un petit rire poli et sourit avec une calme assurance.

« Oh, certainement, Herr General.

— Bien, dit Heydrich. Envoyez la facture à mon bureau. Gunther ? Je vous laisse entre les mains expertes de Herr Holters. Et débrouillez-vous pour attraper vos bonshommes. Les deux. »

Puis il pivota et partit.

Ayant sorti un carnet et un crayon, Holters se mit à poser des questions et à noter les réponses.

« Grade ?

— Hauptmann.

— Des médailles ?

213

— La Croix de fer, avec citation royale. Médaille de participation à la grande guerre avec glaives et insigne des blessés. C'est tout.

— Pantalon ou culotte de cheval ? »

Je haussai les épaules.

« Les deux, fit-il. Dague de cérémonie ? »

Je secouai la tête.

« Tour de tête ?

— Soixante-deux centimètres. »

Holters acquiesça.

« Hoffmanns, dans la Gneisenaustrasse, vous en fera porter deux ou trois pour que vous les essayiez. En attendant, si vous voulez bien enlever votre veste, que je prenne vos mesures. » Il jeta un coup d'œil à un petit calendrier fixé au mur. « C'est toujours pressé avec le général Heydrich.

— Oui, il ne fait jamais bon le contredire. » J'enlevai ma veste. « C'est un sentiment que je connais bien. Pour Heydrich, votre brassard noir ne pose pas de problème de reconversion. »

Alors que, mes mesures prises, je m'apprêtais à sortir, je tombai sur Elisabeth Dehler, qui se rendait chez le tailleur, une boîte d'uniforme sous le bras. Je ne l'avais pas beaucoup vue depuis cette fameuse nuit de 1931 où elle avait pris ombrage que je sois allé lui demander l'adresse de Mielke. Mais elle me salua avec chaleur comme si tout ça était désormais oublié et elle accepta de venir boire un café avec moi après avoir livré l'uniforme à Herr Holters.

J'attendis à deux pas de là, au Miericke, dans la Rankestrasse, où le gâteau au chocolat était le meilleur de Berlin.

Lorsqu'elle arriva, elle me raconta que, depuis le début de la guerre, elle n'avait pas eu le temps d'exécuter une seule robe, ou presque. Tout le monde la voulait pour faire des uniformes.

« Cette guerre est finie avant même d'avoir commencé, lui dis-je. Tu vas retourner à tes travaux de couture en un rien de temps.

— J'espère que tu as raison, répondit-elle. Malgré tout, je suppose que c'est pour ça que tu étais là, chez Holters. Pour te faire faire un uniforme.

— Oui. J'ai une mission à remplir à Paris, la semaine prochaine.

— Paris. » Elle ferma un instant les yeux. « Qu'est-ce que je ne donnerais pas pour aller à Paris.

— Tu sais, je pensais justement à toi, il y a environ une heure. »

Elle fit la moue.

« Je ne te crois pas.

— Sincèrement, c'est vrai.

— Pourquoi ? »

Je haussai les épaules. Je n'avais guère envie de lui raconter qu'on m'envoyait à Paris traquer son vieil ami Erich Mielke, raison pour laquelle elle m'était revenue en tête.

« Eh bien, je me disais que ça me ferait plaisir de te revoir, Elisabeth. Peut-être que, à mon retour de Paris, on pourrait aller voir un film ensemble.

— Je croyais que tu partais la semaine prochaine.

— En effet.

— Alors pourquoi ne pas y aller cette semaine ?

— À ce compte-là, pourquoi ne pas y aller ce soir ? »

Elle acquiesça.

« Passe me prendre à six heures », répondit-elle, avant de m'embrasser sur la joue.

Nous sortions du café quand elle ajouta :

« J'ai failli oublier. Je n'habite plus à la même adresse.

— Pas étonnant que je n'aie pas réussi à te trouver.

— Comme si tu avais essayé. Motzstrasse. N° 28. Premier étage. Mon nom est sur la sonnette.

— J'ai déjà hâte de m'en servir. »

16

France, 1940

Au moins, ce n'était pas un uniforme noir. Mais, dans la gare d'Anhalter, attendant de monter à bord du train des chemins de fer du Reich tôt en ce matin de juillet, je me sentais bizarrement mal à l'aise, habillé en capitaine de la Sipo, même si presque tout le monde portait un uniforme. C'était comme si j'avais signé un pacte de sang avec Hitler lui-même. En l'occurrence, le Grand Méphistophélès avait jugé préférable de ne pas aller voir la capitale française par rail. La Gestapo avait eu vent d'au moins deux complots pour le tuer pendant qu'il séjournerait à Paris, et la nouvelle s'était répandue dans le convoi qu'il était déjà rentré d'une visite en avion au joyau de sa couronne de conquérant via Le Bourget, le 23 juin. En conséquence, bien qu'extrêmement luxueux à de nombreux égards – il y avait, après tout, plusieurs généraux de la Wehrmacht à bord –, l'engin dans lequel nous voyagions n'était pas l'Amerika, comme on avait baptisé le train spécial transportant le quartier général du Führer et, de l'avis unanime, le dernier cri en matière de confort classe

Pullman. Ce train au nom curieux – peut-être un jeu de mots basé sur la chanson de Herms Niel que j'avais chantée dans le bureau de Heydrich – avait regagné apparemment l'atelier de réparation de Tempelhof, dans le sud-ouest de Berlin. Depuis mes retrouvailles avec Elisabeth, je regrettais passablement de ne pas y être également car, même si une petite partie de moi-même se réjouissait de voir Paris, j'éprouvais surtout un net manque d'enthousiasme pour ma mission. Un tas de types à la Sipo auraient sauté à pieds joints sur des vacances tous frais payés dans la ville la plus chic du monde. Et un petit relent de meurtre en cours de route ne les aurait nullement troublés. Il y en avait quelques-uns dans ce train dont on aurait dit qu'ils assassinaient leurs semblables depuis 1933. Y compris le loustic assis en face de moi, un Untersturmführer – sous-lieutenant – que je me rappelais vaguement avoir aperçu au siège de la police de l'Alexanderplatz.

Ses petits yeux de rat firent toutefois le chemin avant moi.

« Excusez-moi, dit-il poliment. Vous ne seriez pas l'inspecteur principal Gunther ? De la Division des homicides ?

— Nous nous sommes déjà rencontrés ?

— Je travaillais à la Brigade des mœurs à l'Alex quand il me semble vous y avoir vu en dernier. Je m'appelle Willms. Nikolaus Willms. »

Je hochai la tête en silence.

« Les Mœurs ne sont pas aussi prestigieux que les Homicides, continua-t-il. Mais ça a ses bons côtés. »

Il sourit sans sourire – le genre d'expression que prend un serpent quand il ouvre la bouche pour avaler quelque chose tout cru. Il était plus petit que moi, mais il avait un air ambitieux laissant supposer qu'il finirait peut-être par avaler quelque chose de plus gros que lui.

« Eh bien, qu'est-ce qui vous amène à Paris ? demandai-je sans beaucoup d'intérêt.

— Ce n'est pas la première fois que j'y vais. J'y ai passé ces deux dernières semaines. Je ne suis revenu à Berlin que pour m'occuper d'une affaire de famille.

— Vous avez encore du travail à faire là-bas ?

— À Paris, le vice ne manque pas.

— C'est ce que j'ai cru comprendre.

— Mais, avec un peu de chance, je ne resterai pas coincé aux Mœurs très longtemps.

— Non ? »

Willms secoua la tête. Petit mais costaud, et il se tenait les jambes écartées et les bras croisés comme s'il regardait un match de football.

« Après l'école du SD à Bernau, on m'a envoyé suivre un stage restreint d'aptitude au commandement à Berlin-Charlottenburg. Ce sont les organisateurs du cours qui ont arrangé cette mutation. Je parle couramment le français. Je suis originaire de Trèves.

— C'est donc ça que j'entends dans votre intonation. Du français. Cela doit vous être très utile, j'imagine, dans les fonctions que vous exercez.

— Pour vous dire la vérité, c'est un boulot plutôt rasoir. Je rêve de quelque chose d'un peu plus excitant qu'un ramassis de putains françaises.

— Il y a environ cinq cents soldats dans ce train qui ne seraient pas de cet avis, lieutenant. »

Il sourit, un vrai sourire cette fois, dents comprises, sauf que ça ne fonctionna pas mieux, pas de la façon dont un sourire est censé fonctionner.

— Et qu'est-ce qui vous plairait ?

— Mon père a été tué à la guerre, expliqua-t-il. À Verdun. Par un tireur d'élite français. J'avais deux ans à l'époque. Aussi j'ai toujours détesté les Français. Je déteste tout ce qui se rapporte à eux. Je suppose que j'aimerais bien pouvoir les payer de retour pour ce qu'ils m'ont fait. Pour nous avoir enlevé mon père. Pour m'avoir donné une enfance aussi pitoyable. Ma famille aurait dû quitter Trèves, mais nous n'avions pas les moyens de déménager. De sorte que nous sommes restés. Ma mère et mes sœurs. Nous sommes restés à Trèves, et on nous haïssait. » Il hocha la tête, pensivement. « Je serais très heureux de travailler pour la Gestapo à Paris. Donner aux Franzis un peu de fil à retordre m'irait parfaitement. En refroidir quelques-uns, si vous voyez ce que je veux dire.

— La guerre est finie. Je présume que vos chances de refroidir des Français, comme vous dites, sont assez limitées à présent. Ils ont capitulé.

— Oh, il doit bien en rester un certain nombre qui n'ont pas perdu toute velléité de combat, vous ne croyez pas ? Des terroristes. Il nous faudra certainement nous occuper d'eux. Si vous entendiez parler de quelque chose à ce sujet, vous pourriez peut-être me le faire savoir. J'ai hâte de m'y mettre. Et de plaquer la Brigade des mœurs. » Il sourit de son sourire reptilien et donna une tape sur le porte-documents posé à côté de lui. « En attendant, je pourrais peut-être vous rendre service.

— Ah ? Comment ?

— Dans cette serviette, j'ai la liste d'environ trois cents restaurants et sept cents hôtels parisiens qu'il est prévu d'interdire à cause de la prostitution. Et celle d'une trentaine d'autres qui ont été officiellement

220

agréés. Notez que personne ne fera seulement l'effort d'y jeter un coup d'œil, dans un cas comme dans l'autre. Mon expérience à cet égard m'a appris qu'aucune loi au monde ne saurait dissuader un type ayant envie d'un peu de chatte ni une putain prête à lui en procurer. Quoi qu'il en soit, à mon sens, si un homme voulait prendre du bon temps à Paris, il pourrait faire bien pire que de descendre à l'hôtel Fairyland, sur la place Blanche, à Pigalle. D'après la préfecture de police de la rue de Lutèce, les filles travaillant au Fairyland sont exemptes de maladies vénériennes. Évidemment, on pourrait se demander comment ils sont au courant, et la réponse, je pense, est tout simplement qu'on est à Paris et que, bien sûr, la police le saurait. » Il haussa les épaules. « Bref, je me disais que vous aimeriez peut-être le savoir également. Avant que ça s'ébruite.

— Merci, lieutenant. J'y songerai. Mais je crois que je vais être beaucoup trop occupé pour chercher davantage de problèmes que je n'en ai déjà. Je suis sur une affaire, vous comprenez ? Une vieille affaire, et j'imagine que je vais avoir pas mal de boulot à me taper. Quant à se taper autre chose, je risque d'avoir encore plus de distraction qu'il ne semble raisonnable, même à Paris. J'aimerais pouvoir vous en dire plus, mais ça m'est impossible pour des raisons de sécurité. Voyez-vous, l'homme que je recherche m'a déjà échappé une fois. Et je ne tiens pas à ce que ça se reproduise. On aurait beau proposer Michèle Morgan avec l'eau courante chaude et froide dans ma chambre d'hôtel qu'il me faudrait quand même être sage. »

Willms se fendit de nouveau de son sourire perfide, celui dont il se servait probablement quand il voulait persuader une pauvre petite tapineuse de lui faire ça gratis. Je les connaissais, ces flics des Mœurs. Mais, tout détestable qu'il fût, je ne doutais pas un seul instant qu'il se serait révélé utile dans ma mission, et je suppose que j'aurais pu lui offrir un travail. J'avais une lettre de Heydrich qui aurait obligé le supérieur de n'importe quel zigue à m'apporter une coopération totale. Mais je ne le fis pas. On ne ramasse pas un serpent à moins d'y être contraint et forcé.

À mon arrivée à la gare de l'Est en fin d'après-midi, je présentai mon bon de taxi à un adjudant à tête de saucisse qui m'indiqua une voiture militaire déjà occupée par un autre officier. L'essence était rare, et, comme nous étions logés dans le même hôtel de l'autre côté de la Seine, il nous fallait partager un chauffeur, un caporal SS originaire d'Essen qui tenta de devancer notre hâte de nous y rendre en nous avertissant que la vitesse était limitée à seulement quarante kilomètres à l'heure.

« Et c'est encore pire la nuit, ajouta-t-il. On ne peut pas rouler à plus de trente. Vraiment dingue !

— C'est sûrement plus prudent, dis-je. À cause du couvre-feu.

— Non, mon capitaine. C'est la nuit que cette ville s'anime. C'est à ce moment-là que les gens veulent vraiment aller quelque part. Un quelque part important.

— Comme où ? demanda mon compagnon d'armes, un lieutenant de la marine attaché à l'Abwehr – le renseignement militaire allemand. Par exemple ? »

Le chauffeur sourit.

« Hé, on est à Paris. Ici, il n'y a qu'une activité vraiment importante, lieutenant. Du moins, c'est ce qu'on pourrait penser, vu la quantité d'officiers d'état-major que j'emmène voir leur agent de liaison. La seule activité à Paris qui ne s'est jamais aussi bien portée, lieutenant, c'est celle des relations entre hommes et femmes. En un mot, la prostitution. Elle fait rage dans toute la ville. Et on pourrait croire que certains des Allemands qui viennent ici n'ont encore jamais vu une gonzesse tellement ils s'en donnent à cœur joie.

— Bonté divine ! s'exclama le lieutenant de l'Abwehr, qui s'appelait Kurt Boger.

— Des tas de renforts sont attendus, poursuivit le chauffeur. Autrement dit, du menu fretin. Si j'ai un conseil à vous donner à tous les deux, c'est de vous dégoter une gentille petite copine qui ne vous coûtera pas un sou. Mais, si vous manquez de temps, les meilleures maisons closes de la ville sont le Chabanais, au 12 de la rue du même nom, et le One-Two-Two dans la rue de Provence.

— Il paraît que le Fairyland n'est pas mal non plus, hasardai-je.

— De la foutaise, capitaine. Avec tout le respect que je vous dois. Ceux qui vous ont raconté ça n'y connaissent que pouic. Le Fairyland n'est qu'un vulgaire lupanar. Vous auriez intérêt à éviter cet endroit, de crainte d'attraper la chtouille. Si vous me permettez. Le Chabanais, lui, est pour les officiers. Madame Marthe dirige une maison extrêmement sélecte. »

Boger, qui n'avait rien d'un marin typique, fit claquer sa langue tout en secouant la tête pour exprimer sa désapprobation.

« Mais vous serez très bien à l'hôtel Lutetia, reprit le chauffeur, changeant de sujet. C'est un hôtel très convenable. Il ne s'y passe rien.

— Je suis soulagé de l'entendre.

— Nous autres Allemands avons réquisitionné les

223

meilleurs hôtels, précisa le chauffeur. Les membres de l'état-major avec des bandes rouges sur leur pantalon et les grosses légumes du parti se trouvent au Majestic et au Crillon. Mais, à mon avis, vous serez mieux l'un et l'autre sur la rive gauche. »

Près de l'hôtel Lutetia, on n'avait pas lésiné sur la sécurité. Une zone de protection composée de sacs de sable et de barrières en bois avait été établie autour de l'établissement, et des sentinelles armées gardaient l'entrée, à la stupéfaction des chasseurs et du portier. Toute circulation, à l'exception des véhicules militaires allemands, était interdite dans le périmètre. Du reste, il n'y avait pas beaucoup de circulation, la dernière chose qu'avait faite l'armée française avant d'abandonner la ville à son sort étant de mettre le feu à plusieurs dépôts d'essence pour empêcher qu'ils ne tombent entre nos mains. Mais le métro parisien fonctionnait toujours, à l'évidence. On pouvait le sentir sous ses pieds dans le hall de l'hôtel Lutetia. Non qu'il fût facile de voir ses pieds, tant ça grouillait d'officiers allemands – SS, RSHA, Abwehr, Geheime Fieldpolizei[1] (la GFP) –, tous se piétinant les orteils au pas de l'oie, dans la mesure où personne à ma connaissance n'aurait pu dire avec certitude où finissaient les responsabilités de tel service de sécurité et où commençaient celles de tel autre. Ce n'était pas exactement Babel, mais il régnait un peu partout une belle pagaille, et, en détournant les hommes de la colère de Dieu pour les placer dans une dépendance constante à l'égard de

---

1. « Police secrète de campagne ». Surnommée la « Gestapo de l'armée », elle a joué un rôle très actif dans la lutte contre la Résistance française.

son propre pouvoir, Hitler faisait un Nimrod convaincant.

Le personnel du Lutetia n'était pas moins désorienté que nous. Lorsque je demandai au portier parlant l'allemand quelle était la coupole que j'apercevais de ma fenêtre, il me répondit qu'il ne savait pas trop. Il fit venir une femme de chambre jusqu'à ladite fenêtre, et ils se mirent à débattre du sujet pendant deux ou trois minutes avant de décider finalement que c'était le dôme de l'église des Invalides, où se trouvait le tombeau de Napoléon. Un peu plus tard, je découvris qu'il s'agissait en fait du Panthéon, dans la direction opposée. Autrement, le service au Lutetia était de qualité, même s'il ne soutenait guère la comparaison avec celui de l'Adlon à Berlin. Et je ne pouvais pas m'empêcher de comparer favorablement mon hébergement français actuel avec ce que j'avais enduré pendant la Première Guerre. Des draps propres et nets et un bar à cocktails bien approvisionné changeaient fort agréablement d'une tranchée inondée et d'un ersatz de café tiède. L'expérience aurait presque suffi à achever ma conversion au nazisme.

Je ne portais pas les Français dans mon cœur. La guerre – la Grande Guerre – était encore trop fraîche dans ma mémoire pour que je puisse les aimer, mais je les plaignais maintenant qu'ils étaient devenus des citoyens de second ordre dans leur propre pays. Ils se voyaient refuser l'entrée des meilleurs hôtels et restaurants ; Maxim's se trouvait sous administration allemande ; dans le métro, les voitures de première classe étaient réservées aux Allemands ; et les Français, pour qui la bonne chère constituait quasiment une religion, découvraient tout à coup qu'elle était rationnée et qu'il y avait de longues files d'attente pour le pain, le vin, la viande et les cigarettes. Naturellement, rien ne faisait défaut quand vous étiez allemand. Et je dégustai un excellent dîner chez Lapérouse – un restaurant du XIXᵉ siècle qui avait encore plus l'air d'un bordel que les bordels.

Le lendemain, Paul Kestner m'attendait dans le hall du Lutetia, comme convenu. Nous nous serrâmes la main tels de vieux amis et admirâmes mutuellement la coupe de nos vêtements. Les officiers allemands faisaient beaucoup ça en 1940, surtout à Paris, où les belles nippes semblaient avoir encore plus d'importance.

Kestner était grand et mince, avec le dos voûté comme quelqu'un ayant passé une éternité derrière un bureau. Il n'avait pratiquement plus un poil sur le caillou, à l'exception des sourcils sombres qui adoucissaient ses traits taillés à la serpe. L'intégrité se lisait sur son visage, au point qu'on avait du mal à croire qu'un homme avec une mâchoire aussi carrée que la porte de Brandebourg ait pu trahir les services de police et moi ensuite en toute impunité. Kestner avait une tête qui aurait pu figurer sur un billet de banque suisse, si ce n'est que j'avais passé une bonne partie du voyage en train depuis Berlin à caresser l'idée de coller une balle dedans. Les sbires de Heydrich avaient bien fait leur boulot. Le dossier qu'il m'avait remis dans sa voiture contenait une copie de la lettre anonyme que Kestner avait envoyée au service des affaires juives et dans laquelle il me dénonçait comme *Mischling*, ainsi qu'un échantillon de son écriture manuscrite – en tout point identique –, lequel était fort opportunément signé. Il y avait même une photographie prise en mars 1925 – avant qu'il eût rejoint la police de Berlin –, le montrant en uniforme de cadre du parti communiste, à bord d'un autobus de campagne électorale du KPD, avec sur l'épaule une pancarte proclamant : VOTEZ THÄLMANN ! En même temps que je souriais, serrais la pogne de Kestner et reparlais du bon vieux temps que nous avions vécu ensemble, j'avais envie de lui flanquer mon poing dans la figure, et la seule chose qui semblait susceptible de m'en empêcher était l'affection que j'éprouvais encore pour sa petite sœur.

« Comme va Traudl ? demandai-je. A-t-elle terminé la fac de médecine ?

— Oui. Elle est toubib maintenant. Travaille pour un truc appelé la Fondation d'utilité publique pour les soins hospitaliers. Une sorte de clinique financée par l'État autrichien.

— Il faudra que tu me passes l'adresse. Que je puisse lui envoyer une carte postale de Paris.

— C'est le château de Hartheim, expliqua-t-il. À Alkoven, près de Linz.

— Pas trop près, j'espère. Hitler est de Linz.

— Toujours le même vieux Bernie Gunther.

— Pas tout à fait. Tu oublies ce chapeau de pirate que je porte à présent. »

Je donnai une tape sur la tête de mort et les tibias en argent ornant ma casquette grise d'officier.

« Ça me fait penser... » Kestner jeta un coup d'œil à sa montre-bracelet. « Nous avons rendez-vous à onze heures avec le colonel Knochen à l'hôtel du Louvre.

— Il n'est pas au Lutetia ?

— Non. Le grand manitou ici, c'est le colonel Rudolph, de l'Abwehr. Knochen aime bien avoir les coudées franches. Le SD est installé pour l'essentiel à l'hôtel du Louvre, de l'autre côté de la Seine.

— Je me demande pourquoi on m'a mis ici.

— Peut-être pour faire chier Rudolph, répondit Kestner. Vu qu'il y a de grandes chances qu'il ne soit pas au courant de ta mission. D'ailleurs, Bernie, c'est quoi, ta mission ? La Prinz Albrechtstrasse s'est montrée plutôt discrète sur ce que tu fabriquais à Paris.

— Tu te souviens du communiste qui a tué ces deux policiers à Berlin en 1931 ? Erich Mielke ? »

Il faut reconnaître que Kestner ne cilla même pas en entendant le nom.

« Vaguement, répondit-il.

— D'après Heydrich, il serait dans un camp de concentration quelque part dans le sud de la France. Mes ordres sont de le trouver, de le ramener à Paris et d'organiser son retour à Berlin, où il doit être jugé.

— Rien d'autre ?

— Qu'est-ce qu'il pourrait y avoir d'autre ?

— C'est juste que nous aurions pu nous en occuper nous-mêmes sans que tu aies besoin de venir à Paris. Tu ne parles même pas le français.

— Tu as oublié, Paul. J'ai rencontré Mielke. S'il a changé de nom, comme c'est fort probable, je serai en mesure de l'identifier.

— Oui, évidemment. Ça me revient. Nous l'avons raté de peu à Hambourg, pas vrai ?

— Exact.

— Voilà bien des efforts pour un seul homme, semble-t-il. Tu es sûr qu'il n'y a rien d'autre ?

— Ce que veut Heydrich, Heydrich l'obtient.

— Pigé, fit Kestner. Bon, on y va à pied ? Il fait beau.

— Il n'y a pas de danger ? »

Kestner éclata de rire.

« Quel danger ? Les Français ? » Il se remit à rire. « Laisse-moi te dire quelque chose à propos des Français, Bernie. Ils savent très bien qu'il est dans leur intérêt de s'entendre avec nous, les Fridolins. C'est le surnom qu'ils nous donnent. Beaucoup d'entre eux sont ravis que nous soyons là. Bon sang, ils sont même encore plus antisémites que nous. » Il secoua la tête. « Non. Tu n'as rien à craindre des Français, mon vieux. »

Contrairement à lui, je ne parlais pas un mot de leur langue, mais trouver son chemin dans Paris était un jeu d'enfant. Il y avait des panneaux écrits en allemand à chaque coin de rue. Si seulement les choses avaient été aussi bien ordonnées dans ma tête, cela m'aurait permis de décider plus facilement quoi faire à son sujet.

Le français de Kestner était parfait à mes oreilles de Fridolin, ce qui veut dire qu'il donnait l'impression d'être né là. Dégoûté par l'affaire Dreyfus, son père, un chimiste, avait quitté l'Alsace pour s'installer à Berlin. À l'époque, Berlin était une ville plus tolérante que Paris. Kestner avait cinq ans au moment où il était venu vivre à Berlin, mais sa mère n'avait jamais cessé de lui parler en français.

« C'est comme ça que j'ai obtenu cette affectation, dit-il tandis que nous nous dirigions vers la Seine.

— Je ne pensais pas que c'était à cause de ton amour de l'art. »

L'hôtel du Louvre, rue de Rivoli, avait beau être plus vieux que le Lutetia, il lui ressemblait comme un frère, avec ses quatre façades, ses centaines de chambres et son luxe qui lui valait une réputation internationale. Ce qui en faisait un choix évident pour la Gestapo et le SD. La sécurité n'avait rien à envier à celle du Lutetia, et il nous fallut signer un registre à un corps de garde rudimentaire installé dans l'entrée. Un aide de camp SS nous escorta à travers le hall, puis nous fit monter un escalier monumental jusqu'aux salons où le SD avait aménagé des bureaux provisoires. On nous introduisit, Kestner et moi, dans une salle élégante, avec un somptueux tapis rouge et une série de fresques peintes à la main. Ayant pris place à une longue table en acajou, nous attendîmes. Quelques minutes s'écoulèrent avant que trois officiers du SD pénètrent dans la pièce – dont un que je connaissais.

La dernière fois que j'avais vu Herbert Hagen, c'était en 1937 au Caire, où Adolf Eichmann et lui s'efforçaient d'entrer en contact avec Hadj Amin, le grand mufti de Jérusalem. Hagen était alors sergent dans la SS, et plutôt incompétent. Il était à présent major, et l'adjoint du colonel Helmut Knochen, un type lugubre, d'une trentaine d'années – à peu près comme Hagen. Le troisième officier, major également, était plus âgé que les deux autres, avec d'épaisses lunettes à monture d'écaille et un visage aussi gris que les passepoils de sa casquette. Il s'appelait Karl Boemelburg. Mais c'est Hagen qui prit la direction de l'entretien, pour en venir rapidement au vif du sujet sans la moindre mention de notre rencontre précédente. Ce qui m'allait parfaitement.

« Le général Heydrich nous a donné l'ordre de vous fournir toute l'assistance disponible pour vous rendre aux camps de réfugiés du Vernet et de Gurs, déclara-t-il. Et pour faciliter l'arrestation d'un assassin communiste recherché. Mais, comme vous n'êtes pas sans le savoir, ces camps demeurent sous le contrôle de la police française.

— On m'a laissé entendre qu'ils examineraient notre demande d'extradition dans un esprit coopératif, fis-je remarquer.

— En effet, intervint Knochen. Malgré tout, conformément aux dispositions de l'armistice signé le 22 juin, ces camps de réfugiés se trouvent en zone non occupée. Ce qui signifie que nous devons avoir l'air de croire que, au moins dans cette partie de la France, ils continuent à diriger leurs propres affaires. C'est une façon d'éviter hostilité et résistance.

— Autrement dit, conclut le major Boemelburg, nous leur faisons faire le sale boulot à notre place.

— À quoi d'autre sont-ils bons ? lança Hagen.

— Oh, je ne sais pas, répondis-je. La nourriture chez Lapérouse était assez spectaculaire.

— Bien vu, capitaine, fit Boemelburg.

— Nous devrons associer la préfecture de police à votre mission, dit Knochen. De manière à ce que les Français puissent se persuader qu'ils sauvegardent les institutions et le mode de vie français. Mais moi je vous le dis, messieurs, la loyauté de la police française nous est indispensable. Hagen ? Qui est le Franzi que la Maison a désigné comme agent de liaison ? » Il se tourna vers moi. « La Maison, c'est ainsi que nous appelons les flics de la rue de Lutèce. La préfecture de police. Vous verriez ce bâtiment, capitaine Gunther. Il est aussi vaste que le Reichstag.

— Le marquis de Brinon, répondit Hagen.

— Ah oui. Vous savez, pour une république, c'est incroyable à quel point les Français raffolent des titres nobiliaires. Sur ce plan, ils ne valent guère mieux que les Autrichiens. Hagen, voyez si le marquis peut suggérer quelqu'un pour seconder le capitaine. »

Hagen parut soudain mal à l'aise.

« En fait, mon colonel, nous ne sommes pas tout à fait certains que le marquis ne soit pas marié à une Juive. »

Knochen fronça les sourcils.

« Devons-nous vraiment nous préoccuper de ce genre de chose maintenant ? Nous venons à peine d'arriver. » Il secoua la tête. « De plus, ce n'est pas sa femme, l'agent de liaison, n'est-ce pas ? »

Hagen fit signe que non.

« Le moment venu, nous verrons qui est juif et qui ne l'est pas, mais, dans l'immédiat, la priorité, me semble-t-il, est d'appréhender un communiste ayant échappé à la justice allemande. Un meurtrier. N'est-il pas vrai, capitaine Gunther ?

— C'est exact, Herr Oberst. Il a tué deux policiers.

— En l'occurrence, continua Knochen, ce département est en train de dresser une liste de criminels de guerre recherchés afin de la soumettre aux Français. Et, grâce à la création d'une commission mixte – la commission Kuhnt –, de pouvoir superviser toutes ces questions dans la zone non occupée. Un officier allemand, le capitaine Geissler, est déjà descendu à Vichy pour amorcer les travaux de ladite commission. Et en particulier pour donner la chasse à Herschel Grynszpan. Vous vous rappelez peut-être que c'est Grynszpan, un Juif germano-polonais, qui a assassiné Ernst vom Rath, ici à Paris, en novembre 1938, et dont les actes ont provoqué un tel déchaînement de passions en Allemagne.

— Je m'en souviens très bien, affirmai-je. J'habitais dans la Fasanenstrasse, près du Ku'damm. La synagogue au bout de la rue a été incendiée pendant le déchaînement de passions dont vous parlez, Herr Oberst.

— Un représentant du ministère allemand des Affaires étrangères, Herr Doktor Grimm, est lui aussi sur la piste de Grynszpan, expliqua Knochen. Il semble bien que le petit Juif se trouvait à Paris, à la prison de Fresnes, jusqu'au début du mois de juin, date à laquelle les Français ont décidé d'évacuer tous les détenus sur Orléans. De là, il a été envoyé à la prison de Bourges. Où il n'est, toutefois, jamais arrivé. Le convoi d'autocars transportant les prisonniers a été attaqué par un avion allemand, après quoi le tableau devient assez confus.

— En réalité, dit Boemelburg, nous pensons pour notre part que Grynszpan aurait pu aller à Toulouse.

— Dans ce cas, qu'est-ce que Geissler fait à Vichy ?

— Il s'occupe de la mise en place de cette commission Kuhnt, répondit Boemelburg. Pour être juste avec Geissler, le bruit a couru pendant un moment que Grynszpan était également à Vichy. Mais Toulouse semble aujourd'hui beaucoup plus probable.

— Boemelburg ? Karl, corrigez-moi si je me trompe, dit Knochen. Mais je crois me rappeler que ce camp de concentration du Vernet – où serait peut-être emprisonné le gibier du capitaine Gunther – se situe dans le département de l'Ariège, en plein cœur des Pyrénées. C'est près de Toulouse, non ?

— Tout près, reconnut Boemelburg. Toulouse se trouve dans le département voisin de la Haute-Garonne et à une soixantaine de kilomètres au nord du Vernet.

— Alors il me semble, dit Knochen, que vous devriez vous rendre tous les deux à Toulouse le plus rapidement possible, le capitaine Gunther et vous. Après-demain éventuellement. Boemelburg ? Vous pourriez rester à Toulouse et chercher Grynszpan pendant que Gunther ici présent continue vers le sud, jusqu'au Vernet. Demandez au marquis de nous fournir quelqu'un pour accompagner Gunther et Kestner, et éviter de froisser la susceptibilité des Français. Pendant ce temps-là, j'enverrai un télégramme à Philippe le Gaga à Vichy afin de l'informer de ce qui se passe. Je crois pouvoir dire que, lorsque vous arriverez à destination, nous aurons une idée plus claire des individus à arrêter et de ceux à laisser où ils sont.

— Y a-t-il encore des trains qui circulent dans ce sens ? »

C'était Kestner.

« Je crains que non.

— Dommage. C'est un trajet assez long. Environ six cents kilomètres. Vous savez, il serait peut-être souhaitable de prendre exemple sur le Führer et d'aller là-bas en avion depuis Le Bourget. En deux ou trois heures, nous pourrions être à Biarritz, où un détachement motorisé des SS-VT ou de la GFP pourrait nous emmener au Vernet et à Toulouse.

— D'accord. » Knochen regarda Hagen. « Faites le nécessaire. Et voyez s'il y a des détachements motorisés de SS opérant aussi loin au sud.

— Oui, mon colonel, il y en a, répondit Hagen. La seule question qui susbsiste est donc de savoir si ces hommes devront porter un uniforme lorsqu'ils traverseront la ligne de démarcation avec la zone française.

— Un uniforme d'officier nous conférerait une certaine autorité, Herr Oberst, fit remarquer Kestner.

« — Gunther ? Qu'en pensez-vous ? demanda Knochen.

— Je suis d'accord avec le capitaine Kestner. Dans une situation de capitulation, il n'est pas mauvais de rappeler que la capitulation en question a débuté par une guerre. Après 1918, les Français feraient bien, à mon avis, d'apprendre un peu l'humilité. S'ils nous avaient mieux traités à Versailles, nous ne serions peut-être pas là. Je ne vois donc pas de raison d'essayer de rendre moins amère la pilule qu'ils ont à avaler. Il ne fait aucun doute qu'ils se sont fait joliment botter les fesses. Plus vite ils l'admettront et plus vite nous pourrons rentrer chez nous. Quoi qu'il en soit, je suis venu ici pour arrêter un homme qui a tué deux policiers et je me fiche pas mal que mes manières puissent déplaire à quelques Franzis pendant que je m'acquitte de cette mission. Depuis que j'ai mis un uniforme, je ne les ai pas beaucoup en odeur de sainteté, moi non plus. Je peux l'enlever de nouveau et faire semblant d'être ce que je ne suis pas afin de mener ma tâche à bien, mais je ne peux pas faire semblant d'être diplomate et charmant. Je n'ai jamais été un adepte du baiser à la française. Alors on se fout de leurs états d'âme, je dirais.

— Bravo, capitaine Gunther, dit Knochen. C'était un excellent discours. »

Peut-être que oui et peut-être aussi que je n'en croyais pas la moitié. Il comportait à coup sûr une part de vérité : plus vite j'aurais regagné mes pénates, et mieux je me sentirais concernant un tas de choses, moi en particulier. Me mêler à des antisémites comme Herbert Hagen ne faisait que me rappeler pourquoi je n'étais pas devenu un nazi. Et, victoire française ou pas, jamais je ne pourrais surmonter ma répugnance instinctive vis-à-vis d'Adolf Hitler.

Cet après-midi-là, j'allai voir les Invalides. C'était un monument à l'aspect très national-socialiste. La porte d'entrée avait plus d'or que la Vallée des Rois, mais l'atmosphère était celle d'une piscine publique. Le mausolée lui-même consistait en un bloc de marbre dans les tons acajou ressemblant à une énorme boîte à thé. Hitler avait visité les Invalides à peine deux semaines auparavant. Et je ne devais pas être le seul à regretter que ce soit l'empereur Napoléon et non lui qui soit à l'intérieur des six cercueils que renfermait ce tombeau pompeux. Après sa fuite de l'île d'Elbe, on avait eu peur que ce petit monstre ne s'échappe de sa sépulture, comme Dracula. Peut-être avait-on été jusqu'à lui enfoncer un pieu dans le cœur par mesure de prudence. Enterrer Hitler coupé en petits morceaux paraissait encore plus sûr. Avec la tour Eiffel lui transperçant le cœur.

Ayant apporté avec moi un appareil photo, comme tous les Allemands se trouvant à Paris cet été-là, je fis une balade et pris quelques clichés. Dans le jardin du Champ de Mars, je photographiai des soldats allemands demandant leur chemin à un gendarme. En m'apercevant le gendarme me salua aussitôt, comme si un uniforme d'officier allemand forçait réellement le respect. Cependant, telles que je percevais les choses, la police française avait un gros problème de mentalité. Elle ne semblait pas se souvenir qu'elle avait subi une défaite. En Allemagne, j'avais vu des flics afficher une mine moins réjouie après avoir échoué à se faire élire à l'association des officiers de police prussiens.

Je dînai de nouveau en solitaire dans un restaurant tranquille de la rue de Varenne avant de rentrer au Lutetia. L'hôtel constituait un mélange d'Art nouveau et d'Art déco, mais le drapeau à croix gammée flottant sur le fronton sinueux, art brisé, au-dessous du nom du Lutetia représentait le signe le plus clair du néo-brutalisme affectant ses clients, moi y compris.

Le bar était animé et étonnamment accueillant. Un piano mécanique Welte-Mignon jouait un choix de rengaines sentimentales allemandes. Je commandai un café, fumai une cigarette française et évitai le regard du lieutenant reptilien que j'avais rencontré dans le train de Berlin. Comme il faisait mine de venir vers moi, je finis mon verre et m'éclipsai. Je montai au septième étage par l'ascenseur et suivis le couloir en courbe jusqu'à ma chambre. Une femme de ménage sortit d'une autre chambre et me sourit. À ma grande surprise, elle parlait bien l'allemand.

« Désirez-vous que j'ouvre votre lit pour la nuit, monsieur ?

— Merci, dis-je et, poussant ma porte, je la complimentai sur son allemand.

— Je suis suisse. J'ai grandi en parlant le français, l'allemand et l'italien. Mon père dirige un hôtel à Berne. Je suis venue à Paris pour acquérir de l'expérience.

— Alors nous avons quelque chose en commun. Avant la guerre, j'ai travaillé à l'hôtel Adlon, à Berlin. »

Elle en resta comme deux ronds de flan, ce qui, bien sûr, était mon intention, dans la mesure où elle ne manquait pas de charme. Légèrement rustique, peut-être, mais j'étais d'humeur à apprécier les joies du terroir et les filles aux airs rustiques. Et lorsqu'elle eut

237

fini son service, je lui donnai un peu d'argent allemand et le reste de mes cigarettes uniquement parce que j'avais envie qu'elle ait une meilleure image de moi que celle que j'en avais moi-même. Et en particulier du type que j'aperçus dans la glace sur le devant de l'armoire. En un pitoyable petit fantasme, je l'imaginai revenant à l'aube, frappant à ma porte et grimpant dans mon lit. Ce qui, vu la façon dont les choses se déroulèrent, n'était pas si loin du compte. Mais ce n'est que plus tard, et lorsqu'elle fut partie, que je regrettai de lui avoir refilé mes dernières cigarettes.

« Eh bien, au moins, tu ne t'endormiras pas avec une clope à la main pour brûler le plumard, Gunther », me dis-je, un œil posé sur l'extincteur en cuivre debout dans le coin près de la porte. Je fermai la fenêtre, puis me déshabillai et me couchai. Pendant un moment, je restai allongé avec l'impression d'avoir un peu de vent dans les voiles, à contempler le plafond blanc tout en me demandant si je n'aurais pas dû aller au Chabanais, après tout. Et peut-être que je me serais relevé et que je l'aurais fait sans la perspective d'avoir à remettre mes bottes de cheval. Parfois, la morale n'est que le corollaire de la paresse. De plus, il faisait bon se sentir de nouveau dans l'univers de luxe d'un grand hôtel. Le lit était moelleux. Le sommeil croisa rapidement ma route, mettant fin à toute pensée sur ce que j'avais pu rater au Chabanais. Un sommeil profond, qui devint anormalement profond à mesure que la nuit passait et qui faillit mettre fin à toute pensée sur le Chabanais, Paris et ma mission. Un genre de sommeil qui faillit mettre fin à mon existence même.

17

France, 1940

Je me dis que j'avais dû rêver toute l'histoire. Je me trouvais à nouveau dans la tranchée-abri. Il ne pouvait pas en être autrement, sinon comment aurais-je pu sentir l'odeur de la pommade de gaulthérie ? On s'en servait comme remède chauffant pour les mains abîmées ou gercées pendant les mois d'hiver les plus froids, c'est-à-dire, dans les tranchées, presque tous. La gaulthérie faisait également un excellent baume de poitrine quand vous aviez de la fièvre, de la toux ou mal à la gorge, ce qui, en raison des poux, de la surpopulation et de l'humidité, se produisait sans cesse. Parfois, on se mettait même un peu de ce truc dans les narines, rien que pour tenir à distance l'odeur de mort et de décomposition.

J'avais mal à la gorge. Et je toussais. Le froid me glaçait la poitrine, mais il y avait autre chose, seulement il ne s'agissait pas de la gaulthérie. C'était une infirmière, montée sur moi. Je relevai sa jupe pour qu'elle puisse me chevaucher de façon adéquate. Sauf que ce n'était pas du tout une infirmière, mais une femme de chambre, une gentille fille de Berne. Elle était donc venue me tenir compagnie, en fin de compte. Je tendis les bras vers sa poitrine, et elle me gifla, violemment, à deux reprises, avec suffisamment de force pour que je reprenne mon souffle, après quoi je me remis à tousser. Me dégageant de dessous elle à force de contorsions, je vomis par terre. Elle sauta du lit et, secouée elle aussi par une quinte de toux, elle s'approcha de la fenêtre, l'ouvrit en grand et demeura un moment la tête penchée à l'extérieur, puis elle revint vers moi, me tira du lit et s'efforça de me traîner vers la porte.

Je continuais à tousser et à avoir des haut-le-cœur quand deux hommes en veste blanche firent leur apparition et m'emmenèrent sur une civière. Devant l'hôtel, boulevard Raspail, je commençai à me sentir légèrement mieux alors que je m'efforçais d'aspirer un peu de l'air frais du matin dans mes poumons.

Ils me conduisirent à l'hôpital Lariboisière, rue Ambroise-Paré. Là, on me fixa une perfusion dans le bras, et un médecin de l'armée allemande m'informa que j'avais été gazé.

« Gazé ? fis-je, la respiration sifflante. Avec quoi ?

— Du tétrachlorure de carbone, répondit-il. Il semble que l'extincteur dans votre chambre avait un défaut. Sans la domestique qui a détecté l'odeur de l'autre côté de la porte, vous seriez probablement mort. Le tétrachlorure de carbone se transforme en phosgène au contact de l'air. C'est ainsi qu'il éteint le feu. Il l'étouffe. Ce qui a bien failli être votre cas. Vous avez eu de la chance, capitaine Gunther. Malgré tout, nous aimerions vous garder un moment ici, pour surveiller votre foie et vos fonctions rénales. »

Je me remis à tousser. Mon crâne me faisait le même effet que si la tour Eiffel était tombée dessus. Et ma gorge, que si j'avais tenté de l'avaler. Mais, au moins, j'étais vivant. Des types gazés, j'en avais vu un tas en France, et ça n'avait rien de comparable. Je ne dégobillais pas, c'était déjà ça. Il fallait avoir observé un gars qui vomissait deux litres de liquide jaunâtre par heure, se noyait dans ses propres mucosités, pour savoir à quel point mourir d'une attaque au gaz était une fin effroyable. On prétendait que Hitler avait été gazé, ce qui lui avait provoqué une cécité temporaire. Dans ce cas, ça expliquait bien des choses. Chaque fois qu'il apparaissait aux actualités, criant à tue-tête, gesticulant comme un forcené, se frappant la poitrine, écumant de sa haine des Juifs, des Français ou des bolcheviques, il me faisait penser à un gus qui vient de se faire gazer.

En début de matinée, j'avais repris du poil de la bête. Suffisamment pour recevoir un visiteur. C'était Paul Kestner.

« Il paraît que tu as eu un accident avec un extincteur. Qu'est-ce que tu as fait ? Tu t'es rincé le gosier avec ?

— Ce n'était pas ce type d'extincteur.

— Je pensais qu'il n'en existait que d'une espèce. L'espèce qui éteint les incendies.

— Celui-là était du type qui étouffe les flammes à l'aide de produits chimiques. Qui absorbe tout l'oxygène. C'est ce qui m'est arrivé, en quelque sorte.

— Quelqu'un t'a surpris en train de fumer au lit ?

— J'ai passé la plus grande partie de la journée à me poser la question. Et à ne pas aimer les réponses.

— Comme par exemple ?

— J'ai travaillé dans un hôtel. L'Adlon à Berlin. Ce qui m'a permis d'en apprendre pas mal sur ce qui se fait et ne se fait pas dans les hôtels. Et une des choses qui ne se font pas, c'est de mettre des extincteurs dans les chambres. D'une part, pour éviter qu'un client ayant pris une cuite ne décide d'arroser les rideaux au jet. D'autre part, parce que beaucoup d'extincteurs sont plus dangereux que les incendies qu'ils sont censés éteindre. Curieusement, je n'ai pas le souvenir qu'il y avait un extincteur dans ma chambre quand je suis arrivé au Lutetia. Pourtant, il y en avait un hier soir. Si je n'avais pas eu moi-même un coup dans l'aile, j'y aurais peut-être prêté plus d'attention.

— Est-ce que tu insinues que quelqu'un l'a trafiqué ?

— Ça me paraît d'une telle évidence que je me demande pourquoi tu as l'air surpris.

— Surpris ? Oui, bien sûr que je suis surpris, Bernie. Tu sous-entends que quelqu'un a tenté de te tuer dans un hôtel regorgeant de poulets.

— Trafiquer un extincteur, c'est le genre de truc qui devrait être dans les cordes d'un flic. De plus, aucun de nous au Lutetia n'a de clé de chambre.

— C'est parce que nous sommes tous du même côté. Tu ne veux pas dire qu'un Allemand a essayé de te tuer.

— C'est exactement ce que je veux dire.

— Mais pourquoi pas un Français ? Après tout, nous venons de leur faire la guerre. Si quelqu'un est responsable – et je ne suis pas certain qu'il ne s'agissait pas d'un accident –, ça doit être l'un d'entre eux. Un chasseur, peut-être. Ou un serveur patriote.

— Et parmi tous les salauds qu'il aurait pu buter, il m'a choisi au hasard, c'est ça ? »

Je secouai la tête, ce qui eut apparemment le don de déclencher une nouvelle quinte de toux.

Kestner remplit un verre d'eau et me le tendit.

Je le bus et repris ma respiration.

« Merci. Sans oublier le genre de personnel qu'emploie un hôtel de luxe. Ça va à l'encontre de tous leurs principes que d'estourbir un client. Même un client qu'ils méprisent. »

Kestner alla à la fenêtre et regarda dehors. Nous étions dans une chambre du troisième étage, sous la haute toiture mansardée de l'hôpital. On pouvait voir, et parfois entendre, la gare du Nord, juste en face de la rue de Maubeuge.

« Mais pourquoi un officier allemand voudrait-il te tuer ? Il faudrait avoir un sacré bon motif. »

Pendant un instant, je songeai à en suggérer un : quiconque m'avait déjà balancé à la Gestapo comme étant un *Mischling* aurait, pensai-je, une raison suffisante de me tuer. Au lieu de ça, je dis :

« Je n'ai pas toujours eu la cote auprès de nos dirigeants politiques. Tu te souviens comment c'était à la Kripo, avant 1933 ? Bien sûr que tu t'en souviens. Tu es pratiquement la seule personne à Paris à qui je peux parler de ça, Paul. En qui je peux avoir confiance.

— Je suis heureux de l'entendre, Bernie. Mais, pour que tout soit clair, j'ai passé la majeure partie de la nuit dernière au One-Two-Two. La maison close.

— Tu oublies que tout le monde doit signer pour entrer et sortir de l'hôtel. Il me serait facile de vérifier si tu y étais hier soir.

— Oui, tu as raison. J'avais effectivement oublié. Tu as toujours été un meilleur détective que moi. »

Il s'écarta de la fenêtre et vint s'asseoir au bord du lit.

« Tu es en vie, c'est le principal. Et tu n'as pas à t'en faire au sujet de Mielke. Nous finirons par lui mettre la main dessus. Tu peux dire à Heydrich que, s'il est dans un de ces camps de concentration français, nous le trouverons, aussi sûr qu'il y a un Amen dans un service religieux. Sois convaincu en retournant à Berlin que, lorsque nous atterrirons là-bas demain, nous ferons ce qu'il faut pour ça.

— Qu'est-ce qui te fait croire que je ne viens pas avec vous ?

— Ton médecin a dit qu'il faudra plusieurs jours avant que tu sois suffisamment en forme pour reprendre tes fonctions, répondit Kestner. Tu as sûrement envie de rentrer chez toi pour te rétablir ?

— Je travaille pour Heydrich, tu te rappelles ? Il ressemble un peu au Dieu d'Abraham. S'attirer son courroux n'est jamais une bonne idée parce que, le plus souvent, le châtiment ne se fait pas attendre. Non, je serai dans cet avion demain, même si tu dois m'attacher au train d'atterrissage. Ce qui ne serait peut-être pas plus mal, d'ailleurs. D'après le toubib, j'ai besoin de beaucoup d'air frais. »

Kestner haussa les épaules.

« Très bien, si tu le dis. C'est toi qui as une poisse noire, pas moi.

— Exactement. De plus, qu'est-ce que je ferais à Paris, à part aller au Chabanais ou au One-Two-Two ? Et autres marchands d'illusions.

— La voiture quitte l'hôtel du Louvre pour Le Bourget à huit heures demain matin. »

Kestner me lança un regard las et exaspéré, se donna une tape sur le côté de la cuisse avec sa casquette. Puis il s'en alla.

Je fermai un instant les yeux, submergé par une longue quinte de toux. Mais je ne me faisais pas de souci. J'étais à l'hopital. À l'hôpital, les gens ne cessent de s'améliorer. Certains d'entre eux, du moins.

18

France, 1940

Il était tôt le lendemain matin quand une voiture
d'état-major SS arriva pour me ramener à l'hôtel afin
que je récupère mes affaires avant d'aller à l'aéroport.
Paris dormait encore, mais, pour n'importe quel brave
Français, la ville avait probablement meilleure allure
avec les yeux clos. Un détachement de soldats descendait au pas les Champs-Élysées ; des camions allemands entraient et sortaient du garage de l'armée situé
dans le Grand Palais. Et, au cas où quelqu'un aurait
encore le moindre doute à ce sujet, sur la façade du
Palais-Bourbon on installait un gigantesque V pour
victoire, ainsi qu'un panneau sur lequel on pouvait
lire : « L'ALLEMAGNE EST PARTOUT VICTORIEUSE ».
C'était une belle journée d'été, mais Paris avait l'air
presque aussi déprimant que Berlin. Néanmoins, je me
sentais mieux. À ma demande, le médecin de l'hôpital
m'avait drogué à mort, histoire de mettre un peu de
framboise dans ma bière. Amphétamines, avait-il
expliqué. En tout cas, c'était comme si saint Guy me
tenait la main. Ça n'avait pas calmé la douleur dans

ma poitrine et dans ma gorge après toutes les nausées que j'avais eues, mais j'étais prêt à prendre l'avion. Tout ce que j'avais à faire, c'était de regagner l'hôtel, d'enfiler mon uniforme et de trouver un beau grand bâtiment pour décoller.

Le directeur de l'hôtel fut content de me voir sur pied. Il aurait été content de me voir dans un vase à fleurs. Qu'un client claque dans sa chambre est toujours mauvais pour les affaires. J'étais en vie, et rien d'autre ne comptait. Mon ancienne chambre avait été fermée à cause de la forte odeur de produits chimiques régnant à l'intérieur, et on avait transporté mes vêtements dans une suite à un autre étage. Il sembla soulagé quand je lui annonçai que je me rendais à Biarritz pour quelques jours. J'ajoutai que je montais à ma nouvelle chambre et que je tenais à remercier la femme de ménage qui m'avait sauvé la vie. Il me répondit qu'il allait arranger ça immédiatement.

Une fois en haut, je sortis mon uniforme vert-de-gris du placard. Lequel empestait les produits chimiques et le gaz, et je fus pris d'une violente sensation de nausée rien qu'à l'idée d'avoir respiré cette saloperie. J'ouvris la porte-fenêtre, y accrochai une minute mon uniforme puis me rinçai le visage à l'eau froide. On frappa à la porte, et j'allai ouvrir, les genoux flageolants.

La femme de chambre était plus jolie que dans mon souvenir. Elle plissa légèrement le nez en sentant l'odeur sur mon uniforme, encore que cela aurait très bien pu être la vue de celui-ci. Mais il s'agissait probablement de l'odeur ; à l'été 1940, il n'y avait encore que les Allemands, les Tchèques et les Polonais à avoir de bonnes raisons de craindre l'uniforme vert-de gris d'un capitaine du SD.

« Merci, mademoiselle. De m'avoir sauvé la vie.

— Ce n'était rien.

— Rien pour vous. Mais beaucoup pour moi.

— Vous n'avez pas très bonne mine, fit-elle observer.

— Je vais mieux que je n'en ai l'air, je pense. Mais c'est sans doute dû à ce qu'il y avait dans l'aiguille que j'ai eue au petit déjeuner ce matin.

— C'est bien beau, mais qu'est-ce qui va se passer à l'heure du dîner ?

— Si je vis jusque-là, je ne manquerai pas de vous le faire savoir. Comme je viens de le dire, ma vie signifie beaucoup pour moi. Aussi je vais vous faire une faveur. Du calme. Il ne s'agit pas de ce genre de faveur. Sous cet uniforme, je ne suis pas un mauvais bougre, en réalité. Que diriez-vous d'acquérir une véritable expérience hôtelière ? Je ne parle pas de faire les lits ou de nettoyer les toilettes. J'entends, en matière de gestion d'un hôtel. Je peux vous arranger ça. À Berlin. À l'Adlon. Il n'y a rien à redire à cet établissement, mais j'ai l'impression que Paris va devenir très agréable si vous êtes allemand, et nettement moins agréable si vous êtes autre chose.

— Vous feriez ça ? Pour moi ?

— J'ai seulement besoin de quelques informations. »

Elle eut un petit sourire malicieux.

« Vous voulez dire, à propos de l'homme qui a essayé de vous tuer ?

— Vous voyez. Je savais que vous étiez trop intelligente pour nettoyer les toilettes.

— Assez intelligente. Mais déroutée également. Pourquoi un officier allemand voudrait-il en assassiner un autre ? Après tout, l'Allemagne est partout victorieuse. »

Je souris. J'aimais bien sa vivacité.

« C'est ce que j'ai l'intention de découvrir, mademoiselle… ?

— Matter. Renata Matter. » Elle hocha la tête. « Très bien, commandant.

— Capitaine. Capitaine Bernhard Gunther.

— Peut-être qu'ils vous monteront en grade. S'ils ne vous tuent pas avant.

— C'est toujours une possibilité. Par malheur, je pense qu'il est beaucoup plus difficile de me monter en grade que de me tuer. »

Je me remis à tousser et tirai en longueur, pour l'effet ; c'est du moins ce que je me dis.

« Je veux bien le croire. »

Renata alla me chercher un verre d'eau. Elle se déplaçait avec grâce, comme une ballerine. Dont elle possédait également l'allure, étant petite et mince. Elle avait des cheveux bruns, coupés très court, un peu à la garçonne, mais ça me plaisait. Ce que j'avais pris pour de la rusticité m'apparaissait maintenant comme une beauté enfantine pleine de naturel.

Je bus l'eau puis demandai :

« Eh bien, qu'est-ce qui vous fait penser qu'on a essayé de me tuer ?

— Parce qu'il n'aurait pas dû y avoir d'extincteur dans votre chambre.

— Savez-vous où il se trouve en ce moment ?

— Le gérant, M. Schneider, l'a enlevé.

— Dommage.

— Il y a le même sur le mur dans le couloir. Voulez-vous que j'aille vous le chercher ? »

J'acquiesçai, et elle sortit de la chambre avant de revenir quelques instants plus tard avec un extincteur en cuivre. Fabriqué par la société Pyrene dans le Delaware, il était muni d'une pompe à main intégrée permettant de projeter un jet de liquide en direction du feu et contenait environ neuf litres de tétrachlorure de carbone. Le récipient n'était pas sous pression et il fallait remettre du produit après utilisation au moyen d'un bouchon de remplissage.

« Quand je l'ai trouvé, on avait retiré le capuchon du réservoir, expliqua-t-elle. Et l'extincteur était posé à côté du lit. Le produit s'était répandu sur le tapis juste sous votre nez. Autrement dit, cela semblait délibéré.

— En avez-vous parlé à quelqu'un ?

— Personne ne m'a posé de questions. Tout le monde croit qu'il s'agit d'un accident.

— Pour votre propre sécurité, il vaudrait mieux qu'on continue à le croire, Renata. »

Elle hocha la tête.

« Avez-vous vu quelqu'un entrer ou sortir de ma chambre ? Ou rôder dans le couloir à l'extérieur ? »

Renata réfléchit.

« Je ne sais pas. Pour être franche, avec ces uniformes, tous les Allemands se ressemblent plus ou moins.

— Mais tous ne sont pas aussi beaux que moi, sûrement ?

— C'est vrai. C'est peut-être pour ça qu'ils ont essayé de vous tuer. Par jalousie. »

Je souris.

« Je n'y avais pas songé. En tant que mobile, s'entend. »

Elle poussa un soupir.

« Écoutez, il y a une chose que je ne vous ai pas dite. Mais je veux que vous me donniez votre parole que vous ne mentionnerez pas mon nom quoi que vous fassiez. Je ne tiens pas à avoir des ennuis.

— Ne vous inquiétez pas. Je veillerai sur vous.

— Et qui veillera sur vous ? Vous étiez peut-être un champion en entrant dans cet hôtel, mais pour l'instant vous avez l'air d'avoir besoin d'un bon soigneur.

— Très bien. Je vous laisserai en dehors. Vous avez ma parole.

— D'officier allemand.

— Qu'est-ce que ça vaut après Munich ?

— Très juste.

— Que diriez-vous de la parole de quelqu'un détestant Hitler et tout ce qu'il représente, y compris cet uniforme ridicule ?

— Beaucoup mieux.

— Et qui souhaiterait que l'armée allemande n'ait jamais franchi le Rhin, sauf pour une chose.

— Laquelle ?

— Je ne vous aurais pas rencontrée, Renata. »

Elle rit et détourna un instant les yeux. Elle portait un uniforme noir et un petit tablier blanc. En hésitant elle glissa une main dans la poche de son tablier et en tira un objet en cuivre, à peu près de la taille d'un bouchon de champagne. Elle me le passa.

« Le capuchon manquant sur l'extincteur de votre chambre. Il se trouvait dans la corbeille à papier de l'homme occupant la chambre 55.

— Beau travail. Pouvez-vous trouver le nom de l'officier de la chambre 55 ?

— C'est déjà fait. Il s'agit du lieutenant Willms.

Nikolaus Willms. » Elle marqua une pause. « Vous le connaissez ?

— Je l'ai rencontré pour la première fois dans le train venant de Berlin. C'est un flic travaillant à la Brigade des mœurs. Qui déteste les Français. Faciès de charmeur de serpents, mais sans le charme. Voilà à peu près tout ce que je sais de lui. Je ne peux pas imaginer pourquoi il voudrait me tuer. Ça n'a aucun sens.

— Peut-être qu'il a commis une erreur. Qu'il s'est trompé de chambre.

— Normalement, les farces à la Georges Feydeau n'incluent pas le meurtre.

— Qu'allez-vous faire à présent ?

— Rien, dans l'immédiat. Je dois quitter Paris quelques jours. J'aurai peut-être eu une idée lorsque je reviendrai. En attendant, aimeriez-vous gagner encore un peu d'argent allemand ?

— Pour quoi faire ?

— Garder un œil sur lui.

— Qu'est-ce que je suis censée chercher ?

— Vous êtes une fille intelligente. Vous le saurez. Vous avez bien trouvé ce capuchon, pas vrai ? Simplement, souvenez-vous qu'il est dangereux et ne prenez pas de risques. Je n'aimerais pas qu'il vous arrive quelque chose. »

Je lui pris la main et, non sans que ça me surprenne un peu, elle me permit d'y déposer un baiser.

« Si je ne pensais pas que je vais me remettre à tousser, je vous embrasserais.

— Alors il vaut mieux que je m'en charge. »

Elle m'embrassa, et, dans mon état de faiblesse, je

la laissai faire. Mais, au bout d'un moment, j'eus besoin d'air. Puis je dis :

« Quand il m'a fait cette piqûre ce matin, le toubib m'a prévenu qu'il se pourrait que je me sente ainsi. Un peu euphorique. Comme si j'étais Napoléon. »

Je me pressai fortement contre son ventre.

« Vous êtes trop costaud pour être Napoléon. Et beaucoup trop grand. »

19

France, 1940

Le Bourget se trouvait à une dizaine de kilomètres de Paris. Tout comme moi. Il est étrange de constater combien un ou deux baisers peuvent être réparateurs, physiquement et moralement. C'était comme un nouveau genre de conte de fées, où un prince endormi se voit délivré par une princesse intrépide. Cela dit, les médicaments y étaient peut-être pour quelque chose.

À l'entrée de l'aéroport se dressait la statue d'une femme nue s'envolant de son socle de pierre grise. Elle était destinée à commémorer la traversée de l'Atlantique par Lindbergh, mais le seul souvenir encore vivant dans ma tête était celui du contact du corps de Renata, et à quoi il pourrait ressembler si jamais je la voyais sans cet uniforme de femme de chambre.

Nous étions trois – Boemelburg, Kestner et moi –, cloués à l'arrière de la voiture d'état-major telle une collection de papillons de nuit couleur taupe. Devant, un chauffeur SS et un jeune et séduisant inspecteur principal des services de la préfecture de police de Paris. Comme nous roulions en direction des bâtiments de l'aéroport, un quadrimoteur FW Condor atterrit sur la piste.

« Qui est-ce, à votre avis ? demanda Kestner.

— Le Doktor Goebbels, répondit Boemelburg. Venu découvrir les curiosités de Paris à l'exemple du Führer. Et semer la zizanie, sans nul doute. »

Il nous fallut rester dans la voiture pour des raisons de sécurité jusqu'à ce que le Mahatma Propagandi ait quitté l'aéroport dans une immense Mercedes beige. Je l'entrevis tandis que sa voiture passait en trombe devant nous. On aurait dit un lutin malveillant faisant de son mieux pour donner le change.

Goebbels parti, notre voiture se dirigea vers un bimoteur, d'une taille plus modeste. Je n'avais jamais pris l'avion. Non plus que Kestner ou le Français, et nous étions tous un peu nerveux en nous approchant de la porte des passagers. À l'intérieur du fuselage, un autre Français nous attendait – grand, d'âge mûr, avec une barbe à la Lautrec, un pince-nez et des airs paisibles de médecin légiste. C'était un commissaire de la police française nommé Matignon. Le jeune inspecteur était encore plus grand que son commissaire. Il portait un costume d'été gris anthracite extrêmement bien coupé et d'épaisses lunettes roses. Il s'appelait Philippe Oltramare. Ni l'un ni l'autre ne semblaient parler beaucoup l'allemand, ce qui n'était guère un problème avec des francophones comme Kestner et Boemelburg.

Une fois tout le monde à bord, l'avion, un Siebel Fh 104A, fit aussitôt tourner ses moteurs, ce qui fut pour chacun sauf moi le signal d'allumer une cigarette. En raison de ma soufflerie mal en point, l'agression tabagique sembla une épreuve trop difficile à supporter, et il ne s'écoula pas longtemps avant que je sois pris d'une nouvelle quinte de toux, ce qui incita les autres à éteindre poliment leurs cigarettes, et je pus profiter d'un vol exempt de fumée jusqu'à Biarritz, sans m'irriter davantage les poumons. Je faisais le même bruit qu'un public de film porno.

La conversation se déroulait pour l'essentiel en français, mais je reconnus plusieurs noms, parmi lesquels ceux de Rudolf Breitscheid, l'ex-ministre allemand de l'Intérieur, et du Dr Rudolf Hilferding, l'ex-ministre des Finances. Tous deux avaient fui l'Allemagne après la nomination de Hitler. J'interrogeai Boemelburg à leur sujet.

« Nous pensons que les deux Rudolf séjournent dans un hôtel à Arles, expliqua-t-il. Le commissaire ici présent a déjà demandé leur arrestation. Mais il semble rencontrer une certaine résistance locale. »

Je fus content de l'entendre. Les deux Rudolf avaient été des phares du parti social-démocrate allemand, pour lequel j'avais moi-même voté. Arrêter un bandit comme Erich Mielke était une chose, arrêter Breitscheid et Hilferding en était une tout autre.

« Nous espérons que la présence physique du commissaire à Arles lèvera toutes les oppositions », ajouta Boemelburg.

Et de me montrer une liste d'autres individus recherchés qu'il avait établie. Le nom de Mielke figurait en deuxième position, sous celui de Willi Münzenberg, un ancien agent du Komintern devenu le chef de file des exilés communistes allemands. Le reste des noms m'était moins familier.

« Je n'ai pas pu m'empêcher de noter que cet avion n'a que cinq sièges, dis-je à Boemelburg. Comment dois-je faire pour ramener mon prisonnier à Paris ?

— Tout dépend. Si on parvient à dénicher Grynszpan, Mielke et un certain nombre de ceux-ci, il faudra probablement que les Français les remettent d'abord à Vichy puis qu'ils demandent à ce qu'ils soient extradés de l'autre côté de la frontière. Du moins, c'est ce que pense le commissaire Matignon. Il s'est donc arrangé pour qu'un avocat français nous retrouve sur place, à Biarritz.

— Ça s'annonce déjà plus compliqué que nous ne l'avions supposé, se plaignit Kestner. Il se trouve que cette fichue commission Kuhnt n'est pas censée aller dans les camps avant la fin août. Bien entendu, si on attend jusque-là, ces salauds de Juifs cocos n'auront aucun mal à nous fausser compagnie. Si bien que nous marchons sur des œufs. Nous ne devrions même pas être ici en ce moment. »

Le vol fut plus simple et, pendant les quarante dernières minutes d'un voyage qui dura à peine deux heures, nous longeâmes la côte française et la baie de Biscaye. Du ciel, la ville de Biarritz ressemblait exactement à ce qu'elle était : une luxueuse station balnéaire. Il faisait chaud, et la plage était bondée de gens bien décidés à passer des moments agréables en dépit du nouveau gouvernement allemand. Je n'avais pas beaucoup aimé le trajet depuis Paris. Il y avait trop de nids-de-poule dans les airs pour que je me sente tout à fait à l'aise. Mais, en voyant la grosseur des vagues déferlant sur la bague d'agate de la plage, je me félicitai de ne pas être venu en bateau. Sous les falaises jouxtant le sable, l'océan faisait penser au lait d'un gigantesque cappuccino mousseux. Rien que de le regarder, j'en avais le mal de mer, même si, en réalité, ça avait sans doute davantage à voir avec ce que je venais d'apprendre sur les deux Rudolf. Et qui me faisait vraiment mal au cœur.

« Münzenberg, je peux comprendre, dis-je. Grynszpan également. Mais pourquoi les Rudolf ?

— Hilferding fait partie de toute cette clique d'intellectuels juifs, répondit Boemelburg. Sans compter qu'il a été le ministre des Finances qui, de mèche avec d'autres banquiers, a contribué au déclenchement de la Grande Dépression. De toute façon, ce n'est pas notre problème. C'est celui des Français. Une mise à l'épreuve de la détermination de leur gouvernement de Vichy à devenir un allié de l'Allemagne. Ce sera intéressant de voir ce qui se passe. Pourquoi ? Vous avez des objections à ce qu'on l'arrête ? »

Pendant un moment, l'avion se laissa tomber comme un ascenseur défectueux. Je sentis mon estomac me remonter dans le gosier. Je faillis dégueuler en plein sur les genoux du major. Il fouilla dans sa tunique et en sortit une flasque.

« Moi ? Non, je suis juste un flic de la vieille école. Vous savez ? À courte vue. Je vois toutes sortes de choses et jamais je ne lève le petit doigt. »

Boemelburg but une gorgée et me tendit la flasque.

« Ça vous dit ?

— C'est la meilleure chose que j'aie entendue depuis que j'ai mis les pieds dans ce coucou. »

À l'aéroport de Bayonne, il y avait quatre voitures baquets[1] nous attendant, six SS des troupes d'assaut et l'avocat français. D'humeur joviale, les SS étaient tout

---

1. La Volkswagen de type Kübelwagen (« voiture baquet ») était un véhicule militaire tout-terrain, remarquable par sa légèreté, qui fut produit à partir de 1940.

sourire, comme des types ayant gagné une guerre en moins de six semaines. L'avocat avait un gros nez, des lunettes épaisses et des cheveux si frisés que c'en était presque absurde. Pour moi, il avait l'air d'un Juif, mais personne ne lui posa la question. Dans tous les cas, il était nerveux et agité. Il alluma une cigarette dans son revers de veste pour protéger l'allumette du vent, et de la fumée s'éleva de sa manche.

Ce fut un véritable bestiaire qui sortit de Biarritz en direction de l'est. Une chose tirée des pages de Hésiode, avec moi dans le baquet de tête, et fonçant à toute allure comme si la beauté de la campagne française n'évoquait absolument rien pour aucun d'entre nous. Sur la route, nous croisâmes des soldats français démobilisés, qui nous considérèrent sans hostilité ni enthousiasme. Nous vîmes également des piles de matériel militaire abandonné : fusils, casques, boîtes de munitions et même quelques pièces d'artillerie. Juste après le village de Saint-Palais, nous traversâmes la ligne de démarcation pour passer dans ce qui était la France de Vichy. Non que les Français fussent très appréciés si près de la frontière espagnole, comme l'inspecteur principal Oltramare – qui parlait mieux l'allemand que je ne pensais – me l'expliqua à cet instant.

« Ces salauds nous haïssent encore plus qu'ils ne haïssent les Allemands. Ils ne parlent pas beaucoup le français. Ils ne parlent pas beaucoup l'espagnol. Je ne suis même pas sûr qu'ils parlent le basque. »

À plusieurs reprises, nous dépassâmes des voitures familiales bourrées de bagages se dirigeant vers Toulouse le long de la grand-route.

« Pourquoi s'enfuient-ils ? m'enquis-je auprès d'Oltramare. Ils ne sont donc pas au courant de l'armistice ? »

Oltramare haussa les épaules, mais, comme on doublait la voiture suivante, il se pencha hors du baquet et demanda aux occupants où ils allaient ; lorsque ceux-ci répondirent, il hocha poliment la tête et se signa.

« Ils sont de Biarritz. Ils vont à Lourdes. Prier pour la France. » Il sourit. « Afin d'obtenir un miracle, peut-être.

— Vous ne croyez pas aux miracles ?

— Oh si. Voilà pourquoi je crois en Adolf Hitler. Il est le seul à pouvoir sauver l'Europe de la menace du bolchevisme. À mon avis.

— C'est pour ça, je présume, qu'il a conclu un marché avec Staline. Pour nous sauver tous du bolchevisme.

— Mais naturellement, répondit Oltramare, comme si ça allait de soi. Vous vous souvenez de ce qui s'est passé en août 1914 ? L'Allemagne avait tablé sur la défaite de la France avant que la Russie puisse mobiliser et déclarer la guerre. Ce qui ne s'est pas produit. Eh bien, c'est la même situation aujourd'hui, seulement le pacte Molotov-Ribbentrop signifiait qu'attaquer la France représentait un risque beaucoup moins important. Et retenez bien ce que je vous dis, capitaine. Maintenant que la France est vaincue, l'Union soviétique, la véritable ennemie de la démocratie occidentale, sera la suivante. »

Dans la petite ville de Navarrenx, nous vîmes des chars allemands et deux ou trois camions remplis de SS. Nous nous arrêtâmes pour les saluer et échanger des cigarettes. Oltramare alla à une boutique acheter des allumettes, pour découvrir qu'elle n'avait rien : pas d'aliments, pas de légumes, pas de vin, et pas de cigarettes. Il regagna le baquet en maudissant les autochtones.

« Vous pouvez parier que ces salopards planquent ce qu'ils ont en attendant que les prix grimpent pour pouvoir nous arnaquer.

— Vous n'en feriez pas autant ? » répliquai-je.

Tandis que nous discutions lui et moi, un grand nombre de femmes sortirent de la mairie. Il se révéla que la plupart d'entre elles étaient des détenues allemandes du camp voisin de Gurs, où on les avait mises après les avoir ramassées aux quatre coins du pays. Elles étaient plutôt acerbes quant aux conditions qui y régnaient, mais aussi parce qu'on leur avait ordonné de quitter la région sous peine de se voir de nouveau internées comme sujets d'un pays ennemi. C'est pourquoi les SS étaient restés à Navarrenx – afin de prévenir cette éventualité. Un camion de SS et une des femmes acceptèrent de nous guider jusqu'au camp de Gurs – qui, nous assura-t-on, n'était pas facile à trouver – pour y rechercher les personnes qui nous intéressaient. Pendant ce temps, l'avocat français, M. Savigny, s'était mis à débattre avec le commissaire Matignon et le major Boemelburg de la présence de ces troupes dans la zone libre.

« À mon avis, dit après coup Oltramare à Boemelburg, vous devriez fusiller ce type. Oui, je pense que ce serait encore le mieux. Franchement, je suis surpris que vous n'en ayez pas fusillé davantage. À votre place, j'en aurais liquidé un bon paquet. Surtout ceux qui avaient la charge de ce pays. Les punir aurait été une délivrance. Les laisser partir était barbare et cruel. Vraiment, je ne comprends pas pourquoi vous prenez la peine de ramener des prisonniers en Allemagne alors que vous pourriez leur flanquer une balle dans la peau, ici, sur le bord de la route, et vous épargner beaucoup de temps et d'efforts. »

Je fronçai les sourcils et secouai la tête devant cet étalage de fascisme pragmatique.

« Pourquoi êtes-vous ici, inspecteur principal ?

— Je cherche moi aussi quelqu'un, répondit-il avec un haussement d'épaules. Un fugitif. Exactement comme vous, capitaine. Durant la guerre d'Espagne, j'ai combattu dans le camp nationaliste. Et j'ai quelques comptes à régler avec un certain nombre de républicains.

— Vous voulez dire que c'est personnel.

— Quand il s'agit de la guerre civile espagnole, c'est toujours personnel, capitaine. Un grand nombre d'atrocités ont été commises. Mon propre frère a été assassiné par un communiste. C'était un prêtre. Ils l'ont brûlé vif à l'intérieur de son église, en Catalogne. Le responsable était un Français. Un communiste du Havre.

— Et si vous le dénichez ? Qu'est-ce qui se passera ? »

Oltramare sourit.

« Je l'arrêterai, capitaine Gunther. »

Je n'en étais pas si sûr. En fait, je n'étais sûr de rien lorsque, quittant Navarrenx, nous nous dirigeâmes vers Gurs au sud. Les troupes SS dans le camion ouvrant à présent la voie chantaient *Sieg Heil Viktoria*.

Mon chauffeur et le caporal sur le siège avant du baquet semblaient plus intéressés par la femme assise à côté d'Oltramare et moi que par des exercices vocaux. Elle s'appelait Eva Kemmerich et était d'une extrême maigreur, ce qui faisait paraître sa bouche trop large et ses oreilles trop grandes. Elle avait sous les yeux des cernes comme des ailes de chauve-souris et portait un mouchoir rose autour de la tête pour maintenir ses cheveux. On aurait dit un élastique en haut d'un crayon. À Gurs, elle et les autres femmes en avaient bavé aux mains des Français.

« Les conditions étaient inhumaines, expliqua-t-elle. Ils nous traitaient comme des chiens. Pire que des chiens. On parle de l'antisémitisme allemand. Eh bien, d'après moi, les Français détestent tous ceux qui ne sont pas français. Allemands, Juifs, Espagnols, Polonais, Italiens, ils se montraient aussi durs envers les uns qu'envers les autres. Gurs est un camp de concentration, ni plus ni moins, et les gardiens des fumiers intégraux. Ils nous faisaient trimer comme des esclaves. Regardez mes mains. Mes ongles. Complètement abîmés. »

Elle considéra Oltramare avec un mépris mal dissimulé.

« Allons. Regardez-les.

— Mais je les regarde, mademoiselle.

— Eh bien. À quoi ça rime de traiter des êtres humains de cette façon ? Vous êtes français. C'est quoi, le but, Franzi ?

— Je n'ai aucune explication, mademoiselle. Ni aucune excuse non plus. Tout ce que je peux dire, c'est qu'avant la guerre, il y avait près de quatre millions de réfugiés vivant en France, venus de tous les pays d'Europe. Soit dix pour cent de la population. Que devions-nous faire de tous ces gens, mademoiselle ?

— En fait, c'est madame. J'avais une alliance. Mais un des gardiens me l'a volée. Ce n'est pas qu'elle tenait à mon doigt, après le régime qu'il m'a fallu endurer.

Mon mari se trouve dans un autre camp. Le Vernet. J'espère que ça se passe mieux là-bas. Seigneur Dieu, ça pourrait difficilement aller plus mal. Vous savez quoi ? Je regrette que la guerre soit finie. Si seulement nos garçons avaient pu tuer encore plus de Français avant de devoir jeter l'éponge. » Elle se pencha en avant et donna au caporal et au chauffeur une tape sur l'épaule. « Sapristi, je suis fière de vous, les gars. Vous avez flanqué à ces Franzis une raclée bien méritée. Mais si vous voulez mettre une cerise sur mon gâteau, arrêtez le criminel qui dirige le camp de Gurs et abattez-le comme le sale porc qu'il est. Tenez, je vais vous dire. Je coucherai avec celui d'entre vous qui mettra à ce fils de pute une balle dans la tête. »

Le caporal se tourna vers le chauffeur et sourit. Je pouvais voir que cette proposition n'était pas pour leur déplaire, aussi je dis :

« Et moi, j'abattrai quiconque acceptera l'offre généreuse de cette dame. » Je pris sa main osseuse dans la mienne. « Je vous en prie, ne recommencez pas, Frau Kemmerich. Je sais que vous avez traversé des moments difficiles, mais je ne peux pas vous laisser rendre la situation encore pire.

— Pire ? » Elle ricana. « Il n'y a rien de pire que Gurs. »

Situé au pied des Pyrénées, le camp était beaucoup plus grand que je ne l'avais imaginé, couvrant une zone d'environ un kilomètre carré, divisée en deux. Une rue improvisée s'étendait sur toute la longueur du site, avec de chaque côté trois ou quatre cents baraques en bois. Il n'y avait visiblement ni sanitaires ni eau courante, et il régnait une odeur indescriptible. J'étais allé à Dachau. La seule différence entre Gurs et Dachau résidait dans le fait que la clôture de fil barbelé à Gurs était plus petite et manifestement non électrifiée ; et qu'il n'y avait pas d'exécutions. Autrement, les conditions semblaient à peu près les mêmes. Et c'est seulement lorsqu'on ordonna un rassemblement dans la moitié du camp réservée aux hommes et que nous passâmes parmi les prisonniers qu'il fut possible de voir comment les choses pouvaient être pires en réalité qu'à Dachau.

Les gardiens étaient tous des gendarmes français, équipés chacun d'une épaisse cravache en cuir, même si aucun n'avait apparemment de cheval. Il y avait trois « îlots » : A, B et C. L'adjudant de l'îlot C était une sorte de Gabin à la bouche efféminée et aux petits yeux sans expression. Il savait exactement où se trouvaient détenus les communistes allemands et, sans opposer la moindre résistance à notre requête, il nous emmena à une baraque délabrée contenant cinquante hommes qui, alignés dehors face à nous, montraient des signes d'amaigrissement ou de maladie, et le plus souvent les deux. De toute évidence, ils nous attendaient, nous ou quelque chose du même acabit, et, refusant de se soumettre à l'appel, ils se mirent à chanter *L'Internationale*. Entre-temps, l'adjudant parcourut la liste de Boemelburg et identifia fort à propos certains des hommes recherchés. Mielke n'en faisait pas partie.

Pendant que se déroulait cette sélection, je pouvais entendre Eva Kemmerich. Debout dans notre baquet garé le long de la « rue », elle lançait des insultes à certains des prisonniers enfermés à l'intérieur du camp. Lesquels, de même que quelques-uns des gendarmes du côté femmes des barbelés, répliquaient en se moquant d'elle et en faisant des remarques et des gestes obscènes.

Mon sentiment d'être plongé dans quelque folie sans nom ne fit que s'amplifier lorsque les détenus d'une autre baraque – des anarchistes français, nous dit l'adjudant – se mirent à entonner un chant révolutionnaire, en concurrence avec ceux qui chantaient *L'Internationale*.

Nous quittâmes le camp avec sept hommes que nous fîmes monter dans les baquets. Tous levaient le poing, faisant le salut communiste, et criaient des slogans en allemand et en espagnol à leurs codétenus.

Kestner attira mon attention.

« As-tu déjà vu un endroit pareil ?

— Seulement Dachau.

— Eh bien, moi, je n'ai jamais rien vu de tel. Traiter des êtres humains de cette manière, même s'ils sont communistes, c'est répugnant.

— Ce n'est pas à moi qu'il faut le dire. » Je désignai l'inspecteur principal Oltramare, qui conduisait un prisonnier menotté vers les baquets sous la menace d'un revolver. « C'est à lui.

— Il semble qu'il ait attrapé son homme, en tout cas.

— Je me demande si j'attraperai le mien. Mielke.

— Il n'est pas ici ? »

Je secouai la tête.

« Après tout, ce type a bien failli briser ma carrière, le sale bolcho. En ce qui me concerne, il ne l'a vraiment pas volé.

— J'en suis sûr. Aucun d'eux. Espèces de salauds de communistes.

— Mais tu as été communiste, n'est-ce pas, Paul ? Avant d'adhérer au parti nazi ?

— Moi ? Non. Qu'est-ce qui te fait penser ça ?

— Il me semble bien me rappeler que tu as fait campagne pour Ernst Thälmann en... quand était-ce ? 1925 ?

— Putain, ne sois pas ridicule, Bernie. C'est une blague ? » Il jeta un regard nerveux en direction de Boemelburg. « À mon avis, ce phosgène t'a brouillé la cervelle. Sérieusement. Tu es devenu maboul ou quoi ?

— Non. Et, à vrai dire, j'ai l'impression d'être probablement le seul ici à avoir toute sa tête. »

Impression qui ne se modifia pas à mesure que la journée avançait. De fait, ce n'était encore rien comparé à ce qui allait suivre.

20

France, 1940

On était en fin d'après-midi lorsque notre convoi reprit la route. Nous nous dirigions vers Toulouse, à quelque cent cinquante kilomètres de là, où nous comptions arriver avant la nuit. Nous emmenions avec nous Eva Kemmerich afin qu'elle puisse chercher son mari quand nous irions au camp du Vernet le lendemain. Et, bien sûr, nos huit prisonniers. Je ne les avais pas vraiment regardés. Un groupe misérable, puant et mal nourri, ne présentant que peu de danger sinon aucun pour quiconque, sans parler du Troisième Reich. D'après Karl Boemelburg, figuraient parmi eux un écrivain allemand célèbre et un journaliste bien connu, sauf que je n'avais entendu parler ni de l'un ni de l'autre.

Non loin de Lourdes, en vue du gave de Pau, nous nous arrêtâmes dans une clairière pour nous dégourdir les jambes. Je fus heureux de constater que Boemelburg étendait cette libéralité aux prisonniers. Il leur distribua même des cigarettes. Bien que fatigué, je me sentais mieux. Au moins, ma poitrine ne me faisait plus mal. Mais je continuais à ne pas fumer. Je bus une nouvelle gorgée à la flasque de Boemelburg et décidai que ce n'était pas un si mauvais diable, en fin de compte.

« Toute cette région est pleine de cavernes et de grottes », dit-il en montrant un affleurement rocheux suspendu sur nos têtes tel un épais nuage gris.

Nous aperçûmes Frau Kemmerich qui disparaissait parmi les rochers. Au bout d'un moment, Boemelburg déclara :

« Peut-être auriez-vous l'amabilité d'aller prévenir Frau Bernadette que nous partons dans cinq minutes. »

Machinalement, je jetai un coup d'œil à ma montre.

« Bien, Herr Major. »

Je grimpai la pente pour aller la chercher, criant son nom haut et fort au cas où elle serait occupée à satisfaire un besoin naturel.

« Oui ? »

Je la trouvai assise sur un rocher dans une grotte tapissée de feuilles, en train de fumer une cigarette.

« N'est-ce pas superbe ? » dit-elle, un doigt pointé au-dessus de ma tête.

Je me tournai pour admirer la vue des Pyrénées qui suscitait son enthousiasme.

« Oui, en effet.

— Désolée de m'être conduite comme une garce. Vous n'avez pas idée à quel point ces neufs derniers mois ont été affreux. Mon mari et moi nous trouvions à Dijon au moment où la guerre a éclaté. Il est négociant en vins. On nous a arrêtés presque aussitôt.

— N'y pensez plus, répondis-je. À ce qui s'est passé tout à l'heure. Vous étiez bouleversée à juste titre. Et ce camp a effectivement l'air abominable, bon Dieu. » J'indiquai le sentier d'un signe de tête.

« Venez, nous ferions mieux de redescendre. Il y a encore pas mal de chemin jusqu'à Toulouse. »

Elle se leva.

« Combien de temps faudra-t-il pour y arriver ? »

J'étais sur le point de lui répondre quand j'entendis soudain le lourd crépitement de deux ou trois rafales de mitraillette, de quelques secondes chacune tout au plus ; cela dit, il suffit de cinq secondes pour vider un chargeur de trente-deux cartouches de MP40. Le bruit et l'odeur flottaient encore dans l'air lorsque, dévalant la pente à fond de train, j'atteignis la clairière. Deux membres des troupes d'assaut se tenaient à quelques mètres d'intervalle, leurs bottes entourées de munitions usagées qui faisaient l'effet de pièces de monnaie jetées à des musiciens ambulants. En soldats aguerris, ils avaient déjà changé le chargeur à l'allure de jouet de leur pistolet-mitrailleur et paraissaient juste un peu surpris de leur efficacité meurtrière. C'est le problème avec les armes à feu : elles ont toujours l'air de jouets jusqu'à ce qu'elles se mettent à tuer des gens.

Un peu plus loin gisaient les cadavres des huit prisonniers que nous avions ramenés de Gurs.

« Qu'est-ce que c'est que ce bordel ? m'écriai-je, mais je connaissais déjà la réponse.

— Ils ont essayé de s'enfuir », répondit Boemelburg.

Je m'approchai pour examiner les corps.

« Tous ? En ligne droite ? »

Un des hommes abattus poussait des gémissements. Il était allongé sur le sol de la forêt, ses genoux pliés sous lui, son torse contre ses pieds en une position presque impossible, tel un vieux fakir hindou. Mais on ne pouvait rien faire pour lui. Sa tête et sa poitrine étaient couvertes de sang.

Bouillonnant de colère, j'allai vers Boemelburg.

« Ils auraient couru dans des directions différentes. Pas tous le long de la même pente. »

Un coup de pistolet creusa un nouveau trou dans l'air immobile de la forêt et dans la tête de l'homme en train de gémir. Je pivotai sur les talons de mes bottes à l'instant précis où Kestner rengainait son Walther P38. En voyant mon expression il haussa les épaules.

« Mieux valait l'achever, à mon avis.

— À l'Alex, on aurait appelé ça un meurtre.

— Eh bien, nous ne sommes pas à l'Alex, n'est-ce pas, capitaine ? lança Boemelburg. Dites donc, Gunther, est-ce que vous me traiteriez de menteur, par hasard ? Ces hommes ont été abattus alors qu'ils tentaient de s'échapper, vous entendez ? »

J'aurais pu invoquer un tas d'arguments, mais il n'y en avait qu'un seul de vrai, à savoir que je n'avais rien à y gagner. Ce n'étaient pas seulement les corps des héros défunts que les Walkyries conduisaient au Walhalla, mais aussi ceux des Oberkomissar de la police de Berlin qui critiquaient leurs officiers supérieurs dans de lointaines forêts françaises. Après m'être souvenu de ça, dire quelque chose ne semblait pas avoir grand sens ; même s'il en restait une flopée que je pouvais faire.

Afin de ménager son amour-propre et mes abattis, je lui présentai même des excuses quand l'extrémité de ma botte aurait paru beaucoup plus appropriée. Pour ma défense, je dois ajouter que les deux pistolets-mitrailleurs MP40 étaient maintenant rechargés et prêts à faire leur œuvre de mort.

Nous laissâmes les cadavres où ils étaient et reprîmes nos places dans les baquets, à part que, cette fois, Kestner et non Oltramare était assis avec moi et Frau Kemmerich. Il vit que ce qui venait de se passer m'avait secoué et, après mes remarques sur son appartenance au KPD, il se sentait enclin à profiter de ce qu'il considérait à présent comme une sorte d'avantage sur moi.

« Qu'est-ce qu'il y a ? Tu ne supportes pas la vue du sang ? Et moi qui pensais que tu étais un dur, Gunther.

— Laisse-moi te dire une chose, Paul. Bien que ce ne soit pas tes oignons. J'ai déjà tué. Pendant la guerre. Après quoi, j'ai cru que le monde entier avait appris la leçon, mais je me trompais. Alors si je devais recommencer, je ferais en sorte de prendre un bon départ en tuant quelqu'un que j'ai envie de tuer. Quelqu'un qui ne l'aurait pas volé. Aussi, continue à me casser les oreilles et tu verras ce qui se passe, camarade. Tu n'es pas le seul dans ce baquet à pouvoir mettre une balle dans la nuque d'un type. »

Après ça, il se tint tranquille.

La nuit se mit à tomber. Je gardais les yeux fixés sur les arbres au-dessus de la route et, si je restais muet, c'est parce que le bruit dans ma tête était indescriptible. Je suppose que c'était l'écho de ces pistolets-mitrailleurs. Je n'aurais guère été surpris de découvrir les fantômes de ces types que nous avions tués assis dans les baquets à côté de nous. Silencieux et immobile, renfermé sur moi-même, j'attendais la fin du cauchemar que constituait notre voyage.

Toulouse était surnommée la ville rose. Presque tous les édifices du centre-ville, y compris notre hôtel, le

Grand Balcon, étaient roses, comme si on regardait à travers les lunettes teintées de l'inspecteur principal. Je décidai de me composer un personnage à l'avenant pour m'aider à accomplir la tâche qui m'attendait. Aussi, le lendemain matin au petit déjeuner, je saluai cordialement le major Boemelburg et les deux policiers français. Je me montrai même courtois à l'égard de Paul Kestner.

« Mes excuses pour hier, dis-je à la cantonade. Avant mon départ de Paris, le médecin à l'hôpital m'a donné quelque chose pour me permettre d'effectuer mon travail tout en m'avertissant que, les premiers effets passés, je risquais de me comporter bizarrement. Je n'aurais peut-être pas dû venir, mais, comme vous pouvez probablement l'imaginer, j'étais soucieux de remplir la mission dont m'a chargé le général Heydrich, et cela quoi qu'il m'en coûte. »

Boemelburg semblait plus maigre et plus pâle que la veille. Kestner avait peut-être passé la nuit à astiquer son crâne chauve tant il brillait. Oltramare dit quelque chose en français au commissaire, qui, chaussant son pince-nez, me considéra brièvement avant de hocher la tête avec une approbation apparente.

« Le commissaire trouve que vous avez l'air beaucoup mieux, déclara Oltramare. Et je dois dire que je suis d'accord avec lui.

— Oui, absolument, approuva Boemelburg. Beaucoup mieux. Hier, cela n'a pas dû être facile pour vous, Gunther. Tous ces déplacements alors que vous n'étiez pas dans votre état normal, à l'évidence. Il est fort louable à vous d'avoir voulu venir dans de telles conditions. Je ne manquerai pas de le signaler au colonel Knochen quand je lui ferai mon rapport à Paris. Avec la bonne nouvelle que vient de me donner le commissaire Matignon, il semble que cela va être une excellente journée. Ce n'est pas votre avis, Kestner ?

— Oui, major.

— De quelle bonne nouvelle s'agit-il ? demandai-je en souriant avec un optimisme aux couleurs toulousaines.

— Eh bien, que nous tenons enfin le Juif qui a assassiné vom Rath, répondit Boemelburg. Grynszpan. » Il laissa échapper un gloussement. « Il paraît qu'il est allé frapper à la porte de la prison de Toulouse pour demander qu'on le laisse entrer. »

Oltramare riait lui aussi.

« Apparemment, il parle à peine le français, n'avait pas d'argent et pensait que nous pourrions peut-être le protéger contre vous autres.

— Crétin de youtre, murmura Kestner. Je file tout de suite à la prison. Avec le commissaire Matignon et M. Savigny. Pour organiser son extradition vers Paris puis Berlin.

— Le Führer veut un procès, semble-t-il, dit Boemelburg. Il faut à tout prix qu'il y en ait un.

— À Berlin ? »

Je m'efforçai de ne pas avoir l'air surpris.

« Pourquoi pas ? rétorqua Boemelburg.

— C'est juste que le meurtre a eu lieu à Paris. De plus, j'ai cru comprendre que Grynszpan n'est même pas citoyen allemand. Il est polonais, non ? » Je souris. « Excusez-moi, major, mais j'ai parfois du mal à cesser d'être un flic et de penser à de menus détails tels que le système de procédure. »

Boemelburg agita son doigt dans ma direction.

« Vous faites seulement votre métier, mon ami. Mais je connais ce dossier mieux que personne. Avant d'entrer dans la Gestapo, j'ai appartenu à notre service étranger à Paris et j'ai passé trois mois à travailler sur cette affaire. D'une part, la Pologne fait désormais partie du Grand Reich. De même que la France. Et, d'autre part, le meurtre a eu lieu à l'ambassade d'Allemagne. Laquelle, sur le plan technique, diplomatique, est un territoire allemand. Ce qui fait une grosse différence.

— Oui, bien sûr, dis-je docilement. Cela fait une grosse différence. »

Cela faisait certainement une grosse différence pour les Juifs allemands. Le meurtre par Herschel Grynszpan d'un fonctionnaire subalterne de l'ambassade à Paris en novembre 1938 avait servi de prétexte aux nazis pour déclencher un pogrom massif à domicile. Jusqu'à la nuit du 9 au 10 novembre 1938 – la Nuit de Cristal –, il m'avait presque été possible d'imaginer que je vivais encore dans un pays civilisé. Nul doute que le procès en question serait du genre qui plaisait aux nazis : à grand spectacle, avec un verdict acquis d'avance ; mais, au moins – si Boemelburg était sincère –, Grynszpan ne se ferait pas assassiner au bord d'une route.

Laissant Kestner, Matignon et Savigny aller à la prison Saint-Michel, nous nous mîmes en route, Boemelburg et moi, accompagnés de six SS, pour parcourir les soixante-cinq kilomètres qui nous séparaient du Vernet. Frau Kemmerich ne vint pas avec nous, son mari se trouvant finalement, semblait-il, dans un autre camp de concentration français, à Moisdon-la-Rivière, en Bretagne.

Le Vernet était situé près de Pamiers et le camp à une courte distance de la gare locale, ce que Boemelburg qualifia de « commode ». Il y avait un cimetière au nord du camp, mais il omit de préciser si c'était commode également, ce dont je ne doutais pas une seule seconde : Le Vernet avait l'air encore pire que Gurs. Entourés de kilomètres de barbelés dans un paysage de campagne autrement désertique, les nombreux baraquements ressemblaient à des cercueils exposés après un combat de géants. Ils étaient dans un état déplorable, tout comme les deux mille hommes enfermés là, pour la plupart squelettiques et gardés par des gendarmes bien nourris. Les prisonniers travaillaient à la construction d'une route insignifiante reliant la gare au cimetière. Il y avait quatre appels par jour, d'une durée d'une demi-heure chacun. Nous arrivâmes juste avant le troisième, expliquâmes notre mission au policier français responsable, qui nous confia poliment à un officier teigneux, dégageant une forte odeur anisée, et à son sergent corse au teint jaune. Ils écoutèrent Oltramare traduire les détails de notre mission. Monsieur Anisé opina du chef et nous montra le chemin.

Boemelburg et moi lui emboîtâmes le pas pistolet au poing, car on nous avait prévenus que les hommes de la baraque 32, le « quartier des lépreux », étaient considérés comme les plus dangereux du camp du Vernet. Oltramare suivit à une certaine distance, armé également. Et nous attendîmes tous les trois dehors, tandis que plusieurs gendarmes pénétraient dans le baraquement où régnait une obscurité totale et faisaient sortir les occupants à grand renfort de claquements de fouet et de jurons.

Ces hommes étaient dans un état honteux – pire qu'à Gurs, et même pire qu'à Dachau. Les chevilles enflées et le ventre distendu par la faim. Chaussés de vulgaires galoches et vêtus de haillons qu'ils portaient probablement depuis l'hiver 1937, lorsqu'ils avaient fui l'avancée de l'armée nationaliste de Franco. Certains d'entre eux à moitié nus. Tous infestés de vermine. Ils savaient ce qui allait se passer, mais ils étaient trop abattus pour chanter *L'Internationale* en un geste de défi à notre présence.

Il fallut plusieurs minutes pour vider le baraquement et mettre de nouveau les hommes en rang. Juste comme vous pensiez qu'il ne pouvait pas en contenir davantage, d'autres en sortaient, jusqu'au moment où ils furent trois cent cinquante alignés devant nous. La file d'attente du Jugement dernier entre le purgatoire et l'enfer n'aurait pas pu avoir l'air plus lamentable. Et plus les secondes s'écoulaient alors que j'étais confronté à leurs visages hâves et non rasés, plus j'avais envie de flinguer Monsieur Anisé et ses gendarmes grassouillets.

Tandis que le Corse procédait à l'appel, Boemelburg vérifiait la liste des noms sur sa planchette à pince ; et, pendant ce temps-là, je me baladais entre leurs rangs, tel le Kaiser venu distribuer quelques croix de fer aux braves des braves, tout en me demandant si j'arriverais à reconnaître un type dont j'avais perdu la trace depuis neuf ans. Mais je ne le vis pas ; pas plus que je n'entendis appeler son nom. Au demeurant, je ne mettais pas beaucoup d'espoir dans un nom. D'après tout ce que j'avais lu dans le dossier de Heydrich, Erich Mielke avait beaucoup trop de jugeote pour s'être laissé arrêter et interner sous sa véritable identité. Boemelburg le savait, naturellement. Mais tous ne possédaient pas autant de présence d'esprit que l'agent allemand du Komintern ; et, à mesure que ces rares individus étaient identifiés, les gendarmes les emmenaient aux bureaux de l'administration.

« Il ne se trouve pas dans ce baraquement, déclarai-je finalement.

— D'après l'adjudant, il y a une autre baraque de prisonniers allemands dans cette section. Celle-ci se compose uniquement d'anciens membres des Brigades internationales, et il serait logique que Mielke ait préféré les éviter, surtout maintenant que Staline leur a fermé ses portes. »

Les hommes de la baraque 32 furent reconduits à l'intérieur, et nous répétâmes l'exercice avec ceux de la baraque 33. D'après le Corse au teint jaune – on aurait dit un tanneur dément –, c'étaient tous des communistes ayant fui l'Allemagne, pour se retrouver internés comme étrangers indésirables lors de la déclaration de guerre en septembre 1939. Moyennant quoi, ces hommes semblaient plutôt en meilleure forme que leurs camarades des Brigades internationales. Ce qui n'était pas difficile.

Une fois de plus, je marchai de long en large parmi les files de prisonniers pendant que Boemelburg et le Corse faisaient l'appel. Ces visages étaient plus provocateurs que les précédents, et la plupart des regards qui croisaient le mien exprimaient une haine inébranlable. Certains étaient juifs, notai-je. D'autres manifestement plus aryens. Une ou deux fois, je m'arrêtai pour dévisager un homme dans le blanc des yeux. Mais je n'identifiai aucun des prisonniers comme étant Erich Mielke.

Même lorsque je le reconnus.

Alors que le Corse finissait l'appel, je retournai à côté de Boemelburg en secouant la tête.

« Pas de chance ?

— Non. Il n'est pas là.

— Vous en êtes sûr ? Certains de ces types ne sont plus que l'ombre d'eux-mêmes. Six mois dans un endroit pareil, et je doute que ma propre femme me reconnaîtrait. Jetez un nouveau coup d'œil, capitaine.

— Très bien. »

Et, tout en réexaminant les prisonniers, je me fendis d'une petite tirade, histoire d'impressionner Boemelburg.

« Écoutez. Nous recherchons un certain Erich Fritz Emil Mielke. Peut-être le connaissez-vous sous un autre nom. Je me moque de ses opinions politiques ; il est poursuivi pour le meurtre, commis en 1931, de deux policiers berlinois. Je suis sûr que nombre d'entre vous ont lu des articles là-dessus à l'époque. Âgé de trente-trois ans, blond, de taille moyenne, les yeux marron, protestant, originaire de Berlin. Il a fréquenté le lycée. Parle probablement assez bien le russe, et un peu d'espagnol. Éventuellement habile de ses mains. Son père est menuisier. »

Pendant tout le temps que je parlais, je sentais que Mielke me regardait, sachant que je l'avais reconnu de même qu'il m'avait reconnu et se demandant sans aucun doute pourquoi je ne l'avais pas arrêté tout de suite et ce qui pouvait bien se passer. Je rengainai mon pistolet puis ôtai ma casquette d'officier dans l'espoir d'avoir un peu moins l'air d'un nazi.

« Messieurs, je vous promets ceci : si l'un d'entre vous me désigne Erich Mielke sur-le-champ, je parlerai personnellement au commandant du camp afin d'envisager sa libération le plus rapidement possible. »

C'était le genre de promesse qu'aurait fait un nazi. Une promesse à géométrie variable qui n'aurait inspiré confiance à personne. Ou du moins, je l'espérais. Parce que, après le sort qu'avaient subi les prisonniers de Gurs dans la forêt près de Lourdes, la dernière chose que je désirais, c'était d'aider les nazis à arrêter davantage d'Allemands, même un Allemand ayant tué deux policiers. Je ne pouvais rien faire s'agissant des autres hommes inscrits sur la liste de Boemelburg, mais il était hors de question que j'en balance un de plus à Heydrich. Pas à présent.

Une fois encore, je croisai le regard d'Erich Mielke. Il ne détourna pas la tête, et je suppose qu'il devina ce que j'étais en train de faire. Il était plus vieux que dans mon souvenir, naturellement. Plus large et plus robuste, surtout au niveau des épaules. Une légère barbe couvrait ses joues, mais il était impossible de se méprendre sur la bouche à l'expression maussade, les yeux vigilants et sans pitié ou les cheveux rebelles, en crête de coq, au sommet de sa grosse tête. Il devait me prendre pour un bifteck nazi : brun à l'extérieur, rouge à l'intérieur. Mais il se trompait royalement. Les meurtres d'Anlauf et de Lenck avaient été parmi les plus lâches qu'il m'ait été donné de voir, et rien ne m'aurait plu davantage que de le coincer, et que les tribunaux de Berlin l'envoient se faire faire une coupe de cheveux permanente ; mais, quelle que fût l'aversion que j'éprouvais pour lui à cette minute, j'abhorrais encore plus la brutalité instinctive et quotidienne de l'État policier nazi. J'avais presque envie de lui dire que, sans l'assassinat de huit hommes sur une route de campagne la veille, il aurait été bon pour un gentil petit rendez-vous avec un personnage en gants blancs et chapeau haut de forme.

Me retournant, je rejoignis Boemelburg avec un haussement d'épaules.

« Ça valait la peine d'essayer », dit-il.

Aucun de nous ne s'attendait à ce qui se passa ensuite.

« Je ne connais pas d'Erich Mielke », fit une voix.

L'homme était petit, de type juif, avec des cheveux noirs, courts et frisés, et des yeux marron au regard fuyant. Une tête d'avocat, ce qui expliquait peut-être la large ecchymose sur sa joue.

« Je ne connais pas d'Erich Mielke, répéta-t-il maintenant qu'il avait notre attention, mais je voudrais devenir nazi. »

Certains des prisonniers éclatèrent de rire, d'autres poussèrent des sifflets, mais l'homme continua :

« Les Français m'ont arrêté parce que j'étais un communiste allemand. Je n'étais pas un ennemi de la France à ce moment-là, mais désormais j'en suis un. C'est vrai, j'exècre et méprise ces gens encore plus que je n'exécrais les nazis. J'ai passé la journée à porter des seaux hygiéniques et, jusqu'à la fin de mes jours, j'associerai les Français à l'odeur de la merde. »

Les paupières du Corse se plissèrent, et il se dirigea vers l'homme, le fouet levé.

« Non, dit Boemelburg. Laissez-le parler.

— Je suis content que la France ait été battue, reprit le prisonnier. Et, comme je me déclare un ennemi de la France, je souhaite m'enrôler dans l'armée allemande et devenir un bon et loyal défenseur de la mère patrie en même temps qu'un disciple d'Adolf Hitler.

Qui sait ? La guerre est finie, mais j'aurai peut-être la chance de descendre un Franzi, ce qui me réjouirait énormément. »

Ses codétenus se mirent à le conspuer, mais je pouvais voir que le major Boemelburg était impressionné.

« Alors, si vous le permettez, Herr Major, quand vous quitterez ce dépotoir, j'aimerais vous accompagner. »

Boemelburg sourit.

« En effet, répondit-il. Je pense que cela vaudrait beaucoup mieux pour vous. »

Et l'homme tint parole. Toutefois, en disait long sur le reste des Allemands de la baraque 33 le fait que personne d'autre ne suivit son exemple. Personne.

21

Allemagne, 1954

« Bon Dieu, Gunther ! s'exclama un de mes interrogateurs américains. Essayez-vous de nous dire que vous aviez cette canaille communiste de Mielke à votre merci et que vous l'avez laissé filer ?

— Oui.

— Vous êtes dingue ou quoi ? C'est la deuxième fois que vous lui sauvez la mise. Vous y avez pensé ? Putain !

— Bien sûr que j'y ai pensé.

— Je veux dire, vous ne l'avez jamais regretté ?

— Je croyais pourtant avoir été parfaitement clair. À cet instant, à l'instant même où je feignais de ne pas reconnaître Mielke, je le regrettais déjà. Le meurtre du capitaine Anlauf avait laissé trois filles orphelines. Voyez-vous, il y a une chose dont il faut vous souvenir, c'est que, pendant un temps, dans les années noires de Weimar, les communistes se sont conduits de façon aussi ignoble que les nazis. Sinon plus. Après tout, c'est le Komintern qui a donné l'ordre au parti communiste allemand de traiter le SPD, alors à la tête du pays, comme le véritable ennemi au lieu des nazis. Pouvez-vous imaginer ça ? Lors du "référendum rouge" de juillet 1931, le KPD et les nazis manifestèrent et votèrent ensemble. C'était le pacte de non-agression en miniature. Je leur en ai toujours voulu à cause de ça. En réalité, ce sont les rouges qui ont sabordé la république, pas les nazis. » Je pris une nouvelle cigarette des Ricains. « Et, comme si ça ne suffisait pas, il y a aussi ma propre expérience de l'hospitalité soviétique à prendre en compte. Raison pour laquelle je déteste les communistes.

— Ma foi, nous détestons tous les rouges, rétorqua l'homme à la pipe.

— Non. Vous, vous détestez les rouges parce qu'on vous a dit de le faire. Mais, pendant cinq ans, ils ont été vos alliés. Roosevelt et Truman ont serré la main à Staline et tenté de faire croire qu'il était différent de Hitler. Ce qu'il n'était pas. Moi, j'ai appris à les détester de la même manière qu'un chien apprend à détester l'homme qui le bat régulièrement. Durant Weimar. Durant la guerre. Sur le front russe. Mais la principale raison pour laquelle je les déteste, c'est que j'ai passé près de deux ans dans un camp de travail soviétique. Et, jusqu'à ce que je fasse votre connaissance, les gars, je pensais que je ne pouvais pas ressentir plus de haine pour un peuple.

— Nous ne sommes pas si mauvais. » Retirant la pipe de sa bouche, l'homme se mit à la bourrer. « Quand on nous connaît mieux.

— On s'habitue à tout, c'est vrai. »

Son collègue aux lunettes poussa un grognement désapprobateur. À présent, je me souvenais vaguement de lui, sept ans plus tôt, à l'hôpital de la Stiftskaserne, à Vienne.

« Après tout le mal que nous nous sommes donné pour vous obtenir cette suite de luxe », dit-il. Il se mit à nettoyer ses lunettes avec le bout de sa cravate. « Ça me fait de la peine.

— Quand vous en aurez terminé avec vos lunettes, les fenêtres ici auraient également besoin d'un bon coup de chiffon. Je suis assez difficile en ce qui concerne les fenêtres. Surtout quand je sais qui a soufflé dessus. Maintenant que je connais celui qui l'a occupée en dernier, cette cellule me sort par les yeux. »

L'homme à la pipe finit par l'allumer. Hitler aurait détesté cette pipe. Apparemment, j'avais enfin trouvé un motif d'apprécier Adolf Hitler.

L'Amerloque suçota le tuyau, recracha un peu de fumée douceâtre et dit :

« J'ai vu un vieux film d'actualités il n'y a pas longtemps. De Hitler prononçant un discours à l'aéroport de Tempelhof, à Berlin. Il y avait un million de personnes ce jour-là. Il a fallu, paraît-il, douze heures rien que pour faire rentrer tout le monde, et encore douze heures pour les faire sortir. J'imagine que vous êtes le seul Berlinois à être resté chez lui ce soir-là.

— La vie nocturne à Berlin avait bien plus de charme avant les nazis.

— C'est ce que j'ai entendu dire. On prétend que ça valait le coup d'œil. Obscène, mais animé. Toutes ces boîtes de nuit. Ces stripteaseuses. Ces femmes nues. Cette homosexualité au grand jour. À quoi songiez-vous ? Je veux dire, pas étonnant que les nazis aient fini par y mettre leur grain de sel. » Il secoua la tête. « D'un autre côté, Munich est assez soporifique.

— Ça a ses avantages. Il n'y a pas de Popov à Munich.

— Est-ce pour cette raison que vous y avez habité, après avoir été dans ce camp de prisonniers ? Plutôt qu'à Berlin ?

— Une des raisons, je suppose.

— Vous êtes sorti de ce camp relativement vite. » Il avait fini de nettoyer ses lunettes et les remit sur son nez. Elles étaient toujours trop petites pour lui, ce qui m'incita à me demander si les têtes américaines étaient comme les ventres américains et ne cessaient de croître plus rapidement que celles d'Europe. « Comparé à beaucoup d'autres types. Je veux dire, certains de vos anciens camarades commencent seulement à rentrer chez eux.

— J'ai eu de la chance. Je me suis évadé.

— Comment ?

— Mielke y a pris part.

— Alors nous reprendrons demain, d'accord ? Ici. Dix heures.

— Vous feriez bien de voir ça avec ma secrétaire. C'est demain que je commence à écrire mon bouquin.

— Qu'est-ce que je vous disais ? Vous savez, c'est une pièce idéale pour un écrivain. Peut-être même que l'esprit d'Adolf Hitler viendra vous donner un coup de main pour quelques pages.

— Blague à part, dit l'autre Amerloque, si vous avez besoin de papier et d'un stylo pour préparer quelques notes, au sujet de Mielke, il vous suffit de demander au gardien. Cela vous aiderait peut-être à vous remémorer les faits de les coucher par écrit.

— Pourquoi maintenant ? Pourquoi pas avant ?

— Parce que les choses deviennent de plus en plus

importantes. Que Mielke devient de plus en plus important. Alors si vous arriviez à vous souvenir de davantage de détails, ça n'en serait que mieux.

— Il y a un truc qui me stimulerait considérablement. Et ce n'est pas l'esprit de Hitler.

— Ah oui ?

— Je suis un peu comme Goethe. Chaque fois que j'attaque un livre, je m'aperçois qu'une bonne bouteille de cognac allemand a généralement un effet bénéfique.

— Ça existe, une bonne bouteille de cognac allemand ?

— Je me contenterai de vodka bas de gamme, mais un homme a besoin d'un passe-temps quand il a les pieds au frigo. Une chose qui libère son esprit du présent pour le transporter quelque part dans le passé. Environ sept ans en arrière, pour être plus précis.

— D'accord, dit l'homme aux lunettes, on vous trouvera une bouteille de quelque chose.

— Et j'aimerais rattraper ma consommation de tabac. J'avais arrêté en quittant Cuba. Mais, depuis que je vous connais, j'ai une bien meilleure raison de mettre fin à mes jours. »

Après ça, ils me laissèrent seul. Crayons et papier, une bouteille de cognac, un verre propre, deux ou trois paquets de cigarettes ainsi que des allumettes et même un journal arrivèrent. Je les disposai sur la table et me bornai à les contempler pendant un moment, jouissant de la liberté de boire un verre ou pas. Ce sont les petites choses qui rendent la prison supportable. Telles qu'une clé de porte. De l'avis général, on avait laissé Hitler faire ses quatre volontés à Landsberg, et il avait traité l'endroit plus comme un hôtel que comme un établissement pénitentiaire. Non qu'il éprouvât le moindre désir de faire pénitence pour le putsch de 1923, bien entendu.

M'allongeant sur le lit, j'essayai de me détendre, ce qui n'était pas facile dans cette cellule. Était-ce pour ça qu'on m'avait mis là ? Ou était-ce l'idée que les Américains se faisaient d'un canular ? Je m'appliquais à ne pas penser à Adolf Hitler, mais il ne cessait de se lever de la table puis d'aller à la fenêtre et, plein d'impatience, de regarder à travers les barreaux dans cette posture qu'il avait toujours d'homme choisi par le destin.

Le plus curieux, c'est que je n'avais jamais vraiment pensé à lui. Quand il était en vie, je m'efforçais même de ne pas y penser du tout, le considérant comme un imposteur avant qu'il soit élu chancelier de l'Allemagne et ensuite souhaitant sa mort purement et simplement. Mais, à présent que j'étais étendu sur le lit où, pendant neuf mois, il avait fait ses rêves autocratiques, il semblait impossible de ne pas prêter attention à l'homme aux yeux bleus appuyé à la fenêtre.

Comme je le regardais, il se rassit à la table, prit le stylo et se mit à écrire, couvrant les feuilles de papier de gribouillis frénétiques et repoussant chaque page dès qu'il avait fini, si bien qu'elle tombait par terre et que je pouvais la ramasser pour lire ce qu'il y avait de marqué. Au début, les phrases n'avaient absolument aucun sens ; mais, petit à petit, elles devenaient plus cohérentes, livrant quelques aperçus de ce phénomène extraordinaire qu'était la mentalité d'Adolf Hitler. Ce qu'il écrivait était entièrement fondé sur sa propre logique irréfutable et constituait un parfait guide du mal, mis en œuvre jusque dans les plus infimes détails. C'était comme se retrouver dans la même cellule d'asile que le dément docteur Mabuse, conjointement avec les fantômes de tous ceux qu'il avait exterminés, et le regarder rédiger son ultime testament criminel.

Finalement, il s'arrêta d'écrire et, se laissant aller en arrière, il se tourna vers moi. Sentant que le moment était arrivé de le mettre sur la sellette, j'essayai de formuler une question, du genre de celles qu'aurait pu poser Robert Jackson, le procureur en chef américain à Nuremberg. Mais c'était plus difficile que je ne l'aurais cru. Il ne me venait pas une seule question à l'esprit au-delà d'un simple « pourquoi » ; et je continuais à me débattre avec cette prise de conscience quand il m'adressa tout à coup la parole.

« Alors, que s'est-il passé ensuite ? »

Je m'efforçai de réprimer un bâillement.

« Vous voulez dire, quand j'ai quitté Le Vernet ?

— Évidemment.

— Nous sommes retournés à Toulouse. De là, nous avons roulé jusqu'à Vichy, où nous avons remis nos prisonniers aux autorités. Puis nous avons gagné la frontière de la zone occupée – Bourges, je crois – et nous avons attendu qu'on nous les restitue. Un arrangement ridicule, mais qui semblait répondre à l'hypocrisie des Français. Parmi ces prisonniers se trouvait le pauvre Herschel Grynszpan. De Bourges, nous sommes remontés à Paris, où nous les avons enfermés à double tour avant de les expédier à Berlin par avion. Bon, vous savez probablement mieux que moi ce qu'il est advenu de Grynszpan. On m'a dit qu'il avait séjourné un moment à Sachsenhausen. Et il n'y a jamais eu de procès, bien entendu.

— Ce n'était pas nécessaire, répondit Hitler. Sa culpabilité était évidente. Par ailleurs, cela aurait pu être embarrassant pour Pétain. Comme le procès de Riom, quand ce Juif de Léon Blum a témoigné contre Laval. »

J'acquiesçai.

« Oui, j'imagine.

— Je n'ai plus jamais entendu parler de lui. En tout cas, je n'en ai pas souvenir. À la fin, j'avais pas mal de choses en tête. Himmler s'est probablement occupé de lui. Je dirais qu'il a été l'un de ceux auxquels les SS ont réglé leur compte à Flossenbürg pendant les derniers jours de la guerre. Mais, vous savez, Grynszpan n'a eu que ce qu'il méritait. Après tout, il ne faisait aucun doute qu'il avait assassiné Ernst vom Rath. Absolument aucun doute. Ce Juif voulait simplement tuer un Allemand important, et vom Rath a eu la malchance de se trouver sur son chemin. Le meurtre a eu de nombreux témoins, qui ont été entendus et ont dit la vérité sur ce qui s'était passé. Non que le mot vérité ait la moindre signification pour vous. Votre attitude au Vernet constituait une tromperie et une trahison majeures. À mon égard et à celui de vos camarades officiers.

— Oui, effectivement. Mais je m'en remettrai.

— Êtes-vous retourné à Berlin directement ?

— Non, je suis resté quelque temps à Paris, en faisant semblant de mener une enquête plus approfondie sur Erich Mielke. Beaucoup de communistes allemands et de membres des Brigades internationales s'étaient engagés dans la Légion étrangère pour échapper à la Gestapo en France. La Légion n'accordait pas beaucoup d'attention au passé d'un homme. Vous vous enrôliez à Marseille et vous serviez dans les colonies françaises sans qu'on vous demande rien. Il était facile de suggérer dans mon rapport à Heydrich que c'est ainsi qu'il nous avait échappé. La vérité est beaucoup plus intéressante.

— Pas pour moi, rétorqua Hitler. Ce que vous avez fait à propos de cet officier qui a essayé de vous tuer m'intéresse davantage.

— Qu'est-ce qui vous faire croire que j'ai fait quoi que ce soit ?

— Parce que je connais les hommes. Allons. Avouez-le. Vous lui avez rendu la monnaie de sa pièce, n'est-ce pas ? À ce lieutenant Nikolaus Willms.

— Oui. »

Hitler jubilait.

« Je le savais. Vous êtes là avec votre tribunal fantoche, vos questions à la Robert Jackson, mais, au fond, vous n'êtes pas différent de moi. Ce qui fait de vous un hypocrite, Gunther. Un hypocrite.

— Oui, c'est vrai.

— Eh bien, qu'avez-vous fait ? Vous l'avez dénoncé à la Gestapo ? De même que vous avez contribué à dénoncer cet autre collègue ? Le capitaine de la Gestapo de Würzburg ? Comment s'appelait-il déjà ?

— Weinberger. » Je secouai la tête. « Non, ça ne s'est pas passé de cette façon.

— Naturellement. Vous vous êtes arrangé pour que Heydrich s'occupe de lui. S'agissant de se débarrasser des gens, Heydrich n'a jamais eu son pareil. Pour un *Mischling*, c'était un excellent nazi. Je suppose qu'il avait le sentiment de devoir redoubler d'efforts pour se montrer digne à mes yeux. » Hitler éclata de rire. « Ce qui est l'unique raison pour laquelle nous l'avons gardé.

— Non, ce n'était pas comme ça non plus. Je ne me suis pas servi de Heydrich. »

Hitler fit pivoter sa chaise pour me faire face et se frotta les mains.

« Je veux tout savoir. Chaque petit détail sordide. »

Je bâillai de nouveau. Je me sentais recru de fatigue. Mes yeux ne cessaient de se fermer. Je n'avais qu'une envie : aller me coucher et rêver que je me trouvais ailleurs.

« Je vous ordonne de me le dire.

— Est-ce un ordre du Führer ?

— Si vous voulez. »

Je me donnai une petite secousse, comme quand le sommeil vous emporte et qu'au lieu de ça, il vous vient cette idée folle que vous mourez. Une petite mort qui vous procure une sensation délicieuse. Parce qu'elle vous rappelle pourquoi cela fait tant de bien de respirer.

22

France, 1940

Cela faisait assurément du bien à l'été 1940. Et il n'y avait pas de meilleur endroit pour prendre l'air que Paris. Surtout alors que j'avais la petite femme de chambre de l'hôtel Lutetia pour me divertir. Ce n'est pas que je cherchais à profiter d'elle. En fait, j'avais pas mal de scrupules en ce qui concernait Renata. Une façon, entre autres, de me persuader que je n'étais pas un aussi gros rat que l'indiquait le vert-de-gris. Pour autant, ce n'était pas le sermon d'Onéguine. Je la désirais. Et je finis par l'avoir. Mais je pris mon temps, comme on fait quand on aime ce qu'une fille a entre les oreilles autant qu'on a envie de ce qu'elle a entre les jambes. Et, lorsque la chose se produisit, ça donnait l'impression d'avoir un motif plus élevé que la simple luxure. Ce n'était pas de l'amour à proprement parler. Aucun de nous ne voulait se marier. Mais ça avait quand même des allures de romance : séduction, désir, peur et angoisse. Oui, il y avait de la peur et de l'angoisse également, parce que Renata n'ignorait pas que j'irais terrasser mon dragon extincteur d'incendie dès que je saurais pourquoi il avait cherché à me mettre hors jeu pour de bon.

Pendant que j'étais dans le sud de la France, elle avait fouillé la chambre de Willms ; elle l'avait même suivi une ou deux fois, pour découvrir qu'il dînait chez Maxim's presque tous les soirs. Sur un salaire de général, cela aurait paru assez insolite, mais, pour un simple lieutenant, c'était rien de moins que miraculeux. Aussi je décidai de me rendre moi-même au restaurant en me disant que cela me donnerait peut-être une idée de la raison pour laquelle il avait tenté de me tuer. À cet égard, j'avais de la chance que Maxim's fût maintenant sous la coupe d'Otto Horcher, propriétaire d'un restaurant dans Schöneberg à Berlin. Au printemps 1938, Otto avait été un de mes clients quand j'avais monté avec succès une agence de détective privé. Pendant quelques semaines, déguisé en serveur, j'avais effectué une opération d'infiltration, dans son établissement afin de savoir qui le volait. En l'occurrence, tout le monde le volait, mais un de ses employés, le majordome, le volait encore plus que tous les autres réunis. Après ça, nous étions restés amis, et, même si c'était un nazi et un vieux copain de Goering – raison pour laquelle il en était venu à diriger le plus célèbre restaurant de Paris –, je pouvais toujours compter sur lui pour avoir une table quand il me fallait en mettre plein la vue à quelqu'un car, après Borchardt, celui de Horcher était le meilleur restaurant de Berlin.

Situé rue Royale, dans le huitième arrondissement, Maxim's était un haut lieu de l'Art nouveau, du velours rouge et de la grande cuisine. Devant stationnaient plusieurs voitures d'état-major allemandes, mais il n'y avait pas besoin d'être allemand pour manger chez

Maxim's. Lorsque j'y allai avec Renata, Pierre Laval, l'un des dirigeants politiques de Vichy, s'y trouvait ; ainsi que Fernand de Brinon. De l'argent, c'est tout ce qu'il fallait – beaucoup d'argent – et des comprimés de bismuth. En 1940, Maxim's paraissait un excellent endroit pour les hommes et les femmes qui savent ce qu'ils veulent et comment l'avoir, quel que soit le prix. Ce qui est toujours le cas, probablement.

Nous franchîmes la porte, et l'on nous conduisit directement à une table – du moins – aussi directement que le garçon servile et oléagineux en était capable.

« Tu peux te le permettre ? demanda Renata en examinant le menu, les yeux écarquillés.

— J'ai l'impression de redevenir jeune. C'est la dernière fois que je me suis senti aussi pauvre.

— Alors qu'est-ce qu'on fait ici ?

— On cherche le seul truc qui ne figure pas sur le menu. Des informations.

— Sur ton ami Willms ?

— Tu sais, si tu continues à l'appeler ainsi, même pour plaisanter, je vais être forcé de te montrer à quel point ce type me débecte. »

Elle frémit visiblement.

« Non, je t'en prie. Je ne tiens pas à le savoir. » Elle parcourut le restaurant des yeux. « Il n'a pas l'air d'être là. » Elle regarda à nouveau Laval. « Tout de même, il devrait. Il y a plus de serpents dans cette salle que dans toute l'Afrique.

— J'ignorais que tu avais beaucoup voyagé.

— Non, juste voyagé. Manifestement, tu n'as jamais mis les pieds en Afrique.

— Je commence à croire que je me suis trompé sur

ton compte, Renata. J'avais cette idée bizarre que tu étais la fille d'à côté.

— Là où habitent mes parents, à Berne, si jamais tu rencontrais la fille d'à côté, tu comprendrais pourquoi je suis venue à Paris. »

Le maître d'hôtel s'approcha, l'air plus hautain qu'un professeur d'aéronautique. Renata le trouvait un peu intimidant. Moi, j'avais déjà été intimidé, mais généralement par quelqu'un tenant quelque chose de plus redoutable qu'une carte des vins.

« Comment vous appelez-vous ? lui demandai-je.

— Albert, monsieur. Albert Glaser.

— Eh bien, Albert, je pensais que l'Allemagne avait cessé de payer des réparations de guerre à la France, mais je vois, aux prix marqués sur ce menu, que j'avais tort.

— Nos prix ne semblent pas déranger la plupart des officiers qui viennent ici, monsieur.

— Voilà l'effet de la victoire sur les nazis, Albert. Ça les rend prodigues. Insouciants. Vaniteux. Moi ? Je ne suis qu'un humble habitant de Berlin ayant hâte de revoir un certain M. Horcher. Rendez-moi un service, voulez-vous, Albert ? Allez donc lui glisser à l'oreille que Bernie Gunther est dans la boîte. Ah, et apportez-nous une bouteille de Moselle. La plus proche du Rhin, de préférence. »

Albert s'inclina avec raideur et s'éloigna.

« Tu n'aimes pas beaucoup les Français, hein ? dit Renata.

— Je fais de mon mieux. Mais ils rendent la tâche extrêmement difficile. Même dans la défaite, ils semblent s'entêter à croire que c'est le meilleur pays du monde.

— Peut-être que oui. Peut-être que c'est pour ça qu'ils n'ont pas la meilleure armée.

— Si tu te mets à devenir philosophe, il va falloir que tu te fasses pousser une grande barbe ou une moustache ridicule. Ce sont les seuls individus que nous prenons au sérieux en Allemagne. »

Horcher arriva portant une bouteille de Moselle et trois verres.

« Bernie Gunther, dit-il en me serrant la main. Ça alors.

— Otto. Voici Fräulein Renata Matter, une amie à moi. »

Horcher lui baisa la main, s'assit et versa le vin.

« Alors voilà que tu apprends à la poule à être aussi futée que l'œuf, Otto.

— Tu veux dire, moi, à Paris ? »

Horcher eut un haussement d'épaules. C'était un grand gaillard au faciès de général allemand. Bavarois ou viennois, je ne sais plus, il avait toujours l'air d'être en quête d'une bière et d'une fanfare.

« Quand le gros Hermann te demande de faire quelque chose pour lui, tu ne dis pas non, hein ? » Il gloussa de rire. « Il aime beaucoup cette gargote. C'est avec les serveurs français snobinards qu'il a un problème. Raison pour laquelle je suis ici. Pour que lui et les rayures rouges se sentent chez eux. Et pour préparer quelques-uns de leurs plats favoris.

— Je m'intéresse à un de tes clients de moindre envergure, expliquai-je. Le lieutenant Nikolaus Willms. Tu le connais ?

— C'est un de mes habitués. Il paie toujours comptant.

— Tu ne dois pas avoir beaucoup de lieutenants ici. Est-ce qu'il a gagné à la loterie allemande ? Ça devait être le sud de l'Allemagne et la Saxe avec un billet de première classe à ces prix-là, Otto. »

Horcher regarda autour de lui puis se pencha vers moi.

« Cet endroit attire un tas de filles de joie, Bernie. De haut vol. Des courtisanes, comme on les appelle à Paris, n'empêche que ce sont tout de même des putains. Pardonnez-moi, mademoiselle Matter. Ce n'est pas un sujet à aborder devant une dame.

— Ne vous excusez pas, Herr Horcher, répondit-elle. Je suis venue à Paris pour parfaire mon éducation. Alors parlez librement, je vous en prie.

— Merci, mademoiselle. Ledit Willms a l'air d'en savoir long comme le bras sur ces filles, Bernie. J'ai donc posé quelques questions à droite à gauche. Je veux dire, j'aime bien connaître les clients. C'est bon pour les affaires. En tout cas, il semble que ce Willms ait le pouvoir de fermer n'importe quelle maison de tolérance à Paris. Apparemment, il était flic à la Brigade des mœurs à Berlin, de sorte qu'il connaît par cœur toutes les ficelles du métier. On raconte que celles qui raquent, il les laisse ouvertes et que les autres, il les ferme. Du bon vieux chantage.

— Une gentille petite mine d'or.

— Ce n'est pas tout, dit Horcher. Vois-tu, il y a aussi une mine de diamant. As-tu entendu parler du One-Two-Two et du Chabanais ?

— Sûr. Ce sont des maisons haut de gamme, où seuls les Allemands peuvent se rendre. Je suppose qu'elles crachent au bassinet. »

Horcher acquiesça.

« Comme si c'était un don à la Croix-Rouge. Mais Willms a été malin. Il existe une troisième maison de ce genre où il faut un mot de passe pour franchir la porte et qui ne fonctionne que par invitation.

— Et c'est Willms qui imprime les cartes ? »

Horcher acquiesça de nouveau.

« Devine qui en a une quand il se pointe à Paris en avion ?

— Le Mahatma Propagandi ?

— Exact. » Horcher parut surpris que j'aie deviné. « Tu aurais dû être détective, tu sais.

— Willms ne doit pas faire ça tout seul ?

— J'ignore s'il est seul ou non. Mais ce que je sais, en revanche, c'est avec qui il lui arrive fréquemment de dîner. Des officiers allemands tous les deux. L'un est le général Schaumburg. L'autre un capitaine de la Sipo comme toi. Du nom de Paul Kestner.

— Intéressant. »

Je laissai l'information faire un long chemin avant de poser la question suivante.

« Otto, tu n'aurais pas l'adresse de ce claque, par hasard ?

— 22, rue de Provence. En face de l'hôtel Drouot, dans le neuvième arrondissement.

— Merci, Otto. Je te revaudrai ça. »

Après dîner, il restait encore une heure avant le couvre-feu de minuit, et je dis à Renata de retourner en métro à son minuscule appartement de la rue Jacob.

« Sois prudent, fit-elle.

— Ça va. Je n'entrerai pas. Je veux juste…

— Je n'ai pas dit sois gentil. J'ai dit sois prudent. Willms a déjà essayé une fois de te tuer. Je ne pense

299

pas qu'il hésiterait à recommencer. Surtout maintenant que tu es sur son trafic.

— Ne t'inquiète pas. Je sais ce que je fais. »

J'aurais préféré que ce soit vrai. Malheureusement, il n'en était rien, pour la simple raison que je ne savais toujours pas pourquoi Willms avait voulu me faire mon affaire.

Je décidai d'aller à pied rue de Provence dans l'espoir que l'exercice et l'air estival m'aideraient à comprendre. Pendant un moment, je me creusai les méninges à la recherche de quelque chose que j'aurais pu lui dire dans le train de Berlin – quelque chose qui aurait pu lui faire penser que je représentais une menace pour sa petite organisation abjecte. Et, petit à petit, j'en vins à la conclusion que ce n'était rien de ce que je lui avais raconté ; que c'est ce que j'étais qui l'avait peut-être alarmé. À l'Alex, on considérait généralement que j'étais un espion de Heydrich, et Willms, qui avait travaillé là quelque temps, était certainement au courant ; et, quand bien même il ne l'aurait pas su, Paul Kestner avait dû lui en parler. Pour sa part, Kestner avait du mal à croire que j'avais fait tout le trajet depuis Berlin pour arrêter juste un homme. Si les deux étaient complices, alors se débarrasser de moi avait pu paraître une sage précaution, et Willms était tout à fait du genre à avoir pris les choses en main. Plus inquiétant peut-être, la manière dont le général Schaumburg était impliqué, et, avant que ma théorie soit complète, j'allais avoir besoin d'en apprendre davantage sur lui. Ce qui me sembla revêtir un caractère d'urgence supplémentaire lorsque, arrivant au 22, rue de Provence, je découvris encore plus de voitures d'état-major qu'il n'y en avait eu de garées devant chez Maxim's.

Pendant quelques minutes, je restai à distance, sous un porche de l'autre côté de la rue, observant le va-et-vient autour de ce qui, à première vue, ressemblait à un domicile élégant, avec un portier en livrée. À deux reprises, je vis un officier allemand s'amener, dire juste un mot au portier puis être admis à l'intérieur. De toute évidence, sauf à donner le mot de passe, je n'avais aucune chance de pénétrer dans la maison, et je m'apprêtais à capituler et à regagner mon hôtel quand une voiture d'état-major tourna le coin et que j'entrevis un officier sur le siège arrière. Banal à tous égards, hormis les pattes rouge et or à son col et la Blauer Max autour de son cou. La médaille Pour le Mérite – surnommée familièrement la Blauer Max – n'était pas une décoration courante, d'où je conclus qu'il ne pouvait s'agir que du commandant de Paris, le général Alfred von Vollard-Bockelberg en personne. Et de le voir se diriger vers l'immeuble me donna une idée. Il faut se souvenir que la plupart des membres de l'état-major à Paris en 1940 étaient d'ardents francophiles ; que les relations avec les Français étaient bonnes ; et que les officiers allemands ne ménageaient pas leurs efforts pour éviter de les froisser ou de marcher sur leurs orteils administratifs.

À cet instant, le général, qui ne devait pas mesurer plus d'un mètre cinquante-cinq, même avec ses bottes, était sorti de la voiture et répétait le mot de passe au portier.

Retirant ma casquette, je me précipitai vers ce héros miniature juste au moment où s'ouvrait la porte du claque. En me voyant m'approcher du général, un aide de camp me barra le passage. C'était un colonel, portant un monocle.

Je remis ma casquette et le saluai rapidement.

« Général, appelai-je, général von Vollard-Bockelberg.

— Oui », répondit le général, qui me rendit mon salut.

Il était presque chauve. On aurait dit un nouveau-né affublé d'une moustache.

« Dieu merci !

— Willms, c'est ça ? »

Encore mieux que je ne l'avais espéré. Je jetai un coup d'œil inquiet au portier, m'interrogeant sur ses compétences linguistiques, et me risquai à claquer des talons, ce qui, pour tout officier allemand, signifie invariablement « oui ».

« Je suis content de vous trouver, Herr General. Apparemment, un détachement de gendarmes français s'apprête à faire une descente ici.

— Quoi ? Le général Schaumburg m'a assuré que cet établissement était irréprochable.

— Oh, je suis convaincu que le général a raison. Mais la préfecture de Paris a reçu des ordres du Comité allemand d'éthique selon lesquels les maisons closes employant des personnes de couleur ou de race juive devaient être fermées, les femmes arrêtées et tout officier allemand présent sur les lieux soumis à des examens pour les maladies vénériennes.

— J'ai signé moi-même cette directive, protesta le général. Elle concernait la protection des soldats du rang. Pas les officiers supérieurs. Pas des maisons comme celle-ci.

— Je sais, Herr General. Mais vous connaissez les Français. Il semble qu'ils ne l'aient pas vue d'un bon œil, ou plutôt qu'ils aient choisi de fermer les yeux, si vous voyez ce que je veux dire. »

Je regardai ma montre de manière pressante.

« À quelle heure cette descente est-elle prévue ?

— Ma foi, cela dépend, Herr General. Tout le monde à Paris n'a pas pris la peine de mettre ses pendules à l'heure allemande, conformément à vos ordres. Y compris la police française. Si la descente a lieu à l'heure de Paris, elle pourrait intervenir à tout moment. Mais s'il s'agit de l'heure de Berlin, il reste peut-être suffisamment de temps pour faire sortir tous ceux qui sont dans la maison avant qu'un incident embarrassant se produise.

— Il a raison, approuva l'aide de camp. Il y a encore beaucoup de Français qui ne tiennent aucun compte de l'heure officielle allemande. »

Le petit général hocha la tête.

« Willy, lui dit-il. Allez informer discrètement tous les officiers d'état-major que vous pourrez trouver d'avoir à évacuer les lieux. Je vous attendrai dans la voiture.

— Voulez-vous que je vous aide, Herr Colonel ?

— Oui, merci, capitaine Willms. Et merci pour votre présence d'esprit. »

Je claquai de nouveau des talons et entrai à la suite du colonel tandis que le petit général expliquait des choses au portier dans ce qui semblait un excellent français.

Je montai un escalier courbe en fer forgé pour me retrouver dans une grande pièce élégante avec un lustre de la taille de la partie immergée d'un iceberg et plusieurs fresques rococo qui auraient pu avoir été peintes par Fragonard si jamais on lui avait demandé d'illustrer

les Mémoires de Casanova avec une extrême obscé-
nité. Le plafond doré en forme de voûte ressemblait à
l'intérieur d'un œuf de Fabergé. Il y avait quantité de
chaises et de canapés, qu'on avait dû rembourrer au
moyen d'un compresseur d'air ; ils avaient de longues
jambes et de fines chevilles avec des pieds à boules et
à griffes. Les filles assises sur les chaises et les canapés
avaient elles aussi de longues jambes et des chevilles
minces et, qui sait, des pieds à boules et à griffes
également, sauf que je ne m'attardai guère sur leurs
pieds, d'autres détails de leur anatomie réclamant mon
attention. Toutes étaient nues. L'optique de ce boxon
plaqué or était que chaque homme ayant une bande
rouge sur sa jambe de pantalon puisse s'asseoir et juger
à loisir ces beautés olympiennes, tel Pâris avec sa
pomme spécialement dédicacée. Il y avait même une
coupe de fruits sur la table.

Ces pensées ne manquaient pas d'attrait, mais j'étais
pressé et, avant que la patronne du « Temps perdu »
m'ait fait son baratin, j'avais empoigné une blonde natu-
relle et la menais vers une chambre avec quelques cla-
ques bien placées sur son postérieur tout aussi bien
placé. Non qu'elle m'excitât particulièrement, mais
j'éprouvais le besoin urgent d'une porte munie d'une
serrure, derrière laquelle attendre que l'aide de camp du
général se soit mis à donner l'alerte. Déjà, je pouvais
l'entendre avertir d'autres officiers que la police était
en route pour effectuer une descente. Et il ne fallut pas
longtemps pour que des bruits de bottes retentissent
dans les escaliers tandis que la clientèle huppée de la
maison quittait l'immeuble en quatrième vitesse. Pendant ce temps, je m'efforçais de persuader ma jolie
compagne en tenue d'Ève qu'elle n'avait rien à craindre

et la questionnais sur Willms, Kestner et Schaumburg. Elle s'appelait Yvette et parlait un excellent allemand, comme presque toutes les filles au n° 22. Ce qui expliquait probablement qu'on les ait choisies pour travailler dans cet endroit.

« Le général Schaumburg est le gouverneur militaire de Paris, expliqua-t-elle. Il semble passer la majeure partie de son temps à faire la tournée des bordels de la capitale. Lui et son adjudant, qui est un comte allemand. Le Graf Waldersee. Et il y a aussi un prince dans leur sillage : le prince von Ratibor. Le prince et son chien viennent ici au moins deux fois par semaine. Toutes les autorisations des maisons closes émanent des services de Schaumburg et, avec Kestner et Willms, ils ont déjà mis sur pied une gentille petite combine. Les Allemands gagnent sur les deux tableaux. Ils se font payer pour les autorisations. Ils s'envoient les meilleures putains. Mais le cerveau de la bande, c'est Willms. Il était flic, de sorte qu'il sait comment fonctionne une maison close. Une canaille lui aussi. Qui prélève une part sur tout. Presque chaque soir, il est dans son bureau, au dernier étage, à trafiquer les comptes avant de les montrer à Schaumburg.

— Il est ici en ce moment ?

— Il l'était. Je suppose qu'il est déjà en train d'appeler les services de Schaumburg pour essayer de savoir ce qui se passe. Au fait, que se passe-t-il ? »

Je jugeai préférable de ne pas lui en dire plus que ce qu'elle avait besoin de savoir.

Une demi-heure plus tard, je montai. Il n'y avait personne, mais je pouvais entendre quelqu'un crier en français à l'étage au-dessus. J'accélérai le pas et arrivai à un palier devant une porte de bureau ouverte. Willms se trouvait au téléphone derrière une table. Il était assis à côté d'un coffre-fort entrebâillé, comme s'il pensait que ça pouvait lui tenir chaud. Ce qui était peut-être le cas ; il y avait suffisamment de fric à l'intérieur.

En me voyant, il reposa l'appareil et hocha la tête.

« Je présume que c'est vous. La personne qui a répandu le bruit que la gendarmerie venait perquisitionner.

— C'est exact. Je ne voulais pas risquer de mettre dans l'embarras un galonné à rayures rouges quand je vous arrêterais, Willms.

— Moi ? M'arrêter ? » Il gloussa de rire. « C'est vous qui allez avoir de sérieux problèmes, Gunther. Pas moi. La moitié de l'état-major à Paris mange à ce râtelier, mon vieux. De grosses huiles vont l'avoir extrêmement mauvaise après ce que vous avez fait ce soir.

— Ils s'en remettront. Dans quelques jours, tous ces princes et comtes de la Wehrmacht auront oublié jusqu'à l'existence d'un rat tel que vous, Willms.

— Avec la quantité de charbon qu'ils extraient de cet endroit ? J'en doute. M'est avis que vous êtes en train d'inonder une très jolie petite mine. Reste à savoir pourquoi. Ou peut-être avez-vous quelque chose contre le fait que vos compagnons d'armes mettent un peu de beurre dans leurs épinards de temps à autre.

— Je ne vous arrête pas comme maquereau, Willms. Même si c'est ce que vous êtes. Personnellement, je n'ai absolument rien contre les maquereaux. On ne peut pas lutter contre sa nature. Non, je vous arrête pour tentative de meurtre.

— Tiens. Et quel meurtre aurais-je tenté de commettre ?

— Le mien.

— Vous ne pouvez pas le prouver, n'est-ce pas ?

— Je suis détective, vous vous rappelez ? Je possède une petite chose appelée des indices. Sans compter un témoin. Et, si j'ai raison, un mobile par-dessus le marché. Encore que ce ne sera guère nécessaire lorsque Himmler apprendra ce que vous avez fabriqué à Paris. Il est nettement moins compréhensif que moi s'agissant du comportement des hommes portant l'uniforme de sa SS bien-aimée. J'ai comme l'impression que son opinion sur votre conduite aura beaucoup plus d'importance que celle du général Schaumburg.

— Vous êtes sérieux ?

— Je suis toujours sérieux quand on essaie de me gazer avec le contenu d'un extincteur chimique. Entre parenthèses, j'ai vérifié auprès de l'Alex. Il semble qu'avant que vous entriez dans la police, vous ayez travaillé chez les sapeurs-pompiers.

— Je ne vois pas ce que ça prouve.

— Ça prouve que vous vous y connaissez en matière d'extincteurs. Et ça expliquerait que le capuchon de celui qui a failli me tuer ait été retrouvé dans votre chambre d'hôtel.

— Qui dit cela ?

— Le témoin.

— Vous croyez qu'une cour martiale accepterait la parole d'un Français contre celle d'un officier allemand ?

— Non. Mais elle l'accepterait peut-être contre celle d'un sale petit marlou.

— Il se peut que vous ayez raison, dit Willms. Nous allons voir ça. »

Avec une sorte de soupir de lassitude, il se renversa en arrière sur sa chaise et, dans le même mouvement, tira le tiroir de son bureau. Avant même de voir le pistolet, je savais qu'il était là, après quoi toute la question consistait à savoir lequel ferait feu le premier, lui ou moi. Sur mon étui en cuir souple, il n'y avait qu'un bouton en cuivre pour fermer le rabat, mais malgré tout je n'étais pas Gene Autry[1], et le Luger se retrouva dans sa main avant que le Walther P38 soit dans la mienne. C'est probablement le Walther à détente double action qui me sauva la vie. Comme la plupart des policiers, j'avais l'habitude de le porter avec une cartouche dans la chambre et le chien en bas. Il ne me restait plus qu'une chose à faire : presser la détente. Willms aurait dû le savoir. Le mécanisme de verrouillage sur son Luger était beaucoup plus encombrant, ce pourquoi les flics ne l'utilisaient pas. Et, au moment où son pistolet était prêt à tirer, je lui lançai déjà une sommation. Sommation que j'aurais peut-être eu le temps de finir s'il n'avait pas tendu son bras pour me viser, si bien que je lui expédiai une balle dans la tempe.

Pendant un instant, je crus l'avoir raté.

Willms s'assit, sauf que ce n'était pas sur la chaise mais sur le sol, à la manière d'un boy-scout se laissant tomber sur les fesses à côté d'un feu de camp. Puis je vis le sang s'échapper de son crâne en bouillonnant telle de la vase chaude. Il s'écroula sur le côté et demeura immobile, excepté ses jambes qui se détendirent lentement, donnant l'impression qu'il essayait

---

1. Le plus célèbre des cow-boys chantants de Hollywood, dont la carrière cinématographique s'étend de 1934 aux années 1950.

de se mettre à l'aise pour mourir ; et pendant ce temps-là, sa tête dessinait sur le tapis beige une ombre rouge foncé, comme si un client belliqueux avait renversé par terre un mauvais bordeaux dans un restaurant laissant à désirer.

Les mains tremblantes, je verrouillai mon Walther et le remis dans son étui en me demandant si je n'aurais pas pu viser un autre endroit que sa tête. Tout en me disant qu'il n'y avait pas mieux pour se faire tuer que de laisser à un adversaire blessé la possibilité de vous tirer dessus.

Me penchant, je verrouillai également le Luger. C'est alors que je commençai à prendre conscience du pétrin dans lequel j'étais, avec tous ces généraux, comtes et princes en cheville avec Willms. Réfléchissant qu'il serait peut-être préférable que la mort de celui-ci ait un peu moins l'air d'un meurtre, j'échangeai le Luger contre mon Walther. Puis, apercevant la tunique et le ceinturon de Willms accrochés à un portemanteau, je pris son propre Walther de service et le glissai dans mon étui avant de replacer le Luger froid dans le tiroir du bureau. Les choses avaient juste l'air d'un micmac. À partir de quoi, le suicide représentait une gentille petite solution, bien carrée, pour la police française, la Sipo et les rayures rouges de l'hôtel Majestic. Je me demandai s'ils prendraient seulement la peine de chercher des traces de brûlure de poudre sur la tête de Willms. Parce que les flics du monde entier adorent les suicides ; ce sont presque toujours les homicides les plus faciles à résoudre. Il suffit de soulever le tapis et de les pousser dessous.

Je décrochai le téléphone et priai la standardiste de me passer la préfecture de police, rue de Lutèce.

23

Allemagne, 1954

Je me redressai et battis frénétiquement des paupières dans l'obscurité presque complète de la cellule n° 7, me demandant combien de temps j'avais dormi. Le fantôme de Hitler s'était éclipsé, au moins pour le moment, ce dont j'étais ravi. Je n'aimais pas beaucoup ses questions, ni l'hypothèse narquoise qu'en fin de compte j'étais un aussi grand criminel que lui. Il est vrai que j'aurais pu tirer sur Nikolaus Willms à un endroit moins mortel que la tête et qu'alors même que j'essayais de l'arrêter, j'éprouvais probablement le désir secret de le descendre. Peut-être que si Paul Kestner avait braqué une arme sur moi, je l'aurais abattu également. Mais, en l'occurrence, je ne revis jamais Kestner, et la dernière fois que j'eus de ses nouvelles, il faisait partie d'un bataillon de police assassinant des Juifs et des communistes à Smolensk.

Ouvrant la fenêtre, je tendis mon visage dans la brise fraîche du jour naissant à Landsberg. Je n'arrivais pas à voir les vaches, mais je pouvais les sentir, dans les champs, vers le sud-ouest de l'autre côté de la rivière, et aussi les entendre. Une, en tout cas ; on aurait dit une âme en peine loin, très loin. Comme mon âme, peut-être. J'avais un peu l'impression de lui envoyer ma propre haleine, en un souffle chaud et solitaire, à titre de réponse.

Le Paris de 1940 ne semblait pas moins lointain. Quel été j'avais passé, grâce à Renata. La préfecture, en la personne de l'inspecteur principal Oltramare, avait accepté sans discussion mon histoire, selon laquelle j'avais découvert Willms mort après m'être rendu dans cet établissement afin de l'arrêter, même s'il était aussi criant que la tour Eiffel qu'il n'en croyait pas un mot. La Sipo se montra un peu plus tatillonne, et je fus convoqué à l'hôtel Majestic afin de m'expliquer auprès du général Best, le patron du RSHA à Paris.

Originaire de Darmstadt, l'œil sombre, la mine sévère, Best approchait de la quarantaine et ressemblait de manière frappante au chef adjoint du parti, Rudolf Hess. Les relations étaient quelque peu tendues entre Heydrich et lui, de sorte que je m'attendais à ce qu'il me donne davantage de fil à retordre. Au lieu de ça, il se contenta de m'adresser une légère réprimande pour mon intention déclarée d'arrêter Willms sans l'avoir consulté au préalable. Réaction assez légitime, et mes excuses semblèrent régler la question une fois pour toutes ; en définitive, il était plus avide de faire appel à mes lumières pour un livre qu'il était en train d'écrire sur la police allemande. À plusieurs reprises, nous nous rencontrâmes dans son restaurant préféré, une brasserie du boulevard du Montparnasse appelée La Coupole, où je lui parlai de la vie à l'Alex et de certaines des affaires sur lesquelles j'avais enquêté. Publié l'année suivante, le bouquin de Best se vendit très bien.

En fait, il se révéla être une sorte de bienfaiteur. Lui et son fichu livre me permirent de demeurer à Paris jusqu'en juin 1941, et ce fut en réalité Best qui veilla à ce que je ne me rende pas à Pretzsch pour le petit discours d'encouragement de Himmler à la SS et au SD. J'aurais peut-être pu rester un peu plus longtemps et éviter totalement d'aller en Ukraine s'il n'y avait pas eu Heydrich. De temps à autre, il aimait bien tirer un peu sur la ligne, histoire de me rappeler qu'il me tenait au bout de son hameçon.

J'allumai une cigarette et m'allongeai de nouveau sur le lit, attendant que la lumière grise augmente, que la pièce prenne forme et que les gardiens indifférents réveillent les détenus pour l'exercice, le petit déjeuner puis ce que l'on désignait par le terme de « réunion libre ». À ma grande surprise, il m'était maintenant permis de me mêler aux autres prisonniers. Mais, pour éviter Biberstein et Haensch, avec leurs craintes de ce que je pourrais dire aux Américains et des conséquences que cela risquait d'avoir sur leurs chances de libération conditionnelle, j'en vins à rechercher la compagnie de Waldemar Klingelhöfer. Comme tout le monde le fuyait, parler avec lui était encore le meilleur moyen d'arriver à ce qu'on me fiche la paix – au moins pour la durée de notre conversation. Nous discutions dans le jardin, nos visages chauffés par les rayons du soleil.

Klingelhöfer avait plutôt mal vieilli depuis notre séjour commun à la Maison Lénine, à Minsk. C'était peut-être le seul prisonnier de la WCPN1 dont on aurait pu dire qu'il avait en quelque sorte conscience de ce qu'il avait fait. Il donnait l'impression d'un homme hanté par les actes qu'il avait perpétrés avec le

Vorkommando Moskau. Martin Sandberger, qui nous observait à une courte distance, avait juste l'air d'un psychopathe.

À voir le visage de Klingelhöfer dévoré de tics derrière ses lunettes, on avait du mal à imaginer l'ancien ténor d'opéra se targuant de tout chanter, à l'exception peut-être du *Dies irae*. Mais j'avais plus envie de discuter avec lui de ce qui s'était passé à Minsk après mon retour à Berlin.

« Vous vous souvenez d'un certain Paul Kestner ? lui demandai-je.

— Oui. Il opérait avec une unité de tuerie à Smolensk quand j'étais là-bas en 1941. Je devais me procurer des fourrures pour l'habillement d'hiver de l'armée allemande. Kestner avait séjourné à Paris, je pense, et il l'avait plutôt mauvaise d'avoir été envoyé en Russie. Ce dont il imputait la responsabilité aux Juifs, manifestement, et j'avais l'impression d'un individu réellement cruel. Après ça, j'ai entendu dire qu'il avait été affecté au camp de la mort de Treblinka. Cela devait être en juillet 1942. Il était commandant adjoint, me semble-t-il. Certains prétendaient que Kestner et Irmfried Eberl, qui tenait les rênes, dirigeaient le camp au service de leur plaisir et de leur profit personnels ; qu'ils se servaient des femmes juives comme prostituées et détournaient l'or et les bijoux juifs qui étaient en fait la propriété du Reich. Quoi qu'il en soit, les grands manitous ont eu vent de la chose et les ont apparemment relevés de leurs fonctions, eux et quelques autres par-dessus le marché, avant de désigner un successeur pour faire le ménage. Un dénommé Strangl. Dans l'intervalle, Eberl et Kestner se sont vu radier de la SS, et en 1944 ils ont, paraît-il, rejoint la Wehrmacht pour tenter de se racheter. Les Ricains ont capturé Eberl il y a quelques années et je crois qu'il s'est pendu. Mais je n'ai pas la moindre idée de ce qu'est devenu Kestner. On raconte que Strangl se trouverait en Amérique du Sud.

— Alors ce n'est pas en Argentine, fis-je observer. Ni en Uruguay.

— Vous avez de la chance, fit Klingelhöfer. D'être allé dans ces endroits. Moi, je suppose que je mourrai ici.

— Vous devez être le seul prisonnier à Landsberg à penser ça, Wally. Tous les autres semblent s'attendre à une mise en liberté conditionnelle. Ils en ont déjà libéré un certain nombre qui, à mon avis, étaient pires que vous.

— Merci. C'est gentil à vous de le dire. Mais tout ce que j'espère, c'est que, dans le cas où je mourrais ici, on permettra à ma famille d'avoir mon corps. Je ne voudrais pas être enterré à Landsberg. Pour elle, cela compte énormément. Oui, c'est gentil à vous de le dire. Remarquez que je ne tiens pas à sortir. C'est vrai, ça, qu'est-ce que je ferais ? Qu'est-ce qu'on pourrait faire les uns ou les autres ? »

Je laissai Klingelhöfer se parler à lui-même. Il faisait beaucoup ça à Landsberg. C'était plus facile que de parler aux Américains. Ou à Biberstein et à Haensch. Ou encore à Sandberger, qui m'accula dans un coin alors que je regagnais ma cellule.

« Pourquoi parlez-vous à un tel salopard ? demanda-t-il.

— Pourquoi pas ? Je vous parle bien. En fait, je ne suis pas très difficile.

314

— Un gars rigolo. C'est ce qu'on raconte à votre sujet, Gunther.

— Je ne vous vois pas rigoler. Il est vrai que vous étiez juge, n'est-ce pas ? Avant d'aller en Estonie ? Pas tellement de quoi rire là-bas non plus, d'après ce que j'ai cru comprendre. »

Sandberger avait un faciès de brute, avec une mâchoire comme un pneu crevé et des yeux agressifs de boxeur. Il était difficile d'imaginer qu'on puisse devenir juge ou avocat avec une binette pareille. Il était plus facile de se le représenter exterminant soixante-cinq mille Juifs. Vous n'aviez pas besoin d'être criminologue pour comprendre une physionomie comme celle de Sandberger.

« J'entends dire que les Amerloques vous en ont fait voir, reprit-il.

— Vous entendez bien avec ces trucs que vous avez de chaque côté de la tête.

— Aussi j'ai pris la liberté de mentionner votre nom à l'évêque évangélique du Wurtemberg. Dans la dernière lettre que je lui ai adressée.

— Tant qu'il y aura des prisons, il y aura des prières.

— Il peut faire bien plus que simplement prier.

— Un gâteau serait pas mal. Avec un tas de crème, de fruits et un Walther P38 en guise de garniture. »

Sandberger eut un sourire asymétrique, qui ne souleva aucune incertitude dans mon esprit à propos de l'origine des espèces.

« Il ne fait pas dans les évasions. Uniquement les lettres à des gens influents, ici et en Amérique.

— Je ne voudrais pas lui créer de problèmes. En outre, je reviens moi-même d'Amérique. Mais je ne me suis pas fait beaucoup d'amis quand j'étais là-bas, c'est certain.

— Quelle partie ?

— La moitié sud. L'Argentine, principalement. L'Argentine ne vous plairait pas, Martin. Il fait chaud. Beaucoup d'insectes. Quantité de Juifs. Mais on a seulement le droit de tuer les insectes.

— Et beaucoup d'Allemands aussi, paraît-il.

— Non. Juste des nazis. »

Sandberger sourit. Il avait probablement de bonnes intentions, mais on aurait cru voir une chose désagréable et atavique à la fin d'une séance de spiritisme. Le mal clignotant comme une ampoule électrique défectueuse.

« Bon, conclut-il, plein de menace latente. Si je peux vous être utile, vous n'avez qu'à me faire signe. Mon père est un ami du président Heuss.

— Et il essaie de vous faire libérer ? » Je m'efforçai de dissimuler mon étonnement. « De vous obtenir une libération conditionnelle ?

— Oui.

— Eh bien, merci. »

Je m'en allai avant qu'il puisse voir l'expression d'horreur sur mon visage. Il apparaissait de plus en plus que le seul moyen de me faire des amis dans la nouvelle Allemagne était d'en avoir que je n'aimais vraiment pas.

Mes amis américains se trouvaient tous les deux dans la cellule n° 7 lorsque, après le petit déjeuner, je fus ramené par un des gardiens. Cette fois, ils avaient apporté un petit magnétophone dans un étui en cuir avec un micro pas plus grand qu'un rasoir Norelco. L'un bourrait sa pipe avec une blague à tabac Sir

Walter Raleigh ; l'autre ajustait son nœud papillon à clip devant son reflet dans la fenêtre de la cellule. Il y avait un Stetson à bord étroit posé sur mon lit, et l'un comme l'autre sentaient légèrement le tonifiant capillaire à la vaseline.

« Je vous en prie, installez-vous.

— Merci, c'est déjà fait.

— Si vous êtes là pour enregistrer ma voix chantée, je dois vous prévenir que j'ai déjà signé un contrat avec Parlophone.

— C'est juste pour notre plaisir d'écoute, répondit celui qui insufflait un peu de chaleur dans son Sir Walter Raleigh. Nous ne prévoyons pas de libération générale. Pas ce Noël.

— Nous en arrivons, croyons-nous, à la partie intéressante, expliqua l'autre. Au sujet d'Erich Mielke. Enfin. Celle qui nous intéresse actuellement. » Il alluma l'appareil et les bobines se mirent à tourner. « Dites quelque chose, pour le niveau d'enregistrement.

— Comme quoi ?

— Sais pas. Espérons que la tradition orale n'est pas encore morte en Allemagne.

— Alors, ça doit être la seule chose qui ne l'est pas. »

Quelques secondes plus tard, j'entendis pour la première fois le son de ma propre voix émis par quelqu'un d'autre que moi-même. Ce qui me parut plutôt déplaisant. Surtout ma façon laconique de parler. Cela faisait cinq ans que je n'avais pas revu ma ville natale, mais j'avais toujours l'air aussi mal léché qu'un fossoyeur berlinois. Il n'était pas difficile de voir pourquoi les gens ne m'aimaient pas beaucoup. Si jamais je devais apporter une contribution utile à la société, il allait me falloir remédier à ça. Peut-être prendre des leçons de charme et de savoir-vivre.

« Pensez à nous comme aux frères Grimm, suggéra l'Amerloque fumant la pipe. En train de rassembler des matériaux pour un conte.

— J'essaie de ne pas penser à vous du tout, dans la mesure du possible. Mais les frères Grimm, ça me va. Je n'ai jamais beaucoup aimé leurs bouquins. Je déteste en particulier l'histoire sur l'idiot du village avec sa pipe, son nœud papillon et son méchant oncle Sam.

— Alors, après Paris, vous êtes rentré à Berlin.

— Brièvement. Je me suis arrangé pour que Renata ait une place à l'Adlon, ce que je regretterai toute ma vie. La pauvre gamine a été tuée dans le premier grand raid aérien sur Berlin, en novembre 1943. Je lui ai vraiment été d'un grand secours.

— Et Heydrich ?

— Lui a été tué avant 1943. Mais il n'a eu que ce qu'il méritait, et sur un plateau d'argent.

— Est-ce qu'il vous a cru ? Quand vous lui avez dit que vous n'aviez pas trouvé Mielke ?

— Peut-être. Ou peut-être pas. On ne pouvait jamais savoir avec Heydrich. Nous en avons discuté dans son bureau de la Prinz Albrechtstrasse. Et, du jour au lendemain, j'ai reçu l'ordre de partir en Ukraine. J'en aurais sans doute fait une affaire personnelle si tout le monde n'avait pas reçu le même ordre. » Je haussai les épaules. « Mais je suppose que vos amis Silverman et Earp vous ont déjà raconté tout ça. J'ai ensuite passé un moment à Berlin avant d'aller à Prague. C'était à l'été 1942. Voyons voir. Un an plus tard, j'étais à Smolensk, au Bureau des crimes de guerre. Comme Oberleutnant. Mais, après la bataille de Koursk, nous avons quitté assez rapidement ce théâtre des opérations. L'Armée rouge était aux commandes, en quelque sorte. J'ai obtenu une permission. Je me suis marié. À une institutrice. Puis j'ai été recruté par l'Abwehr – le renseignement militaire – et promu de nouveau au grade de capitaine.

— Pourquoi vous avait-on rétrogradé ?

— À cause de ce qui s'était passé à Prague. J'ai dû marcher sur les cors de quelqu'un. » J'eus un haussement d'épaules. « Toujours est-il qu'en février 1944, j'ai rejoint le groupe d'armées du Nord du général Schörner en tant qu'officier de renseignement. À cette époque, je parlais pas mal le russe. Et aussi un peu de polonais. Le travail consistait surtout à faire de l'interprétariat. Du moins, jusqu'au début des combats. Ensuite, c'était simplement de se battre. Tuer ou être tué. Dites-moi une chose : est-ce que l'un des frères Grimm a participé à des combats ?

— Non, répondit l'homme à la pipe. J'ai été affecté au sol pendant toute la guerre.

— J'étais trop jeune, dit celui au nœud papillon.

— C'est bien ce que je pensais. Ça se reconnaît au regard d'un homme. Si ça vous intéresse de le savoir, en 1944 il n'y avait pas de "trop jeune" pour l'armée allemande. Il n'y avait pas de trop vieux non plus. Et personne n'était affecté au sol, comme vous dites, quand il pouvait piloter un avion, s'asseoir dans un char ou manier une batterie antiaérienne. Des gosses de treize ans marchaient à côté d'hommes de soixante-cinq ou même soixante-dix ans. Voyez-vous, c'est seulement lorsque l'Armée rouge a atteint la Prusse-Orientale que les civils allemands ont commencé à souffrir comme avaient souffert les civils russes. Ce qui signifie que nous avions encore davantage de choses à défendre ; raison pour laquelle tous les individus mâles, quel que soit leur âge, étaient enrôlés dans l'armée. Rien ni personne ne devait être épargné, nous-mêmes encore moins. La guerre totale, c'est ainsi que Goebbels l'appelait. Et ça dit bien ce que ça veut dire, ce qui était plutôt rare chez lui. Totale, c'est-à-dire en utilisant absolument tout. Sans exclusive.

« Vous autres Ricains nous rebattez les oreilles avec votre guerre froide, mais vous n'avez pas la moindre idée de ce que signifie faire une guerre froide, impitoyable, sans merci, contre un ennemi qui ne cesse d'affluer. Et, croyez-moi, je sais de quoi je parle. J'ai tué des Popov pendant quatorze mois et je peux vous dire ceci : ça n'en finissait pas. Vous pouviez en tuer autant que vous vouliez, il en venait toujours d'autres. Souvenez-vous de ça si vous devez un jour faire de même. Non que quiconque pense que vous les arrêterez. Pourquoi iriez-vous vous battre pour sauver l'Europe, pour sauver les Allemands ? C'est la seule raison pour laquelle nous nous sommes battus. Empêcher les Popov de massacrer les populations de Prusse-Orientale. Vous pourriez répondre que c'est ce que nous avions fait aux Juifs, et vous auriez raison. Mais il n'y a pas eu de tribunaux de crimes de guerre pour les officiers soviétiques, ni de Popov ici à Landsberg. Il faudrait que vous voyiez ce qu'il advient quand un char russe passe en plein milieu d'une foule de civils, ou qu'un tireur mitraille une colonne de réfugiés, pour comprendre de quoi je parle. Sepp Dietrich et ses hommes ont abattu combien d'Américains à

Malmedy ? Quatre-vingt-dix ? Quatre-ving-dix ! Et vous appelez ça un crime de guerre. Pour les Russes, en Prusse-Orientale, quatre-vingt-dix, ce n'était même pas une infraction, tout au plus un écart de conduite. Sauf que ça n'a rien d'un écart quand la conduite générale de vos soldats est d'une cruauté barbare. »

Je restai un moment silencieux.

« Ça ne va pas ?

— Je n'en avais encore jamais parlé. Ce n'est pas facile. Qu'est-ce que dit Goethe ? À propos du soleil et des mondes dont on ne peut connaître que bien peu de choses. Tout ce qu'il nous est permis de voir, c'est la souffrance de l'humanité. Bon, ça ne vous fait pas de mal d'entendre ça. Le problème avec vous, les Amerloques, c'est que vous êtes persuadés d'avoir gagné la guerre, alors que chacun sait que ce sont les Popov. Sans vous et les Anglais, ils auraient mis plus longtemps à nous battre. Mais ils nous auraient battus quand même. L'algèbre de Staline, comme on disait. Quand on ne serait plus que cinq, on aurait vingt Russes devant nous. Et c'est ainsi qu'il a fini par gagner. Vous feriez bien de vous en souvenir si jamais les Popov envahissent Berlin-Ouest.

— Bien sûr, bien sûr. Parlons de Königsberg. Vous avez été fait prisonnier à Königsberg.

— Ne me bousculez pas. J'ai besoin de raconter cette histoire à ma manière. Quand quelque chose a dormi pendant si longtemps, on ne le secoue pas par l'épaule en lui criant dans les oreilles.

— Prenez votre temps. Ce n'est pas ça qui vous manque. »

24

Allemagne et Union soviétique, 1945-1946

Königsberg est, était, un endroit important pour moi. Ma mère était née à Königsberg. Dans mon enfance, nous avions l'habitude d'aller en vacances dans une station balnéaire toute proche, appelée Cranz. Les meilleures vacances que j'aie jamais eues. Ma première femme et moi avions passé là notre lune de miel, en 1919. C'était la capitale de la Prusse-Orientale – un pays de forêts sombres, de lacs cristallins, de dunes de sable, de ciel blanc, de chevaliers teutoniques, qui avaient bâti une superbe cité médiévale, avec un château, une cathédrale et sept jolis ponts enjambant la Pregel. Il y avait même une université, fondée en 1544, où le plus célèbre enfant de la ville, Emmanuel Kant, enseignerait un jour.

J'y arrivai en juin 1944. Avec le groupe d'armées du Nord. J'étais attaché à la 132e division d'infanterie. Mon boulot consistait à rassembler des informations sur la progression de l'Armée rouge. Quel type d'hommes ? Dans quelles conditions ? Avec quel armement ? Lignes de ravitaillement – tout le saint-frusquin habituel. Et, d'après les civils allemands fuyant leurs maisons devant l'avancée russe, les informations dont je disposais étaient les suivantes : bien équipés, indisciplinés, brutes ivres ne pensant qu'à violer, tuer et mutiler. Pour être franc, une bonne partie d'entre elles donnait l'impression de boniments hystériques. En effet, il y avait tout un tas de propagande nazie allant dans ce sens, destinée à dissuader quiconque de se rendre. Aussi décidai-je de me faire une idée de la situation réelle par moi-même.

Ce qui devint encore plus compliqué lorsque, à la fin août, la Royal Air Force bombarda la ville de fond en comble. Et je dis bien, de fond en comble. Tous les ponts furent détruits. Tous les édifices publics réduits à l'état de décombres. Il fallut donc un moment avant que je puisse vérifier ces récits d'atrocités. Et leur exactitude ne fit plus aucun doute dans mon esprit quand nos troupes reprirent le village allemand de Nemmersdorf, à une centaine de kilomètres à l'est de Königsberg.

Certes, j'avais vu des choses terribles en Ukraine. Et ce n'était pas pire que ce que nous leur avions fait. Femmes violées et mutilées. Enfants battus à mort. Tout le village massacré. Les sept cents hommes qui le composaient. Il fallait le voir pour le croire, et maintenant je le croyais, encore que j'aurais préféré le contraire. Je rédigeai mon rapport. En un rien de temps, le ministère de la Propagande l'eut entre les mains et il en diffusa même des extraits à la radio. Eh bien, c'est la dernière fois qu'ils firent preuve d'honnêteté à propos de notre situation. La seule partie de mon rapport qu'ils n'utilisèrent pas fut la conclusion : que nous devions évacuer la ville par mer le plus vite possible. Nous aurions pu le faire, de surcroît. Mais Hitler y était opposé. Nos armes miracles allaient inverser le cours de la guerre et nous assurer la victoire. Nous n'avions rien à craindre. C'est aussi ce que croyaient plein de gens.

On était en octobre 1944. Mais, en janvier de l'année suivante, il était malheureusement clair pour tout le monde qu'il n'y avait pas d'armes miracles. En tout cas, aucune qui puisse nous tirer du pétrin. La ville était encerclée, exactement comme à Stalingrad. À cette différence près qu'outre les cinquante mille soldats allemands, il y avait trois cent mille civils. Nous commençâmes à évacuer les habitants. Mais des milliers périrent au cours de l'opération. Dont neuf mille en à peine trois quarts d'heure lorsqu'un sous-marin russe coula le *Wilhelm Gustloff* devant le port de Gotenhafen. Et nous continuâmes à nous battre, non pas pour obéir à Hitler, mais parce que, pour chaque jour de combat, quelques civils supplémentaires parvenaient à s'échapper. Ai-je mentionné que c'était l'hiver le plus froid de mémoire d'homme ? Ce qui, naturellement, n'arrangeait pas les choses.

Pendant un court moment, les tirs d'artillerie et les bombardements cessèrent tandis que les Popov préparaient leur assaut final. Lorsqu'il eut lieu, dans la troisième semaine de mars, nous étions trente-cinq mille hommes et cinquante chars contre peut-être cent cinquante mille soldats, cinq cents chars et plus de deux mille avions. Pour ma part, j'avais connu les tranchées pendant la Grande Guerre, et je croyais savoir ce que c'était que d'être sous les bombardements. Mais je me trompais. Les obus tombaient les uns après les autres. Parfois, il y avait jusqu'à deux cent cinquante bombardiers en même temps dans le ciel.

Pour finir, le général Lasch prit contact avec le haut commandement russe et offrit de capituler contre la garantie que nous serions bien traités. Ce dernier accepta, et le lendemain nous déposions les armes. Ce qui était très bien si vous étiez un soldat, mais les Russes estimaient que la garantie ne s'appliquait pas à la population de Königsberg, et l'Armée rouge entreprit de prendre une terrible revanche contre elle. Les femmes furent violées. Les vieillards, massacrés impitoyablement. Les malades et les blessés, jetés par les fenêtres de l'hôpital pour mettre des Russes à la place. En un mot, l'Armée rouge au complet s'enivra, sombra dans la folie et fit ce que bon lui semblait avec les civils de tous âges avant de mettre finalement le feu à ce qui restait de la ville et de ses propres victimes. Ceux qui échappèrent aux tueries furent abandonnés dans la campagne, où ils moururent de faim. Aucun de nous dans l'armée ne pouvait y faire quoi que ce soit. Ceux qui avaient le malheur de protester étaient abattus sur-le-champ. Quelques-uns parmi nous prétendaient que ce n'était que justice – que nous ne l'avions pas volé à cause de ce qu'ils avaient subi –, ce qui était vrai, sauf qu'on peut difficilement parler de justice au spectacle d'une femme nue crucifiée sur une porte de grange. Peut-être méritions-nous tous d'être crucifiés, comme ces gladiateurs révoltés dans la Rome antique. Je ne sais pas. Mais, en voyant ça, chaque homme se demandait ce qui l'attendait. Moi, à coup sûr.

Pendant plusieurs jours, on nous fit marcher vers l'est. Au cours du trajet, on nous dépouilla de nos alliances, de nos montres et même de nos fausses dents. Tout homme refusant de remettre ce qui passait aux yeux des Russes pour un objet précieux était abattu. À une gare de chemin de fer, nous attendîmes patiemment dans un champ d'être transportés jusqu'à notre destination. Il n'y avait ni eau ni nourriture, et de plus en plus de soldats allemands venaient grossir notre cortège.

Une partie d'entre nous monta à bord d'un train qui nous emmena à Brno, en Tchécoslovaquie, où on nous donna enfin du pain et de l'eau. Puis nous montâmes dans un autre train, se dirigeant vers le sud-est. Alors que le convoi quittait Brno, nous aperçûmes la fameuse cathédrale Saint-Pierre-et-Saint-Paul. Pour beaucoup d'hommes, ce fut presque aussi réconfortant que de voir un prêtre. Même ceux qui n'étaient pas croyants profitèrent de l'occasion pour prier. À l'arrêt suivant, nous descendîmes des wagons à bestiaux, et on finit par nous distribuer de la soupe chaude. Nous étions le 13 avril 1945, vingt jours après notre capitulation. Je le sais, parce que les Russes se firent un point d'honneur de nous annoncer que Hitler était mort. J'ignore qui fut le plus content de l'entendre, eux ou nous. Certains applaudirent. D'autres se mirent à pleurer. C'était la fin d'un enfer, aucun doute. Mais, pour l'Allemagne et pour nous en particulier, c'était le commencement d'un autre – l'enfer tel qu'il est vraiment, peut-être, un lieu intemporel de châtiment et de souffrance, dirigé par des démons se plaisant à infliger des traitements cruels. Assurément, on nous avait jugés d'après le livre ouvert ; ce livre, c'était *Mein Kampf*, et pour ce qu'il y avait de marqué dedans, nous allions tous souffrir. Certains plus que d'autres.

Depuis ce camp de transit en Roumanie – quelqu'un déclara qu'il s'agissait d'un endroit appelé Secureni, d'où les Juifs de Bessarabie étaient envoyés à Auschwitz –, il y eut un nouveau train, roulant vers le nord-est, à travers l'Ukraine, pays que j'avais espéré ne jamais revoir, jusqu'à un arrêt au milieu de nulle part, où les gardes du MVD nous firent descendre des wagons à bestiaux sous les coups de fouet et les hurlements. Puis, au bout d'environ une heure, on nous escorta le long d'une route poussiéreuse entre deux horizons s'étendant à l'infini.

« *Bistra !* criaient les gardes. Dépêchez-vous ! »

Mais vers où ? Vers quoi ? Reverrions-nous jamais notre pays ? Dans cet endroit, si loin de toute trace d'habitation humaine, cela semblait peu probable ; surtout lorsque ceux qui avaient réchappé de justesse au voyage s'apercevaient qu'ils n'avaient plus la force d'avancer et étaient achevés d'une balle sur le bord de la route, là où ils étaient tombés, par la police montée du MVD. Quatre ou cinq hommes furent abattus ainsi, telles des bêtes de somme ayant fait leur temps. Aucun prisonnier n'avait le droit d'en porter un autre, de sorte que seuls les plus robustes d'entre nous étaient autorisés à survivre, comme si le prince Kropotkine avait été en charge de notre troupe épuisée.

Enfin, nous arrivâmes au camp, un ensemble de constructions en bois grises, entouré de deux clôtures de fil de fer barbelé, dont le seul trait particulier résidait dans le fait qu'à côté de l'entrée principale subsistait le clocher d'une église inexistante – une de ces églises russes au toit métallique pointu, ressemblant à un vieux *Pickelhaube*[1] de junker. Il n'y avait rien d'autre à des kilomètres à la ronde – pas même quelques cabanes

---

1. Casque à pointe.

jadis desservies par l'église à laquelle avait appartenu le clocher.

Nous franchîmes en troupeau le portail sous les yeux creux, inexpressifs, de plusieurs centaines d'hommes, vestiges de la IIIe armée hongroise ; ils se trouvaient de l'autre côté d'une clôture, et il apparut qu'on tenait à nous garder séparés d'eux jusqu'à ce qu'on nous ait examinés pour les parasites et les maladies. Ensuite on nous donna à manger. Ayant été déclaré apte au travail, je fus envoyé à la scierie. J'avais beau être officier, personne n'était exempté de travail, c'est-à-dire personne désirant manger, et pendant plusieurs semaines je chargeai et déchargeai du bois à longueur de journée. Ce qui avait l'air d'un travail pénible, jusqu'à ce que je passe un jour entier à pelleter de la chaux. En retournant à la scierie le lendemain, à moitié aveuglé par toute la saloperie qui m'avait volé dans la figure, et avec du sang me coulant du nez, je me dis que j'avais de la chance de ne pas avoir de pires souffrances à supporter que quelques échardes dans les mains et un mal de dos. À la scierie, je me liai d'amitié avec un jeune lieutenant appelé Metelmann. En réalité, ce n'était qu'un gosse, du moins me sembla-t-il. Physiquement, il était assez solide, mais c'était la solidité psychologique qui comptait le plus, et Metelmann avait le moral au plus bas. J'en avais vu comme lui dans les tranchées – le genre qui se réveille tous les matins en s'attendant à se faire tuer, quand le seul moyen de se sortir de la merde dans laquelle on se trouvait, c'était de ne pas y penser du tout, comme si nous étions déjà morts. Mais prendre soin d'un autre être humain étant souvent un excellent moyen d'assurer sa propre survie, je résolus de m'occuper de Metelmann du mieux possible.

Un mois s'écoula. Puis un autre. Des mois interminables à travailler, manger, dormir et ne se souvenir de rien, car mieux valait ne pas songer au passé ; quant à l'avenir, c'était un mot vide de sens dans le camp, ça va de soi. Le présent et la vie de *voinapleni*, il n'existait rien d'autre. Et la vie de *voinapleni*, c'était *bistra, davai* et *nitchevo* ; ou encore *kacha*, *klopkis* et la *kate*. Au-delà du grillage, il y avait la zone de la mort, et au-delà de celle-ci un second grillage, et encore au-delà simplement la steppe et encore la steppe. Personne ne pensait à s'évader. Il n'y avait nulle part où aller, telle était la vraie *pravda*[1] communiste de l'existence dans la province de Voronej. C'était comme si nous flottions dans les limbes, attendant de mourir pour être envoyés en enfer.

Mais, à la place, on nous envoya – les officiers allemands du Camp n° 11 – dans un autre camp. Personne ne savait pourquoi. Personne ne nous donna de raison. Les raisons étaient faites pour les êtres humains. Cela se produisit d'une manière inopinée, un début de soirée au mois d'août. Au lieu de retourner au camp, nous nous retrouvâmes à un autre endroit sur la longue route. C'est seulement au bout de plusieurs heures de marche que nous vîmes le train. Nous comprîmes alors que nous allions entreprendre un nouveau voyage et

---

1. *Voinapleni* : « prisonnier de guerre » ; *bistra* : « dépêchez-vous ! » ; *davaï* : « allez » ou « bravo » ; *nitchevo* : « ce n'est rien » ; *kacha* : « bouillie d'orge » ; *klopkis* : « poux » ; *kate* : « cabane, barraque » ; *pravda* : « vérité » (référence au nom du journal du Parti communiste d'Union soviétique).

que, très probablement, jamais nous ne reverrions le Camp n° 11. Comme aucun de nous ne possédait d'objets personnels, ça ne semblait guère avoir d'importance.

« Tu crois qu'on pourra rentrer chez nous ? » demanda Metelmann, au moment où nous montions dans le train avant de partir.

Je regardai le soleil sur le point de se coucher.

« On se dirige vers le sud-est, dis-je, ce qui était la seule réponse nécessaire.

— Bon Dieu ! s'exclama-t-il, jamais nous n'arriverons à trouver le chemin du retour. »

Remarque des plus pertinentes. Rien que de voir, par un interstice dans les planches, sur le côté de notre wagon à bestiaux, les interminables plaines russes, l'immensité du pays suffisait à vous anéantir. Parfois, il paraissait si vaste et si immuable qu'on aurait dit que le train ne bougeait pas, et la seule façon de vérifier que nous n'étions pas à l'arrêt était d'observer le défilement des rails à travers le trou dans le plancher nous servant de latrines.

« Comment ce connard de Hitler a-t-il pu penser que nous pourrions conquérir un pays aussi grand ? lança quelqu'un. Autant essayer d'envahir l'océan. »

Une fois, au loin, nous aperçûmes un train allant en sens inverse. Il n'y avait pas un de nous qui n'eût souhaité être dedans. N'importe où à l'ouest semblait préférable à n'importe où à l'est.

Un autre se mit à réciter :

« Muse, chante ce héros, illustre par sa prudence, qui longtemps erra sur la terre après avoir détruit la ville sacrée de Troie, qui parcourut de populeuses cités, s'instruisit de leurs mœurs, et fut, sur les mers, en proie aux plus vives souffrances pour sauver ses jours et ramener ses compagnons dans leur patrie[1]. »

Il marqua une pause, puis précisa, pour ceux qui n'avaient jamais lu les classiques :

« Homère, l'*Odyssée*. »

Sur ce, quelqu'un d'autre dit :

« J'espère seulement que Pénélope se tient bien. »

Le voyage prit deux jours et deux nuits. Finalement, nous débarquâmes près d'un vaste fleuve, d'un gris métallique, et l'érudit classique, appelé Sajer, se signa pieusement.

« Qu'est-ce qu'il y a ? demanda Metelmann. Ça ne va pas ?

— Je reconnais cet endroit, répondit Sajer. Je me rappelle avoir pensé : Dieu merci, jamais plus je ne le reverrai.

— Dieu aime bien ces petites plaisanteries, remarquai-je.

— Eh bien, c'est quoi, cet endroit ? demanda Metelmann.

— C'est la Volga, répondit Sajer. Et, si je ne me trompe, nous sommes un peu au sud de Stalingrad.

— Stalingrad. »

Nous répétâmes tous ce nom avec une calme horreur.

« J'ai fait partie des derniers à foutre le camp avant que la VIe armée soit encerclée, expliqua Sajer. Et me revoilà. Quel putain de cauchemar ! »

Depuis le train, on nous conduisit jusqu'à un camp plus grand, peuplé en majorité de SS, bien que pas tous

---

1. Traduction d'Eugène Bareste, 1842.

allemands : il y avait aussi des SS français, belges, hollandais. Mais l'officier responsable était un colonel de la Wehrmacht nommé Mrugowski, qui nous accueillit dans une baraque munie de couchettes à peu près convenables et de vrais matelas, et nous informa que nous nous trouvions à Krasno-Armeesk, entre Astrakhan et Stalingrad.

« D'où venez-vous ? demanda-t-il.

— Du camp d'Usman, près de Voronej.

— Ah oui, celui avec le clocher d'église. »

J'acquiesçai.

« C'est plus agréable ici. Le travail est dur, mais les Popov se conduisent de façon relativement correcte. Enfin, par rapport à Usman. Où avez-vous été capturés ? »

Nous échangeâmes des nouvelles. Comme les autres Allemands à KA, le colonel avait hâte d'avoir des informations sur sa famille, en particulier son frère, médecin dans la Waffen SS, mais personne ne put rien lui dire.

C'était le plein été dans la steppe et, avec peu ou pas d'ombre, le travail – creuser un canal entre le Don et la Volga – était éprouvant et donnait chaud. Mais, pendant quelque temps, ma situation devint presque tolérable. Il y avait aussi des Russes qui travaillaient là – des *saklutshonnis*[1] condamnés pour un crime politique qui, le plus souvent, n'en était pas un, rien qu'un Allemand ordinaire, ou même la Gestapo, aurait qualifié ainsi, en tout cas. Et, avec ces prisonniers, je me

---

1. *Saklutshonni* : un condamné par opposition à un prisonnier de guerre.

mis à perfectionner ma connaissance de la langue russe.

Le chantier lui-même consistait en une gigantesque tranchée recouverte de planches, de passerelles et de ponts branlants en bois. De l'aube au crépuscule, il était rempli de centaines d'hommes maniant des pioches et des pelles, ou poussant des brouettes confectionnées sommairement – une véritable Potsdamer Platz grouillant de *plenis* –, sous la surveillance de « bleus » au visage impassible, comme on surnommait les gardes du MVD avec leur tunique *gimnasterka*, leur ceinturon *portupeïa* et leurs épaulettes bleues. Le travail n'était pas sans danger. De temps à autre, les parois du canal s'effondraient sur un détenu, et nous nous mettions alors à creuser comme des fous pour le sortir de là. Ce qui arrivait presque toutes les semaines, et, à notre grand étonnement et notre honte – car ce n'était pas la race inférieure que les nazis nous avaient décrite –, il n'y avait pas plus prompt à donner un coup de main que les condamnés russes. Parmi eux, Ivan Iefremovitch Pospelov, qui devint pour moi à KA ce qui se rapprochait le plus d'un ami, et qui s'estimait favorisé par le sort, même si son front, aussi cabossé qu'un chapeau en feutre, racontait une tout autre histoire.

« Le plus important, Herr Bernhard, c'est que nous soyons en vie, et, de ce point de vue, nous avons effectivement de la chance. Parce que, là tout de suite, à cette minute même, quelque part en Russie, quelqu'un connaît une mort injuste entre les mains du MVD. Pendant que nous parlons, un pauvre Russe est traîné au bord d'une fosse et a une ultime pensée pour sa maison et sa famille avant que le pistolet fasse feu et que la balle soit la dernière chose à lui traverser le crâne. Alors qu'importe que le travail soit dur et la nourriture mauvaise ? Nous avons le soleil et l'air dans nos poumons, et cet instant de camaraderie que personne ne peut nous enlever, mon vieux. Et songe à tout ce que ça signifiera un jour, pour toi et pour moi, quand on aura retrouvé la liberté, que de pouvoir aller simplement acheter un journal et des cigarettes. Et les autres hommes nous envieront notre courage à affronter ce qui n'est, apparemment, que les petits tracas de la vie.

« Tu sais ce qui me fait le plus rire ? C'est de penser que j'aie pu me plaindre dans un restaurant. Tu imagines ça ? Renvoyer un plat aux cuisines parce qu'il n'est pas assez cuit. Ou réprimander un barman pour avoir servi de la bière tiède. Crois-moi, je serais ravi d'avoir cette bière tiède en ce moment. Là réside le bonheur : dans le fait de s'estimer content d'avoir de la bière tiède en se rappelant combien il vaut mieux avoir ça plutôt qu'un goût d'eau croupie sur des lèvres gercées. Tel est le sens de la vie, mon vieux. Savoir quand on est bien loti et ne haïr ni n'envier personne. »

Pourtant, il y avait un homme à KA qu'il était difficile de ne pas haïr ou envier. Parmi les bleus figuraient des *politruks*, ou commissaires politiques, dont le boulot consistait à transformer les fascistes allemands en bons antifascistes. De temps en temps, ces *politruks* nous obligeaient à nous rendre au mess afin d'écouter une harangue sur l'impérialisme occidental, les maux du capitalisme et quels efforts admirables déployait le camarade Staline pour sauver le monde d'une autre guerre. Bien sûr, les *politruks* ne parlaient pas l'allemand et nous ne parlions pas tous le russe.

De plus, la traduction était en général assurée par l'Allemand le plus impopulaire du camp, Wolfgang Gebhardt.

Gebhardt était l'un des deux agents antifascistes de KA. Ancien caporal SS, originaire de Paderborn, il avait joué jadis comme footballeur professionnel pour le SV 07 Neuhaus. Il prétendait s'être converti à la cause du communisme après avoir été fait prisonnier à Stalingrad en février 1943, moyennant quoi il avait droit à un régime spécial : logement séparé, vêtements et chaussures plus solides, nourriture de meilleure qualité, cigarettes et vodka. Il y avait un autre agent antifasciste appelé Kittel, mais Gebhardt était de loin le plus détesté des deux, raison pour laquelle, probablement, il fut assassiné au cours de l'automne 1945. Tôt un matin, on le découvrit mort dans sa cabane, poignardé. Cela inquiéta considérablement les Popov, de même que les convertis au bolchevisme, en dépit des avantages matériels à devenir un coco, assez minces au demeurant. Un major du MVD, de l'oblast[1] de Stalingrad, vint à KA examiner le corps, après quoi il se réunit avec l'officier allemand responsable, ce qui donna lieu, aux dires de tous, à un concert de beuglements. À l'issue duquel j'eus la surprise de me voir convoqué par le colonel Mrugowski. Nous nous installâmes sur son lit, derrière un rideau, l'un des quelques petits privilèges dont il bénéficiait en tant qu'officier responsable.

« Merci d'être venu, Gunther. Vous êtes au courant au sujet de Gebhardt, je présume.

_____

1. Unité administrative, « région ».

— Oui. J'ai entendu sonner les cloches de la cathédrale.

— J'ai bien peur que ce ne soit pas une aussi bonne nouvelle qu'on pourrait le croire.

— Il n'a pas laissé de cigarettes ?

— Je viens d'avoir un major du MVD ici, criant à tue-tête. Au point que je suis rentré dans ma coquille.

— Montrez-moi un bleu qui n'aime pas crier et je vous montrerai une licorne rose.

— Il exige que je prenne des mesures. À propos de Gebhardt, je veux dire.

— On peut toujours l'enterrer, je suppose. » Je poussai un soupir. « Écoutez, je dois vous informer d'une chose. Ce n'est pas moi qui l'ai tué. Et j'ignore qui l'a fait. Mais il mériterait la croix de fer.

— Ce n'est pas le point de vue du major Savostine. Il m'a donné soixante-douze heures pour livrer le coupable, faute de quoi vingt-cinq Allemands choisis au hasard comparaîtront devant un tribunal du MVD à Stalingrad.

— Où un acquittement paraît peu probable.

— Exactement. »

Je haussai les épaules.

« Alors, faites l'appel des hommes et demandez au coupable de s'avancer.

— Et si ça ne marche pas ? » Il secoua la tête. « Les *plenis* ne sont pas tous allemands ici. Seulement la majorité. Ce que je n'ai pas manqué de rappeler au major. Néanmoins, il est d'avis qu'un Allemand avait le meilleur motif pour tuer Gebhardt.

— En effet.

— Le major Savostine a une piètre opinion des valeurs morales allemandes, mais une haute opinion

336

de notre capacité de raisonnement et de notre sens de la logique. Étant donné qu'un Allemand avait le meilleur motif pour tuer Gebhardt, il lui semblerait légitime que nous ayions le plus à perdre si l'assassin n'est pas identifié. Ce qu'il considère à l'heure actuelle comme la meilleure incitation pour nous faire faire son boulot à sa place.

— Eh bien, qu'essayez-vous de me dire ?

— Allons, Gunther. Tout le monde sait à Krasno-Armeesk que vous avez été policier au Praesidium de l'Alexanderplatz, à Berlin. En tant qu'officier responsable, je désire que vous preniez en charge une enquête pour meurtre.

— Vous êtes sûr ?

— Peut-être que rien de tout ça ne sera nécessaire. Mais vous devriez au moins jeter un coup d'œil au cadavre pendant que je rassemble les hommes et que je demande au coupable de faire un pas en avant. »

Je traversai le camp dans le vent glacial. L'hiver approchait. On pouvait le sentir dans l'air. On pouvait l'entendre également, alors qu'il faisait trembler les vitres de la cabane privée de Gebhardt. Un bruit ô combien déprimant, presque aussi sonore que les gargouillements dans mon ventre. Sans compter que je m'en voulais déjà de ne pas avoir fixé un prix pour mes services criminalistiques. Un morceau supplémentaire de *chleb*. Un deuxième bol de *kacha*. Personne à KA ne se portait volontaire pour quoi que ce soit à moins d'en tirer profit, et ce profit était presque toujours de la nourriture.

Un *starchina*, un sergent bleu nommé Degermenkoï, en faction devant la cabane de Gebhardt, me vit et se dirigea à pas lents dans ma direction.

« Pourquoi n'es-tu pas au travail ? » hurla-t-il avant de me frapper brutalement sur les épaules avec sa canne.

Entre les coups, je lui expliquai ma mission, et il finit par s'arrêter et me laisser me relever.

Je le remerciai puis pénétrai dans la cabane exiguë, non sans refermer la porte derrière moi au cas où je trouverais quoi que ce soit à faucher à l'intérieur. La première chose que j'aperçus, ce fut un savon et un quignon de pain. Pas le *chorni* qu'on nous distribuait à nous autres *plenis,* mais du *belii*, du pain blanc, et avant même d'avoir pris la peine de jeter un œil au cadavre de Gebhardt, je m'enfournai ce qui avait dû être son dernier repas. Ce qui aurait constitué une récompense suffisante pour le boulot que j'étais en train d'effectuer si je n'avais pas remarqué des cigarettes et des allumettes. J'avais à peine avalé le pain que j'en allumai une et la fumai dans un état frisant l'extase. Cela faisait six mois que je n'avais pas fumé une seule cigarette. Continuant d'ignorer le corps, je parcourus la cabane des yeux à la recherche de quelque chose à boire. Mon regard tomba sur une bouteille de vodka, et, pour finir, tirant des bouffées de ma cigarette et buvant de petites gorgées de la bouteille de Gebhardt, je me mis à me comporter comme un flic digne de ce nom.

La cabane mesurait dans les dix mètres carrés, avec une petite fenêtre couverte d'un grillage destiné à tenir l'occupant à l'abri des autres *plenis*. Ça n'avait pas très bien marché, apparemment. La porte en bois comportait une serrure, mais on ne voyait de clé nulle part. Il y avait une table, un poêle et une chaise, sur laquelle, en proie à un léger malaise – probablement dû à la cigarette et à la vodka –, je m'assis. Au mur, deux affiches de propagande : des portraits bon marché, sans cadre, de Lénine et de Staline. Amassant un peu de salive au fond de ma gorge, j'en gratifiai le guide suprême.

Puis je tirai la chaise jusqu'au lit et examinai le cadavre de plus près. Que son propriétaire fût mort était évident : il y avait des blessures un peu partout, mais principalement au niveau de la tête, du cou et de la poitrine. Moins évident était le choix de l'arme du meurtre, un morceau de corne d'élan dépassant de l'orbite de l'œil droit du macchabée. Une agression d'une férocité peu banale, tout comme la brutalité de l'instrument utilisé. J'avais déjà vu des scènes de crime violentes du temps où j'étais policier, mais rarement d'une telle sauvagerie. Cela ne fit qu'accroître mon respect pour les élans. Je dénombrai seize plaies séparées, dont deux ou trois blessures défensives aux avant-bras. D'après les éclaboussures de sang maculant le mur, il paraissait clair que Gebhardt avait été tué sur le lit. J'essayai de lever une des mains, pour m'apercevoir que la rigidité cadavérique était déjà bien installée. Le corps était complètement froid, d'où je conclus que Gebhardt avait connu son sort amplement mérité entre minuit et quatre heures du matin. Je découvris aussi un peu de sang sous ses ongles, et j'en aurais peut-être même prélevé un échantillon si j'avais eu une enveloppe pour le mettre, sans parler d'un laboratoire équipé d'un microscope pour pouvoir l'analyser.

Je prélevai en revanche l'alliance du mort, qui était si serrée et le doigt tellement enflé que je dus me servir du savon pour la retirer. La bague de tout autre prisonnier lui serait tombée du doigt, mais Gebhardt recevait de meilleures rations que n'importe lequel d'entre nous et avait un poids normal. Je soupesai l'alliance dans ma paume. C'était de l'or, ce qui se révélerait certainement utile si jamais j'avais besoin de soudoyer un bleu. Je regardai attentivement l'inscription gravée à l'intérieur, mais elle était trop petite pour ma vue affaiblie. Toutefois, je ne mis pas la bague dans ma poche ; d'une part, le pantalon de mon uniforme était plein de trous et, d'autre part, le *starchina* sur le pas de la porte aurait pu la trouver en me fouillant. Ce qui fait que je l'avalai, persuadé qu'avec mes boyaux aussi flasques que de la soupe de légumes, je pourrais aisément la récupérer plus tard.

À présent, je pouvais entendre l'officier responsable haranguer les *plenis* allemands au-dehors. Des applaudissements crépitèrent tandis qu'il confirmait ce que la plupart savaient déjà : que Gebhardt était mort. Suivit un grognement sonore lorsqu'il leur expliqua comment le MVD avait l'intention de traiter l'affaire. Me levant, je m'approchai de la fenêtre dans l'espoir de voir un brave cœur se désigner comme le coupable, mais personne ne bougea. Craignant le pire, j'avalai une nouvelle lampée de vodka et posai la main sur le poêle. Il était froid. Je l'ouvris quand même, au cas où l'assassin aurait eu l'idée de brûler ses aveux signés, mais il n'y avait rien – juste quelques pages d'un vieux numéro de la *Pravda* et quelques bouts de bois, en prévision d'un refroidissement du temps.

Un petit placard, pas plus profond qu'une boîte à chaussures, était adossé à un coin de la cabane, à l'intérieur duquel je trouvai l'uniforme de Waffen SS que Gebhardt avait cessé de porter au moment où il avait changé de camp. Pour un officier antifasciste, se balader en uniforme SS n'aurait guère été seyant. Sa *gimnasterka* flambant neuve était posée sur le dossier d'une chaise. Rapidement, je fouillai les poches, où je dénichai quelques kopecks, que j'empochai, ainsi que des cigarettes supplémentaires, que j'empochai également.

Le temps pressant, j'ôtai ma veste d'uniforme élimée et essayai celle de Gebhardt. D'ordinaire, elle aurait été trop juste, mais j'avais perdu tellement de kilos que ça ne constituait guère un problème, de sorte que je la gardai sur moi. Ses bottes étaient malheureusement trop petites, toutefois je lui pris ses chaussettes – qui étaient parfaitement à ma taille et, tout comme la veste, en bien meilleur état que les miennes. J'allumai une nouvelle cigarette et, à quatre pattes, j'inspectai le plancher, en quête d'autre chose que la poussière et les échardes qui le recouvraient. Je continuais à chercher des indices quand la porte de la cabane s'ouvrit et que le colonel Mrugowski entra.

« Est-ce que quelqu'un s'est avancé ?

— Non. Aussi je ne peux pas croire que ce soit un Allemand qui ait fait ça. Nos hommes ne manquent pas d'honneur à ce point. Un Allemand se serait livré. Dans l'intérêt des autres.

— Contrairement à Hitler, fis-je remarquer.

— C'était différent. »

Je poussai les cigarettes de Gebhardt sur la table.

« Tenez, prenez donc une des cigarettes du défunt.

— Merci. Ce n'est pas de refus. » Il l'alluma et jeta un coup d'œil nerveux en direction du cadavre. « Vous ne croyez pas qu'on devrait le couvrir ?

— Non. Le regarder contribue à me donner des idées quant à la façon dont ça s'est passé.

— Et vous en avez ? Des idées sur qui l'a tué ?

— Pour le moment, j'étudie la possibilité qu'il s'agisse d'un élan à la rancune tenace. » Je lui montrai l'arme du crime. « Vous voyez comme elle est tranchante ? »

Avec précaution, Mrugowski effleura de son index la pointe ensanglantée.

« Un sacré surin, pas vrai ? »

Je secouai la tête.

« À vrai dire, je pense qu'elle avait probablement une fonction décorative. Dans cette pièce. Il y a deux clous et une marque sur le mur face à la fenêtre qui donneraient à penser qu'elle faisait partie intégrante d'un gentil petit trophée de cornes. Mais je ne peux pas l'affirmer avec certitude, dans la mesure où je n'avais encore jamais mis les pieds ici.

— Et où est le reste ?

— Peut-être que l'assassin s'est rendu compte de l'efficacité d'une telle arme et qu'il l'a emportée avec lui. J'imagine qu'une dispute a éclaté. L'homme a saisi le trophée, l'a brisé sur le crâne de Gebhardt et s'est retrouvé avec seulement un fragment dans la main. Un fragment bien aiguisé. Il y a des perforations plus petites sur le crâne de Gebhardt qui corroborent cette hypothèse. Celui-ci s'est effondré sur le lit. Le tueur l'a alors attaqué avec son lardoir. Et l'a achevé. Après quoi il est sorti et a pris l'U-Bahn pour rentrer chez lui. Quant à savoir qui et pourquoi, votre opinion vaut la mienne. On serait à Berlin, je dirais aux condés de chercher un homme avec des taches de sang sur sa veste, mais, bien sûr, ici, ça n'a rien d'inhabituel. Il y a dans ce camp des types qui continuent à porter des uniformes maculés du sang des camarades à Königsberg. Et je suppose que l'assassin le sait également.

— C'est tout ce que vous avez ?

— Écoutez, on serait à Berlin, je pourrais secouer le cocotier dans l'espoir qu'il en tombe quelque chose, si vous voyez ce que je veux dire. Interroger des témoins, des suspects. Parler à quelques indicateurs. Dans ma partie, il n'y a rien de tel que des indicateurs. Ce sont les mouches qui connaissent leur merde, et c'est le travail d'investigation qui paie presque toujours.

— Dans ce cas, pourquoi ne pas parler à Emil Kittel ? L'autre agent antifasciste. Il est dans son intérêt de coopérer à votre enquête, vous ne trouvez pas ? Après tout, il pourrait devenir la prochaine victime de l'assassin.

— Ça marcherait peut-être. Parler à Kittel signifie bien évidemment que c'est moi qui dois lui parler. Ce faisant, je ne tiens pas à ce qu'on croie dans le camp que je suis en train de virer Popov comme lui.

— Je veillerai à ce que tout le monde sache de quoi il retourne.

— Mais c'est la seule objection. Voyez-vous, Kittel figure déjà sur ma liste de suspects. Il est gaucher. Et une des petites choses que je peux vous dire sur l'assassin, c'est qu'il s'agit probablement d'un gaucher.

— Qu'est-ce qui vous fait penser ça ?

— Les blessures sur le corps de Gebhardt. Elles se trouvent pour la plupart du côté droit. Les gauchers représentent moins de dix pour cent de la population. Ce camp comprenant un peu plus d'un millier d'hommes, ça me fait autour d'une centaine de suspects. Parmi lesquels Kittel.

— Je vois.

— D'une façon ou d'une autre, il va me falloir disculper quatre-vingt-dix-neuf d'entre eux en moins de soixante-douze heures, avec rien d'autre à me mettre sous la dent que le fait qu'ils détestaient la victime juste un tout petit peu moins que l'énergumène qui l'a assassinée pour de vrai. Ce qui serait bien assez de boulot comme ça s'il n'y avait pas déjà une brouette avec mon nom dessus et plusieurs tonnes de sable attendant de prendre la direction de ce fichu canal. Ce n'est pas un défi de taille, c'est un défi monté sur une caisse à savon.

— J'en toucherai un mot au major Savostine. Je devrais pouvoir obtenir qu'on vous dispense de travail jusqu'à ce que cette affaire soit réglée.

— Oui, c'est ça. Faites appel à son sens de la justice. Il le range probablement dans une boîte d'allumettes avec son sens de l'humour. Maintenant que j'y pense, j'ai une autre objection à cette prétendue enquête. Je n'aimerais pas que les Popov en apprennent davantage sur moi qu'ils n'en savent déjà. Surtout le MVD. »

Mrugowski sourit.

« J'ai dit quelque chose de drôle ?

— Avant la guerre, j'étais médecin, répondit-il.

— Comme votre frère. »

Il acquiesça.

« Dans un asile d'aliénés. Nous traitions beaucoup de patients pour une chose appelée la paranoïa.

— Je sais ce que c'est que la paranoïa.

— Pourquoi êtes-vous aussi paranoïaque, Gunther ?

— Moi, je suppose que c'est parce que j'ai des difficultés à faire confiance à autrui. Je dois vous avertir, colonel, je ne suis pas du type persévérant. Au fil du temps, j'ai appris qu'il valait mieux être un velléitaire. À mon avis, savoir quand jeter l'éponge est le plus sûr moyen de rester en vie. Aussi ne me demandez pas de jouer les héros. Pas ici. Depuis que je mets un uniforme allemand, j'ai l'impression que le statut de héros a fait un bond de trente ans en arrière. »

L'officier responsable me lança un regard désapprobateur.

« Si nous avions eu plus de héros, nous aurions peut-être pu gagner la guerre.

— Non, colonel, si nous avions eu plus de héros, la guerre n'aurait peut-être jamais commencé. »

Je retournai travailler, remplissant ma brouette de sable, la faisant monter sur une passerelle, la vidant, puis la redescendant. Interminable et inutile. Le genre de besogne qui vous vaut d'avoir votre image sur une amphore grecque ou pour illustrer un mythe montrant les dangers de trahir les secrets des dieux. Moins dangereux, cependant, que le boulot que Mrugowski voulait que je fasse et, sans la vodka en moi et la nicotine dans mes poumons, j'aurais peut-être été rien moins qu'enthousiaste à la perspective de sauver vingt-cinq de mes camarades d'un gentil petit procès d'opérette à Stalingrad. Confondre ivresse et héroïsme n'a jamais été mon style. De plus, pour gagner une guerre, ce n'est pas de héros qu'on a besoin, mais de quidams qui restent en vie.

Je me sentais encore légèrement pompette lorsque l'officier responsable et le major du MVD vinrent m'arracher à ma tâche sisyphéenne. Je ne vois pas d'autre explication à la manière dont je m'adressai au Popov. En russe. Ce qui était une grossière erreur. Les

Russes aimaient beaucoup qu'on leur parle en russe. Sur ce plan, ils sont comme n'importe qui. La seule différence, c'est que les Russes s'imaginent que ça veut dire que vous les aimez.

Le major du MVD, Savostine, congédia Mrugowski d'un geste de la main dès que celui-ci m'eut désigné. Le Russe me fit signe d'approcher, l'air impatient.

« *Bistra ! Davaï !* »

Il avait la cinquantaine, des cheveux roux et une bouche de la largeur de la Volga qui faisait l'effet d'avoir été étirée exagérément à des fins de caricature vindicative. Les yeux bleu pâle dans le visage blanc pâle étaient sans doute un héritage de la louve grise qui l'avait mis bas.

Je laissai tomber ma pelle et courus avec empressement vers lui. Les bleus aimaient qu'on fasse tout au pas de course.

« Mrugowski me dit que vous étiez un policier fasciste avant la guerre.

— Non, major. Seulement un policier. En général, je laissais le fascisme aux fascistes. J'avais déjà suffisamment à faire rien qu'en étant policier.

— Vous est-il arrivé d'arrêter des communistes ?

— Je l'aurais fait. S'ils avaient violé la loi. Mais je n'ai jamais arrêté quiconque parce qu'il était communiste. J'enquêtais sur des meurtres.

— Vous deviez être très occupé.

— Oui, major.

— Quel est votre grade ?

— Capitaine.

— Alors pourquoi portez-vous une veste de caporal ?

— Le caporal à qui elle appartenait ne s'en servait pas.

346

— Quelle était votre fonction pendant la guerre ?

— Officier de renseignement.

— Avez-vous combattu les partisans ?

— Non. Uniquement l'Armée rouge.

— C'est pour ça que vous avez perdu.

— Oui, major, c'est certainement pour ça que nous avons perdu. »

Les yeux bleu pâle de loup continuèrent à me fixer, sans un battement de paupières, me forçant à enlever ma casquette tandis que je lui retournais son regard.

« Vous parlez très bien le russe. Où l'avez-vous appris ?

— Avec des Russes. Je vous le répète, major, j'étais officier de renseignement. Ce qui signifie, en règle générale, qu'il ne suffit pas d'avoir des oreilles en feuilles de chou. Dans mon cas, c'est parce que je connaissais le russe. Mais, jusqu'à ce que je vienne ici, mon niveau était loin d'égaler celui que vous avez décrit. Je dois en remercier le grand Staline.

— Vous étiez un espion, capitaine, n'est-ce pas ?

— Non, major. J'étais toujours en uniforme. Ce qui aurait été plutôt stupide de ma part si j'avais été un espion. Et comme je vous l'ai déjà dit, j'étais dans le renseignement. Mon travail consistait à écouter les émissions de radio russes, à lire les journaux russes, à parler aux prisonniers russes…

— Avez-vous déjà torturé un prisonnier russe ?

— Non, major.

— Un Russe ne donnerait pas d'informations à des fascistes à moins d'être torturé.

— Je suppose que c'est pour ça que je n'ai jamais obtenu d'informations de prisonniers russes. Pas une seule fois. À aucun moment.

— Alors qu'est-ce qui fait croire à l'officier responsable que vous pourriez en obtenir de *plenis* allemands ?

— C'est une bonne question, major. Vous devriez la lui poser.

— Son frère est un criminel de guerre. Vous le saviez ?

— Non, major.

— Il était médecin au camp de concentration de Buchenwald, expliqua Savostine. Il effectuait des expériences sur les prisonniers russes. Le colonel prétend n'avoir aucun lien de parenté avec cet individu, mais j'ai l'impression que Mrugowski n'est pas un nom très courant en Allemagne. »

Je haussai les épaules.

« On ne choisit pas les gens avec qui on a des liens de parenté, major.

— Peut-être que vous êtes un criminel de guerre vous aussi, capitaine Gunther.

— Non, major.

— Allons, voyons. Vous étiez membre du SD. Tous les membres du SD étaient des criminels de guerre.

— Écoutez, major, l'officier responsable m'a demandé de me pencher sur le meurtre de Wolfgang Gebhardt. Il m'a donné cette drôle d'idée que vous teniez à savoir qui l'avait commis. Et que, dans le cas contraire, vingt-cinq de mes camarades seraient désignés au hasard et fusillés.

— Vous êtes mal informé, capitaine. La peine de mort n'existe plus en Union soviétique. Le camarade Staline l'a abolie. Mais ils passeront en jugement, oui. Peut-être même ferez-vous partie de ceux qui seront choisis au hasard.

— Alors c'est comme ça ?

— Savez-vous qui l'a commis ?

— Pas encore. Mais on dirait que vous venez de me donner une raison supplémentaire de le découvrir.

— Parfait. Nous nous comprenons à merveille. Vous serez dispensé de travail durant les trois prochains jours afin de vous permettre de résoudre ce crime. J'en informerai les gardes. Par quoi allez-vous commencer ?

— Maintenant que j'ai vu le corps, par réfléchir. C'est ce que je fais normalement dans ce genre de situations. Rien de très spectaculaire, mais ça peut donner des résultats. Ensuite, j'aimerais avoir la permission d'interroger quelques-uns des prisonniers, et éventuellement quelques gardes.

— Les prisonniers, oui, les gardes, non. Il ne serait pas convenable qu'un bon communiste soit harcelé de questions par un fasciste.

— Très bien. J'aimerais aussi interroger l'agent antifasciste restant, Kittel.

— Pour ça, il va me falloir étudier le problème. De plus, il ne serait pas souhaitable que vous interrogiez les autres prisonniers pendant qu'ils travaillent. Vous pouvez donc utiliser la cantine à cette fin. Et pour ce qui est de réfléchir, il vaudrait peut-être mieux que vous vous serviez de la cabane de Gebhardt. Je vais faire enlever le corps immédiatement si vous en avez terminé. »

J'opinai.

« Alors parfait. Suivez-moi, je vous prie. »

Nous nous dirigeâmes vers la cabane de Gebhardt. À mi-chemin, Savostine vit des gardes et leur aboya des ordres dans une langue autre que du russe. Remarquant ma curiosité, il me dit que c'était du tatar.

« La plupart des porcs qui gardent ce camp sont des Tatars, expliqua-t-il. Ils parlent le russe, bien sûr, mais pour se faire comprendre clairement, il faut vraiment parler le tatar. Vous devriez peut-être essayer de l'apprendre. »

Je ne répondis pas. Il ne s'attendait pas à ce que je le fasse. Il était bien trop occupé à contempler l'immense chantier.

« Songez donc. Tout ceci sera un canal en 1950. Extraordinaire. »

J'avais quelques doutes à ce sujet, que Savostine parut sentir.

« Le camarade Staline l'a ordonné », dit-il, comme si c'était une garantie suffisante.

Et dans ce lieu, et à cette époque, il avait probablement raison.

Une fois à la cabane de Gebhardt, il supervisa l'enlèvement du cadavre.

« Si vous avez besoin de quelque chose, venez au corps de garde. » Il regarda autour de lui. « Qui se trouve où, au juste ? Ce camp ne m'est pas du tout familier. »

J'indiquai la gauche, au-delà de la cantine. J'avais l'impression d'être Virgile montrant à Dante le spectacle de l'enfer. Je le regardai partir puis regagnai la cabane.

Mon premier acte fut de retourner le matelas, non pas parce que je cherchais quelque chose, mais parce que j'avais l'intention de piquer un roupillon et que m'allonger sur les taches de sang de Gebhardt ne me disait rien. Personne ne dormait jamais assez à KA, sans compter que la fatigue n'aide pas à réfléchir. Je retirai sa veste, me couchai et fermai les yeux. Mon état de fatigue ne provenait pas seulement du manque de sommeil, mais aussi de la vodka. Le ballon de football dégonflé qu'était mon ventre avait perdu l'habitude de ce truc, de même que mon foie. Je fermai les yeux et m'endormis tout en me demandant ce que les autorités soviétiques étaient susceptibles de me faire, à moi et aux vingt-quatre autres, si on avait aboli la peine de mort. Pouvait-il exister des camps encore pires que ceux que j'avais déjà vus ?

Un peu plus tard – je n'ai aucune idée du temps pendant lequel j'avais dormi –, je m'assis. Les cigarettes se trouvaient toujours dans ma poche de veste, aussi j'en allumai une, mais ça ne ressemblait pas à une vraie ; il y avait un embout en carton et seulement trois ou quatre centimètres de tabac : des *papirossi*, comme les appelaient les Popov. Il s'agissait de Belomorkanal, ce qui paraissait des plus appropriés, cette marque russe ayant été introduite pour commémorer la construction d'un autre canal, reliant pour sa part la mer Blanche à la Baltique. L'Abwehr estimait que le Belomorkanal avait été un désastre : trop peu profond, ce qui le rendait inutilisable par la plupart des navires, sans parler des dizaines de milliers de prisonniers sacrifiés pour sa construction. Je me demandai si le nôtre serait plus réussi.

Je finis ma cigarette et visai Staline avec le mégot. Quelque chose dans la façon dont il s'écrasa sur le nez du guide suprême me fit me lever pour examiner de plus près le portrait en papier. Lorsque je l'ôtai du mur, j'eus la surprise de constater que l'affiche dissimulait soigneusement une petite niche à rayonnage, à peu près de la taille d'un livre. Sur l'étagère se trouvaient un calepin et une liasse de billets. Pas vraiment un coffre-fort encastré, mais, dans un tel lieu, ce qu'il y avait sans doute de plus approchant.

La liasse se composait d'environ quatre cents billets de cinq roubles « or » – l'équivalent de trois ou quatre mois de salaire pour un bleu. Ce n'était pas une fortune, à moins d'être un *pleni*. Deux mille roubles plus une alliance en or suffiraient peut-être à acheter un meilleur traitement dans une cellule du MVD à Stalingrad. Pour être sûr, je regardai de nouveau les roubles, lesquels, à mon grand soulagement, avaient tous cet aspect grais-seux authentiquement russe. Je les levai même dans la lumière venant de la fenêtre pour vérifier le filigrane, avant de les glisser dans la poche arrière de mon pan-talon d'uniforme, la seule avec un bouton et pas de gros trou.

Le carnet avait une couverture rouge et approxima-tivement le format d'une carte d'identité. Il était plein de papier russe de mauvaise qualité, dont l'aspect s'apparentait davantage à une chose écrasée par un objet lourd, et qui contenait une surprise entièrement de son cru car, sur une page, figurait un nom sous lequel étaient inscrites des dates et des références de paiement, ce qui semblait indiquer que le *pleni* en question était à la solde de Gebhardt. Pour autant, cela ne faisait pas de lui un assassin, mais cela expliquait sans nul doute l'efficacité avec laquelle les bleus arri-vaient à surveiller les prisonniers de guerre.

Toutefois, la date d'un paiement précis retint mon attention : mercredi 15 août. C'était la fête de l'Assomp-tion de Marie, et, pour un certain nombre de catholiques allemands, notamment en Sarre et en Bavière, c'était aussi un jour férié important. Mais presque tout le monde dans le camp s'en souvenait comme du jour où Georg Oberheuser – un sergent de Stuttgart – avait été arrêté par le MVD. Révolté à l'idée qu'on puisse considérer cette date comme un jour de travail ordinaire, il avait déclaré à qui voulait bien l'entendre dans le baraquement que Staline n'était qu'une « fripouille sans foi ni loi ». Il employa d'autres qualificatifs non moins diffamatoires, tous bien mérités assurément, mais nous éprouvâmes un léger choc lorsque Oberheuser fut emmené pour ne plus reparaître et que nous comprîmes qu'en l'absence de Popov dans notre baraque, Oberheuser avait dû être dénoncé aux bleus par un autre Allemand.

Le nom dans le carnet de Gebhardt était celui de Konrad Metelmann, le jeune lieutenant sur qui j'avais naïvement décidé de veiller. Manifestement, il avait fait du meilleur boulot en veillant sur lui-même.

En cogitant un peu, je me souvins que les bleus ordonnaient sans cesse à notre baraque de se présenter à la cantine pour des contrôles d'identité. Ils demandaient à chaque homme son nom, son grade et son numéro matricule dans l'espoir – avions-nous supposé – de prendre l'un de nous en défaut, car il y avait sans aucun doute des officiers SS qui, se croyant recherchés pour des crimes de guerre, tentaient de se faire passer pour quelqu'un d'autre, quelqu'un ayant été tué pendant la guerre. Nous étions toujours interrogés séparément, avec Gebhardt pour traduire, et n'importe lequel d'entre nous aurait pu profiter de l'occasion pour filer des renseignements au MVD. La seule raison pour laquelle nous n'avions pas fait le lien avec Oberheuser, c'est qu'il n'y avait pas eu de contrôle d'identité le jour de son arrestation, ce qui voulait dire que Metelmann et Gebhardt devaient aussi utiliser un genre de boîte aux lettres morte.

Les Russes avaient un dicton : le meilleur moyen de garder ses amis en Union soviétique, c'est de ne pas les trahir. Je n'avais jamais eu beaucoup de sympathie pour Georg Oberheuser, mais il ne méritait pas d'être trahi par un de ses propres camarades. D'après Mrugowski, il fut jugé par un tribunal du peuple et condamné à vingt-cinq ans de travaux forcés et de rééducation. C'est du moins ce que lui avait raconté le commandant du camp. Mais je ne voyais pas de raison de croire ce que m'avait dit le major Savostine, à savoir que le grand Staline avait aboli la peine de mort. J'avais vu beaucoup trop de mes compatriotes écoper d'une balle sur le bord de la route au cours de la longue marche depuis Königsberg pour accepter l'idée que les exécutions sommaires ne soient plus une routine en Union soviétique. Peut-être Oberheuser était-il mort, ou peut-être pas. Dans un cas comme dans l'autre, il m'appartenait de leur faire payer ça. Telle est la dette que nous avons envers les morts. Leur rendre justice si l'on peut. Ou, à défaut, une sorte de justice.

Le reste des *plenis* revenait du travail. J'allai directement à la cantine pour éviter l'affluence. Apercevant Metelmann, je lui emboîtai le pas, guettant un quelconque signe laissant supposer qu'il était inquiet. Mais ce fut Sajer qui parla en premier.

« Tu vas vraiment balancer quelqu'un aux Popov, Gunther ?

— Tout dépend, répondis-je en avançant dans la file.

— De quoi ?

— Si je découvre le coupable. Pour l'instant, je n'ai pas la moindre piste. Et entre parenthèses, on m'a avisé que je ferais partie des vingt-cinq que les Popov choisiraient s'ils n'obtenaient pas un nom. Juste pour que vous sachiez que je prends ça au sérieux.

— Tu crois qu'ils sont sincères ? demanda Metelmann.

— Bien sûr, répliqua Sajer. Ont-ils déjà proféré des menaces en l'air ? Sur ce plan-là au moins, on peut leur faire confiance. Les salauds.

— Qu'est-ce que tu vas faire, Bernie ? s'enquit Metelmann.

— Comment le saurais-je ? » Je lançai un regard furieux à Mrugowski. « Tout ça, c'est de sa faute. Sans lui, j'aurais eu les mêmes chances que les autres.

— Tu vas peut-être dénicher quelque chose, dit Metelmann. Tu étais un bon policier. C'est ce que les gens disent.

— Qu'est-ce qu'ils en savent ? Crois-moi, il faudrait que je sois Sherlock Holmes pour résoudre cette affaire. Ma seule chance, c'est de soudoyer ce major du MVD afin de me faire rayer de la liste. Dis donc, Metelmann, tu ne pourrais pas me prêter de l'argent ?

— Je peux te passer cinq roubles, répondit-il.

— Il faudra bien plus que cinq roubles pour soudoyer ce major, dit Sajer.

— C'est toujours un début, répliquai-je, tandis que Metelmann sortait cinq roubles de sa poche pour me les remettre. Merci, Konrad. Et toi, Sajer ?

— Imagine que j'aie besoin de graisser la patte à quelqu'un, moi aussi ? » Il lança un regard mauvais à Metelmann. « Si c'est toi qu'ils choisissent, tu risques de regretter de lui avoir donné ces cinq roubles, pauvre idiot.

— Va te faire foutre, Sajer, rétorqua Metelmann.

— D'ailleurs, où est-ce qu'un type comme toi a bien pu trouver cinq roubles ? »

Metelmann sourit d'un air méprisant puis saisit son morceau de *chleb*. De la main gauche.

Je notai également la cicatrice livide à son avant-bras. Il avait très bien pu se blesser sur le chantier. Mais, tout bien considéré, je me dis qu'il l'avait récoltée plus vraisemblablement en tuant Gebhardt.

Je passai les trois jours suivants seul dans la cabane de celui-ci à rattraper mon sommeil en retard. Je savais ce que j'allais faire, mais je ne voyais pas l'intérêt de passer à l'acte avant que le délai imparti par le MVD soit écoulé. J'étais bien décidé à savourer chaque minute de mes vacances à KA pendant que j'en avais. Après des mois d'un travail d'esclave et de rations de famine, je me sentais harassé et un peu fiévreux. Une fois par jour, Mrugowski venait me voir et me demandait comment avançait mon enquête, et je lui répondais qu'en dépit des apparences j'avais accompli de solides progrès. Je pouvais voir qu'il ne me croyait pas, mais je m'en fichais. Ce n'était pas comme si je risquais de perdre ma pension de l'armée à cause de son opinion. En outre, nous étions, l'officier responsable et moi, les deux têtes du même aigle impérial – moi regardant à gauche et lui à droite. Jusque dans un camp soviétique de prisonniers de guerre, il lui arrivait rarement de quitter une pièce sans claquer des talons. Oh oui, notre colonel Mrugowski était un vrai Fred Astaire.

Le troisième jour, je fis rouler la pierre bloquant la

porte et allai au chantier trouver Metelmann. Je lui rendis ses cinq roubles.

« Tiens. Tu ferais aussi bien de garder ceci. Là où je vais, je n'en aurai pas besoin. »

Empochant prestement le billet au cas où un garde le verrait, Metelmann s'efforça de ne pas avoir l'air soulagé devant ma déception évidente.

« Pas de bol, hein ?

— Voilà longtemps que ma bonne étoile m'a abandonné. Ça allait tellement vite qu'elle devait mettre des chaussures de course.

— Tu sais, ce major du MVD bluffait peut-être.

— J'en doute. Une des choses que j'ai remarquées chez les gens de pouvoir, c'est qu'ils s'en servent toujours, même quand ils prétendent ne pas en avoir envie. »

Je commençai à m'en aller.

« Bonne chance », fit Metelmann.

Le major Savostine était en train de jouer aux échecs quand je me rendis au corps de garde. Contre lui-même. Le colonel Mrugowski était là également. Ils attendaient mon rapport.

« Il n'y a personne ici qui sache jouer, dit Savostine. Peut-être devrions-nous faire une partie ensemble, capitaine.

— Vous êtes sûrement bien meilleur que moi, major. Après tout, c'est pratiquement votre jeu national.

— Et pourquoi, à votre avis ? On aurait pu penser qu'un jeu aussi logique que les échecs correspondrait assez bien au caractère allemand.

— Parce qu'il est noir et blanc ? suggérai-je. Tout est noir et blanc en Union soviétique. Et peut-être parce que ce jeu implique de sacrifier des pièces plus petites, moins importantes. En outre, avec vous, major, je devrais m'inquiéter de la façon de gagner sans perdre. » J'ôtai ma casquette. « En fait, cela fait trois jours que ça me préoccupe. Je veux dire, comment résoudre cette affaire sans vous mettre en rogne. Et je ne suis toujours pas satisfait maintenant que je connais la réponse.

— Mais vous savez qui a tué Gebhardt, n'est-ce pas ?

— Oui, major.

— Alors je ne comprends pas très bien quel est votre problème. »

Je me demandai si je ne m'étais pas trompé à son sujet : s'il était vraiment aussi intelligent que je l'avais cru. Cela dit, il y a bien des brouettes de compréhension entre un crève-la-faim et un homme repu. Je ne voyais aucun moyen d'identifier Metelmann comme étant le coupable sans mettre ma tête dans la gueule du lion.

« Je veux dire, vous n'êtes pas en train d'insinuer qu'il s'agit d'un Russe, j'espère, continua-t-il en tripotant sa reine.

— Oh non, major. Un Russe n'aurait jamais assassiné un Allemand sans l'avouer. De plus, pourquoi tuer un *pleni* en cachette quand on peut le faire tout aussi facilement au grand jour ? Même s'il s'agissait d'un agent antifasciste. Non, vous aviez raison, major. C'est un Allemand qui a tué Gebhardt. »

Je jetai un coup d'œil au plateau dans l'espoir d'y déceler des signes d'intelligence, mais tout ce que je pouvais dire, c'est que les bonnes pièces se trouvaient dans les bonnes cases et que le major avait besoin d'une manucure tout comme j'avais besoin d'un bain chaud. On ne se préoccupait probablement pas de manucures dans le paradis soviétique des travailleurs. Ni certainement de bains chauds. Il était un peu délicat de s'en assurer, mais j'avais dans l'idée que le major sentait presque aussi mauvais que moi.

« Le meurtre n'était pas prémédité, expliquai-je. Il a été commis sur l'impulsion du moment. Ce qui est souvent le cas des agressions brutales à l'arme blanche, sans qu'elles présentent un caractère sexuel pour autant. Certes, il est difficile d'affirmer quoi que ce soit concernant une scène de crime à laquelle j'ai dû travailler sans le moindre thermomètre pour prendre la température du corps. Et il y avait sûrement des empreintes digitales sur l'arme du meurtre et sur la poignée en cuivre de la porte qu'il aurait été possible de relever. Ce qu'on peut dire sans le moindre doute, cependant, c'est que le meurtrier était gaucher. En raison de la configuration des blessures sur le cadavre. Alors, à la cantine, j'ai observé tous les hommes de ce camp, et j'ai dressé une liste des *plenis* qui étaient gauchers. Ça a été mon stock initial de suspects. Depuis lors, j'ai identifié le meurtrier. Je ne dirai pas son nom. En tant qu'officier allemand, je m'en voudrais de le faire. Mais ce ne sera pas nécessaire : il figure dans le carnet de Gebhardt. »

Je tendis le calepin rouge au major.

« Metelmann, dit-il à voix basse.

— Comme vous pouvez le voir, cette page contient les références de sommes qui ont été versées à cet officier en échange d'informations. En d'autres termes, le coupable faisait fonction d'indicateur rémunéré de la victime. Je pense que les deux hommes se sont querellés à propos d'argent. Entre autres choses. Il se peut que Gebhardt ait refusé de débourser les cinq roubles de l'assassin – son tarif habituel – pour les renseignements reçus. Après le meurtre, le coupable a en tout cas pris l'argent. »

Je donnai à Savostine cent des billets de cinq roubles que j'avais découverts derrière l'affiche de Staline. Savostine passa le carnet à Mrugowski.

« J'ai découvert ces billets cachés dans la cabane de Gebhardt. Comme vous pouvez le constater, ils sont tous marqués, dans le coin en haut à droite, d'une petite croix au crayon, une croix orthodoxe russe, si je ne me trompe. »

Savostine examina un des billets et hocha la tête.

« Tous ?

— Oui, major. » Je le savais parce que je les avais marqués moi-même un par un. « Je suppose que, si vous deviez fouiller l'officier mentionné dans ce carnet, vous trouveriez sur lui un ou plusieurs billets de cinq roubles avec la même marque au crayon dans le coin en haut à droite. Cet officier est gaucher, et il a actuellement sur le bras une cicatrice blanchâtre très probablement occasionnée pendant l'attaque contre Gebhardt. »

Tout en continuant à étreindre ma casquette, je frottai mon crâne rasé avec la jointure de mes doigts. On aurait cru le bruit produit par le ponçage d'un morceau de bois dans l'atelier du camp.

« Puis-je parler franchement ?

— Allez-y, capitaine.

— J'ignore ce que vous allez faire de cet homme. S'agissant d'un individu de ce genre, je me rends bien compte que cela risque de vous poser un problème. Après tout, c'était le mouton de votre mouton. Mais il ne vous est plus d'aucune utilité, n'est-ce pas, major ?

Plus maintenant qu'il est démasqué. Vous pourriez toujours, j'imagine, l'utiliser à la place de Gebhardt, comme agent antifasciste, bien que son russe laisse à désirer. Mais il vous faudrait quand même l'emmener, en vue d'une rééducation politique. D'une manière ou d'une autre, il est fini dans ce camp. Je voulais juste que vous le sachiez, major.

— Vous n'allez pas un peu vite en besogne, Gunther ? Vous n'avez encore rien prouvé. À supposer que je trouve cet argent marqué sur Metelmann, qu'est-ce qui me garantit qu'il ne l'a pas reçu avant le meurtre de Gebhardt ? Et avez-vous pensé que, si cet homme est bien un indicateur, il vaudrait peut-être mieux pour moi le garder ici et vous transférer, le colonel et vous, dans un autre camp ?

— Oui, j'y ai pensé. Certes, rien ne vous en empêche. Mais vous ne pouvez pas être sûr que nous n'avons pas déjà raconté à tous nos camarades ce que je viens de vous dire. C'est une des raisons pour lesquelles il ne vaudrait pas mieux pour vous nous expédier dans un autre camp. L'autre raison, c'est que le colonel fait un excellent travail comme officier responsable. Les hommes l'écoutent. Avec tout mon respect, major, vous avez besoin de lui. »

Le major Savostine regarda le colonel.

« Peut-être, pour ça », fit-il.

Je haussai les épaules.

« Quant à prouver quoi que ce soit à votre satisfaction, major, c'est votre affaire. Je vous ai donné le pistolet. Vous ne pouvez pas attendre de moi que je presse également la détente. Cependant, si vous décidiez de fouiller Metelmann, vous pourriez peut-être lui demander le prénom de son épouse.

— Ce qui signifie ?

— La femme de Konrad Metelmann s'appelle Vera. » Je remis à Savostine la bague que j'avais récupérée et que j'avais supposée être l'alliance de Gebhardt. « Il y a une inscription à l'intérieur. »

Les yeux de Savostine s'étrécirent tandis qu'il lisait ce qui était gravé dans l'anneau en or.

« À Konrad, avec tout mon amour, de la part de Vera. Février 1943. »

Il me regarda.

« Gebhardt l'avait à l'annulaire. Le doigt était cassé, selon moi parce que Metelmann a essayé de retirer la bague, sans y parvenir, après avoir tué Gebhardt. Il se peut qu'il ait même cassé le doigt. Je ne sais pas. Mais j'ai dû utiliser du savon pour l'enlever.

— Gebhardt l'avait peut-être achetée à Metelmann.

— Il l'avait bel et bien achetée. Mais je suis pratiquement sûr que ce n'est pas à Metelmann. Celui-ci l'a dissimulée dans son cul pendant des semaines. Puis il a attrapé une diarrhée de tous les diables et a dû la porter suspendue à un bout de ficelle passé autour de son cou. Mais l'un des gardes s'en est aperçu et l'a forcé à la lui remettre. En fait, j'assistais à la scène.

— Qui ?

— Le sergent Degermenkoï. À mon avis, Gebhardt la lui a rachetée et a promis de la rendre à Metelmann, mais il n'en a rien fait. Peut-être se servait-il de l'alliance comme moyen de pression pour soutirer des renseignements à Metelmann. Dans tous les cas, je suis certain qu'elle était le motif de la dispute. Et je suis persuadé que le sergent confirmera mes dires. Qu'il a vendu l'alliance à Gebhardt.

— Degermenkoï n'est qu'un sale menteur, répondit le major Savostine. Mais je ne doute pas que vous ayez raison à propos de ce qui a dû se passer. Vous avez fait de l'excellent travail. Je les interrogerai tous les deux en temps voulu. Pour le moment, je vous remercie, capitaine. Vous également, colonel, pour m'avoir recommandé cet homme. Vous pouvez retourner travailler à présent. Rompez. »

Nous sortîmes du corps de garde, Mrugowski et moi.

« Vous êtes sûr de tout ça ?

— Oui.

— Et si Savostine fouille Metelmann et qu'il n'a pas ce billet de cinq roubles ?

— Il l'avait il y a une demi-heure. Je le sais parce que c'est moi qui le lui ai donné. Et il porte bien plus qu'une croix orthodoxe russe. Il y a aussi une empreinte de pouce faite avec du sang. Assez bonne d'ailleurs, même si je ne pense pas que les Popov iront effectuer des comparaisons.

— Je ne comprends pas, dit Mrugowski. L'empreinte du pouce de qui ?

— De Gebhardt. Je l'ai mise sur le billet en me servant de la main du cadavre. Et j'ai emprunté cinq roubles à Metelmann avant-hier, juste pour pouvoir le rembourser avec un billet marqué. J'ai tracé moi-même la croix sur les billets. L'empreinte n'était qu'une petite touche supplémentaire.

— Je ne comprends toujours pas.

— Je l'ai marqué à la craie. Metelmann. Je l'ai piégé, de manière à ce qu'il soit mouillé jusqu'au cou. »

Mrugowski s'arrêta et me regarda avec effroi.

« Vous voulez dire qu'il n'a pas tué Gebhardt ?

— Oh, pour ça, il l'a tué. J'en suis quasiment certain. Quant à le prouver, c'est une autre paire de manches. Surtout dans un endroit pareil. Du reste, je m'en balance. Metelmann représentait un problème. Un petit indic minable, et c'est un bon débarras.

— Je n'aime pas vos méthodes, capitaine Gunther.

— Vous vouliez un détective de l'Alex, colonel, et vous l'avez eu. Vous pensez que ces fumiers-là jouaient toujours franc jeu ? En suivant le règlement ? La législation en matière de preuves ? Eh bien, détrompez-vous. Les flics de Berlin ont semé plus d'indices que les anciens Égyptiens. C'est comme ça que fonctionne le système. Le vrai travail policier n'est pas une affaire de gentlemen enquêteurs griffonnant des notes sur une manche de chemise empesée avec un stylo-mine en argent. Ça, c'était le bon vieux temps, quand l'herbe était plus verte et qu'il ne neigeait que la veille de Noël. On adapte le suspect, et non la sanction, au délit, pigé ? C'est toujours comme ça. Et plus particulièrement ici. Ici encore plus. Ce major Savostine n'est pas du genre poulet rigolard. Il appartient au ministère de l'Intérieur. J'espère seulement que vous ne m'avez pas vendu avec trop d'énergie à ce salopard au cœur de pierre parce que je vous le dis, ce n'est pas pour le lieutenant Metelmann que je m'inquiète, c'est pour moi. J'ai été utile à Savostine. Il aime ça. La prochaine fois qu'il aura froid aux mains, il risque de me prendre pour une paire de gants. »

Konrad Metelmann fut emmené le jour même par les bleus, et l'existence quotidienne à Krasno-Armeesk reprit son affreux train-train, implacablement gris et brutal. C'est du moins ce que je croyais, jusqu'à ce qu'un autre *pleni* me fasse observer que je recevais des rations doubles à la cantine. Les gens remarquent toujours ce genre de choses. Au début, aucun de mes camarades ne parut s'en soucier, tout le monde ayant bien conscience à présent que j'avais démasqué un mouchard et permis à vingt-cinq d'entre nous d'échapper à un simulacre de procès à Stalingrad. Mais les souvenirs ont la vie courte, surtout dans un camp de travail soviétique. Et, alors que l'hiver arrivait et que persistait mon traitement de faveur – non seulement la nourriture, mais aussi des vêtements plus chauds –, je commençai à percevoir un certain ressentiment parmi les autres prisonniers allemands. Ce fut Ivan Iefremovitch Pospelov qui m'expliqua ce qui se passait :

« J'ai déjà vu ça. Et si tu ne fais rien, j'ai bien peur que ça ne se termine mal. Les bleus t'ont choisi pour le traitement Astoria. Comme l'hôtel ? Meilleure nourriture, meilleurs vêtements et, au cas où tu ne t'en serais pas aperçu, moins de travail.

— Je travaille, objectai-je. Comme n'importe qui.

— Tu crois ça ? À quand remonte la dernière fois où un bleu t'a crié après pour que tu te grouilles ? Ou t'a traité de cochon d'Allemand ?

— Maintenant que tu en parles, ils ont été plutôt plus polis ces derniers temps.

— Les autres *plenis* finiront par oublier ce que tu as fait pour eux et se rappelleront seulement que tu es le chouchou des bleus. Et ils en tireront la conclusion qu'il n'y a pas de fumée sans feu. Que tu refiles aux bleus quelque chose en échange.

— Mais c'est absurde.

— Je le sais. Tu le sais. Mais eux, est-ce qu'ils le savent ? Dans six mois, tu seras devenu un agent antifasciste à leurs yeux, vrai ou pas. C'est là-dessus que parient les Russes. Qu'une fois mis en quarantaine par les tiens, tu n'auras plus d'autre solution que de te rapprocher d'eux. Faute de quoi, tu auras un jour un accident. Un talus cédera sans raison apparente, et tu te retrouveras enterré vivant. Sauf que les secours arriveront trop tard. Et, si tu t'en tires, il ne te restera plus qu'à prendre la place de Gebhardt. Enfin, si tu tiens à rester en vie. Tu es l'un des leurs, mon pote. Un bleu. Simplement, tu ne le sais pas encore. »

Pospelov avait raison, bien sûr. Pospelov savait tout de la vie à KA. Il pouvait. Il était là depuis les Grandes Purges de Staline. Professeur de musique de la famille d'un haut responsable soviétique arrêté et exécuté en 1937, il avait écopé d'une peine de vingt ans – une simple affaire de culpabilité par association. Mais, pour faire bonne mesure, le NKVD – comme on appelait alors le MVD – lui avait brisé les mains à coups de marteau pour qu'il ne puisse plus jamais jouer du piano.

« Qu'est-ce que je peux faire ? demandai-je.

— Pas leur flanquer une pile, c'est certain.

— Tu ne veux tout de même pas dire que je devrais passer de leur côté ? »

Pospelov haussa les épaules.

« C'est étonnant où un chemin tortueux peut parfois vous mener. En outre, la plupart sont exactement comme nous avec des épaulettes bleues.

— Non, ça m'est impossible.

— Alors tu vas devoir surveiller tes abattis, avec trois yeux. Et ne t'avise pas de bâiller, soit dit en passant.

366

— Il y a sûrement quelque chose que je peux faire, Ivan Iefremovitch. Je pourrais partager une partie de ma nourriture, non ? Donner mes vêtements les plus chauds à quelqu'un ?

— Ils inventeront simplement d'autres manières de te prodiguer leurs faveurs. Ou bien ils s'arrangeront pour persécuter ceux que tu aides. Il faut vraiment que tu aies impressionné ce major, Gunther. » Il poussa un soupir et regarda le ciel gris-blanc en humant l'air. « Il va bientôt neiger. Le travail deviendra plus pénible. Si tu fais quelque chose, il vaudrait mieux que ce soit avant la neige, quand les journées et les réserves de patience se mettent à raccourcir et que les bleus nous détestent encore plus parce que nous les obligeons à rester dehors. En un sens, ce sont des prisonniers tout comme nous. Il ne faut pas l'oublier.

— Tu verrais le bien dans une meute de loups, Pospelov.

— Peut-être. N'empêche, tu as choisi un exemple tout à fait judicieux, mon pote. Si tu souhaites empêcher les loups de te lécher la main, il va falloir que tu mordes l'un d'entre eux. »

Le conseil de Pospelov n'avait rien de réjouissant. Se livrer à des voies de fait sur la personne d'un garde était une infraction grave – trop grave pour l'envisager –, et pourtant je ne doutais pas un instant de ce qu'il m'avait dit : si les Popov continuaient à m'accorder un traitement de faveur, j'allais être victime d'un accident fatal provoqué par mes camarades. Ces derniers se composaient en grande partie de nazis sans pitié, détestables à mes yeux, mais ils n'en demeuraient pas moins mes compatriotes, et, confronté au choix de leur garder ma confiance ou de rejoindre les bolcheviques pour sauver ma peau, j'en vins rapidement à la conclusion que j'étais déjà resté en vie plus longtemps que je n'aurais pu l'espérer et que je n'avais peut-être pas le choix du tout. J'exécrais les bolcheviques autant que les nazis ; sinon davantage, compte tenu des circonstances. Le MVD était l'équivalent de la Gestapo en trois lettres cyrilliques, et j'avais eu assez de tout ce qui avait rapport avec les forces de sécurité d'État pour le restant de mes jours.

Sachant parfaitement ce que j'avais à faire, et à la vue de presque tous les *plenis* dans le canal à moitié creusé, je me dirigeai vers le sergent Degermenkoï et me plantai devant lui. Puis, retirant la cigarette de sa bouche, dans son visage ébahi, je tirai allègrement quelques bouffées. Je sentis que je n'avais pas le cran de le frapper, mais je parvins à trouver la force d'éjecter sa casquette à bande bleue de la hideuse souche d'arbre lui tenant lieu de tête.

Ce fut la première et unique fois que j'entendis des rires à KA. Et ce fut aussi la dernière chose que j'entendis pendant un bon moment. Je faisais des signes de la main aux autres *plenis* quand quelque chose me heurta violemment la tempe – peut-être la crosse du pistolet-mitrailleur de Degermenkoï – et pas à une seule reprise, probablement. Mes jambes fléchirent, et le sol dur et froid sembla m'engloutir comme si j'étais de l'eau de la Volga. La terre noire m'enveloppa, emplissant mes narines, ma bouche et mes oreilles, avant que je m'effondre complètement. Je dégringolai alors dans le lieu d'épouvante que le Grand Staline et son gang rouge meurtrier m'avaient préparé dans leur république socialiste. Comme je sombrais dans ce puits sans fond, ils agitaient leurs mains gantées dans ma direction depuis le sommet du mausolée de Lénine, tandis que, tout autour de moi, des gens applaudissaient ma disparition, riaient de leur propre chance et lançaient des fleurs dans mon sillage.

Je suppose que j'aurais dû avoir l'habitude. Après tout, j'étais accoutumé à me rendre dans les prisons. En tant que flic, j'avais fait des allers-retours en taule pour interroger des suspects ou prendre des dépositions. De temps à autre, je m'étais même retrouvé du mauvais côté du judas : une fois en 1934, alors que j'avais irrité le chef de la police de Potsdam ; et de nouveau en 1936, quand Heydrich m'avait envoyé à Dachau comme agent infiltré pour gagner la confiance d'un petit criminel. Dachau avait été une expérience terrible, mais pas autant que Krasno-Armeesk, et certainement pas autant que l'endroit où j'avais atterri. Non qu'il fût sale ou quoi que ce soit ; la nourriture était bonne ; je pouvais prendre une douche et fumer des cigarettes. Alors qu'est-ce qui m'inquiétait ? Je présume que c'était le fait d'être seul pour la première fois depuis que j'avais quitté Berlin en 1944. J'avais partagé des cantonnements avec un ou plusieurs Allemands pendant près de deux ans et voilà que, tout à coup, je n'avais plus que moi-même à qui parler.

Les gardes ne disaient rien. Je leur parlais en russe, mais ils m'ignoraient. Le sentiment d'être séparé de mes camarades, totalement isolé, se mit à croître et ne fit qu'empirer de jour en jour. En même temps, j'avais la sensation étouffante d'être emmuré – là encore, sans doute à cause de ces six derniers mois que j'avais passés dehors. De même que la taille de la Russie m'avait paru écrasante la première fois, l'extrême petitesse de ma cellule sans fenêtre – trois pas de long et la moitié de large – commençait à peser sur moi. Chaque minute de la journée semblait durer une éternité. Avais-je vraiment vécu si longtemps que ça m'offre si peu en matière de pensées et de souvenirs ? Compte tenu de toutes mes tribulations, j'aurais pu raisonnablement m'attendre à ce que l'évocation de choses anciennes m'occupe pendant des heures. Mais il n'en était rien. C'était comme regarder par le mauvais bout d'un télescope. Mon passé semblait complètement inconsistant, presque invisible. Quant à l'avenir, les journées qui s'étendaient devant moi avaient l'air aussi interminables et vides que les steppes elles-mêmes. Mais le pire, c'était quand je pensais à ma femme. Rien que de l'imaginer dans notre petit appartement de Berlin, à supposer qu'il fût encore debout, suffisait à me faire pleurer. Sans doute me croyait-elle mort. Et mort, j'aurais aussi bien pu l'être. J'étais enseveli dans un tombeau. Il n'y avait plus qu'à fermer les yeux.

J'arrivais à noter le temps qui passe sur les carreaux de porcelaine des murs en me servant de mes excréments. C'est ainsi que je m'aperçus que quatre mois s'étaient écoulés. Dans l'intervalle, je pris du poids. Je retrouvai même ma toux de fumeur. La monotonie engourdissait mon esprit. Allongé sur le lit en planches avec son matelas de toile à sac, je contemplai l'ampoule électrique grillagée au-dessus de la porte en me demandant combien on vous collait pour avoir fait tomber la casquette d'un bleu. Vu l'immensité du crime et du châtiment de Pospelov, j'en arrivai à la conclusion que je pouvais m'attendre à une peine comprise entre six mois et vingt-cinq ans. J'essayais de trouver en moi un peu de son courage et de son optimisme, sans succès : je ne pouvais pas m'empêcher de me rappeler un autre de ses propos. Une boutade qu'il avait faite une fois, sauf que, au fil des jours, ça avait de moins en moins l'air d'une boutade et de plus en plus d'une prédiction.

« Les dix premières années sont toujours les plus dures », avait-il déclaré.

Cette remarque ne cessait de me hanter.

La plupart du temps, je me raccrochais à la certitude que, avant que je sois condamné, il y aurait un procès. Pospelov prétendait qu'il y avait toujours un procès, en quelque sorte. Mais, lorsque s'ouvrit ledit procès, tout était déjà fini que je ne m'en étais même pas rendu compte.

On vint me chercher au moment où je m'y attendais le moins. Je mangeais mon petit déjeuner, et la minute suivante j'étais dans une grande pièce où un petit barbu prenait mes empreintes digitales et me photographiait avec une grosse boîte munie d'un télémètre. Sur la boîte en bois poli était fixé un petit niveau à bulle – une simple bulle d'air dans un liquide jaunâtre rappelant les yeux éteints et larmoyants du photographe. Je lui posai quelques questions dans mon russe le plus recherché et le plus servile, mais les seuls mots dont il se servit étaient : « Tournez-vous sur le côté » et « Ne bougez pas, s'il vous plaît ». Le s'il vous plaît avait quelque chose de sympathique.

Je pensais qu'on me ramènerait ensuite dans ma cellule. Au lieu de quoi on me fit grimper une volée de marches jusqu'à une salle de tribunal exiguë. Il y avait un drapeau soviétique, une fenêtre, un vaste mur des héros représentant le trio infernal Marx, Lénine et Staline, et, sur une estrade, une table derrière laquelle siégeaient trois officiers du MVD, dont je ne connaissais aucun. L'officier supérieur, assis au milieu de cette troïka, me demanda si je désirais un interprète, question aussitôt traduite par un interprète – un autre officier du MVD. Je répondis que non, mais l'interprète resta quand même et se mit à traduire, fort mal, tout ce qu'on me disait. Y compris l'acte d'accusation à mon encontre, qui fut lu par le procureur, une femme à l'air raisonnable, officier du MVD elle aussi. C'était la première femme que je voyais depuis la marche de Königsberg et je ne pouvais pas m'empêcher de l'observer avec fascination.

« Bernhard Gunther », déclara-t-elle d'une voix tremblante – était-elle nerveuse ? Était-ce sa première affaire ? « Vous êtes accusé…

— Attendez une minute, dis-je, en russe. Je n'ai pas d'avocat pour me défendre ?

— Pouvez-vous en payer un ? s'enquit le président.

— J'avais un peu d'argent lorsque j'ai quitté le camp de Krasno-Armeesk. Il a disparu pendant qu'on m'amenait ici.

— Voulez-vous dire qu'on vous l'a volé ?

— Oui. »

Les trois juges conférèrent un moment. Puis le président déclara :

« Vous auriez dû le signaler avant. J'ai bien peur que cette procédure ne puisse être retardée, le temps qu'on examine vos allégations. Poursuivons. Camarade lieutenant ? »

Le procureur reprit la lecture des charges.

« Vous êtes accusé d'avoir sciemment et de façon préméditée attaqué un garde du camp de *voinaplenis* n° 3, à Krasno-Armeesk, en violation de la loi martiale ;

d'avoir volé une cigarette à ce même garde du camp n° 3, ce qui est également contraire à la loi martiale ; et d'avoir commis ces actes dans l'intention de fomenter une mutinerie parmi les autres prisonniers du camp n° 3, au mépris là encore de la loi martiale. Autant de crimes perpétrés contre le camarade Staline et les peuples de l'Union des républiques socialistes soviétiques. »

Je savais que je me trouvais à présent dans une sacrée mélasse. Si ce n'était pas encore le cas, je le compris à cette minute : faire tomber le galurin d'un type était une chose ; une mutinerie en était une tout autre. Pas une accusation à prendre à la légère.

« Avez-vous quelque chose à dire pour votre défense ? » demanda le président.

J'attendis poliment que le traducteur ait fini pour plaider ma cause. Je reconnus l'agression et le vol de la cigarette. Puis, comme une pensée après coup, j'ajoutai :

« Il n'y avait certainement aucune intention de fomenter une mutinerie, monsieur le président. »

Le président hocha la tête, griffonna quelque chose sur un bout de papier – probablement de ne pas oublier d'acheter des cigarettes et de la vodka en rentrant chez lui ce soir – et regarda le procureur avec impatience.

Dans la plupart des cas, j'aime bien les femmes en uniforme. Le problème, c'est que celle-ci n'avait pas l'air de m'aimer. On ne s'était jamais rencontrés, et pourtant elle semblait tout savoir sur moi : le mode de pensée pernicieux qui m'avait conduit à provoquer la révolte en question ; mon dévouement à la cause d'Adolf Hitler et du nazisme ; le plaisir que j'avais pris à l'agression perfide contre l'Union soviétique en juin 1941 ; mon rôle déterminant dans la culpabilité collective des Allemands quant au massacre de millions de

Russes innocents ; et, comme si ça ne suffisait pas, mon désir d'inciter les autres *plenis* du camp n° 3 à en tuer encore plus.

La seule surprise fut que la cour se retira pendant quelques instants pour décider d'un verdict et, plus important, se taper une clope. Une traînée de fumée s'échappait encore des narines d'un des membres du tribunal lorsqu'ils revinrent dans la pièce.

Le procureur se leva. L'interprète se leva. Je me levai. Le verdict fut rendu. J'étais un sale fasciste, un salaud d'Allemand, un fumier de capitaliste, un criminel nazi ; et j'étais aussi reconnu coupable.

« Conformément à la demande du procureur et au vu de vos antécédents, vous êtes condamné à mort. »

Je secouai la tête, certain que le procureur n'avait pas fait une demande semblable – elle avait peut-être oublié – et que mes antécédents n'étaient pas aussi terribles que ça. À moins de compter l'invasion de l'Union soviétique, ce qui ne manquait pas de vérité.

« À mort ? » Je haussai les épaules. « Je suppose que je peux m'estimer heureux de ne pas jouer du piano. »

Curieusement, l'interprète avait cessé de traduire ce que je disais. Il attendait que le président ait fini de parler.

« Vous avez de la chance que ce pays soit fondé sur la clémence et les droits de l'homme, dit-il. Après la Grande Guerre patriotique, au cours de laquelle ont péri tant de citoyens soviétiques innocents, le camarade Staline a souhaité que la peine de mort soit abolie dans notre patrie. En conséquence, la peine capitale qui vous a été infligée est commuée en vingt-cinq ans de travaux forcés. »

Stupéfait de mon sort annoncé, je fus conduit dans une cour où attendait un panier à salade, moteur en marche. Le chauffeur avait déjà les informations me concernant, ce qui donnait à penser que le verdict de la cour était acquis d'avance. Le panier à salade comprenait quatre petites cellules, si basses et exiguës qu'il fallait se plier en deux pour y entrer. La porte métallique était percée de minuscules trous, comme le micro d'un téléphone. Ils avaient ce genre d'attention, les Popov. Nous démarrâmes en trombe – à croire que le chauffeur conduisait une voiture s'enfuyant après un braquage de banque – et quand on s'arrêta, ce fut très brusquement, comme si la police nous y avait forcés. J'entendis qu'on chargeait d'autres prisonniers dans le panier à salade, puis nous repartîmes, également en trombe, le chauffeur éclatant d'un grand rire à chaque fois qu'on dérapait dans les virages. Finalement, nous stoppâmes, le moteur fut coupé, les portes s'ouvrirent en grand et tout devint clair. Nous nous trouvions à côté d'un train sous pression et crachant de violentes bouffées exprimant son impatience de partir, mais pour où, personne ne le disait. Tout le monde dans le panier à salade reçut l'ordre de grimper à bord d'un wagon à bestiaux en compagnie de plusieurs autres Allemands dont les visages étaient aussi sinistres que je me faisais l'effet de l'être. Vingt-cinq ans ! Si je vivais assez longtemps, je ne rentrerais pas chez moi avant 1970 ! La porte du wagon se referma avec un claquement, nous laissant dans une obscurité partielle ; les bogies bougèrent légèrement, nous jetant dans les bras les uns des autres, puis le train s'ébranla.

« Quelqu'un a une idée de notre destination ? demanda une voix.

« — Quelle importance ? L'enfer est le même quel que soit le gouffre de feu dans lequel on est.

— Cet endroit est trop froid pour être l'enfer », dit un autre.

Je jetai un coup d'œil par un trou d'aération dans la paroi du wagon à bestiaux. Il était impossible de savoir où se trouvait le soleil. Le ciel ressemblait à une immense page grise, qui ne tarda pas à noircir avec la tombée de la nuit et à se saupoudrer de neige. À l'autre bout du wagon, un homme sanglotait. Le bruit était déchirant.

« Que quelqu'un lui dise quelque chose, marmonnai-je à haute voix.

— Comme quoi ? demanda l'homme assis à côté de moi.

— J'en sais rien, mais je préférerais ne pas l'entendre à moins d'y être obligé.

— Hé, Fritz ! s'exclama une voix. Arrête de chialer, veux-tu ? Tu es en train de gâcher la fête d'un collègue à l'autre bout du wagon. C'est censé être un pique-nique, d'accord ? Pas un service funèbre.

— Que tu crois. » L'accent était indubitablement de Berlin. « Regarde par ce trou d'aération. On peut voir le cimetière de Kirchhof. »

Je me glissai vers le Berlinois et me mis à lui parler. Peu après, nous découvrîmes que tout le monde dans le wagon avait été jugé par le même tribunal sur de fausses accusations, reconnu coupable et condamné à une longue peine de travaux forcés. J'étais apparemment le seul à avoir commis un délit réel.

Le Berlinois s'appelait Walter Bingel et, avant la guerre, il avait été gardien des jardins du château de Sanssouci, à Potsdam.

« J'étais dans un camp à côté du défilé de Zaritsa, près de Rostov, expliqua-t-il. Je regrette d'en être parti, en fait. Les pommes de terre que j'avais plantées allaient pouvoir être arrachées. Mais j'ai réussi à emporter des semences, alors nous ne crèverons peut-être pas de faim, quel que soit l'endroit où nous allons. »

Cet endroit faisait l'objet de pas mal de spéculations. Un homme déclara qu'il s'agissait du camp minier de Vorkouta, au nord du cercle arctique. Puis un autre mentionna le nom de Sakhaline, ce qui fit taire tout le monde, moi y compris.

« Qu'est-ce que c'est que ça, Sakhaline ? demanda Bingel.

— Un camp à l'extrémité est de la Russie, répondis-je.

— Un camp de la mort, expliqua un autre. Où ils ont envoyé un tas de SS après Stalingrad. Sakhaline veut dire "noir" dans une de ces langues de sous-hommes qu'ils utilisent là-bas. J'ai rencontré un type qui prétendait y être allé. Un prisonnier popov.

— Personne ne sait vraiment s'il existe ou pas, ajoutai-je.

— Oh, pour ça, il existe. Rempli de Japs, qu'il est. Situé tellement loin à l'est qu'il n'est même pas rattaché à ce putain de continent. Ils ne s'embêtent pas à mettre des clôtures de fil barbelé à Sakhaline. À quoi bon ? Il n'y a nulle part où aller. »

Le train roula pendant près de trois jours entiers, et ce fut un soulagement lorsqu'on finit par casser la glace sur les loquets et que la porte du wagon s'ouvrit, parce que le visage des gardes qui nous accueillirent était vaguement européen et non oriental, signe apparemment que Sakhaline nous avait été épargné. Alors que les prisonniers sautaient du wagon, il devint évident que l'un d'eux avait réussi à se pendre à un taquet en bois. Celui qui avait pleuré.

Nous nous alignâmes, plusieurs centaines d'hommes, le long de la voie ferrée et nous attendîmes les ordres. Là où on était, il faisait froid, mais pas autant qu'à Stalingrad ; peut-être à cause de la température, une nouvelle rumeur – que nous étions rentrés – parcourut rapidement les rangs à la manière d'un mantra hindou.

« On est en Allemagne ! On est chez nous ! »

Contrairement à la plupart des rumeurs auxquelles nous autres *plenis* allemands étions fréquemment en proie, celle-ci renfermait une parcelle de vérité, dans la mesure où nous nous trouvions, semble-t-il, de l'autre côté de la frontière de ce que beaucoup de mes camarades nazis les plus fanatiques s'obstinaient probablement à considérer comme le protectorat de Bohême, également connu comme la Tchécoslovaquie.

Et l'excitation redoubla lorsque nous pénétrâmes en Saxe.

« Ils vont nous libérer ! Sinon, pourquoi nous auraient-ils fait faire tout ce chemin depuis la Russie ? »

Pourquoi, en effet ? Mais il ne fallut pas longtemps avant que nos espoirs d'une libération prochaine s'évanouissent.

Nous atteignîmes une petite ville minière appelée Johannesgeorgenstadt, que nous traversâmes de part en part, puis nous grimpâmes une colline avec une jolie vue sur l'église luthérienne locale et plusieurs hautes cheminées, avant de franchir les portes d'un ancien camp de concentration nazi – un parmi la centaine de sous-camps du complexe de Flossenbürg. La plupart d'entre nous s'imaginaient que tous les camps de concentration en Allemagne avaient été fermés, ce fut donc un choc d'en découvrir un toujours ouvert et prêt à fonctionner. Cependant, un choc encore plus grand nous attendait. Il y avait près de deux cents *plenis* allemands vivant et travaillant déjà au camp de Johannesgeorgenstadt, et, même d'après les normes soviétiques des plus médiocres en matière de bien-être des prisonniers, aucun n'avait bonne mine. L'officier supérieur, le général SS Klause, ne tarda pas à nous expliquer pourquoi.

« Navré de vous voir ici, messieurs, déclara-t-il. J'aurais eu plaisir à vous souhaiter un bon retour en Allemagne, mais je crains de ne pas pouvoir. Si vous connaissez un peu l'Erzegirge, vous savez que la région est riche en pechblende, minerai dont on extrait l'uranium. L'uranium est radioactif et peut servir à différentes fins, mais il n'y en a qu'une qui intéresse les Popov. L'uranium en grande quantité est vital pour le projet de bombe atomique soviétique, et on peut affirmer sans exagération qu'ils considèrent le développement d'une telle arme comme une question de la plus haute importance. À coup sûr, beaucoup plus importante que votre santé.

« On ignore quel est l'effet sur le corps humain d'une exposition prolongée à la pechblende non raffinée, mais il y a fort à parier qu'il n'a rien de bénéfique, pour deux raisons. La première, c'est que Marie Curie, qui a découvert ce truc, y a laissé sa peau ; et la seconde, c'est que les bleus ne descendent dans le puits de mine que contraints et forcés. Et encore, uniquement pendant de brèves périodes et en portant des masques. Alors, si vous vous trouvez au fond du puits, couvrez-vous le nez et la bouche avec un mouchoir.

« Côté positif, la nourriture ici est bonne et abondante, et la brutalité réduite au minimum. Les installations sanitaires sont correctes – après tout, ce camp était allemand avant de devenir russe –, et nous avons droit à un jour de libre par semaine ; mais seulement parce qu'ils doivent vérifier les appareils de levage et les niveaux de gaz. Du radon, m'a-t-on dit. Incolore, inodore, et c'est à peu près tout ce que je sais, sauf qu'il est sûrement dangereux lui aussi. Désolé pour ce point négatif supplémentaire. Et puisque nous voilà revenus aux désagréments, je préfère vous avertir tout de suite que, dans ce camp, le MVD utilise un certain nombre d'Allemands comme agents de recrutement pour une soi-disant police du peuple qu'ils comptent instaurer dans la zone soviétique de l'Allemagne occupée. Une police secrète destinée à être le bras allemand du MVD. La création d'une telle force de police en Allemagne est contraire aux dispositions du Conseil de contrôle allié, ce qui ne signifie pas qu'ils ne le feront pas sous cape, en usant de subterfuges. Mais ils ne peuvent pas le faire du tout s'ils n'ont pas les hommes nécessaires, aussi surveillez vos propos car ils ne manqueront pas de vous interroger et de vous poser des questions à perte de vue. Entendez-vous ? Je ne veux pas de renégats sous mon commandement. Ces Allemands que les Popov font travailler pour eux sont des communistes, des vétérans de l'ancien KPD. Ce que nous combattions. La face hideuse du bolchevisme européen. S'il y en a parmi vous qui doutaient de la justesse de notre cause nationale-socialiste, vous avez compris, j'imagine, que c'est vous qui vous trompiez et non le Führer. Souvenez-vous de ce que je vous ai dit et soyez sur vos gardes. »

Je fis partie des chanceux, au sens où l'on ne m'ordonna pas immédiatement de descendre au fond. Au lieu de ça, on m'affecta au triage. Les wagonnets pleins de roche étaient remontés de la mine pour être vidés sur un grand tapis roulant entre deux rangées de *plenis*. Quelqu'un me montra comment inspecter les morceaux de minerai noirâtres afin de détecter les veines de la très précieuse pechblende. Les roches sans veines étaient éliminées, les autres calibrées à vue d'œil et jetées dans des bacs pour une sélection ultérieure par un bleu tenant un tube en métal avec un voyant à un bout : plus le minerai était de bonne qualité, plus du courant électrique était reproduit sous forme de bruit blanc par le tube. Ces roches de meilleure qualité partaient vers la Russie pour y être traitées, mais les quantités jugées exploitables étaient faibles. Des tonnes de roche semblaient nécessaires pour obtenir une petite quantité seulement de minerai, et aucun des hommes travaillant à la mine de Johannesgeorgenstadt ne pensait que les Popov parviendraient à fabriquer une bombe atomique de sitôt.

Cela faisait pratiquement un mois que j'étais là lorsque je reçus l'ordre de me présenter au bureau de la mine. Il se trouvait dans un bâtiment en pierre grise près des machines d'extraction. Je montai au premier étage et attendis. Par la porte ouverte, je pouvais apercevoir deux officiers du MVD. Je pouvais également entendre ce qu'ils disaient, et je compris qu'il s'agissait de deux de ces Allemands contre lesquels le général Klause nous avait mis en garde.

Me voyant planté là, ils me firent signe d'entrer et refermèrent la porte. Je jetai un coup d'œil à la pendule au mur. Il était onze heures du matin. Il y avait un microphone sur la table et, supposai-je, un gros appareil à bandes quelque part, prêt à enregistrer chacune de mes paroles. Non loin du microphone, un spot, mais qui n'était pas allumé. Pas encore. Il y avait aussi un rideau noir non tiré à côté de la fenêtre. Ils m'invitèrent à m'asseoir sur une chaise devant la table.

« La dernière fois que j'ai fait ça, j'ai eu droit à vingt-cinq ans de travaux forcés, expliquai-je. Alors, pardonnez-moi, mais je n'ai vraiment rien à dire.

— Si vous le souhaitez, suggéra un des officiers, vous pouvez faire appel du verdict. Est-ce que le tribunal vous l'a expliqué ?

— Non. Ce qu'il m'a appris, en revanche, c'est que les Soviétiques sont tout aussi stupides et brutaux que les nazis.

— C'est intéressant que vous disiez ça. »

Je ne répondis pas.

« Cela semble confirmer une impression que nous avons de vous, capitaine Gunther. À savoir que vous n'êtes pas un nazi. »

Pendant ce temps, l'autre officier avait décroché un téléphone et disait quelque chose en russe que je n'arrivais pas à entendre.

« Je suis le major Weltz », dit le premier officier. Il se tourna vers l'homme en train de reposer le combiné du téléphone. « Et voici le lieutenant Rascher. »

Je poussai un grognement.

« Comme vous, je suis de Berlin, continua Weltz. En fait, j'y étais le week-end dernier. Vous ne reconnaîtriez guère la ville, j'en ai peur. C'est incroyable toutes les destructions qu'elle a subies en raison du refus de Hitler de se rendre. » Il poussa un paquet de cigarettes vers moi. « Servez-vous, je vous en prie. Ce sont des russes, malheureusement, mais ça vaut toujours mieux que rien. »

J'en pris une.

« Tenez, dit-il en faisant le tour de la table et en ouvrant un briquet d'un geste sec. Laissez-moi vous l'allumer. »

Perché sur le bord du bureau, il me regarda fumer. La porte s'ouvrit alors et un *starchina* entra, une feuille de papier à la main. Il la posa à côté des cigarettes avant de repartir sans un mot.

Après avoir considéré un instant la feuille, Weltz pivota pour me faire face.

« Votre formulaire d'appel. »

Je jetai un bref coup d'œil aux lettres cyrilliques.

« Désirez-vous que je vous le traduise ? »

— Ce ne sera pas nécessaire. Je lis et parle le russe.

— Et même très bien, paraît-il. » Il me tendit un stylo à encre et attendit que je signe la feuille. « Il y a un problème ?

— Quelle importance ? dis-je d'un ton las.

— Une importance capitale. Le gouvernement de l'Union soviétique a ses procédures et formalités, comme n'importe quel autre pays. Il ne se passe rien sans un bout de papier. C'était la même chose en Allemagne, non ? Un formulaire officiel pour tout. »

De nouveau, j'hésitai.

« Vous voulez rentrer chez vous, n'est-ce pas ? À Berlin ? Eh bien, vous ne le pouvez pas, à moins d'avoir été libéré, et vous ne pouvez pas être libéré, à moins d'avoir d'abord fait appel de votre condamnation.

Vraiment, c'est aussi simple que ça. Oh, je ne vous promets rien, mais ce formulaire lancera le processus. Pensez-y comme à la machine d'extraction qui se trouve dehors. Un bout de papier mettant la roue en mouvement. »

Je lus le formulaire de haut en bas, puis de bas en haut : parfois, les choses en Union soviétique et dans ses zones d'occupation paraissaient plus logiques quand on les lisait à l'envers.

Je signai, et le major Weltz tira la feuille vers lui.

« Au moins, nous savons que vous avez très envie de partir d'ici. De regagner vos pénates. Ce point établi, tout ce qui nous reste à faire, c'est d'imaginer un moyen pour que cela se produise. Plus tôt que plus tard. Soit vingt-cinq ans, pour être précis. À condition que vous surviviez à ce que tout le monde vous décrira ici comme un travail dangereux. Personnellement, ça ne me dit pas grand-chose de vivre aussi près de grands dépôts d'uranite. Apparemment, ils s'en servent pour fabriquer cette poudre jaune qui brille dans le noir. Dieu sait ce que cela fait à des êtres humains.

— Merci, mais je ne suis pas intéressé.

— Nous ne vous avons pas encore dit ce que nous vous offrons, répondit Weltz. Un emploi. Comme policier. J'aurais pensé que cela pourrait plaire à un homme possédant vos compétences.

— Un homme n'ayant jamais adhéré au parti nazi, ajouta le lieutenant Rascher. Un ancien membre du parti social-démocrate.

— Saviez-vous, capitaine, que le KPD et le SPD avaient fusionné ?

— C'est un peu tard. Le soutien du KPD aurait pu

nous être utile en décembre 1931. Lors de la "révolution rouge".

— C'était la faute de Trotsky, répliqua Weltz. Bon. Mieux vaut tard que jamais, hein ? Le nouveau parti – le SED, le parti de l'unité socialiste – représente pour nous deux une chance de pouvoir travailler ensemble. À une nouvelle Allemagne.

— Encore une nouvelle Allemagne ? dis-je avec un haussement d'épaules.

— Eh bien, on peut difficilement se contenter de l'ancienne. Vous ne croyez pas ? Il y a tellement de choses à reconstruire. Pas seulement la politique, mais aussi la loi et l'ordre. La police. Nous sommes en train de créer une nouvelle force. Baptisée pour le moment le Kommissariat 5, ou K-5. Nous espérons qu'elle sera opérationnelle vers la fin de l'année. Et jusque-là, nous cherchons des recrues. Quelqu'un comme vous, un ancien Oberkommissar de la Kripo, jouissant d'une réputation d'honnêteté et d'intégrité, chassé des rangs de la police par les nazis, est exactement le genre d'homme de principes dont nous avons besoin. Je peux probablement vous garantir une réintégration au même grade avec droit à une pension complète. Une indemnité du fait du coût de la vie à Berlin. De l'aide concernant un nouvel appartement. Un travail pour votre femme.

— Non merci.

— Dommage, dit le lieutenant Rascher.

— Allons, pourquoi ne pas y réfléchir, capitaine ? suggéra Weltz. La nuit porte conseil. Voyez-vous, pour être tout à fait franc avec vous, Gunther, vous figurez en tête de notre liste dans ce camp. Et, pour des raisons évidentes, nous préférerions ne pas rester ici plus longtemps que nécessaire. En ce qui me concerne, je suis déjà père de famille, mais le lieutenant n'a aucun désir de compromettre ses chances d'avoir un fils s'il se marie un jour. En effet, la radioactivité a des conséquences sur la capacité masculine de procréer. Elle affecte également la thyroïde et l'aptitude de l'organisme à utiliser l'énergie et à fabriquer des protéines. C'est du moins ce que je crois savoir.

— La réponse est toujours non. Puis-je m'en aller ? »

Le major adopta une expression contrite.

« Je ne vous comprends pas. Comment se fait-il que vous, un social-démocrate, étiez prêt à aller travailler pour Heydrich ? Et pourtant, vous ne voulez pas travailler pour nous. Pouvez-vous m'expliquer ça, s'il vous plaît ? »

C'est alors que je sus à qui le major me faisait penser. L'uniforme avait beau être différent, les cheveux filasse, les yeux bleus, le front haut et même le ton hautain me rappelaient déjà Heydrich avant qu'il ait mentionné le nom. De plus, tous deux étaient à peu près du même âge. S'il n'avait pas été assassiné, Heydrich aurait eu dans les quarante-deux ans. Le jeune lieutenant avait le poil un peu plus gris, avec un visage aussi large que celui du major était long. Il avait le même air que moi avant la guerre et un an dans un camp de prisonniers.

« Eh bien, Gunther ? Qu'avez-vous à répondre ? Peut-être avez-vous toujours été un nazi sans en porter le nom. Un compagnon de route du parti. C'est ça ? Est-ce qu'il vous a fallu tout ce temps pour comprendre ce que vous êtes vraiment ?

— Vous et Heydrich, dis-je au major. Vous n'êtes

pas très différents. Je n'ai jamais voulu travailler pour lui non plus, mais j'avais peur de dire non. Peur de ce qu'il pourrait me faire. Vous, en revanche, vous avez brûlé là vos dernières cartouches. Montré le pire dont vous étiez capable. À part me coller une balle dans la tête, vous ne pouvez pas me faire grand-chose de plus, en réalité. Parfois, c'est un grand réconfort de savoir qu'on a déjà touché le fond.

— Nous pourrions vous briser, répondit Weltz. Nous pourrions faire ça.

— J'ai moi-même brisé quelques hommes, de mon temps. Mais il faut un motif. Et, avec moi, il n'y en a pas, parce que, si vous me brisez, ce sera juste histoire de rigoler et qu'en outre je ne vous servirai à rien quand vous en aurez fini. Je ne vous sers à rien à cet instant, simplement vous ne le savez pas, major. Laissez-moi vous dire pourquoi. J'étais un flic beaucoup trop ringard pour jouer les fines mouches en fermant les yeux ou en léchant le cul de quiconque. Les nazis étaient plus intelligents que vous. Ils savaient ça. La seule raison pour laquelle Heydrich m'a fait revenir à la Kripo, c'est qu'il n'ignorait pas que, même dans un régime totalitaire, il arrive qu'on ait besoin d'un vrai policier. Mais vous, vous ne voulez pas d'un vrai policier, major Weltz, vous voulez un larbin avec une plaque. Vous voulez que je lise Marx à l'heure du coucher et la correspondance des gens durant le jour. Vous voulez un homme avide de plaire et de grimper les échelons au sein du parti. » Je secouai la tête avec lassitude. « La dernière fois que j'ai cherché à grimper dans un parti, une jolie fille m'a flanqué une gifle.

— Tant pis, fit Weltz. On dirait bien que vous allez passer le reste de votre existence sous forme de spectre.

Comme votre classe sociale tout entière, Gunther, vous êtes une victime de l'histoire.

— Nous le sommes tous les deux, major. Être allemand, c'est précisément être une victime de l'histoire. »

Mais j'étais aussi une victime de mon environnement. Ils firent ce qu'il fallait pour ça. Peu après mon entrevue avec les petits gars du K-5, on me transféra du triage dans la mine.

C'était un monde de tonnerre incessant. Il y avait le grondement des explosions souterraines qui pulvérisaient la roche en tronçons plus maniables ; et le claquement des portes de la cabine avant qu'elle s'enfonce dans le puits en grinçant. Il y avait le vacarme des blocs que nous fendions à coups de pioche puis que nous jetions dans les wagonnets ; et le fracas continuel tandis que ces derniers allaient et venaient sur les rails. Et, à chaque détonation, il y avait encore plus de poussière, noircissant ma morve et tranformant ma sueur en une sorte d'huile grisâtre. La nuit, je crachais de gros amas grumeleux de salive et de mucus qui ressemblaient à des œufs sur le plat carbonisés. Ça paraissait cher payé pour mes principes. Mais il régnait dans le puits une camaraderie qui n'existait nulle part ailleurs à Johannesgeorgenstadt, et nous avions droit automatiquement au respect des autres *plenis* qui nous entendaient tousser et se rendaient compte de leur relative bonne fortune. Pour ça, Pospelov avait eu raison. Il y a toujours quelqu'un de plus mal loti que soi-même. Simplement, j'espérais avoir la chance de rencontrer ce quelqu'un avant de me tuer à la tâche.

Il y avait un miroir dans les douches. En général,

nous l'évitions de peur de voir notre propre grand-père ou, pire, son corps décomposé nous dévisager à son tour ; mais, une fois, je jetai un coup d'œil par inadvertance et vis un homme au visage semblable à la pechblende qu'on extrayait : brun-noir, granuleux et difforme, avec deux espaces opaques et ternes là où se trouvaient autrefois mes yeux et une rangée d'excroissances grisâtres qui avaient dû être mes dents. J'avais beau avoir rencontré pas mal de types de criminels dans ma vie, j'avais l'air du méchant frère de Mister Hyde. Et aussi sa façon de se comporter. Il n'y avait pas de bleus dans le puits, et nous réglions nos différends avec une violence sans bornes. Un jour, Schaefer, un *pleni* également originaire de Berlin et qui ne pouvait pas sentir les flics, me dit qu'il avait applaudi en 1933 lorsqu'on avait chassé de la capitale les dirigeants du SPD. À la suite de quoi je lui balançai mon poing dans la figure, puis, comme il essayait de me donner un coup de pioche, je le frappai avec une pelle. Il mit un moment à se relever, et, de fait, il ne fut plus jamais le même après ça – encore une victime de l'histoire. Karl Marx aurait approuvé.

Mais, au bout d'un certain temps, je me fichais d'à peu près tout, moi-même y compris. Je me faufilais à l'intérieur de cavités exiguës dans la roche noire pour travailler tout seul avec ma pioche, ce qu'il y avait de plus dangereux, les affaissements étant monnaie courante. Mais on respirait moins de poussière qu'en utilisant des explosifs.

Un autre mois s'écoula. C'est alors que je fus de nouveau convoqué au bureau, et j'y allai en m'attendant à tomber sur les deux mêmes officiers du MVD et à les entendre me demander si mon petit séjour au fond de la mine ne m'avait pas fait changer d'avis sur le K-5. Il m'avait fait changer d'avis sur un tas de choses, mais pas sur le communisme allemand et sa police secrète. Je m'apprêtais à leur dire d'aller se faire foutre et, peut-être, à paraître convaincant, même si j'étais mûr pour qu'on vienne me mettre du plâtre de Paris sur la figure. Aussi je ressentis une légère déception en constatant que les deux officiers n'étaient pas là, comme lorsqu'on a préparé un assez bon discours sur quantité de sujets nobles qui n'ont plus beaucoup d'importance une fois qu'on est allongé à la morgue.

Il n'y avait qu'un seul officier dans la pièce : corpulent, avec des cheveux châtains en voie de disparition et une mâchoire pugnace. Comme ses deux prédécesseurs, il portait une culotte bleue et une *gimnasterka* brune, mais il arborait davantage de décorations ; outre l'insigne de vétéran d'unités du NKVD et l'Ordre du drapeau rouge, il y avait d'autres médailles que je ne connaissais pas. Le motif sur ses pattes de col et les étoiles sur ses manches semblaient indiquer qu'il était au moins colonel, peut-être même général. Sa casquette bleue d'officier à la visière presque carrée reposait sur la table à côté du revolver Nagant dans son gros étui.

« La réponse est toujours non, déclarai-je sans lui prêter attention.

— Asseyez-vous, répondit-il. Et ne faites pas l'imbécile. »

Il était allemand.

« Je sais, j'ai pris un peu de poids. Mais je pensais que vous, plus que quiconque, me reconnaîtriez. »

Je m'assis et me frottai les yeux pour en ôter la poussière.

« Maintenant que vous le dites, vous avez en effet quelque chose qui m'est familier.

— Vous, je ne vous aurais pas reconnu. En aucune façon.

— Je sais. Je devrais arrêter le chocolat. Aller chez le coiffeur et me faire faire une manucure. Mais je ne trouve jamais le temps, semble-t-il. Mon travail m'accapare tellement. »

La tête de charcutier de l'officier se fendit d'un sourire. Ou presque.

« De l'humour. Dans un tel lieu, voilà qui est impressionnant. Mais si vous tenez vraiment à m'impressionner, cessez de jouer les durs et dites-moi qui je suis.

— Vous ne le savez pas ? »

Il poussa un soupir agacé et secoua la tête.

« Je vous en prie. Je peux vous aider si vous me laissez faire. Mais, d'abord, il faut que je me persuade que vous en valez la peine. Si vous avez quoi que ce soit d'un détective, vous vous rappellerez qui je suis.

— Erich Mielke. Votre nom est Erich Mielke. »

25

Allemagne, 1946

« Vous le saviez depuis le début.

— Non, pas tout à fait. La dernière fois que je vous ai vu, Erich, vous me ressembliez. »

Pendant un moment, Mielke se rembrunit, comme si les souvenirs lui revenaient.

« Ces putains de Français ! s'exclama-t-il. Pour moi, ils ne valaient pas mieux que les nazis. Je n'arrive toujours pas à avaler qu'ils soient devenus l'une des quatre puissances victorieuses à Berlin. Qu'est-ce qu'ils ont fait pour battre les fascistes ? Rien.

— On peut au moins être d'accord sur quelque chose.

— Le Vernet a été la seconde fois que vous m'avez sauvé la mise. Pourquoi ? »

Je haussai les épaules.

« Ça semblait une bonne idée à ce moment-là.

— Non, ça ne suffit pas, répliqua-t-il d'une voix ferme. Dites-le-moi. Je veux savoir. Vous portiez une tenue d'officier de la Gestapo, mais vous n'en aviez pas le comportement. Je n'ai pas compris alors et je ne comprends toujours pas.

— Entre vous et moi, et ces quatre murs, Erich, la Gestapo n'était qu'un ramassis d'enfoirés, j'en ai bien peur. » Je lui parlai des meurtres commis par le major Boemelburg et les troupes d'assaut SS sur la route de Lourdes. « Voyez-vous, ramener un homme pour le faire juger est une chose. L'abattre dans un fossé sur le bord d'une route en est une complètement différente. Vous avez eu de la chance que nous allions d'abord au camp de Gurs, sinon c'est peut-être vous qui auriez péri sous les balles en essayant de prendre la poudre d'escampette. Mais, étant donné ce que j'ai vu depuis de vos amis du MVD, vous ne méritiez probablement pas mieux. Les rats restent des rats, qu'ils soient gris, noirs ou bruns. Simplement, je n'avais pas beaucoup de dispositions pour en devenir un moi-même.

— Peut-être un rat blanc, hein ?

— Peut-être. »

Mielke jeta un paquet de Belomorkanal sur la table dans ma direction.

« Tenez. Personnellement je ne fume pas, mais je les ai apportées pour vous. » Il ajouta des allumettes. « À mon avis, fumer n'est pas bon pour votre santé.

— Ma santé a des sujets d'inquiétude plus importants. » J'en allumai une et en tirai allègrement quelques bouffées. « Vous ne le savez peut-être pas, mais les clopes russes sont meilleures pour la santé que les américaines.

— Ah ? Pourquoi ça ?

— Parce qu'elles ne contiennent presque pas de tabac. Quatre bonnes bouffées, et fini. »

Mielke sourit.

« En parlant de votre santé, je ne pense pas que cet endroit soit bénéfique pour vous. Si vous restez suffisamment longtemps, il y a des chances qu'il vous pousse deux têtes. Ce qui serait du gaspillage, d'après moi. » Il fit le tour de la table et s'assit sur le coin, balançant négligemment une de ses bottes bien cirées. « Vous savez, quand j'étais en Russie, j'ai appris à m'occuper de ma santé. J'ai même remporté la médaille sportive d'Union soviétique. Je vivais à Krasnogorsk, une petite ville à l'extérieur de Moscou, et j'allais chasser le week-end dans un domaine sportif ayant appartenu jadis à la famille Ioussoupov. Le prince Ioussoupov fait partie de ces aristocrates qui ont assassiné Raspoutine. On a raconté toutes sortes d'inepties sur la mort de Raspoutine, vous savez. Qu'il leur a fallu s'y reprendre à trois ou quatre fois pour arriver à le tuer. Qu'il a été empoisonné, criblé de coups de feu, passé à tabac puis noyé. En fait, ils ont tout inventé pour donner à leur geste futile un caractère plus héroïque. Et le prince n'a même pas participé à l'assassinat. La vérité, c'est qu'il a reçu une balle dans le front, tirée par un membre des services secrets britanniques. Si je parle de ça, c'est pour souligner le fait qu'un homme, même un homme robuste comme Raspoutine, ou vous éventuellement, peut survivre à presque tout, excepté se faire tuer. Vous, mon ami, vous mourrez ici. Vous le savez. Je le sais. Peut-être serez-vous intoxiqué par l'uranite. Peut-être récolterez-vous une balle au cours d'une tentative d'évasion. Ou bien, lors d'une inondation de la mine, comme il s'en produit de temps à autre, paraît-il, vous vous noierez. Mais il n'est pas obligatoire que cela se passe ainsi. Je veux vous aider, Gunther. Vraiment. Mais vous devrez me faire confiance.

— Je vous écoute, les oreilles grandes ouvertes, Erich. Deux en tout cas, d'après le dernier comptage.

— Nous savons l'un comme l'autre que vous feriez un très mauvais officier dans le Kommissariat 5. D'abord, il vous faudrait aller à l'école antifasciste de Krasnogorsk. Pour la rééducation. Être transformé en croyant. D'après nos rencontres antérieures et tout ce que j'ai lu sur vous, Gunther, je suis intimement convaincu que ce serait une perte de temps que d'essayer de vous convertir au communisme. Toutefois, cela reste le meilleur moyen pour que vous puissiez sortir d'ici. Vous proposer pour le K-5 et la rééducation.

— C'est vrai, j'ai un peu négligé mes lectures ces derniers temps, mais…

— Bien sûr, ce ne sera qu'un écran de fumée pour votre évasion.

— Bien sûr. Je suppose qu'il n'y a aucune chance que je sois tué d'une balle à travers cet écran de fumée.

— Il y a une chance que nous le soyons tous les deux, si vous tenez à le savoir. Je me mouille pour vous, Gunther. J'espère que vous vous en rendez compte. Au cours de ces dix dernières années, je suis devenu un spécialiste quand il s'agit de sauver ma propre peau. J'imagine que nous avons ça en commun. Dans tous les cas, ce n'est pas quelque chose que je fais à la légère.

— Pourquoi le faire tout bonnement ? Pourquoi prendre un tel risque ? Je ne comprends pas, tout comme vous n'avez pas compris.

— Vous pensez être le seul rat à ne pas avoir les dispositions nécessaires ? Vous pensez qu'un officier de la Gestapo est le seul homme capable de faire appel à sa conscience ?

— Je n'y ai jamais cru. Mais vous… vous y avez cru à cent pour cent, Erich.

— C'est exact. J'y ai cru. Absolument. C'est pourquoi ça a été un choc de découvrir que la fidélité au parti pouvait ne compter pour rien, que l'on pouvait tout rayer d'un trait de plume.

— Pourquoi voudraient-ils vous faire ça, Erich ?

— Nous avons tous nos petits secrets.

— Non, ça ne suffit pas, dis-je, répétant comme un perroquet ses propos précédents. Dites-le-moi. Je veux savoir. Et alors je vous ferai peut-être confiance. »

Mielke se leva et se mit à déambuler dans la pièce, les bras croisés, absorbé dans ses pensées.

« Vous êtes-vous jamais demandé ce qui m'était arrivé après Le Vernet ?

— Oui. Mais j'ai dit à Heydrich que vous vous étiez engagé dans la Légion étrangère. J'ignore s'il m'a cru.

— J'ai passé au Vernet encore *trois* années après vous avoir vu en 1940. Pouvez-vous imaginer ça ? Trois années en enfer ? Enfin, peut-être que maintenant vous pouvez, oui, je suppose que ça vous est possible. Je me faisais passer pour un Germano-Letton nommé Richard Hebel. Puis, en décembre 1943, j'ai été enrôlé comme travailleur par le ministère de l'Armement et des Productions de guerre de Speer. Je suis devenu ce qu'on appelait auparavant un ouvrier Todt. De fait, moi et des milliers d'autres devions travailler comme des esclaves pour les nazis. Pour ma part, j'étais bûcheron dans les Ardennes, fournissant du combustible destiné à l'armée allemande. C'est là que je suis devenu l'homme que vous voyez à présent. Avec ces épaules de bûcheron. Bon, je suis resté un travailleur dit volontaire, trimant douze heures par jour, jusqu'à la fin de la guerre. J'ai alors regagné Berlin, où je me suis rendu au siège du KPD récemment légalisé, sur la Potsdamer Platz, pour offrir mes services au parti. J'ai eu énormément de chance. J'ai rencontré quelqu'un qui m'a conseillé de mentir à propos de ce que j'avais fait pendant la guerre. De ne pas dire que j'avais été prisonnier, et encore moins un travailleur volontaire pour les fascistes. »

Mielke fronça énergiquement les sourcils, l'air perplexe, tel un ours prenant peu à peu conscience qu'il a été piqué par une abeille. Il secoua la tête.

« Eh bien, ça n'avait aucun sens pour moi. Après tout, ce n'était pas ma faute si j'avais dû travailler pour les nazis. Mais on m'assura que le parti ne verrait pas les choses de cette manière. Et, contre toutes mes inclinations, qui étaient d'avoir foi dans le camarade Staline et le parti, je décidai de me fier à cet homme. Il s'appelait Victor Dietrich. Je leur racontai donc que je m'étais terré en Espagne, puis que je m'étais battu avec les résistants français. Bien m'en a pris car, sans le conseil de Dietrich, ma franchise m'aurait été fatale. Voyez-vous, en août 1941, le camarade Staline, en tant que commissaire du peuple à la Défense, avait émis une ordonnance tristement célèbre – l'ordonnance n° 270 – qui déclarait, en susbtance, qu'il n'y avait pas de prisonniers de guerre soviétiques, seulement des traîtres. » Mielke haussa les épaules. « Sur près de deux millions d'hommes et de femmes qui ont réintégré l'Union soviétique et ses zones de contrôle après un séjour dans des camps allemands ou français – dont un grand nombre de membres loyaux du parti –, un pourcentage très important a été exécuté ou envoyé dans des goulags pour une période comprise entre dix et vingt ans. Ce qui a été notamment le cas de mon propre frère. Voilà pourquoi je ne crois plus, Gunther. Parce qu'à n'importe quel moment mon passé pourrait me rattraper et que je me retrouverais alors là où vous êtes actuellement.

« Or je veux un avenir. Quelque chose de concret. Est-ce si étrange ? Je fréquente une femme. Elle se prénomme Gertrud. Elle est couturière, à Berlin. Ma mère aussi était couturière. Vous le saviez ? Quoi qu'il en soit, j'aimerais que nous ayons le sentiment que nous pouvons avoir une vie ensemble. Je ne sais pas pourquoi je vous dis tout ça. Je n'ai tout de même pas à me justifier de vouloir vous aider. Vous m'avez sauvé la vie. Deux fois. Quel genre d'homme serais-je si j'oubliais ça ? »

Je restai un instant silencieux. L'impatience assombrit alors son visage.

« Voulez-vous que je vous aide ou pas, bon sang ?

— De quelle manière est-ce que ça va se passer ? demandai-je. C'est ce que j'aimerais savoir. Si je dois remettre mon âme entre vos mains, ça ne vous étonnera pas que je tienne à contrôler que vous avez les ongles propres.

— Voilà ce qui s'appelle parler en vrai Berlinois. Qu'à cela ne tienne. Voyons ça. L'École centrale anti-fasciste se trouve à Krasnogorsk. Chaque mois, nous leur envoyons, dans un vol de Berlin, un lot de nazis pour la rééducation. Il y en a déjà pas mal, à présent. Tous membres du Comité national pour une Allemagne libre, comme ils s'intitulent eux-mêmes. Dont le feld-maréchal Paulus. Vous le saviez ?

— Paulus, un collaborateur ?

— Depuis Stalingrad. Il y a aussi von Seydlitz-Kurbach. Vous vous souvenez, bien sûr, de ses émissions de propagande à Königsberg. Oui, c'est une véritable petite colonie allemande, là-bas. Un second chez-soi national-socialiste. Une fois que vous serez à bord de l'avion de Berlin pour Krasnogorsk, impossible de fiche le camp. Mais, dans le train entre ici et Berlin ou, mieux encore, entre ici et Zwickau, c'est là que vous pourriez vous enfuir. Pensez donc. De ce camp à la zone d'occupation américaine, il y a moins de soixante kilomètres. Si mon amie Gertrud ne se trouvait pas à Berlin-Est, je pourrais moi-même être tenté. Alors, voici ce que je propose : j'informerai le major Weltz que je vous ai persuadé de changer d'avis. Que vous êtes prêt à suivre une rééducation à l'école antifasciste. Il parlera au commandant du camp, qui vous retirera du puits de mine pour vous remettre au triage. Sinon, tout le reste aura l'air comme d'habitude jusqu'au jour où vous quitterez ce camp et où on vous fournira un uniforme propre et des bottes neuves. Au fait, quelle est votre pointure ?

— Quarante-six. »

Mielke eut un haussement d'épaules.

« Le poids d'un homme peut varier considérablement, mais ses pieds gardent toujours la même taille. Très bien. Il y aura un pistolet dans la jambe de la botte. Des papiers. Et une clé pour vos menottes. Vous serez probablement accompagné lors de votre voyage par ce jeune lieutenant du MVD et par un *starchina* russe. Mais attention. Ils n'abandonneront pas facilement la partie. La punition pour avoir laissé un *pleni* s'échapper est de prendre la place du prisonnier dans le camp de travail. Et il y a de fortes chances pour que vous soyez obligé d'utiliser votre arme et de les tuer tous les deux. Mais ça ne devrait pas vous poser de problème. Le train ne sera pas comme les convois de détenus dont vous avez fait partie jusque-là. Vous serez dans un compartiment. Dès que la locomotive aura démarré, demandez à vous servir des toilettes. Et en ressortant, ouvrez le feu. Pour le reste, c'est à vous de décider. Le mieux serait que vous empruntiez l'uniforme d'un de vos accompagnateurs. Comme vous parlez le russe, ça ne devrait pas poser de problème là non plus. Sautez du train et dirigez-vous vers l'ouest, bien évidemment. Si vous êtes pris, je nierai tout, aussi évitez-moi cet embarras. S'ils vous torturent, rejetez la responsabilité sur le major Weltz. Je n'ai jamais pu le blairer, de toute façon. »

L'attitude implacable de Mielke me fit sourire.

« Il n'y a qu'un seul hic, dis-je. Les autres *plenis*. Mes camarades. Ils penseront que je me suis vendu.

— Ce sont des nazis, pour la plupart. Ce qu'ils pensent a vraiment de l'importance pour vous ?

— Je ne l'aurais pas cru. Mais, bizarrement, oui.

— Ils ne mettront pas longtemps à apprendre que vous vous êtes fait la paire. Ce genre de nouvelles va vite. Surtout si ce major se retrouve à devoir trinquer. Et je veillerai à ce que ce soit le cas. Une dernière chose. Lorsque vous serez dans la zone américaine, je voudrais que vous me rendiez un service. J'aimerais que vous alliez à une adresse à Berlin remettre de l'argent à quelqu'un que je connais. Une femme. En fait, vous l'avez rencontrée autrefois. Vous ne vous en souvenez probablement pas, mais vous l'avez emmenée dans votre voiture le jour même où vous m'avez tiré des griffes de cette bande de SA.

— Je ne voudrais pas que vous aider devienne une habitude, Erich. Mais bien sûr. Pourquoi pas ? »

Quelle était au juste la part de vrai dans ce qu'Erich Mielke m'avait dit ne changeait rien à l'affaire. Il avait raison sur un point : si je restais au camp de Johannesgeorgenstadt, je mourrais vraisemblablement. Ce qu'il ne savait pas en m'offrant une possibilité de m'évader, c'est que je m'apprêtais déjà à jeter l'éponge et à rejoindre le K-5 dans l'espoir, bien plus tard, une fois devenu un bon communiste, de trouver un moyen de mettre les voiles.

Presque tout de suite après ma conversation avec Mielke, je fus, comme il l'avait promis, affecté de nouveau au triage des roches. Ce qui faisait planer le soupçon que j'avais accepté de collaborer avec les communistes allemands, et je fus soumis à un interrogatoire serré par le général Krause et son adjudant, un major SS nommé Dunst ; cependant ils semblèrent accepter mes allégations comme quoi je demeurais « fidèle à l'Allemagne », si ces mots avaient un sens. Au fil des jours, leurs doutes initiaux se mirent à s'estomper. Je n'avais pas la moindre idée du moment où je serais convoqué au bureau et où on me donnerait mon uniforme propre et les précieuses bottes. Comme le temps continuait à s'écouler, j'en vins à me demander si Mielke ne m'avait pas trompé, ou même s'il n'avait pas été arrêté. Puis, par une froide journée de printemps, on m'ordonna de me rendre aux douches, où je pus me laver et où on me fournit un autre uniforme. Il avait été nettoyé à l'eau bouillante et tous les écussons et insignes avaient disparu, mais, comparé à mes vêtements minables, on l'aurait dit fait sur mesure par Holters. Le *pleni* qui me l'apporta était un *besprisorni* russe, un orphelin ayant grandi dans le système des camps de travail et que les bleus considéraient comme un prisonnier de confiance n'ayant pas besoin d'être surveillé. Il me remit mes bottes, qui étaient fabriquées dans un cuir fin et souple, et fit ensuite le guet.

L'argent se composait de roubles, ainsi que, dans une enveloppe adressée à l'amie de Mielke, plusieurs centaines de dollars. Les papiers comprenaient un sauf-conduit rose, une carte de rationnement, un permis de voyage et une carte d'identité allemande –, tout ce dont j'aurais besoin si jamais on m'arrêtait sur la route de Nuremberg dans la zone américaine. Il y avait une petite clé destinée à une paire de menottes. De même qu'un pistolet chargé, presque aussi petit que la clé : un Colt 25 à six coups avec un canon de cinq centimètres. Pas grand-chose d'un pétard, mais suffisamment tout de même pour vous donner à réfléchir avant de contrarier la personne qui le tient. Mais tout juste. Une arme de fille de joie, sans chien pour ne pas abîmer ses bas.

Je fourrai papiers et argent à l'intérieur de mes bottes, le pistolet sous ma ceinture et me dirigeai vers l'entrée, où le lieutenant Rascher et un sergent bleu m'attendaient, comme prévu. Le seul ennui, c'est que le major Weltz m'attendait également. Tuer deux hommes ne serait déjà pas facile. Trois relevait de l'exploit. Mais il n'y avait plus moyen de reculer. Ils se tenaient à côté d'une berline Zim noire à l'air plus américain que russe. Je me trouvais à mi-chemin quand j'entendis quelqu'un m'appeler par mon nom. Je me retournai pour voir Bingel me faire un signe de tête.

« Alors, on a signé le pacte de sang, Gunther ? demanda-t-il. Ton âme. Je suppose que tu en as tiré un bon prix, espèce de fumier. J'espère seulement vivre assez longtemps pour t'expédier moi-même en enfer. »

À la suite de quoi je me sentis quelque peu déprimé, mais j'allai néanmoins jusqu'à la voiture et tendis les poignets. Puis je montai, et le bleu démarra.

« Qu'est-ce que vous a dit cet homme ? demanda Rascher.

— Il m'a souhaité bonne chance.

— Vraiment ?

— Non, mais je pense pouvoir me faire une raison. »

Dans la petite gare de chemin de fer de Johannesgeorgenstadt, un train attendait déjà. La locomotive à vapeur était noire avec une étoile rouge devant, tel un engin sorti de l'enfer, ce qui, vu les circonstances, semblait coller parfaitement. Je n'arrivais pas à me débarrasser du sentiment que, même si je projetais de m'échapper, ce que j'étais en train de faire avait quelque chose de déshonorant en soi. Je n'aurais pas pu me sentir plus mal si j'avais réellement eu l'intention de rejoindre le Kommissariat 5.

Nous montâmes tous les quatre dans un wagon avec le mot Berlin en cyrillique marqué à la craie sur le côté. Nous l'avions entièrement pour nous. Le train n'avait pas de couloir central. Toutes les voitures étaient séparées les unes des autres. Pas vraiment pratique pour sortir des toilettes en tirant tous azimuts. Les autres compartiments étaient pleins de soldats de l'Armée rouge allant à Dresde, ce qui ne facilitait guère les choses non plus.

Notre propre sergent russe transpirait et paraissait

nerveux. Avant qu'il grimpe dans le train à ma suite, je l'avais vu faire le signe de croix. Ce qui semblait un peu curieux : même dans la zone soviétique, les voyages en train n'étaient pas si dangereux. En revanche, les deux officiers allemands du MVD avaient l'air calmes et détendus. Alors que nous nous installions, attendant le départ du train, je demandai au *starchina* s'il parlait l'allemand. Il secoua la tête.

« D'après moi, ce type est ukrainien, déclara le major Weltz, il ne comprend pas un mot d'allemand. »

Le Popov alluma une cigarette et se mit à regarder par la fenêtre, se soustrayant à mon attention.

« Un sale enculé, hein ? remarquai-je. Sa mère devait être une putain, comme toutes les Ukrainiennes. »

Le Popov ne broncha pas le moins du monde.

« Parfait, dis-je. Je pense en effet qu'il ne comprend pas l'allemand. Aussi nous pouvons probablement parler sans crainte. »

Weltz fronça les sourcils.

« Où diable voulez-vous en venir ?

— Écoutez. Notre vie repose désormais sur la confiance que nous nous faisons mutuellement. Les trois Allemands que nous sommes. Ne le regardez pas. Qu'est-ce que vous savez sur notre fétide ami ici présent ? »

Le major se tourna vers le lieutenant, qui fit un signe négatif de la tête.

« Rien du tout, répondit-il. Pourquoi ?

— Rien ?

— Il a été affecté au camp de Johannesgeorgenstadt il y a quelques jours à peine. Venant de Berlin. C'est absolument tout ce que je sais sur lui.

— Et il repart déjà ?

404

— Qu'est-ce que c'est que cette histoire, Gunther ? demanda Weltz.

— Il y a quelque chose chez lui qui ne tourne pas rond. Non, ne le regardez pas. Il est nerveux alors qu'il ne devrait pas. Et je l'ai vu se signer voilà un instant.

— J'ignore à quel jeu vous jouez, Gunther, mais…

— Taisez-vous et écoutez. J'ai été agent de renseignement. Et avant ça, j'ai travaillé au Bureau des crimes de guerre, à Berlin. Entre autres, nous avons enquêté sur le massacre de vingt-six mille officiers polonais, dont quatre mille à un endroit que je ne citerai pas au cas où cela ferait dresser l'oreille à ce chien. Tous ont été assassinés et enterrés dans une clairière par le NKVD.

— Oh, c'est absurde, protesta le major. Tout le monde sait qu'il s'agissait de la SS.

— Attendez, il est vital que vous croyiez qu'ils n'ont pas été tués par la SS. Je le sais. J'ai vu les corps. Réfléchissez : ce type, ce bleu assis à côté de nous, porte plusieurs médailles sur la poitrine, dont l'Ordre du mérite des travailleurs du NKVD. Comme je viens de le dire, j'ai été agent de renseignement, et il se trouve que cette médaille a été créée à la demande du Conseil des commissaires du peuple de l'URSS – autrement dit, Oncle Jo lui-même – en octobre 1940, comme témoignage de gratitude à tous ceux qui perpétrèrent ces massacres en avril de la même année. »

Le major exprima sa désapprobation et roula les yeux, exaspéré. À l'extérieur du wagon, le chef de gare donna un coup de sifflet, et la locomotive cracha un épais nuage de vapeur.

« Où voulez-vous en arriver avec cette conversation ?

— Vous ne comprenez pas ? Il s'agit d'un assassin. Je suis prêt à parier que le camarade général Mielke l'a placé dans ce train pour nous tuer tous les trois. »

Le train s'ébranla.

« Ridicule, rétorqua Weltz. Écoutez, si c'est le prélude à une tentative d'évasion, il est plutôt maladroit. Tout le monde sait que ces Polonais ont été exécutés par les fascistes.

— Vous voulez dire tout le monde, excepté en Pologne, répliquai-je. Là-bas, les responsables ne font guère de doute. Mais si vous ne le croyez pas, peut-être croirez-vous ceci : Mielke vous a déjà roulé dans les grandes largeurs, major. Il m'a remis un pistolet dont je suis censé me servir pour pouvoir filer. Mais je mettrais ma main au feu qu'il ne fonctionnera pas.

— Pourquoi le camarade général ferait-il une chose pareille ? demanda Weltz en secouant la tête. Ça n'a absolument aucun sens.

— C'est tout à fait sensé, au contraire, si vous connaissiez Mielke aussi bien que moi. Je pense qu'il veut ma mort à cause de ce que je pourrais vous raconter sur lui. Et qu'il veut probablement la vôtre à tous les deux au cas où je l'aurais déjà fait.

— Cela ne peut pas faire de mal de voir s'il dit la vérité à propos de ce pistolet, major, suggéra le lieutenant Rascher.

— Très bien. Levez-vous, Gunther. »

Sans bouger d'un millimètre, je jetai un bref coup d'œil au sergent russe. Il avait une grosse moustache à la Staline et des sourcils formant une barre assortie ; le nez était rond et rouge, presque comique ; les oreilles plus poilues, dessus comme dedans, qu'un cochon sauvage.

« Si vous me fouillez, major, le Popov pensera que quelque chose ne va pas et il tirera son arme. Après quoi ce sera trop tard pour nous tous.

— Et si Gunther avait raison, major ? dit le lieutenant Rascher. Nous ne savons rien sur cet énergumène.

— Je vous ai donné un ordre, Gunther. À présent, faites ce qu'on vous demande. »

Le major avait déjà déboutonné le rabat de l'étui de son Nagant. Il était impossible de dire s'il s'apprêtait à tirer sur moi ou sur le *starchina* du MVD, mais le Popov surprit son geste puis croisa mon regard ; et il y vit la même chose que ce que j'avais vu dans le sien : une lueur meurtrière. Il porta la main à son propre pistolet, ce qui incita le lieutenant Rascher à abandonner l'idée de me fouiller et à chercher à tâtons son arme.

Toujours menotté et n'ayant pas le temps de décider si le major était avec moi ou non, je lançai mes poings en direction du Popov comme pour frapper une balle de golf et heurtai violemment le devant de sa face porcine. Le coup l'expédia par terre entre les deux rangées de sièges, mais le gros .38 était déjà dans sa main graisseuse. Quelqu'un d'autre fit feu, et la vitre de la porte du compartiment au-dessus de lui se brisa. Une fraction de seconde plus tard, le Popov riposta. Je sentis la balle passer en sifflant près de ma tête et toucher quelque chose ou quelqu'un derrière moi. Je balançai au Russe un coup de pied dans la figure puis je me tournai pour voir le major affaissé sur le siège et le lieutenant braquant à deux mains son revolver sur le Popov, mais hésitant à presser la détente comme s'il n'avait encore jamais descendu quelqu'un.

« Tirez, espèce d'idiot ! » hurlai-je.

Mais, à l'instant où je prononçais ces mots, l'Ukrainien, mieux entraîné, fit feu de nouveau, ponctuant le front du jeune Allemand d'un unique point rouge.

Serrant les dents, je frappai le visage du Russe avec le talon de ma botte, mais cette fois je continuai comme si je piétinais un serpent venimeux. Un dernier uppercut le cueillit sous le menton, et je sentis quelque chose céder. Comme je remettais la sauce, sa gorge sembla se disloquer sous le poids de ma botte. Il émit un bruit étouffé qui dura aussi longtemps que mon coup de pied suivant, puis il cessa de bouger.

Me laissant tomber en arrière sur la banquette, je passai la scène en revue.

Rascher était mort. Weltz était mort. Je n'avais pas besoin de vérifier leur pouls pour le savoir. Quand un homme a été tué par balle, son visage prend une expression particulière, un mélange d'étonnement et de repos ; comme si on avait interrrrompu un film au beau milieu de la grande scène d'un acteur, bouche bée, les yeux mi-clos. Il y avait ça, plus le fait que leur cervelle et ce dans quoi elle avait baigné jusque-là s'étalaient un peu partout sur le sol.

Le *starchina* du MVD laissa échapper un long et lent gargouillement. Ajustant mon équilibre par rapport au mouvement du train, je lui expédiai violemment mon pied – aussi violemment que je pus – sur le côté de la tête. Il y avait eu assez de coups de feu pour la journée.

Les détonations continuaient à résonner dans mes oreilles, et une forte odeur de cordite emplissait le wagon. Mais ça ne m'inquiétait pas outre mesure. Après la bataille de Königsberg, il en aurait fallu davantage pour me troubler, et mon esprit était disposé à interpréter le bourdonnement dans mes oreilles comme un signal d'alarme et un appel à l'action. Si je gardais mon sang-froid, j'arriverais peut-être encore à m'échapper. En d'autres circonstances, j'aurais pu facilement paniquer, sauter du train et essayer de gagner la zone américaine, comme j'en avais eu l'intention à l'origine ; mais un meilleur plan se présentait déjà, qui dépendait de ma capacité à agir vite, avant que la mare de sang s'élargissant par terre gâche tout.

Les deux officers allemands du MVD avaient des bagages. J'ouvris les sacs pour m'apercevoir que chacun d'eux avait apporté une *gimnasterka* de rechange. Ce qui était aussi bien dans la mesure où il y avait du sang sur leur tunique. Mais, élément crucial, les pantalons bleus étaient indemnes. Tout d'abord, je vidai leurs poches et enlevai leurs décorations, leurs épaulettes bleues et leur ceinturon. Puis je relevai leur tunique et j'enveloppai leur tête fracassée dans le tissu épais pour étancher le sang. Le crâne de Weltz ressemblait à un sac plein de billes.

Nettoyer efficacement après un meurtre nécessite un certain genre d'homme, et personne ne fait ça mieux qu'un flic. Peut-être que ce que je prévoyais ne marcherait pas, peut-être que je me ferais attraper, mais les deux Allemands avaient des problèmes beaucoup plus graves. Ils étaient aussi morts que Weimar.

Je leur ôtai leurs bottes, délaçai les jambes de leurs culottes bleues et les retirai aussi. Puis je les posai avec soin sur le porte-bagages, bien à l'écart de ce que j'allais faire ensuite.

Ouvrir la porte du wagon aurait été une erreur. Un soldat de l'Armée rouge dans une des autres voitures aurait pu me voir. Je baissai donc la fenêtre, posai le corps nu du major en équilibre sur l'appui et guettai un tunnel. Par chance, nous traversions les monts Erzebirge. Il y a un tas de tunnels le long de la ligne de chemin de fer passant par les Erzebirge.

Lorsque j'eus défenestré les cadavres des deux Allemands, j'étais épuisé, mais travailler dans le puits de mine m'avait donné la capacité de dépasser les limites de ma propre fatigue, sans parler des muscles minces et durs de mes bras et de mes épaules, et, sur ce plan, j'avais de la chance également. J'ajouterai que j'étais désespéré.

Je n'étais pas sûr que l'Ukrainien soit mort, mais je m'en fichais. Son insigne d'assassin du NKVD ne m'inspirait aucune sympathie. Dans ses poches, je trouvai de l'argent – pas mal d'argent – et, plus intéressant, un bout de papier portant une adresse en cyrillique : la même adresse que celle qui figurait sur l'enveloppe que Mielke m'avait confiée pour son amie. Après m'avoir buté, mon assassin avait sans doute pour mission de remettre lui-même les dollars contenus dans l'enveloppe. Cette enveloppe avait été une jolie petite touche supplémentaire, en partie destinée à apaiser toute crainte d'une trahison de la part de Mielke. Après tout, qui donnerait une enveloppe bourrée de fric à un homme qu'il a l'intention de tuer ? Il y avait aussi une pièce d'identité mentionnant le nom de l'Ukrainien : Vassili Karpovitch Lebiiediev ; il était en poste au siège du MVD à Berlin, dans Karlsholst, dont je me souvenais surtout comme d'un ensemble de villas possédant un champ de courses. Il ne travaillait pas pour le MVD, mais pour le ministère des Forces armées – le MFA –, quelle que soit sa fonction. Le revolver Nagant, dans sa main apparemment sans vie, portait la date de 1937 et avait été bien entretenu. Je me demandai combien d'innocentes victimes de Staline il avait servi à tuer. Moyennant quoi, je ressentis un plaisir certain à pousser son corps nu par la fenêtre du wagon. Ça donnait l'impression d'une sorte de justice.

J'utilisai la tunique du Popov et mon vieil uniforme pour essuyer le sol et frotter les murs afin de faire disparaître les restes de sang et de cervelle puis les jetai par la fenêtre. Je mis les bouts de verre dans la casquette du Russe avec ses décorations et les balançai également par la fenêtre. Et, lorsque tout sembla à peu près comme il faut, sauf moi, j'enfilai avec précaution la culotte bleue du lieutenant – celle du major était trop large à la taille – et sa tunique intacte, et me disposai à faire face à tout Popov qui pourrait monter à Dresde. J'étais fin prêt.

Ce à quoi je n'étais pas prêt, c'était Dresde. Le train passa juste devant les ruines de la cathédrale du XVIIIe siècle. Je pouvais à peine en croire mes yeux. Le dôme en forme de cloche avait entièrement disparu. Et le reste de la ville ne valait guère mieux. Dresde n'avait jamais fait l'effet d'une ville importante, ou ayant une valeur stratégique particulière, et je commençai à me demander à quoi pouvait ressembler Berlin. Avais-je encore une ville natale qui valût la peine d'y retourner ?

Le sergent de l'Armée rouge qui monta dans le wagon à Dresde et demanda à voir mes papiers considéra la fenêtre fracassée avec un léger étonnement.

« Qu'est-ce qui s'est passé ici ?

— Je ne sais pas, mais ça a du être une drôle de nouba. »

Il secoua la tête avec un froncement de sourcils.

411

« Certains des blancs-becs qu'on envoie dans l'armée aujourd'hui : ce ne sont que des *kolkhozniks*. Des paysans qui ne savent pas se tenir. La moitié d'entre eux n'a même jamais vu un vrai train de voyageurs, sans parler d'en prendre un.

— On ne peut pas leur en vouloir, répondis-je, magnanime. Il faut bien relâcher la pression de temps en temps. Surtout quand on pense à ce que les fascistes ont fait à la Russie.

— Pour le moment, je suis plus préoccupé par ce qu'ils ont fait à ce train. »

Il examina la carte d'identité du lieutenant Rascher puis leva la tête vers moi.

Je soutins son regard avec un air de tranquille innocence.

« Vous avez perdu du poids depuis que cette photo a été prise.

— Vous avez raison. C'est à peine si je me reconnais moi-même. Voilà ce que le typhus fait à un homme. Je rentre en congé à Berlin après six semaines d'hôpital. »

Le sergent eut un mouvement de recul.

« Tout va bien. J'ai passé le pire à présent. J'ai attrapé ça au camp de prisonniers de Johannesgeorgenstadt. Infesté de puces et de poux, qu'il était. »

Je me mis à me gratter pour faire bonne mesure.

Il me rendit les documents et s'en alla avec un bref signe de tête. Je suppose qu'il se lava les mains juste après. En tout cas, c'est ce que j'aurais fait à sa place.

Me laissant tomber sur la banquette, j'ouvris de nouveau le sac du major. Il contenait une bouteille de cognac Asbach que j'avais savourée à l'avance toute la matinée. Je la débouchai, en bus une gorgée et inspectai le reste de ses affaires. Il y avait quelques vêtements, des cigarettes, des journaux, et une des premières éditions des poèmes de Georg Trakl. J'avais toujours admiré son œuvre, et un poème en particulier, « À l'est », semblait maintenant correspondre à l'heure, et surtout au lieu. Je le connaissais encore par cœur.

Aux orgues sauvages de la tourmente d'hiver
Ressemble la colère sombre du peuple,
La vague pourpre du combat,
D'étoiles dépouillées.

De ses sourcils brisés, des bras d'argent,
La nuit adresse un signe aux soldats qui meurent.
Dans l'ombre du frêne automnal
Soupirent les esprits des victimes.

Des broussailles épineuses encerclent la ville.
Des marches sanglantes, la lune
Chasse les femmes épouvantées.
Des loups sauvages franchirent les portes[1].

---

1. Georg Trakl, *Œuvres complètes*, traduites de l'allemand par Marc Petit et Jean-Claude Schneider, Gallimard, Paris, 1972.

26

Allemagne, 1954

« Et vous pensez qu'Erich Mielke souhaitait votre mort parce qu'il vous devait la vie ? »

Donnant une tape sur sa pipe, mon ami américain fit tomber les cendres sur le sol de ma cellule. Je faillis lui passer un savon, lui rappeler que je logeais là et qu'il devait montrer un peu plus de respect. Mais à quoi bon ? Je vivais maintenant dans un monde américain et j'étais un pion dans une interminable partie d'échecs intercontinentale avec les Russes.

« Pas uniquement, répondis-je. Aussi parce que je pouvais le relier au meurtre de ces deux flics de Berlin. Voyez-vous, Heydrich suspectait Mielke d'éprouver une certaine honte d'avoir commis un délit aussi grave qu'assassiner des policiers. D'avoir le sentiment qu'il s'agissait d'un acte indigne de lui, en quelque sorte. Il estimait que c'était certainement Mielke qui avait balancé les deux Allemands l'ayant poussé à le faire – Kippenberger et Neumann – lors de la grande purge stalinienne de 1937. Tous deux ont fini dans des camps de travail. Leurs femmes également. Même la fille de

Kippenberger a été envoyée dans un camp. Mielke a vraiment essayé de faire le ménage.

« Mais j'étais également au courant des activités de Mielke en Espagne. De ses activités de tchékiste au sein du service de sécurité militaire, torturant et exécutant les républicains – anarchistes et trotskystes – qui déviaient de la ligne du parti dictée par Staline. Là encore, Heydrich soupçonnait fortement Mielke de s'être servi de sa position de commissaire politique dans les Brigades internationales pour éliminer Erich Ziemer. Si vous vous rappelez, Ziemer est l'homme qui avait aidé Mielke à flinguer les deux flics. Et je pense que Heydrich avait probablement raison. Que Mielke avait peut-être même prévu de jouer un rôle politique en Allemagne après la guerre ; et qu'il se disait, à juste titre, que jamais le peuple allemand – et en particulier les Berlinois – ne voudrait d'un homme ayant tué deux policiers de sang-froid.

— Les tribunaux de Berlin-Ouest ont essayé, en 1947, de l'inculper pour ces meurtres, dit l'Amerloque au nœud papillon. Un juge nommé Wilhelm Kühnast a émis un mandat d'arrestation contre Mielke. Vous le saviez ?

— Non. Je n'étais pas à Berlin à ce moment-là.

— Ça n'a pas marché, naturellement. Les Soviétiques ont resserré les rangs devant Mielke pour le soustraire à d'éventuelles investigations et ont fait tout leur possible pour discréditer Kühnast. Les casiers judiciaires qu'avait utilisés Kühnast pour constituer son dossier ont disparu. Et Kühnast a eu bien de la chance de ne pas disparaître avec.

— Erich Mielke a échappé à de nombreuses purges du parti, dit l'Amerloque à la pipe. Il a survécu à la mort de Staline, bien sûr, et, plus récemment, à celle de Lavrenti Beria. À notre avis, il n'a jamais travaillé pour l'organisation Todt. C'est juste un bobard qu'il vous a servi. Dans le cas contraire, il serait mort, comme tous ceux qui sont rentrés et ont été accueillis fraîchement par Staline. Il nous semble beaucoup plus probable qu'il ait quitté ce camp français du Vernet peu de temps après que vous l'avez vu là-bas, à l'été 1940, et qu'il ait regagné l'Union soviétique avant son invasion par Hitler.

— Pourquoi pas ? » Je haussai les épaules. « Il ne m'a jamais donné l'impression d'être un George Washington du genre "je suis incapable de mentir". Aussi j'essaierai de contenir ma profonde déception qu'il m'ait raconté des salades.

— Aujourd'hui, votre vieux copain est le chef adjoint de la police secrète de l'Allemagne de l'Est. La Stasi. Avez-vous entendu parler de la Stasi ?

— J'ai été absent pendant cinq ans.

— D'accord. À la mort de Staline l'année dernière, il y a eu une grande grève à Berlin-Est, puis dans toute la RDA. Un demi-million de personnes sont descendues dans les rues pour réclamer des élections libres et équitables. Les policiers eux-mêmes ont pris le parti des manifestants. Il s'agissait du premier test important pour la Stasi telle que dirigée par Mielke. Et il a effectivement brisé la grève.

— En beauté, ajouta l'autre Amerloque.

— Tout d'abord, la loi martiale a été décrétée. La Stasi a ouvert le feu sur les manifestants. Beaucoup d'entre eux ont été tués. Des milliers d'autres ont été appréhendés et se trouvent encore en prison. Mielke lui-même a fait arrêter le ministre de la Justice qui

416

avait mis en cause la légalité de telles mesures. Depuis lors, le camarade Erich n'a cessé de consolider sa position dans la hiérarchie est-allemande. Et il continue à étendre le réseau d'espions et d'indicateurs de la Stasi et à bâtir l'organisation sur le modèle du KGB soviétique. L'ex-MVD.

— C'est un salopard. Qu'est-ce que je peux vous dire de plus ? Je n'ai rien d'autre à raconter sur ce type. La dernière fois que je l'ai vu, c'est ce fameux jour à Johannesgeorgenstadt.

— Vous pourriez nous aider à l'avoir.

— Ben voyons. Avant qu'on boucle les portes ce soir, je verrai ce que je peux faire pour vous.

— Sérieusement.

— Je vous ai tout dit.

— Et c'était très intéressant. La plus grande partie, en tout cas.

— Ne croyez pas que nous ne vous soyons pas reconnaissants, Gunther. Parce que c'est faux.

— Est-ce que cette gratitude pourrait aller jusqu'à me laisser partir ? »

Nœud Papillon lança un regard à la Pipe, qui acquiesça vaguement avant de répondre :

« Vous savez ? Ça se pourrait. Ça se pourrait très bien. À condition que vous acceptiez de travailler pour nous.

— Ah. »

Je bâillai.

« Qu'est-ce qu'il y a, mon petit Bernie ? Vous n'avez pas envie de sortir de taule ?

— Nous vous inscrirons sur le registre du personnel. Nous pouvons même vous rendre votre argent.

Celui que vous aviez lorsque le garde-côte vous a interpellé en mer, au large de Gitmo.

— C'est très généreux à vous. Mais j'en ai assez de me battre. Et franchement, je ne vois pas ce que votre guerre froide a de plus intéressant que les deux dernières auxquelles j'ai participé.

— Je dirais que cela risque d'être la plus cruciale de toutes, répondit Nœud Papillon. Surtout si elle devient plus chaude. »

Je secouai la tête.

« Vous me faites rire, les gars. Vous traitez toujours les gens de cette manière quand vous voulez qu'ils travaillent pour vous ?

— De quelle manière ?

— Au temps pour moi. L'autre jour, alors que j'étais menotté avec une cagoule sur la tête, j'ai eu la nette impression que ma bobine ne vous revenait pas.

— Le passé est le passé.

— Nous ne sommes pas en train de vous maltraiter, non ?

— Bon Dieu, Gunther, vous avez la meilleure foutue piaule de l'établissement. Des cigarettes, du cognac. Dites-nous ce qu'il vous faut d'autre, et nous verrons si nous pouvons vous l'obtenir.

— Ce que je veux ne se vend pas dans les magasins de l'armée.

— Et qu'est-ce que c'est ? »

Je secouai la tête et allumai une cigarette.

« Rien. Aucune importance.

— Nous sommes vos amis, Gunther.

— Avec des amis américains, qui a besoin d'ennemis ? » Je fis la grimace. « Écoutez, messieurs. Des amis américains, j'en ai déjà eu. À Vienne. Et il y a quelque chose dans cette expérience qui ne m'a pas beaucoup plu. Malgré tout, je connaissais leurs noms. Et, en général, c'est une règle avec les gens qui se prétendent mes amis.

— Vous prenez les choses de façon trop personnelle, Gunther.

— Il n'est jamais trop tard pour bien faire. Nous pouvons arranger ça. Je suis Mister Scheuer et voici Mister Frei. Comme nous l'avons déjà dit, nous travaillons pour la CIA. À un endroit appelé Pullach. Vous connaissez Pullach ?

— Bien sûr. C'est la partie américaine de Munich. Le chenil où vous gardez les bergers allemands dociles qui surveillent le troupeau pour vous dans cette région du monde. Le général Gehlen et ses copains.

— Malheureusement, ces chiens ne viennent plus au pied, comme ils en avaient l'habitude », dit Scheuer. Celui avec la pipe. « Nous soupçonnons Gehlen d'avoir passé un accord secret avec le chancelier Adenauer, et que les Allemands s'apprêtent à agir à leur guise à partir de maintenant.

— C'est très ingrat, remarqua Frei. Après tout ce que nous avons fait pour eux.

— La nouvelle organisation de renseignement de Gehlen – l'OG – se compose essentiellement d'anciens SS. Gestapo, Abwehr. Des personnages fort peu recommandables pour certains. Bien pires que vous. De plus, elle est probablement truffée d'espions russes.

— J'aurais déjà pu vous dire ça il y a sept ans, à Vienne. En fait, je crois même l'avoir fait.

— Si bien que nous allons devoir repartir de zéro, semble-t-il. Ce qui signifie qu'il va falloir que nous soyons beaucoup plus sûrs du genre d'individus que nous recrutons. Raison pour laquelle nous nous sommes montrés d'emblée aussi rudes avec vous. Nous tenions à ce qu'il ne subsiste aucun doute sur qui et ce que vous êtes. La dernière chose que nous désirons cette fois-ci, c'est de nous retrouver avec une bande de nazis durs à cuire sur les bras.

— Imaginez ce que nous avons éprouvé en découvrant que l'OG aidait à entraîner des Égyptiens et des Syriens en vue d'une guerre contre l'État d'Israël. Contre les Juifs, Gunther. C'est le cas de dire que l'histoire se répète. Je pensais qu'un homme comme vous, qui n'a jamais été antisémite, aurait souhaité faire quelque chose. Israël est notre ami.

— Vous devez vous poser une question, Bernie. Voulez-vous vraiment rester ici et laisser ces deux rigolos de l'OCCWC, Silverman et Earp, décider de votre sort ?

— Je croyais que vous m'aviez dit qu'ils m'avaient innocenté.

— Oh, certainement. Mais, depuis, les Français ont introduit une demande pour que vous soyez extradé vers Paris. Et vous savez comment ils sont.

— Les Français n'ont rien contre moi.

— Ce n'est pas leur avis, répondit Scheuer. Pas leur avis du tout.

— Il faut leur accorder ça, dit Frei. Leur aptitude à l'hypocrisie est absolument sidérante. La France a été un pays fasciste pendant la guerre. Encore plus que l'Italie ou l'Espagne. Et maintenant, ils se plaisent à se présenter comme des victimes. Ils rejettent sur d'autres la responsabilité de leurs fautes et de leurs méfaits. D'autres comme vous, éventuellement. En ce moment même se tient un grand procès à Paris. Votre vieil ami Helmut Knochen. Et Carl Oberg. Une sorte de cause célèbre. Vraiment. Les journaux en parlent tous les jours.

— Je ne vois pas en quoi ça me concerne, dis-je. Ces types, Knochen et Oberg, c'étaient de gros poissons. Moi, je ne suis que du menu fretin. Je n'ai même jamais rencontré Oberg. Alors, qu'est-ce que tout ça signifie, bon sang ?

— Les Britanniques ont jugé Knochen en 1947. À Wuppertal. Ils l'ont reconnu coupable de l'assassinat de parachutistes anglais et l'ont condamné à mort. Mais la sentence a été commuée, et les Français veulent à présent leur kilo de chair. Ils cherchent des boucs émissaires, Gunther. Quelqu'un à blâmer. D'où, naturellement, Knochen. Ce qui explique apparemment que votre nom soit apparu. Il a déclaré à la Sûreté française que c'était vous qui aviez tué ces prisonniers du camp de Gurs sur la route de Lourdes, en 1940.

— Moi ? Il doit y avoir une erreur.

— Oh, bien sûr, dit Frei. Je le pense aussi. Mais ce n'est pas ça qui va arrêter les Français. Ils ont réclamé officiellement votre extradition. Peut-être aimeriez-vous jeter un coup d'œil à la déposition de Knochen ? »

Il glissa une main dans sa poche de veste et en tira plusieurs feuilles de papier pliées qu'il me tendit. Puis, se levant, Scheuer et lui se dirigèrent vers la porte de la cellule.

« Lisez ça, ensuite vous déciderez si travailler pour l'Oncle Sam est une si mauvaise chose, en fin de compte. »

Je m'appelle Helmut Knochen. J'étais le commandant en chef de la police de sûreté à Paris pendant l'occupation nazie entre 1940 et 1944. Ma juridiction s'étendait du nord de la France à la Belgique. Jusqu'à la nomination de Carl Oberg comme chef suprême des SS et de la police allemande en France, j'ai assumé l'entière responsabilité de maintenir l'ordre et de veiller au respect de la loi. En tant que policier, j'ai tenté de faire en sorte que les relations entre Français et Allemands se déroulent sans frictions et que la bonne administration de la justice ne soit pas entravée par l'occupation. Ce qui n'était pas toujours facile. Il arrivait fréquemment qu'on ne me tienne pas informé des décisions politiques prises en haut lieu. Et la plus grande tragédie de ma vie a été le fait que, de façon indirecte et sans même m'en rendre compte, je me sois trouvé impliqué dans les persécutions contre les Juifs de France. À aucun moment je n'ai su ni même soupçonné que les Juifs déportés vers l'Est devaient être exterminés. Si j'avais été au courant, jamais je n'aurais participé à leur déportation. Qu'il me soit permis de dire que le plus grand crime de l'histoire a été le meurtre systématique des Juifs par Adolf Hitler.

Bien sûr, beaucoup d'autres crimes ont été infligés au peuple français, et j'ai toujours considéré de mon devoir d'empêcher certains de mes collègues d'agir avec un zèle excessif, notamment en raison des conséquences que risquait d'avoir une politique brutale sur l'opinion publique française, et sur les fonctionnaires de Vichy dont la coopération était nécessaire dans toutes les questions de sécurité. J'ai toujours été réticent à provoquer des confrontations embarrassantes. C'est ainsi qu'en septembre 1942 j'ai contrecarré une première tentative de rafle contre d'éminents Juifs français à Paris. La même chose est arrivée à plusieurs occasions, mais celle-ci a été la plus importante, je pense, impliquant près de cinq mille Juifs. Ce qui a souvent créé des conflits avec Heinz Rothke, le chef du bureau des affaires juives de la Gestapo en France.

Mais mes relations avec d'autres éléments fanatiques de la SS et du SD n'étaient pas moins orageuses et difficiles. Fréquemment, je devais réprimander des officiers qui, arrivant de Berlin, croyaient que l'uniforme du SD leur permettait de se comporter de façon expéditive avec les Français. Je me souviens d'un officier subalterne de Berlin, l'Hauptsturmführer Bernhard Gunther, qui, à l'été 1940, fut envoyé aux camps de réfugiés de Gurs et du Vernet pour arrêter un certain nombre de communistes français et allemands et les ramener à Paris afin qu'ils y soient interrogés. Mais, au lieu de ça, cet officier donna l'ordre de les abattre au bord d'une route de campagne. Quand je l'ai appris, j'ai été indigné ; puis furieux. Lorsqu'il a assassiné par la suite un autre officier allemand, l'Hauptsturmführer Gunther a été renvoyé à Berlin.

HELMUT KNOCHEN, INTERROGATOIRE AVRIL 1954

Je m'appelle Helmut Knochen, et l'on m'a demandé de faire une déclaration relativement à une information que j'ai donnée à propos d'un autre officier allemand, le capitaine Bernhard Gunther, dans une déposition précédente.

J'ai fait la connaissance du capitaine Gunther à Paris, en juillet 1940. La rencontre eut lieu à l'hôtel du Louvre, ou peut-être au siège de la Gestapo française, 100, avenue Henri-Martin. D'autres officiers se trouvaient présents, dont Herbert Hagen et Karl Boemelburg. Venu à Paris en tant qu'émissaire spécial du général SS

Reinhardt Heydrich, Gunther avait ordre de rechercher un certain nombre de communistes français et allemands que le gouvernement nazi tenait à récupérer. Gunther me fit l'effet d'être le type même de personnage ayant la faveur de Heydrich : cynique, impitoyable et sans aucune éducation. Il ne cachait pas sa haine pour les Français. En dépit de mes efforts pour freiner ses ardeurs, il voulait absolument se rendre en avion dans le sud de la France et demander à un détachement de SS motorisés de le conduire à Gurs et au Vernet afin de passer ces deux camps au peigne fin, en quête des hommes recherchés par Heydrich.

J'étais persuadé qu'on ne perdait rien à repousser cette affaire jusqu'à la fin de l'été, notamment par égard pour les armées françaises vaincues. Mais Gunther insistait beaucoup. Il était malade, je m'en souviens – j'ai oublié pourquoi, mais on a parlé par la suite d'une liaison avec une prostituée suisse. Il est tout de même parti dans le Sud accomplir sa mission, à laquelle Heydrich avait accordé la plus haute priorité. Pour être juste avec le capitaine Gunther, il se peut que sa maladie l'ait incité à cette action immédiate à l'encontre des prisonniers. Il était accompagné par un autre officier allemand, l'Hauptsturmführer Paul Kestner, et c'est lui qui m'a informé de ce qui s'était passé sur la route de Gurs à Lourdes.

Près d'une douzaine d'hommes avaient été appréhendés à Gurs. Parmi eux se trouvait le chef du parti communiste français du Havre, Lucien Roux. Cela semble terrible quand on y pense, mais ces hommes savaient apparemment ce que leur réservait le capitaine Gunther. Après avoir roulé quelques kilomètres après Gurs, les SS s'arrêtèrent dans une clairière. Là, Gunther ordonna que tout le monde descende des camions. On aligna les prisonniers, on leur distribua une dernière *cigarette, puis ils furent abattus. Gunther donna lui-même le coup de grâce à plusieurs hommes qui paraissaient encore en vie, après quoi le convoi continua sa route, laissant les cadavres où ils étaient.*

Franchement, lorsque le capitaine Kestner me raconta ce qui s'était passé exactement là-bas, je songeai sérieusement à adresser une plainte officielle contre le capitaine Gunther. On m'en dissuada : Gunther était l'homme de Heydrich, ce qui le rendait pratiquement intouchable, vous comprenez. Même lorsqu'il tua un autre officier dans une maison close à Paris et qu'on aurait pu raisonnablement s'attendre à ce qu'il passe en cour martiale, il réussit à échapper à toutes les accusations. Il fut simplement rappelé à Berlin, et de là envoyé aussitôt en Ukraine, très probablement afin d'y accomplir le genre de sale besogne pour laquelle la SS est devenue tristement célèbre. Il n'est pas donné à tous les officiers allemands de se conduire en hommes de devoir.

Plus tard, je rencontrai Heydrich et lui exprimai mes réserves au sujet de Gunther. Sa réaction fut caractéristique. Il répondit qu'il était entièrement d'accord avec Schopenhauer, pour qui l'honneur repose en définitive sur des considérations d'opportunité. Heydrich était, bien sûr, fortement influencé par Schopenhauer, et je ne parle pas seulement de son antisémitisme. Quoi qu'il en soit, je ne discutai pas avec lui. Ce n'était jamais bon. Comme Kant, je crois que l'honneur et la morale contiennent leurs propres impératifs. Ce qui explique, au demeurant, que j'ai pris part au complot du comte von Stauffenberg pour assassiner Hitler. Et que j'ai été arrêté par les nazis en juillet 1944.

HELMUT KNOCHEN, INTERROGATOIRE MAI 1954
Je m'appelle Helmut Knochen, et l'on m'a demandé de fournir, pour mémoire, une description de l'Hauptsturmführer SS Bernhard Gunther. J'ai rencontré Gunther

en 1940. Il était plus vieux que moi, je pense. Peut-être la quarantaine. Je me rappelle aussi qu'il était de Berlin. Je suis moi-même de Magdebourg et j'ai toujours eu une fascination pour l'accent berlinois. Cependant, ce n'est pas tant son accent qui faisait de lui un Berlinois que ses manières. On pourrait les qualifier de brutales et intransigeantes. Pas étonnant si Hitler détestait tellement Berlin. Eh bien, le dénommé Gunther était doublement représentatif car il était aussi policier. Un détective. J'ai toujours pensé que Thomas l'Incrédule, le personnage de la Bible, devait être berlinois. Ce type n'aurait cru le Christ ressuscité que s'il avait pu regarder à travers les trous dans ses mains et ses pieds, et vu un juge et un chercheur en physique de l'autre côté.

Il faisait très allemand. Cheveux blonds, yeux bleus, un mètre quatre-vingt-dix environ, les bras et les épaules robustes, même un peu corpulent. Il avait un visage agressif. Oui, c'était tout à fait le genre d'individu que je n'aime pas du tout. Un authentique nazi, si vous voyez ce que je veux dire.

[La photo d'un homme a ensuite été présentée au témoin, Knochen, qui a formellement reconnu le criminel de guerre recherché Bernhard Gunther.]

27

France, 1954

De la fenêtre crasseuse de la cellule de détention de la prison du Cherche-Midi à Paris, je ne voyais que la façade de l'hôtel Lutetia, et, pendant un long moment, je demeurai pressé dans le coin poussiéreux, surveillant attentivement l'hôtel comme si j'allais en émerger avec cette pauvre Renata Matter à mon bras. Il était difficile de dire pour qui je me sentais le plus navré, elle ou moi, mais elle finit par l'emporter. Elle était morte, après tout, quand elle aurait eu toutes les raisons d'espérer être encore en vie. Moi excepté. Je ne m'épargnai rien en matière d'accusation et de reproche. Si seulement je ne m'étais pas débrouillé pour lui avoir un emploi à l'Adlon, me disais-je, elle ne se serait pas fait tuer. Si seulement je l'avais laissée ici, à Paris, il y aurait eu une chance infime, mais néanmoins réelle, qu'elle ait tourné à gauche en sortant du Lutetia, puis qu'elle ait traversé le boulevard Raspail pour venir me voir. Ce qui n'aurait guère posé de problème. En effet, le Cherche-Midi n'était plus une prison, mais une cour de justice, et, comme beaucoup d'autres habitants de la capitale – en majorité des journalistes –, elle aurait pu assister au procès de Carl Oberg et de Helmut Knochen, et m'apercevoir par la même occasion. Mes hôtes du SDECE – le service de contre-espionnage français – avaient cru bon de me rappeler que je me trouvais en leur pouvoir et que, tout comme Dreyfus, qui avait été emprisonné au Cherche-Midi lui aussi, ils pouvaient faire de moi ce que bon leur semblait maintenant qu'on m'avait confié à leur garde.

Non qu'être en captivité à Paris fût une énorme épreuve. Pas après tout le reste. Pas après Mayence et la Sûreté française. Ils n'avaient pas pris de gants. Certes, la prison de la Santé où j'étais actuellement détenu ne ressemblait pas précisément au Lutetia, mais le SDECE n'était pas si mal. Sans doute pas pire que la CIA, en tout cas ; et certainement pas pire que les Russes. De plus, la nourriture à la Santé était bonne et le café, encore meilleur ; les cigarettes, savoureuses et abondantes ; et la plupart des interrogatoires à la caserne Mortier – surnommée la Piscine – menés de façon courtoise, souvent avec une bouteille de vin, du pain et du fromage. Parfois, les Français me donnaient même un journal à ramener à la Santé. Toutes choses auxquelles je ne m'attendais pas en quittant la WCPN1 à Landsberg. Mon français progressait – suffisamment pour que je comprenne ce qu'il y avait dans les journaux et une petite partie des débats le jour où j'allai au procès, qui se trouva être justement celui où le tribunal militaire rendit son verdict et prononça les sentences. Mes hôtes du renseignement français avaient en définitive un message à faire passer. Je pouvais difficilement leur en vouloir.

Nous nous installâmes dans la tribune du public, qui était pleine. Un juge civil, M. Bouëssel du Bourg, et six juges militaires entrèrent dans la salle et prirent place devant un grand tableau noir, si bien que je m'attendais presque à ce qu'ils inscrivent sentence et condamnations avec un morceau de craie. Le juge civil portait une robe et un chapeau foncièrement stupide. Les juges militaires étaient bardés de médailles, dont j'avais du mal à saisir la raison d'être. Puis on conduisit les deux accusés à leur banc. Je n'avais encore jamais vu Oberg, sauf aux actualités allemandes pendant la guerre. Il arborait un élégant costume croisé à rayures et des lunettes à fines montures. On aurait dit le frère aîné d'Eisenhower. Knochen était plus mince et plus grisonnant que dans mon souvenir : tel est l'effet que la prison produit sur un homme – ça et un arrêt de mort de la part des Britanniques suspendu au-dessus de sa tête. Knochen regarda droit dans ma direction sans manifester le moindre signe qu'il me reconnaissait. J'avais envie de le traiter de sale menteur, mais, naturellement, je n'en fis rien. Quand un prévenu joue sa vie, il n'est pas convenable de lui tirer les oreilles à propos d'autre chose.

M. Bouëssel du Bourg lut longuement le verdict puis prononça la sentence, qui était la mort, bien sûr. Aussitôt, un tas de gens dans la salle se mirent à conspuer les accusés, de sorte que je ne fus que légèrement étonné en m'apercevant que j'avais presque pitié d'eux. Autrefois les deux hommes les plus puissants de Paris, ils avaient maintenant l'air d'architectes auxquels on vient d'annoncer qu'ils ont raté un important contrat. Oberg battit des paupières, incrédule. Knochen poussa un profond soupir de déception. Et, tandis que les injures et les applaudissements redoublaient autour de moi, les deux Allemands furent emmenés hors du tribunal. Un de mes anges gardiens du SDECE se pencha vers moi et dit :

« Bien entendu, ils feront appel de leur condamnation.

— N'empêche, j'ai bien compris. J'y suis encouragé par l'exemple de Voltaire.

— Vous avez lu Voltaire ?

— Pas vraiment, non. Mais ça ne me déplairait pas. Surtout quand on considère le choix qui s'offre à moi.

— À savoir ?

— Il est difficile de lire quoi que ce soit avec la tête dans un panier.

— Tous les Allemands aiment Voltaire, n'est-ce pas ? Frédéric le Grand était un grand ami de Voltaire, n'est-ce pas ?

— Je suppose. Au début.

— Les Allemands et les Français devraient être amis à présent.

— Oui. En effet. Le Plan Schuman. Absolument.

— Pour cette raison, je veux dire dans l'intérêt des relations franco-allemandes, je pense que l'appel sera couronné de succès.

— Voilà une excellente nouvelle », dis-je, même si je me fichais éperdument du sort de Knochen.

Je fus tout de même surpris de la tournure accorte prise par les événements, et je passai le trajet de retour à la Piscine légèrement requinqué. Peut-être mes perspectives étaient-elles en voie d'amélioration, après tout. En dépit du procès d'Oberg et de Knochen, et du verdict, il y avait peut-être de bonnes raisons d'imaginer que le SDECE se souciait davantage de coopération que de coercition, ce qui m'allait très bien.

Du Cherche-Midi, nous roulâmes vers la périphérie est de Paris. La caserne Mortier, dans celle des Tourelles, se composait d'une série de bâtiments traditionnels situés près du boulevard Mortier, dans le vingtième arrondissement. En brique rouge et grès rustiqué, elle ne présentait aucune affinité évidente avec une piscine, hormis l'écho dans les couloirs et une cour d'une dimension olympique qui, par temps de pluie, ressemblait à une gigantesque flaque d'eau noire.

Bien que musclés, mes interrogateurs parlaient avec calme. Ils étaient vêtus en civil et ne me donnèrent pas leurs noms. Pas plus qu'ils ne m'accusèrent de quoi que ce soit. À mon grand soulagement, ils ne s'intéressaient guère aux événements survenus sur la route de Lourdes à l'été 1940. Ils étaient deux. Ils avaient des têtes d'oiseau à l'expression attentive, une barbe du soir apparaissant juste après le déjeuner, des cols de chemise humides, des doigts tachés de nicotine et une haleine aux relents d'expresso. C'étaient des flics ou tout comme. L'un, le plus gros fumeur, avait des cheveux très blancs et des sourcils très noirs qui faisaient l'effet de deux chenilles égarées. L'autre était plus grand, avec une bouche dédaigneuse de putain, des oreilles comme les poignées d'un trophée et des paupières lourdes, légèrement gonflées, d'insomniaque. L'insomniaque connaissait assez bien l'allemand, mais nous parlions généralement en anglais, sauf en cas d'échec, où il m'arrivait de lancer quelques mots de français, et même de faire mouche. Mais cela tenait davantage de la conversation que de l'interrogatoire et, leur étui d'épaule mis à part, nous aurions pu être trois types dans un bar à Montmartre.

« Entreteniez-vous des liens étroits avec la Carlingue ?

— La Carlingue ? Qu'est-ce que c'est ?

— La Gestapo française. Ils se trouvaient rue Lauriston. N° 93. Êtes-vous déjà allé là-bas ?

— Ça devait être après mon départ.

— Des criminels recrutés par Knochen, principalement à la prison de Fresnes, expliqua Sourcils Noirs. Des Arméniens, des musulmans, des Nord-Africains en majorité. »

Je souris. C'est ce que disaient toujours les Français, ou un truc de ce genre, quand ils ne voulaient pas admettre que presque autant de leurs compatriotes que d'Allemands avaient été nazis. Du reste, vu leurs exploits d'après-guerre en Indochine et en Algérie, il était tentant de les considérer comme encore plus racistes que nous en Allemagne. Après tout, personne ne les avait obligés à déporter les Juifs français – dont la propre petite-fille de Dreyfus – vers les camps de la mort d'Auschwitz et de Treblinka. Bien entendu, je ne tenais pas à froisser leur amour-propre en m'exprimant de façon aussi directe, mais, comme la question demeurait sur le tapis, je haussai les épaules et dis :

« Je connaissais quelques policiers français. Ceux dont je vous ai déjà parlé. Mais pas de membres de la Gestapo française. Quant aux SS français, c'est encore autre chose. D'ailleurs, aucun n'était musulman. Si je me souviens bien, c'étaient presque tous des catholiques.

— Vous en connaissiez beaucoup, de la Division SS Charlemagne ?

432

— Quelques-uns.

— Parlez-nous d'eux.

— D'accord. La plupart avaient été capturés par les Russes pendant la bataille de Berlin, en 1945. Et avaient atterri dans des camps de prisonniers, tout comme moi. Les Russes les traitaient de la même façon que nous autres Allemands. Mal. Pour eux, nous étions tous des fascistes. Mais, en réalité, il n'y a qu'un seul Français dans ces camps que j'ai fini par connaître suffisamment bien pour le qualifier de camarade.

— Comment s'appelait-il ?

— Edgard. Edgard de quelque chose.

— Essayez de vous souvenir, dit patiemment un des Français.

— Boudin ? » J'eus un haussement d'épaules. « De Boudin ? Je ne sais pas. Il y a longtemps de ça. Toute une vie. Et pas une vie marrante, de surcroît. Certains de ces pauvres bougres rentrent chez eux seulement maintenant.

— Ça ne pouvait pas être de Boudin. Boudin signifie *Wurst*. Ce n'était sûrement pas son nom. » Il marqua un temps d'arrêt. « Réfléchissez. »

Je me creusai un moment la cervelle puis haussai les épaules.

« Désolé.

— Si vous pouviez nous dire quelque chose que vous vous rappelez à son sujet, le nom vous reviendrait peut-être », suggéra l'autre Français.

Il déboucha une bouteille de vin rouge, en versa un peu dans un petit verre rond, puis le flaira avec soin avant d'en verser davantage pour moi et pour eux deux. Dans cette pièce, en cette journée d'été maussade, ce modeste rituel me donna le sentiment d'être redevenu un être civilisé, comme si, après des mois d'incarcération et de mauvais traitements, je représentais quelque chose de plus qu'un nom marqué à la craie sur un petit écriteau à côté d'une porte de cellule.

Je levai mon verre à sa santé, bus une gorgée de vin et dis :

« Je l'ai rencontré pour la première fois ici à Paris, en 1940. Il me semble que c'est Herbert Hagen qui nous a présentés. Une histoire ayant à voir avec la politique juive, je ne sais plus. Ce genre de truc ne m'a jamais vraiment intéressé. Bon, d'accord, c'est ce que nous disons tous à présent, pas vrai ? Nous les Allemands. En tout cas, Edgard de quelque chose était presque aussi antisémite que Hagen, si c'est possible, mais, malgré ça, je l'aimais bien. Il avait été capitaine pendant la Grande Guerre, après quoi il avait échoué dans le civil, ce qui l'avait incité à s'engager dans la Légion étrangère. Je crois qu'il était stationné au Maroc avant qu'on l'envoie en Indochine. Et, naturellement, il détestait les communistes, ce qui était parfait. Au moins, nous avions ça en commun.

« Cela se passait donc en 1940, et en quittant Paris je ne m'attendais pas à le revoir, et certainement pas dès novembre 1941 en Ukraine. Edgard faisait partie de cette unité au sein de l'armée allemande – pas de la SS, ça, ce serait plus tard –, la Légion des volontaires français contre le bolchevisme, ou une ineptie du même genre. C'est ainsi que l'appelaient les Français. Mais nous, nous l'appelions juste le régiment d'infanterie numéro tant. Le 638e. Oui, c'est ça. Il s'agissait en majorité de fascistes du régime de Vichy ou même de prisonniers de guerre n'ayant aucune envie d'être envoyés en Allemagne comme main-d'œuvre forcée pour l'organisation Todt. Ils devaient être environ six mille. Les pauvres types.

— Pourquoi dites-vous ça ? »

Je bus une nouvelle gorgée de vin et pris une cigarette dans le paquet sur la table. De l'autre côté de la fenêtre, dans la cour centrale, quelqu'un essayait de faire démarrer une voiture, sans succès. Quelque part, un peu plus loin, de Gaulle attendait ou faisait la tête, selon le point de vue où l'on se place ; et l'armée française léchait ses plaies après s'être fait botter le cul – une nouvelle fois – en Indochine.

« Parce qu'ils ne pouvaient pas savoir dans quoi ils mettaient les pieds, répondis-je. Combattre les partisans avait peut-être l'air OK ici à Paris, mais, en Biélorussie, cela signifiait tout autre chose. » Je secouai tristement la tête. « Il n'y avait aucun honneur là-dedans. Aucune gloire. Rien de ce qu'ils cherchaient.

— Qu'est-ce que cela signifiait alors ? demanda Sourcils Noirs. Sur le terrain. »

Je haussai les épaules.

« Ce genre d'action se résumait bien souvent à de l'assassinat pur et simple. De l'assassinat en masse. De Juifs. Opérations de police et lutte contre les partisans étaient simplement des euphémismes pour massacrer des Juifs. À dire vrai, jamais le haut commandement de la Wehrmacht n'aurait confié au 638e une autre tâche que celle de tuer.

— Le nom du commandant de cette unité. Vous vous en souvenez ?

— Labonne. Le colonel Labonne. Après l'hiver 1941, j'ai perdu tout contact avec Edgard. » Je fis claquer mes doigts. « De Boudel. C'était son nom. Edgard de Boudel.

— Vous en êtes sûr ?

— Certain.

— Continuez.

— Très bien. Voyons voir. Deux ans plus tard, je suis revenu brièvement dans cette région pour enquêter sur un crime de guerre présumé. C'est alors que j'ai entendu dire que le 638e était maintenant rattaché à une division SS en Galicie. Et que ça se passait plutôt mal là-bas. Mais je n'ai pas revu de Boudel avant 1945, alors que la guerre était finie et que nous nous trouvions tous les deux dans un camp soviétique de prisonniers de guerre appelé Krasno-Armeesk. De fait, il y avait là pas mal de SS français et belges. Et Edgard m'a un peu expliqué ce qu'il avait fabriqué. Que le 638e avait fini par devenir un bataillon français de la SS ou quelque chose comme ça. Apparemment, il y avait eu une campagne de recrutement à Paris, en juillet 1943. Les Français qui s'engageaient devaient prouver les foutaises himmlériennes habituelles, et notamment qu'ils n'avaient pas de sang juif, en vertu de quoi ils étaient enrôlés. Quelques semaines de formation de base en Alsace, puis à un endroit près de Prague. À la fin de l'été 1944, la guerre en France était pratiquement terminée, mais il y avait toute une brigade de SS français prête à se battre contre les Russes. Environ dix mille, d'après lui. Appelée la SS-Charlemagne.

« La brigade fut envoyée, par train, sur le front de l'Est, en Poméranie, pas très loin de là où je me trouvais. Edgard me raconta que, alors que le train les transportant arrivait au terminus de Hammerstein, ils furent attaqués par la première armée biélorusse et divisés en trois groupes. Un groupe, commandé par le général Krukenberg, atteignit la côte balte au nord, près de Dantzig. Quelques-uns réussirent à se faire évacuer au Danemark. Mais d'autres, comme Edgard, continuèrent à se battre jusqu'à leur capture. Le reste fut décimé ou se replia sur Berlin.

« Il y avait d'autres Français à Krasno-Armeesk qui avaient été faits prisonniers à Berlin. Je ne peux pas dire que je me rappelle leurs noms. Selon toute vraisemblance, les hommes de la SS-Charlemagne furent les derniers défenseurs du bunker de Hitler. Et, à mon avis, les seuls SS ravis d'être capturés par les Soviétiques plutôt que par les Américains, parce que les Yankees les remettaient aux Français libres, qui les fusillaient sur-le-champ.

— Parlez-nous d'Edgard de Boudel.

— Dans le camp ?

— Oui.

— Il avait le grade de lieutenant-colonel. Dans la SS, j'entends. D'un abord facile. Charmant, même. Séduisant. Épargné par la guerre, pourrait-on dire. Un de ces types qui donnent l'impression qu'ils survivront toujours à tout. Il parlait bien le russe. Edgard faisait partie de ces gens qui n'ont pas de problèmes avec les langues. Son allemand était parfait, bien sûr. Je n'aurais jamais deviné qu'il était français si je ne l'avais pas su. Je pense qu'il parlait également le vietnamien. Sa facilité pour les langues le rendait particulièrement intéressant aux yeux du MVD. Au début, ils lui menèrent la vie plutôt dure. Et, bien évidemment, une fois qu'ils avaient jeté leurs filets sur un homme, il lui était très difficile de résister. Je suis bien placé pour le savoir.

— Ils le voulaient pour quoi, au juste ? Vous le savez ?

— Eh bien, pas pour le K-5, c'est certain.

— Le précurseur de la Stasi.

— Oui. J'ignore ce qu'ils avaient en tête dans son cas. Toujours est-il qu'un beau matin il fut envoyé à l'école antifasciste de Krasnogorsk, pour la rééducation. Où je faillis me retrouver moi-même, comme vous le savez. Ils m'auraient coincé également si l'officier du MVD qui m'interrogeait n'avait pas été un homme que j'avais connu avant la guerre. Un certain Mielke. Erich Mielke. C'était le commissaire politique allemand chargé du recrutement des *plenis* pour le K-5. »

Les Français me posèrent encore quelques questions sur Edgard de Boudel, puis ils me ramenèrent à la Santé. Dont le nom revigorant n'avait pas grand-chose à voir avec ce qui se passait à l'intérieur de la prison. On l'appelait ainsi en raison de sa proximité avec un établissement psychiatrique, l'hôpital Sainte-Anne, rue de la Santé, non loin du boulevard Raspail.

À la Santé, je m'efforçais, dans la mesure du possible, de me tenir à l'écart des autres. Je ne vis pas Helmut Knochen, ce qui m'allait fort bien. Je lus mon journal, qui rapportait que la situation des Français en Afrique du Nord n'était pas meilleure qu'elle l'avait été en Indochine. En dépit de mes nouveaux amis du SDECE, cette nouvelle n'était pas pour me déplaire. Il y avait des moments où je ne me sentais pas très loin des tranchées. Surtout avec tous les rats qui peuplaient la Santé. De vrais rats. Ils se baladaient le long des couloirs aussi tranquillement que s'ils avaient eu les clés.

À la Piscine, le lendemain, les Français m'interrogèrent sur Erich Mielke.

« Que voulez-vous savoir ? » demandai-je, comme si je n'avais pas conscience de ce que mon auditoire avait envie d'entendre ; ou, pour être plus exact, de ce qu'il était préférable que je lui dise. « Tout ça, c'est de l'histoire ancienne. Vous ne tenez sûrement pas à ce que je revienne sur ces vieilleries.

— Tout ce que vous pouvez nous dire.

— Je ne vois vraiment pas en quoi cela nécessite que je sois ici à Paris.

— Laissez-nous en être juges. »

Je haussai les épaules.

« Peut-être que si je savais ce qui vous intéresse à son sujet, je pourrais être plus précis. Après tout, ce n'est pas une histoire qui peut se résumer en deux minutes. Bonté divine, certains de ces événements datent de vingt ans. Voire davantage.

— Nous ne sommes pas pressés. Vous pourriez commencer par le commencement. Comment vous vous êtes rencontrés et quand. Ce genre de choses.

— Vous voulez dire tout le roman, avec un début, un milieu et une fin.

— Précisément.

— Très bien. Si vous tenez vraiment à connaître ce truc-là, je vous dirai tout. »

Naturellement, je n'en avais aucune envie. Foutre non. Tout déballer de nouveau, merci beaucoup. De sorte que je leur balançai une version revue et corrigée, plus divertissante, de ce que j'avais déjà dit aux Ricains. Un condensé palpitant, si vous préférez, que ne venait pas gâcher une myriade de faits et qui, comme les Français eux-mêmes, était le fruit d'un sentiment de lassitude aux prises avec le pur pragmatisme et ayant très rapidement le dessous. La meilleure histoire qui soit, plus facile à raconter qu'à croire.

« La décision fut prise au ministère de l'Intérieur de laisser Mielke s'enfuir. Malgré le fait qu'il avait participé au meurtre de deux flics. Les choses se déroulèrent de la façon suivante. Le département IA avait été créé pour protéger la République de Weimar contre les conspirateurs de gauche comme de droite ; et on estima que le meilleur moyen d'y parvenir consistait à entretenir quelques informateurs d'un côté et de l'autre. Mais, à première vue, cela ne s'appliquait guère à un homme comme Mielke. Nous l'avions arrêté et nous comptions bien l'envoyer à la guillotine. Toutefois, les gens de l'Abwehr – le renseignement allemand – réussirent à convaincre le ministère qu'ils pouvaient faire de Mielke leur agent. Et c'est ce qui se passa. On nous persuada de le laisser filer afin qu'il puisse devenir notre agent à long terme, la taupe à Moscou de l'Abwehr. En échange, nous nous occuperions de sa famille. L'Abwehr le maintint en activité tout au long des années trente et de la guerre civile espagnole. En plus de transmettre des informations très importantes sur les mouvements de troupes républicains qui furent extrêmement utiles à la Légion Condor, il s'arrangea pour déclencher plusieurs purges à l'encontre de leurs meilleurs éléments, sous prétexte qu'ils étaient trotskystes ou anarchistes. À cet égard, Mielke fut doublement précieux.

« Lorsque la guerre éclata, le SD et l'Abwehr décidèrent de se partager Mielke. L'ennui, c'est que nous l'avions perdu. Aussi Heydrich m'envoya-t-il en France à l'été 1940 pour le faire sortir de Gurs ou du Vernet, où il devait se trouver, pensions-nous. Ce qui fut fait. Je parvins à le tirer du Vernet et à lui faire traverser la mer pour aller en Algérie. De là, des agents allemands s'arrangèrent pour faciliter son retour en Russie. Je fus son officier traitant au SD pendant les trois années suivantes tandis qu'il gravissait les échelons de la hiérarchie du parti. Je perdis le contact avec lui en 1945, à la fin de la guerre. Cependant, il parvint à me retrouver alors qu'il recrutait des officiers allemands pour la Stasi, et il m'aida à fuir en Allemagne de l'Ouest, où je négociai un accord avec des Américains du Counter Intelligence Corps en notre nom à tous deux.

— Quel genre d'accord ?

— De l'argent, bien sûr. Beaucoup d'argent. Après ça, je contribuai à le piloter à Berlin et à Vienne, jusqu'à ce que le CIC en arrive à la conclusion que mon passé SS risquait de devenir embarrassant pour eux. Ils assignèrent donc un nouveau responsable à Mielke et me firent quitter le pays grâce à un réseau d'exfiltration. Via Gênes, je gagnai l'Argentine. Puis Cuba. Je serais encore à La Havane sans l'incompétence américaine. Après s'être mis en quatre pour me faire sortir d'Allemagne, ils me renvoyèrent là-bas. Une question de main gauche qui ne sait pas ce que fait la main droite. Et me voilà ici avec vous.

— Est-ce que Mielke continue à travailler pour les Américains ?

— Le contraire m'étonnerait. Quelqu'un d'aussi influent ? Il a été la source principale de toutes leurs informations sur la RDA. Mais ils le gardaient pour eux. L'OG elle-même n'avait pas la moindre idée que Mielke espionnait pour les Amerloques. Gehlen savait que ceux-ci possédaient un agent extrêmement haut placé. Lorsqu'ils refusèrent de lui révéler de qui il s'agissait, Gehlen décida de rendre son tablier pour se ranger du côté des Allemands de l'Ouest.

— Alors pourquoi vous laisser partir et risquer que vous nous lâchiez le morceau ?

— À cause de ceci : ils ne savent pas tout sur Mielke et moi. Il y a certaines choses que je vous ai dites dont je ne leur ai jamais parlé. Mais ça n'a plus guère d'importance, semble-t-il. Je n'ai pas eu le plus petit contact avec Mielke depuis 1949, date de mon départ en Argentine. Il est aujourd'hui le deuxième ou le troisième homme le plus puissant de RDA, alors qui me croirait ? Comment pourrais-je prouver quoi que ce soit de ce que je vous ai dit ? C'est juste ma parole, d'accord ? En outre, j'ai d'autres chats à fouetter. Au cas où vous l'auriez oublié, me préoccupe davantage que vous croyiez que ce n'est pas moi qui ai tué ces prisonniers de Gurs sur la route de Lourdes, en 1940. À mon avis, il ne leur est même pas venu à l'esprit que vous pouviez vous intéresser à Mielke. Pour eux, vous tenez uniquement à régler de vieux comptes avec des types comme moi. Si vous me permettez, messieurs, ils pensent que vos services de renseignement sont enlisés dans le bourbier de l'extrémisme musulman en Algérie et totalement inadéquats dans leur guerre froide contre le communisme russe. Que vous êtes la cinquième roue du carrosse. Même les Anglais revêtent davantage d'importance à leurs yeux. »

Ça ne ressemblait nullement à ce que mes interlocuteurs désiraient entendre ; mais c'était ce qu'ils s'attendaient à entendre. Les Français n'étaient rien moins que pragmatiques ; pour eux, les faits jouaient toujours un rôle secondaire par rapport à l'expérience.

Ce qui était, bien évidemment, leur seule façon de pouvoir vivre avec eux-mêmes.

Par la suite, la conversation revint sur le sujet d'Edgard de Boudel, et un des deux hommes du SDECE me posa la même question que celle que m'avait posée Heydrich à propos de Mielke en 1940 :

« Pensez-vous pouvoir le reconnaître ?

— Edgard de Boudel ? Je ne sais pas. Cela fait sept ans. Peut-être. Pourquoi ?

— Nous voulons l'arrêter et le traduire en justice.

— Au Cherche-Midi ? Combien de procès ont eu lieu dans ce tribunal ? Des centaines, n'est-ce pas ? Combien de criminels de guerre et de collaborateurs avez-vous condamnés à mort ? Laissez-moi vous le dire. C'était dans le journal. Six mille cinq cents. Dont quatre mille par contumace. Vous trouvez que ce n'est pas suffisant ? Ou vous tenez vraiment à revivre la Révolution française ? »

Ils gardèrent le silence le temps que j'allume une cigarette.

« Pourquoi voulez-vous le traduire en justice ? Pour avoir été dans la SS ? Franchement, je n'y crois pas. La France pullule d'anciens nazis. De plus, je l'aimais bien. Même beaucoup. Pourquoi le trahirais-je ? À supposer que j'en aie les moyens.

— Depuis la mort de Staline l'an dernier, votre président Adenauer négocie la libération des derniers prisonniers de guerre allemands. Lesquels sont peut-être les pires des pires ; ou tout simplement les plus importants et, aux yeux des Soviétiques, les plus coupables. Beaucoup d'entre eux sont recherchés pour des crimes de guerre commis à l'Ouest. Y compris Edgard de Boudel. D'après des informations que nous avons reçues, il envisagerait de retourner en Allemagne en se mêlant à un de ces convois de rapatriés en provenance d'Union soviétique. De là, nous pensons qu'il essaiera éventuellement de regagner la France.

— Je ne pige pas, dis-je. S'il travaillait pour le KGB, pourquoi reviendrait-il comme prisonnier de guerre ?

— Parce que, dans son rôle actuel, il ne leur est plus d'aucune utilité. La seule manière pour lui de regagner leurs faveurs, c'est de faire ce qu'ils veulent. Et ce qu'ils veulent qu'il fasse, c'est de se faire passer pour quelqu'un d'autre. Un Allemand. Un Allemand déjà mort, probablement. Vous nous avez déclaré qu'il parlait couramment l'allemand, que même vous n'aviez pas pu le prendre en défaut. Nombre de ces anciens prisonniers de guerre sont considérés comme des héros. Un héros rentrant chez lui constitue un bon point de départ pour se refaire une carrière dans la société allemande. Voire dans la politique allemande. Et alors, un jour, il sera de nouveau utile.

— Mais qu'est-ce que je peux faire ?

— Vous le connaissez. Si quelqu'un ou quelque chose paraissait louche, qui mieux que vous s'en apercevrait ?

— Peut-être. » Je secouai la tête. « Si vous le dites.

— Tous les anciens prisonniers de guerre débarquant en Allemagne de l'Ouest passent par la gare de Friedland. Le prochain train est attendu dans quatre semaines.

— Que voulez que je fasse ? Que je me plante à un bout du quai avec un bouquet de fleurs à la main comme une veuve éplorée qui ne sait pas que son homme ne reviendra jamais ?

444

— Pas exactement, non. Avez-vous entendu parler du VdH ? »

Je haussai les épaules.

« Un machin en rapport avec le dédommagement par les autorités des anciens prisonniers de guerre ?

— Il s'agit de l'association des rapatriés. Et c'est l'une des questions soulevées, en effet. D'après la loi sur l'indemnisation des prisonniers de guerre ouest-allemands votée en janvier de cette année, une somme de un mark par jour est payable à tous les PG encore en captivité après le 1er janvier 1946. Et de deux marks par jour après le 1er janvier 1949. Mais le VdH est aussi une association de citoyens qui vante les mérites de la démocratie allemande auprès des nazis d'hier. De la dénazification des Allemands par les Allemands.

— Votre passé, dit l'autre Français, fait de vous un candidat idéal pour entrer dans cette association. Non que ce soit un problème. Nous contrôlons la section de Basse-Saxe du VdH. Le président et plusieurs de ses membres sont au service du SDECE. Et, travaillant pour nous, il va sans dire que vous seriez bien payé. Vous auriez même probablement droit à certaines de ces indemnités de prisonnier de guerre.

— De surcroît, nous pourrions escamoter cette affaire avec Helmut Knochen. » L'insomniaque claqua dans ses doigts. « Comme ça. Nous vous installerons dans une petite pension de famille à Göttingen. Göttingen vous plaira. C'est une jolie ville. De là il n'y a qu'un court trajet en voiture jusqu'à Friedland. Si les choses se passent bien, nous pourrions sans doute rendre cet accord plus permanent. »

J'opinai.

« Ma foi, cela fait un bail que je n'ai pas vu de Boudel. Et naturellement, je ne demanderais pas mieux que de sortir de la Santé. Göttingen est jolie, dites-vous. Et j'ai besoin d'un boulot. Certes, tout ça semble extrêmement généreux. Mais il y a autre chose que je désirerais. Je connais une femme à Berlin. Peut-être la seule personne dans toute l'Allemagne qui compte pour moi. J'aimerais aller la voir. M'assurer qu'elle va bien. Lui donner un peu d'argent, peut-être. »

L'insomniaque s'empara d'un stylo, prêt à écrire.

« Nom et adresse ?

— Elle s'appelle Elisabeth Dehler. La dernière fois que j'étais à Berlin, il y a environ cinq ans, elle habitait 28 Motzstrasse, près du Ku'damm.

— Vous ne l'avez jamais mentionnée. »

J'eus un haussement d'épaules.

« Que fait-elle ?

— Elle était couturière. Elle l'est toujours, pour autant que je sache.

— Et elle et vous étiez… quoi ?

— Nous avons eu une brève liaison.

— Amants ?

— Oui, amants, je suppose.

— Nous vérifierons son adresse. Pour voir si elle est toujours là. Et vous éviter le dérangement dans le cas contraire.

— Merci. »

Il haussa les épaules.

« Mais si elle s'y trouve, nous n'avons pas d'objection. Ce ne sera pas facile. Entrer et sortir de Berlin n'est jamais facile. Enfin, on se débrouillera.

— Bien. Alors marché conclu. Je chanterais *La Marseillaise* si je connaissais les paroles.

446

— Une signature sur un morceau de papier suffira pour l'instant. Nous ne sommes pas très portés sur la chansonnette ici à la Piscine.

— J'ai une question. Tout le monde appelle cet endroit la Piscine. Pourquoi ? »

Les deux Français sourirent. L'un d'eux se leva puis ouvrit une fenêtre.

« Vous n'entendez pas ? dit-il au bout d'un moment. Vous ne sentez pas ? »

Me levant à mon tour, je me plaçai près de lui et tendis l'oreille. Au loin, je pouvais distinguer le bruit de ce qui ressemblait à une cour de récréation.

« Vous voyez ce bâtiment à tourelles de l'autre côté du mur ? expliqua-t-il. C'est la plus grande piscine de Paris. Elle a été construite pour les Jeux olympiques de 1924. Par une journée comme aujourd'hui, la moitié des enfants de la capitale y sont. Nous y allons également de temps à autre, quand c'est plus calme.

— Bien sûr. Nous avions la même chose à la Gestapo. Le canal de la Landwehr. Nous-mêmes n'allions jamais nous y baigner, naturellement. Mais nous y emmenions beaucoup d'autres. Des communistes surtout. C'est-à-dire, à condition qu'ils ne sachent pas nager. »

28

France et Allemagne, 1954

De la Santé, on me transféra à la pension Verdin, au 102, avenue Victor-Hugo, dans la banlieue de Saint-Mandé, à environ cinq minutes en voiture de la Piscine. C'était un endroit tranquille, confortable, avec des parquets cirés, de hautes fenêtres et un ravissant jardin où je m'asseyais au soleil dans l'attente de mon retour en Allemagne. La pension faisait office de planque et d'hôtel pour les membres du SDECE ou ses agents. Du reste, il me sembla avoir déjà aperçu un certain nombre de visages à la Piscine ; mais personne ne s'occupait de moi. J'avais même le droit de sortir – en étant suivi à distance –, et je passai toute une journée à me promener le long de la Seine, jusqu'à l'île de la Cité et Notre-Dame. C'était la première fois que je voyais Paris sans la Wehrmacht partout, ni des centaines de panneaux en allemand. Les bicyclettes avaient fait place à une ribambelle de voitures, de sorte que je ne me sentais guère plus en sécurité que lorsque j'étais un soldat ennemi en 1940. Mais les nerfs y étaient pour beaucoup – le stress de l'enfermement après ces six derniers mois à aller d'une prison à une autre. Je n'aurais pas pu me croire davantage un frère de l'ombre si j'avais porté des chaînes et un boulet. Ni en avoir l'allure. Raison pour laquelle on m'emmena aux Galeries Lafayette, boulevard Haussmann, pour m'acheter des frusques. Il serait exagéré de dire que mes nouveaux vêtements me donnèrent l'impression d'être redevenu normal. Trop d'eau avait coulé sous les ponts pour que ce soit possible ; cependant, je me sentis en partie remis à neuf. Comme une vieille porte avec un coup de peinture fraîche.

Les Français n'avaient pas exagéré la difficulté de se rendre à Berlin. La frontière intérieure entre l'Allemagne de l'Ouest et celle de l'Est – la frontière verte – était fermée depuis mai 1952, et les lignes de transport reliant les deux moitiés du pays en grande partie coupées. Le seul endroit où les Allemands de l'Est avaient la possibilité de se rendre librement à l'Ouest était la capitale elle-même ; et l'on ne pouvait entrer à l'Est ou en sortir qu'à quelques points le long d'une clôture fortifiée et hautement surveillée, parmi lesquels le plus important et le plus utilisé était le passage Helmstedt-Marienborn, à la lisière de la forêt de Lappwald. Mais il nous fallait tout d'abord aller à Hanovre, dans la zone d'occupation britannique.

Nous quittâmes la gare du Nord par le train de nuit, mes deux chaperons du SDECE et moi. Ils avaient maintenant des noms – des noms et des passeports –, même s'il semblait peu probable qu'ils soient vrais, d'autant plus que j'avais moi aussi un passeport – français –, au nom de Sébastien Kléber, voyageur de commerce d'origine alsacienne. Le Français aux sourcils noirs se faisait appeler Philippe Mentelin ; l'insomniaque, Émile Vigée.

Nous disposions d'une voiture-couchette pour nous tout seuls, mais j'étais trop excité pour dormir, et lorsque, neuf heures et demie plus tard, le train s'arrêta en gare de Hanovre, je récitai une petite prière de remerciement pour être de nouveau en Prusse. La statue équestre du roi Ernest-Auguste se trouvait toujours devant la gare, et l'hôtel de ville avec ses toits rouges et ses coupoles vertes ne différait guère de l'image que j'en avais gardée, mais, pour le reste, la ville avait l'air très différente. L'Adolf Hitler Strasse s'appelait maintenant la Bahnhofstrasse ; la Horst Wessel Platz était devenue la Königsworther Platz ; et l'Opéra ne se dressait plus sur l'Adolf Hitler Platz mais sur l'Opernplatz. L'église Aegidien, au coin de la Breite Strasse, détruite par les bombardements, se réduisait à une carcasse vide, couverte de lierre et laissée telle quelle en guise de monument à la mémoire des victimes de la guerre. Ailleurs, la ville était à peine reconnaissable. Une chose pourtant n'avait pas changé : c'est à Hanovre, disait-on, que l'on parlait l'allemand le plus pur ; et ce fut effectivement mon impression.

La planque se trouvait dans l'est de la ville, à la lisière d'une vaste zone boisée appelée l'Eilenriede, dans la Hindenburgstrasse, tout près du zoo. C'était une villa assez vaste, au milieu d'un jardin assez petit. Elle avait un toit rouge mansardé et une tour octogonale au coin avec une coupole en acier poli. Tour qui renfermait ma chambre, et, bien que ma porte ne fût pas fermée à clé, j'avais du mal à me défaire du sentiment d'être encore un prisonnier. Surtout lorsque je mentionnai à Émile Vigée que j'avais vu deux types à l'air bizarre depuis mon observatoire à la Raiponce.

« Regardez, dis-je en l'invitant à entrer dans ma chambre et à se pencher par la fenêtre. Dans l'Erwinstrasse, c'est bien ça ? »

Il hocha la tête.

« Ces deux zèbres à l'intérieur de la Citroën noire. Voilà au moins une heure qu'ils sont là. Parfois, l'un d'eux sort, fume une cigarette et scrute cette maison. Et je suis quasiment sûr qu'il est armé, en plus.

— Comment pouvez-vous le savoir d'ici ?

— Il fait chaud, mais les trois boutons de sa veste sont fermés. Et, de temps à autre, il ajuste quelque chose sur sa poitrine.

— Vous avez des yeux de lynx, monsieur Kléber. »

Chaque fois qu'il me parlait, Vigée m'appelait maintenant Kléber, ou Sébastien, afin que je m'habitue à entendre ce nom.

« J'ai été flic, vous vous souvenez ?

— Aucune inquiétude à avoir. Ils sont avec nous. En fait, ils vous conduiront à Berlin et vous ramèneront ici avant d'aller à Göttingen et à Friedland. Tous deux sont allemands et ils ont fréquemment fait le trajet, il ne devrait donc pas y avoir de problème. Ils travaillent pour le VdH ici à Hanovre. » Il jeta un coup d'œil à sa montre. « Je les ai invités à dîner ce soir. Pour que vous puissiez faire leur connaissance. Ils sont un peu en avance, voilà tout. »

Nous allâmes manger à la Stadt Halle toute proche, anciennement la Hermann Göring Stadt Halle – un grand bâtiment rond qui n'était pas sans ressembler au gros Hermann lui-même. Avec son toit vert, l'endroit faisait à moitié salle de concert et à moitié tente de cirque, mais il y avait un bon restaurant, d'après Vigée.

« Pas aussi bon qu'à Paris, dit-il, mais pas mal pour Hanovre. Avec une carte des vins tout à fait satisfaisante. » Il haussa les épaules. « Raison pour laquelle Goering l'appréciait, j'imagine. »

Comme nous arrivions, tout le monde partait écouter le concert du vendredi soir, et je me dis que les Français l'avaient probablement fait exprès afin que nous puissions parler sans crainte d'être entendus. La musique ne gâtait rien, naturellement. C'était la *Troisième Symphonie* de Mendelssohn, l'« Écossaise ».

Les deux Français furent déçus par la nourriture, mais, pour ma part, après des mois de rations carcérales, je la trouvai délicieuse. Mes deux compatriotes avaient également de l'appétit, bien que fort peu en matière de conversation. Ils portaient des costumes gris pour aller avec leur teint gris. Ni l'un ni l'autre n'était très grand. Le premier avait des cheveux blond clair qui sortaient certainement d'une bouteille ; le second devait lui-même sortir d'une bouteille tellement il buvait, même si ça n'avait pas l'air de l'affecter le moins du monde. Le blond s'appelait Werner Grottsch ; l'autre, Klaus Wenger. Ils ne semblaient guère enclins à essayer d'apprendre quoi que ce soit sur moi. Peut-être étaient-ils déjà bien informés sur le sujet par Vigée, mais, à mon avis, ils étaient probablement trop avisés pour poser des questions, auquel cas je leur retournai la politesse en ne leur demandant rien non plus.

Finalement, Vigée amena la conversation sur le véritable motif de notre entrevue.

« Sébastien n'a encore jamais traversé la frontière,

expliqua-t-il. Du moins, pas depuis la mise en place du régime spécial de la RDA. Werner, peut-être pourriez-vous lui brosser un tableau de ce qui se passera demain. Vous serez dans une voiture munie de plaques diplomatiques. Malgré cela, il est toujours utile de savoir comment se comporter. À quoi s'attendre. »

Grottsch acquiesça poliment, éteignit sa cigarette, se pencha en avant et joignit les mains comme pour nous inviter à la prière.

« On appelle ça le régime spécial parce que ces mesures visent à interdire l'entrée aux espions, aux terroristes et aux trafiquants. En d'autres termes, les gens comme nous. » Il sourit de sa petite plaisanterie. « Nous traverserons au Checkpoint Alpha. À Helmstedt. C'est le point de passage le plus important et le plus fréquenté parce qu'il offre le chemin le plus court entre l'Allemagne de l'Ouest et Berlin-Ouest. Cent quatre-vingt-cinq kilomètres à travers l'Allemagne de l'Est jusqu'à Berlin. La route passe par un couloir clôturé, étroitement gardé. Un peu comme le no man's land, si vous vous en souvenez, et presque aussi dangereux. Alors, en cas de panne, ne sortez de la voiture sous aucun prétexte. Nous attendrons les secours, peu importe le temps que ça prend. Si vous mettez un pied dehors, vous risquez d'être abattu, et vous ne seriez pas le premier. La police des frontières – la Grepo – a la gâchette particulièrement facile. Est-ce clair ?

— Très clair, Herr Grottsch. Merci.

— Bien. » Grottsch tendit l'oreille et approuva du chef. « Quel plaisir d'entendre de nouveau Mendelssohn. Et sans avoir à se préoccuper qu'il ait été antipatriotique.

— Est-ce qu'il n'était pas allemand ? dis-je. De Hambourg.

— Non, non, répondit Grottsch. Mendelssohn était juif. »

Avec un hochement de tête, Wenger alluma une cigarette.

« Oui. C'est juste. Un Juif de Leipzig.

— Naturellement, continua Grottsch, entrer est une chose. Sortir en est une autre. Fosses d'inspection, miroirs, il y a même un dépôt mortuaire où l'on peut regarder à l'intérieur des cercueils pour vérifier qu'un occupant voulant être enterré en Allemagne de l'Ouest a bel et bien avalé sa chique. Même Mendelssohn ne pourrait pas s'éclipser ces temps-ci sans les documents nécessaires. Et ça fait cent ans qu'il est mort.

— Votre copine, dit Wenger. Fräulein Dehler. Vous serez content de savoir qu'elle habite toujours à la même adresse. Mais elle n'est plus couturière. Elle tient à présent une boîte de nuit appelée The Queen, dans l'Auguste-Viktoria Strasse.

— Un endroit honnête ?

— Aussi honnête qu'il est possible. »

Helmstedt était une jolie petite cité médiévale avec des tours de couleur vive et des églises pittoresques. L'hôtel de ville ressemblait à un orgue gigantesque sorti d'une cathédrale qui, comme toujours, n'existait plus. L'université en brique rouge, quant à elle, avait tout d'une caserne. J'en aurais peut-être vu davantage si mes deux compagnons n'avaient eu hâte de franchir Checkpoint Alpha afin d'arriver à Berlin avant la nuit. Et je pouvais difficilement le leur reprocher. De Marienborn, Berlin se trouvait à trois heures de trajet à travers un paysage inhospitalier de fil de fer barbelé et, de l'autre côté de la clôture, de mines et d'hommes avec des chiens. Mais rien comparé aux visages inhospitaliers des Grepos à Checkpoint Alpha. Avec leurs bottes, leurs ceinturons et leurs longs manteaux noirs, les agents de la police des frontières rappelaient fortement les SS, et les longues cabanes en bois dont ils émergeaient avaient quelque chose d'un camp de concentration. Les croix gammées avaient disparu, remplacées par l'étoile rouge ainsi que la faucille et le marteau, mais tout le reste donnait la même impression. À l'exception d'une chose. Jamais le nazisme n'avait paru aussi permanent. Ni aussi minutieux.

Grottsch et Wenger se partageaient la conduite, tâche relativement simple : si vous rouliez assez longtemps vers l'est sur l'A2, vous vous retrouviez à Berlin. Mais ils continuaient à hésiter à me poser des questions, comme si les Français les avaient mis en garde contre les réponses. Aussi, lorsqu'il nous arrivait de parler, c'était toujours de sujets sans portée réelle : le temps, le décor, la Citroën par rapport à la Mercedes, la vie en RDA et, comme nous nous rapprochions de notre destination, les Quatre Puissances et leur occupation ininterrompue de l'ancienne capitale allemande, occupation que nous étions unanimes à ne pas aimer. Nous pensions, ça va de soi, que les Russes étaient les pires, mais nous passâmes au moins une heure à discuter pour savoir lequel des trois autres obtiendrait la médaille d'argent. Mes deux collègues étaient d'avis, semble-t-il, que les Britanniques possédaient les mêmes défauts que les Américains – l'arrogance et l'ignorance –, sans aucune des qualités – l'argent notamment – qui auraient rendu ces défauts plus supportables. Nous décidâmes que les Français étaient simplement les Français ; qu'on ne devait pas les prendre au sérieux et qu'ils étaient par conséquent inqualifiables. De mon côté, j'avais des doutes sur les Britanniques et, si j'en avais encore quant à mon aversion plaquée argent à l'égard des Américains, ils ne tardèrent pas à se dissiper. Juste au sud-ouest de Berlin, au point de passage de Dreilinden en direction de Zehlendorf, il nous fallut nous arrêter pour montrer de nouveau nos papiers, puis, pénétrant dans la zone américaine, nous garâmes la voiture avant d'aller dans un magasin acheter des cigarettes. J'avais l'habitude de voir, et de fumer, principalement des marques américaines. Ce fut la montagne d'autres produits américains en vente dans la boutique qui me cloua sur place : flocons de céréales Chex, pâte dentifrice Rexall, café décaféiné Sanka, bière Ballantine, whiskey Old Sunnybrook Kentucky, aliments pour chiens Dash, bonbons Jujyfruits, pizzas Appian Way, lait en poudre Pream, Nescafé et 7Up. J'étais peut-être de retour à Berlin, mais pas au point que ça se remarque.

Nous roulâmes dans le secteur français jusqu'à une planque de la Bernauer Strasse qui donnait sur le secteur russe, ce qui veut dire que les Français contrôlaient le trottoir nord et les Russes le trottoir sud. Mais peu importait. Même si ça ne ressemblait pas au Berlin que j'avais gardé en mémoire – sur le côté soviétique de la rue, les immeubles bombardés demeuraient dans un état de délabrement total –, l'atmosphère était quasiment la même : cynique, indéfinissable – peut-être plus indéfinissable que jamais. Dans ma tête comme dans mon cœur, un orchestre de la taille d'une division jouait la *Berliner Luft*, l'Air de Berlin, et j'applaudissais et sifflais à tous les bons endroits en vrai citoyen. À Berlin, la question, ce n'était pas d'être allemand – Hitler et Goebbels ne l'avaient jamais compris –, c'était d'être d'abord berlinois et de dire à tous ceux qui voulaient changer ça qu'ils pouvaient aller au diable. Un jour, sûrement, on se débarrasserait aussi des autres. Les Popov, les Tommies, les Franzis, et oui, même les Amerloques. On a toujours plus de mal à se débarrasser de ses amis que de ses ennemis ; surtout quand ils se croient de bons amis.

Le lendemain, les deux Allemands me conduisirent à la Motzstrasse, dans le secteur américain.

Nous nous arrêtâmes devant le n° 28. L'immeuble était en bien meilleur état que lors de ma dernière visite. En premier lieu, il avait été peint en jaune canari ; il y avait plusieurs jardinières aux fenêtres, pleines de géraniums ; et, face à la lourde porte en chêne, quelqu'un avait planté un citronnier luxuriant. Le quartier dans son ensemble avait l'air de se débrouiller pas mal. De l'autre côté de la rue se trouvait un luxueux magasin de porcelaine et, sous l'appartement d'Elisabeth, situé au premier étage, un restaurant non moins onéreux, appelé Chez Klotter, où mes deux anges gardiens choisirent de m'attendre.

La porte de la rue n'était pas fermée. Je montai, tirai la sonnette et écoutai. À l'intérieur, je pouvais distinguer de la musique, puis elle s'arrêta. Quelques instants plus tard, la porte s'ouvrit, et elle était devant moi. Avec sept ans et au moins cinq kilos de plus. Auparavant, elle avait été brune. À présent, elle était blonde. L'embonpoint lui allait mieux que la couleur de cheveux, qui ne s'accordait pas vraiment avec ses grands yeux marron, mais je m'en fichais : je n'avais pas seulement parlé à une femme depuis six mois, a fortiori en robe de chambre. De voir Elisabeth comme ça me rappelait des temps plus innocents avant guerre, où le sexe avait encore l'air d'une proposition pratique.

Elle resta bouche bée, battit des paupières, délibérément, comme si elle n'en croyait vraiment pas ses yeux.

« Oh mon Dieu, c'est toi. J'avais peur que tu sois mort.

— Je l'étais. La vie éternelle a ses avantages, mais c'est incroyable comme on peut s'ennuyer rapidement. Alors me voilà. De retour dans la ville de l'acajou et de la marijuana.

— Entre, entre. » Elle m'attira à l'intérieur, referma la porte et m'étreignit tendrement. « Je n'ai pas de marijuana, mais j'ai du bon café. Ou quelque chose de plus fort.

— Du café sera parfait. » Je la suivis le long d'un couloir jusqu'à la cuisine. « J'aime bien la façon dont tu as arrangé cet endroit. Tu as mis du mobilier. La dernière fois que je suis venu, je crois que tu avais tout vendu. Aux Ricains.

— Pas tout. » Elisabeth sourit. « Je n'ai jamais vendu ça. Beaucoup l'ont fait, note bien, mais pas moi. » Elle se mit à préparer le café. « Ça fait combien de temps ?

— Depuis que j'étais ici ? Six ou sept ans.

— J'aurais pensé que c'était beaucoup plus. Où as-tu été ? Qu'est-ce que tu as fait ?

— Ça n'a plus d'importance. Le passé. Maintenant, la seule chose qui compte, c'est maintenant. Tout le reste est sans intérêt. Du moins, c'est ce qu'il me semble.

— Tu étais vraiment mort ?

— Mmm-hmm. »

Le café prêt, elle passa dans un salon petit mais confortable. Le mobilier était solide, bien que banal. Dehors, les feuilles cuivrées des tilleuls contribuaient à abriter la fenêtre de l'éclatant soleil d'automne. Je me sentais parfaitement à l'aise. Aussi à l'aise que j'avais des chances de l'être où que ce soit.

« Pas de machine à coudre ? fis-je remarquer.

— Il n'y a plus beaucoup de demande pour des vêtements sur mesure coûteux. Pas à Berlin, en tout cas. Pas depuis la guerre. Qui peut se payer ce genre de choses ? Actuellement, je dirige une boîte de nuit appelée The Queen. Dans l'Auguste-Viktoria Strasse. Nº 76. Passe à l'occasion. Pas aujourd'hui, bien sûr. On est fermés le dimanche. Ce qui explique que je sois là.

— On est dimanche ? Je ne savais pas.

— Mort et revenant tout juste à la vie. Pas précisément convenable. Mais la boîte l'est. Trop convenable, probablement, pour un homme comme toi, mais c'est ce que désirent les clients aujourd'hui. Personne ne veut plus du vieux Berlin. Avec les cabarets et les putains.

— Personne ?

— D'accord. Les Américains n'en veulent pas, semble-t-il. Pas officiellement, du moins.

— Tu m'étonnes. À Cuba, il leur fallait toujours plus de night-clubs. Chaque soir, il y avait une file interminable devant le plus célèbre de tous : le Shanghai.

— Pour Cuba, je ne sais pas, mais ici on trouve des Américains extrêmement luthériens. Bon, on est en

Allemagne, après tout. C'est comme s'ils pensaient que les Russes risquaient de se servir du moindre signe de lubricité comme prétexte pour envahir Berlin-Ouest. À croire qu'ils cherchent à rendre la guerre froide la plus froide possible. Est-ce que tu savais qu'on peut t'arrêter si tu prends des bains de soleil tout nu dans un jardin public ?

— À mon âge, ce n'est guère un souci. »

Je bus une gorgée de café et hochai la tête d'un air approbateur.

Elisabeth alluma une cigarette.

« C'est donc toi. La personne qui m'a envoyé de l'argent, de Cuba. Je me disais aussi.

— À ce moment-là, j'en avais largement les moyens.

— Et maintenant ?

— Je m'occupe de choses et d'autres.

— Tu ne donnes pas l'impression de quelqu'un qui revient de vacances au soleil.

— Je te le répète. À mon âge. Se dorer au soleil n'a jamais été mon truc.

— Moi, j'adore ça. Chaque fois que je peux. Avec les hivers qu'on a. De quel genre de choses est-ce que tu t'occupes ?

— Du genre berlinois.

— Hmm. Ça ne paraît pas très net. Jadis, c'était une ville de putains. Et tu n'as pas l'allure d'une putain. Maintenant, c'est une ville d'espions. Alors… »

Elle haussa les épaules et but un peu de son café.

« C'est pour ça, je présume, qu'ils n'aiment pas les filles de joie et les night-clubs, dis-je. Parce qu'ils veulent des espions vertueux. Quant aux bains de soleil tout nu, eh bien, il est difficile d'avoir l'air de ce qu'on n'est pas quand on a retiré ses vêtements.

— J'essaierai de le garder à l'esprit. En fait, on a un tas d'espions à la boîte. Des espions américains.

— Comment le sais-tu ?

— Ce sont les seuls à ne pas porter d'uniforme. »

Elle plaisantait, bien entendu. Ce qui ne voulait pas dire que ce n'était pas vrai. Je jetai un coup d'œil à un poste de radio de la taille d'un meuble bar d'où s'échappait un murmure assourdi.

« Qu'est-ce qu'on entend à moitié ?

— La RIAS.

— Je ne connais pas cette station. Je ne connais aucune des stations de Berlin.

— C'est la Radio dans le Secteur Américain. » Elle le dit en anglais. Du bon anglais, de surcroît. « J'écoute toujours la RIAS le dimanche matin. Pour améliorer mon accent. »

Je fis la grimace. Sur la table basse se trouvait un exemplaire de *Die Neue Zeitung*.

« Radio américaine. Journaux américains. Parfois, je me dis que nous avons perdu bien plus qu'une guerre.

— Ils ne sont pas si mal. Qui paie ton loyer ?

— Le VdH.

— Bien sûr. Toi aussi, tu as été prisonnier de guerre, n'est-ce pas ? »

J'acquiesçai.

« Il y a deux ans, je suis allée à une de ces expositions organisées par le VdH, expliqua-t-elle. Sur la vie de PG. Ils avaient reconstitué un camp soviétique au complet, avec un mirador et une clôture en fil de fer barbelé de quatre mètres de haut.

— Est-ce qu'il y avait une boutique de souvenirs ?

— Non. Juste un journal.

— *Der Heimkehrer*.

— Oui.

— Un torchon. Entre autres choses, les dirigeants du VdH croient qu'un pays libre ne peut pas renoncer, en principe, à la protection d'une nouvelle armée allemande.

— Mais toi, tu n'y crois pas ? »

Je secouai la tête.

« Non que le service militaire ne soit pas une bonne idée. En principe. » J'allumai une cigarette. « Simplement, je ne me fie pas aux alliés occidentaux pour ne pas nous utiliser comme chair à canon dans une nouvelle guerre qu'un général confédéré dément s'imaginerait pouvoir faire sur le sol allemand, en toute sécurité. C'est-à-dire très loin de l'Amérique. Mais que personne n'a les moyens de gagner, en réalité. Ni nous, ni eux.

— Plutôt rouge que mort, hein ?

— À mon avis, les rouges n'ont pas plus envie d'une guerre que nous. Seuls les hommes ayant fait la dernière guerre, sans parler de celle d'avant, peuvent vraiment dire combien de vies humaines ont été gaspillées. Et combien de camarades ont été sacrifiés inutilement. Les gens avaient coutume de parler de la "drôle de guerre". Tu te rappelles ? En 1939. Mais si tu veux mon opinion, cette guerre froide est la plus drôle du lot. Un truc inventé par les services secrets pour nous flanquer la pétoche et nous faire marcher droit.

— Il y a un serveur à la boîte qui ne serait pas d'accord avec toi. Un ancien PG également. Rentré l'année dernière. Un nazi toujours aussi fanatique. Haïssant les bolcheviques. » Elle eut un sourire ironique. « Pour ma part, je ne les porte pas tellement dans mon cœur, évidemment. Tu te souviens comment c'était quand l'Armée rouge a déboulé dans Berlin avec un gourdin dans le pantalon. » Elle marqua un temps d'arrêt. « J'ai eu un bébé. Je te l'avais dit ?

— Non.

— Eh bien, euh, il – le bébé – est mort, alors ça n'a plus beaucoup d'importance, je suppose. Il a eu une méningite, et la pénicilline dont ils se servaient pour le soigner s'est avérée être trafiquée. Ça se passait en… mon Dieu, février 1946. Ils ont attrapé les types qui vendaient cette saloperie, je suis heureuse de le dire. Non que ça change quoi que ce soit. Fabriquée en France. Du glucose et de la poudre de riz dissous dans de vraies ampoules de pénicilline. Bien sûr, quand on a su qu'elle était frelatée, il était déjà trop tard. » Elle secoua la tête. « Difficile de se rappeler la manière dont ça se passait à l'époque. Les gens étaient prêts à faire ou à vendre n'importe quoi pour se procurer de l'argent.

— Je suis désolé.

— Ne le sois pas, mon chéri. Il y a longtemps de ça. De plus, même après l'avoir eu, je n'étais pas vraiment certaine de le vouloir.

— Dans ces conditions, ce n'est guère surprenant. Que tu ne m'en aies pas parlé.

— Tu avais tes propres problèmes, n'est-ce pas ? » Elle eut un haussement d'épaules. « Et c'est ce qui fait, en réalité, que je n'ai jamais vendu mon corps aux Ricains. Viol collectif. Ça vous coupe vos appétits sexuels pendant un moment. Quand j'ai commencé à retrouver du goût pour la chose, il était trop tard. J'étais plus ou moins sur la touche.

— Ridicule.

— Du moins, trop tard pour dénicher un mari. Les hommes allemands continuent d'être une denrée rare, au cas où tu ne l'aurais pas remarqué. Les bons se trouvent pour la plupart dans les camps soviétiques. Ou à Cuba.

— Je suis certain que ce n'est pas vrai. Tu es une belle femme, Elisabeth. »

Elle me prit la main et la serra.

« Tu le penses réellement, Bernie ?

— Bien entendu.

— Oh, certes, des hommes, j'en ai connu. Je ne suis pas complètement au bout du rouleau, c'est vrai. Mais ce n'est plus comme avant. Ni ça ni le reste, bien sûr. Mais... Il y a eu un Américain qui travaillait pour le Département d'État, dans la HICOG[1], au quartier général de la Saargemünder Strasse. Mais il est retourné auprès de sa femme et de ses enfants à Wichita. Et il y a eu un type, un sergent, qui s'occupait du Club 48 – le club de sous-officiers de l'armée américaine. C'est lui qui m'a permis de décrocher cette place au Queen. Avant de rentrer également. C'était il y a six mois. Voilà ma vie. » Elle haussa les épaules. « Pas précisément *Effi Briest*[2], hein ? Oh, je m'en tire, à la boîte. Bon salaire. Clients bien élevés. Pourboires généreux. Je dois reconnaître ça aux Américains. Ils aiment témoigner leur

---

1. *High Commission for Occupied Germany.*

2. Roman de Theodor Fontane, publié en 1894, dans lequel, ayant épousé un homme plus âgé qu'elle et forcée de quitter le cocon familial, Effi Briest découvre la vie et ses contraintes.

464

gratitude. Pas comme les Anglais. Les pires donneurs de pourboire qui soient. Même les Français se montrent plus généreux que les Britanniques. Ceux-là, on ne croirait pas qu'ils ont gagné la guerre tellement ils sont près de leurs sous. On raconte que, dans le secteur britannique, même les souricières sont vides. Je peux te dire une chose : ce Nasser, je suis de son côté. Et quand l'Uruguay a battu l'Angleterre, je crois bien que ça m'a fait encore plus plaisir que le jour où l'Allemagne de l'Ouest a remporté la Coupe du monde de football.

— En parlant de l'Allemagne de l'Ouest, Elisabeth, est-ce qu'il t'arrive d'y aller ?

— Non. Il faut traverser la frontière verte. Et je n'aime pas ça. Je l'ai fait une fois. Je me suis sentie comme une criminelle dans mon propre pays.

— Et à Berlin-Est. Tu y vas ?

— Quelquefois. Mais il y a de moins en moins de raison d'y aller pour ceux qui habitent Berlin-Ouest. Juste avant que Jimmy – mon sergent américain – reparte en Amérique, nous avons fait un tour dans le vieux Berlin. Il voulait acheter un appareil photo, et on peut encore en trouver un bon pour pas trop cher à Berlin-Est. Du reste, on en a acheté un, mais pas dans une boutique. Au marché noir. Le seul magasin dans lequel on est entrés, un grand magasin que les communistes appellent HO, avait très peu de choses. En voyant ça j'ai tout de suite compris pourquoi tant d'Allemands de l'Est avaient rappliqué ici l'an dernier pour avoir un colis alimentaire. Et pourquoi certains d'entre eux ne sont jamais repartis.

— Mais tu ne dirais pas que c'est dangereux.

— Pour quelqu'un comme moi ? Non. On lit quelquefois dans la presse que des personnes ont été enlevées par les Soviétiques, qu'on leur a fait une injection de Dieu sait quoi, puis qu'on les a fourrées dans une voiture. Ma foi, je suppose que ça peut arriver, si tu es quelqu'un d'important. Mais si tu étais quelqu'un d'important, tu n'irais pas là-bas pour commencer, non ? Quand même, je ne pensais pas que tu voulais te rendre dans le secteur soviétique. Tu t'es évadé d'un camp de prisonniers et tout ça.

— Écoute, Elisabeth, il n'y a plus personne à Berlin sur qui je puisse réellement compter. En fait, il n'y a même plus personne que je connaisse. Et j'ai besoin d'un service. Si je pouvais m'adresser à quelqu'un d'autre, je le ferais.

— Vas-y, dis-moi. »

Je lui tendis une enveloppe.

« J'espérais pouvoir te demander de remettre ceci. Malheureusement, je ne connais pas l'adresse exacte et je me disais... euh, je me disais que tu me donnerais peut-être un coup de main. En souvenir du bon vieux temps. »

Elle regarda le nom sur l'enveloppe et garda un instant le silence.

« Tu n'es pas obligée. Mais ça m'aiderait beaucoup.

— Bien sûr, je le ferai. Sans toi, sans l'argent que tu m'as envoyé, je ne sais pas comment j'aurais fait pour continuer à habiter dans cet appartement. Vraiment, je ne sais pas. »

Je finis mon café puis ma cigarette. Je dus donner l'impression de m'apprêter à partir car elle dit :

« Est-ce qu'on se reverra ?

— Oui. Mais je ne sais pas encore quand. Je ne vis pas à Berlin pour le moment. Dans l'immédiat, je séjournerai à Göttingen. » Comme elle avait l'air perplexe, j'expliquai : « Avec le VdH. Göttingen se trouve près du camp de transit de Friedland pour les ex-prisonniers. Ils ne restent là que quelques jours, pendant lesquels ils reçoivent de la nourriture, des vêtements et des soins médicaux. On leur donne aussi un certificat de démobilisation, dont ils ont besoin pour obtenir un permis de séjour, une carte de rationnement alimentaire et un bon de transport afin de rentrer chez eux.

— Les pauvres diables ! s'exclama-t-elle. C'était vraiment si terrible ?

— Ce n'est pas moi qui vais me mettre à parler de souffrance à une Berlinoise. Mais peut-être que, grâce à ça, on saura comment et où se trouver.

— J'aimerais bien.

— Tu as le téléphone ?

— Pas ici. Quand je veux passer un coup de fil, j'utilise le téléphone de la boîte. Au cas où tu aurais besoin de me joindre, c'est encore le meilleur moyen. Si je suis absente, ils prendront un message. »

Elle chercha un crayon et un papier, et griffonna le numéro. 24-38-93.

Je le glissai dans mon portefeuille vide.

« Ou tu peux m'écrire ici, naturellement. Tu aurais dû le faire pour me prévenir que tu venais. J'aurais préparé quelque chose. Un gâteau. Je n'aurais pas été en robe de chambre. Et tu aurais dû m'envoyer une adresse à Cuba. J'aurais pu te répondre pour te remercier.

— Ça aurait peut-être été un peu difficile, avouai-je. Je vivais là-bas sous un faux nom.

— Ah bon, fit-elle, comme si cette idée ne lui avait jamais effleuré l'esprit. Tu n'es pas dans le pétrin, Bernie ?

— Le pétrin ? » Je souris d'un air contrit. « La vie est un pétrin. Seuls les naïfs et les blancs-becs s'imaginent qu'il en va autrement. Il n'y a que le pétrin qui montre si l'on est à la hauteur de la tâche consistant à rester en vie.

— Parce que si tu es dans le pétrin...

— Je m'en voudrais de te demander un autre service... »

Elle me prit la main et m'embrassa les doigts, un par un.

« Quand vas-tu rentrer ça dans ta tête de mule prussienne ? dit-elle. Je t'aiderai autant que je peux.

— Très bien. » Je réfléchis un instant puis, lui prenant crayon et papier, je me mis à écrire. « Quand tu iras à la boîte, j'aimerais que tu fasses ce numéro à Munich. Demande Mister Kramden. S'il n'est pas là, dis que tu rappelleras dans deux heures. Ne donne pas ton nom et ton numéro, réponds juste que tu souhaites laisser un message de la part de Carlos. Lorsque tu auras Kramden au bout du fil, informe-le que je logerai avec mon oncle François à Göttingen au cours de ces prochaines semaines, à la pension Esebeck, jusqu'à ce que j'aie rencontré M. Voltaire à la descente du train de Cherry Orchard. Que si lui ou ses amis ont besoin de me contacter, je me rendrai chaque jour, pendant que je suis à Göttingen, à l'église Saint-Jacobi, vers six ou sept heures du soir ; et qu'ils regardent s'il n'y a pas un message sous le banc de devant. »

Elle jeta un coup d'œil à mes notes.

« Je peux faire ça. » Elle hocha énergiquement la tête. « Göttingen est une jolie ville. Pittoresque. Comme l'était autrefois l'Allemagne. J'ai souvent pensé que ce serait agréable de vivre là-bas. »

Je secouai la tête.

« Toi et moi, Elisabeth, on est des Berlinois. Ça ne prédispose pas à une vie de conte de fées.

— Je suppose que tu as raison. Qu'est-ce que tu vas faire, après Göttingen ?

— Je ne sais pas, Elisabeth.

— Il me semble que, s'il n'y a personne d'autre que tu connaisses à Berlin ou en qui tu puisses avoir confiance, tu ne devrais pas hésiter à venir habiter ici. Comme tu l'as déjà fait. Tu te souviens ?

— Pourquoi crois-tu que je t'ai envoyé cet argent de Cuba ? Non, je n'ai pas oublié. Ces derniers temps, j'ai dû faire pas mal appel à mes souvenirs, d'une façon ou d'une autre. Raconter mon histoire à… peu importe qui. Un tas de trucs que j'aurais préféré oublier. Mais je n'oublie pas ça. Tu peux en être sûre. Je ne t'ai jamais oubliée. »

Naturellement, tout n'avait pas été dit à Landsberg. Après tout, un homme doit avoir ses secrets, surtout quand il parle à la CIA.

Les agents spéciaux Scheuer et Frei auraient peut-être ouvert un dossier au nom d'Elisabeth Dehler si je leur avais donné chaque détail de ce qui s'était passé durant le trajet en train du camp de *plenis* de Johannesgeorgenstadt à Dresde puis à Berlin, en 1946.

Je n'avais pas voulu qu'ils l'importunent, aussi n'avais-je pas mentionné le fait que l'adresse sur l'enveloppe contenant plusieurs centaines de dollars que Mielke m'avait confiée était celle d'Elisabeth.

29

Allemagne, 1946

Au lieu d'empocher cet argent, j'avais décidé de le lui remettre moi-même – comme l'assassin du MVD l'aurait fait si je ne l'avais pas tué avant. De plus, j'avais besoin d'un endroit où coucher, et quoi de mieux que d'aller chez une ancienne maîtresse ? Si bien que, en descendant du train de Dresde, j'avais aussitôt pris un tram et mis le cap sur le Kurfürstendamm.

De là, je me dirigeai à pied vers le sud, convaincu qu'au moins une des prédictions de Hitler avait fini par se réaliser. Aux premiers jours de sa victoire, il nous avait annoncé : « Dans cinq ans, vous ne reconnaîtrez plus l'Allemagne », et c'était un fait. Jadis l'une des artères les plus florissantes de Berlin, le Kurfürstendamm n'était plus qu'une succession de ruines. Même pour un ancien policier, il était difficile de trouver son chemin. À un moment, oubliant l'uniforme que je portais, je demandai ma direction à une femme, qui s'éloigna précipitamment sans répondre comme si j'avais la peste. Par la suite, quand j'appris ce que l'Armée rouge avait fait aux Berlinoises, je me demandai pourquoi elle n'avait pas ramassé une pierre pour me la lancer.

La Motzstrasse n'était pas aussi endommagée que d'autres. Malgré tout, on avait du mal à imaginer que quiconque puisse vivre là en toute sécurité. Un bon engin de terrassement aurait sans doute pu raser toute la rue. C'était comme marcher au milieu d'une scène de l'apocalypse. Tas de gravats. Façades étayées. Cratères de la taille de la lune. Odeur d'égout emplissant l'air. Le sol sous les pieds aussi incertain qu'un sentier de montagne. Carcasses de véhicules blindés. Une tombe ici et là.

La fenêtre sur le palier devant l'appartement d'Elisabeth avait disparu et on l'avait recouverte de planches, mais la porte usée par les intempéries avait l'air relativement solide. Je frappai pendant un moment, puis une voix me cria dans l'escalier qu'Elisabeth ne rentrerait pas avant cinq heures. Je regardai la montre du défunt major, pour m'apercevoir que j'avais besoin de tuer le temps sans trop attirer l'attention sur moi.

Je marchai jusqu'à ce que je tombe sur une église que je faillis reconnaître, dans la Kieler Strasse, encore que, vu l'état de ladite Kieler Strasse, cela aurait très bien pu être la Düppelstrasse. Catholique, elle était étrangement haute et anguleuse, semblable à un château au sommet d'une montagne. À l'intérieur, il y avait une jolie chapelle en mosaïque qui avait échappé aux bombes. Je m'assis et fermai les yeux, non par révérence, mais de fatigue pure et simple. Cependant, cela n'avait rien du sanctuaire paisible que j'avais espéré. À chaque instant, un militaire américain entrait avec des chaussures vernies bruyantes, faisait une génuflexion devant l'autel, puis attendait patiemment sur un banc près du confessionnal. Les affaires marchaient bien. Après la journée que j'avais eue, je me serais peut-être confessé moi aussi. Sauf que je n'éprouvais aucun remords dans le cas présent. L'envie de tuer un Russe – n'importe lequel – me démangeait depuis la bataille de Königsberg. Je le Lui dis moi-même. Je n'avais pas besoin qu'un prêtre s'interpose entre nous dans ce qui était maintenant une vieille querelle.

Je restai là un long moment. Suffisamment long pour faire la paix avec moi-même sinon avec Dieu. Lorsque je quittai l'église du Rosaire – car tel était son nom –, je glissai quelques-unes des pièces du major du MVD dans un tronc pour ses péchés, voire les miens. Puis je refis le chemin en sens inverse. Et, cette fois, Elisabeth était rentrée, même si elle considérait mon uniforme avec horreur.

« Qu'est-ce que tu fais ici habillé comme ça ? demanda-t-elle d'un ton accusateur.

— Invite-moi à entrer et je t'expliquerai. Crois-moi, ce n'est pas du tout ce dont ça a l'air.

— Ça vaudrait mieux, ou tu peux retourner d'où tu viens. Qui que tu sois. »

Je pénétrai à l'intérieur et je compris aussitôt, d'après le lit et le réchaud à gaz, qu'elle vivait dans une seule pièce. Voyant mes sourcils fléchir sous l'effet de l'étonnement, elle dit :

« De cette façon, c'est plus facile à chauffer. »

Je laissai tomber le sac du major Weltz sur le sol, tirai de ma *gimnasterka* l'enveloppe avec l'argent et la lui donnai. Ce fut au tour d'Elisabeth de jouer des sourcils. Elle s'éventa avec la liasse de billets américains, puis parcourut le mot de Mielke qui expliquait tout.

« As-tu lu ceci ?

— Bien sûr.

— Alors où est le Russe qui devait me donner ça ?

— Mort. C'est son uniforme que je porte. »

Il me semblait préférable de simplifier les choses au maximum.

« Pourquoi ne pas avoir gardé cet argent pour toi ?

— Oh, je l'aurais fait. S'il n'y avait pas eu le nom de quelqu'un d'autre sur cette enveloppe. Après tout, ce n'est pas comme si nous étions des étrangers.

— Non, dit-elle. Quand même, ça fait un bon moment. J'étais persuadée que tu étais mort.

— Pourquoi pas ? Tous les autres le sont bien. » Je lui racontai, aussi brièvement que possible, que j'avais fini par me retrouver dans un camp soviétique de prisonniers de guerre, dont je m'étais évadé. « Je devais me rendre à Berlin, puis à l'école antifasciste, près de Moscou. Tout ça arrangé par notre ami mutuel, bien entendu. Mais il s'est sans doute dit que j'en savais un peu trop sur son passé, de sorte qu'il valait mieux m'éliminer. Et me voilà. J'ai pensé que la femme indiquée sur cette enveloppe serait peut-être prête à passer sur le fait que je l'avais quittée pour une autre et à me cacher deux ou trois jours. Surtout quand elle verrait ces dollars. »

Elle hocha pensivement la tête.

« Comment va Kirsten ?

— Je l'ignore. Je n'ai pas vu Frau Gunther ni eu de ses nouvelles depuis Noël 1944. Tout à l'heure, je suis allé me balader jusqu'à mon ancienne rue, pour m'apercevoir qu'elle s'était volatilisée.

— Dans le cas contraire, je suppose tu ne serais pas là en ce moment et que je n'aurais pas ceci.

— Tout est possible.

— Eh bien, au moins, voilà qui est franc. » Elle réfléchit un instant. « Les gens qui ont été bombardés laissent en général une petite carte rouge sur les ruines, avec une adresse quelconque, au cas où un être aimé viendrait.

— Bon, alors ça doit être ça. Un être aimé. Kirsten n'a jamais été ce qu'on appellerait une femme aimante. Sauf avec elle-même, bien sûr. Elle s'est toujours beaucoup aimée. » Je secouai la tête. « Il n'y avait pas de petite carte rouge. J'ai regardé.

— Il existe d'autres moyens de contacter des proches, dit Elisabeth.

— Pas avec l'allure que j'ai, non. Ce n'est qu'une question de temps avant que je me fasse arrêter. Et fusiller. Ou renvoyer dans un camp de prisonniers de guerre, ce qui serait pire.

— En effet. C'est peut-être l'uniforme, mais tu n'as pas bonne mine. J'ai déjà vu des squelettes en meilleure santé. » Elle haussa les épaules. « Très bien. Tu peux rester ici. Mais à la moindre incartade, tu décampes. Pendant ce temps, je verrai ce que je peux dénicher à propos de Kirsten.

— Merci. Écoute, j'ai un peu d'argent de mon côté. Tu pourrais peut-être aussi me trouver des vêtements, ou m'en acheter. »

Elle acquiesça.

« J'irai au Reichstag en début de matinée.

— Le Reichstag ? Je pensais à quelque chose d'un peu moins habillé.

— C'est là que se tient le marché noir, répondit-elle. Le plus important de la ville. Crois-moi, il n'y a rien qu'on ne puisse pas y trouver. Depuis des bas nylon jusqu'à de faux certificats de dénazification. Je pourrais peut-être t'en avoir un également. Bien entendu, ça veut dire que j'arriverai en retard au boulot.

— La couture ? »

Elle secoua la tête d'un air sombre.

« Je suis domestique, Bernie. Comme presque tout ce qui respire encore à Berlin. Aide ménagère pour une famille de diplomates américains de Zehlendorf. Hé, peut-être que j'arriverai à te trouver aussi un travail. Ils ont besoin d'un jardinier. Je peux aller au bureau de placement de McNair en rentrant demain.

— McNair ?

— La caserne McNair. Tout ce qui a rapport avec l'armée américaine à Berlin passe par McNair.

— Merci, mais, si ça ne t'ennuie pas, je préférerais ne pas avoir de vrai travail en ce moment. Je viens de passer dix-huit mois à trimer pire qu'un âne avec trois maîtres. Revoir une pioche et une pelle risque d'être un peu tôt.

— Dur, hein ?

— Seulement si on compare avec un serf russe. Maintenant que j'ai vécu, et bien failli crever, en Union soviétique, il m'est facile de voir d'où ils tirent leurs manières. Et où ils trouvent leur vision lumineuse de la vie. Je n'ai pas rencontré un seul Popov qu'on pouvait taxer d'optimisme. » Je haussai les épaules. « Malgré tout, notre ami mutuel semble en excellents termes avec eux. » Je désignai d'un signe de tête l'enveloppe qu'elle tenait toujours. « Erich.

— Tu n'as pas idée à quel point j'ai besoin de cet argent.

— Mais lui le savait, apparemment. Je me demande pourquoi il ne te l'a pas donné lui-même.

— Je suppose qu'il a ses raisons. Erich n'oublie pas ses amis.

— Je pourrais difficilement être de cet avis, Elisabeth.

— Est-ce qu'il a vraiment essayé de te tuer ?

— Juste un peu. »

Elle secoua la tête.

« Plus jeune, c'était une tête brûlée, c'est vrai. Mais il ne m'a jamais donné l'impression d'un tueur de sang-froid. Ces deux flics, à aucun moment je ne l'ai cru coupable, tu le sais. Et je ne peux pas croire qu'il ait demandé à quelqu'un de te tuer.

— Les deux Allemands avec qui je voyageais ne sont plus là pour te contredire, Elisabeth. Ils n'ont pas eu autant de chance que moi.

— Tu veux dire qu'ils sont morts ?

— Pour l'instant, c'est ma définition pratique de la malchance. » Je haussai les épaules. « Je ne sais pas. Sans doute que ça l'a toujours été. »

30

Allemagne, 1954

Le lundi matin, quittant l'Allemagne de l'Est, nous regagnâmes Hanovre, où nous passâmes une nouvelle nuit dans la planque. Et, tôt le lendemain, nous prîmes la direction de Göttingen. Nous descendîmes dans une vieille pension de famille surplombant le canal dans la Reitstallstrasse. Elle était humide, avec du parquet en bois dur et des meubles encore plus durs, de hauts plafonds et des chandeliers en cuivre poussiéreux ; et aussi accueillante que la cathédrale de Cologne. Mais de là, il n'y avait que quelques minutes de marche jusqu'au bureau du VdH, dans un immeuble en partie à colombages de la Judenstrasse faisant l'effet d'abriter une famille de trois ours. Göttingen était comme ça un peu partout, de même que pas mal d'habitants. Herr Doktor Winkel, le directeur de la section locale du VdH, un type doux à lunettes, aurait pu être le bibliothécaire de cour d'un ancien roi de Saxe. Il me dit ce que nous savions déjà, qu'un train transportant un millier de *plenis* allemands devait arriver à Friedland la semaine suivante. Pour la forme, nous décidâmes

– Grottsch, Wenger et moi – d'aller faire un tour au camp de réfugiés.

Ancienne ferme de recherche de l'université de Göttingen, le camp de Friedland était situé dans la zone britannique et se composait d'une série de huttes Nissen, comme on les appelait. Si Nissen était synonyme de sinistre et inhospitalier, alors ces constructions semi-cylindriques en tôle ondulée portaient bien leur nom. Le camp lui-même avait l'air misérable, surtout sous la pluie, impression renforcée par les allées boueuses et la peinture vert caca d'oie qui recouvrait tout. Et il n'était que trop facile d'ajouter foi à la rumeur voulant que le centre de réfugiés de Friedland ait été le théâtre des expériences sur l'anthrax menées par les scientifiques nazis pendant la guerre. Comme retour au pays natal, à la liberté et autres saines valeurs allemandes, le camp laissait beaucoup à désirer et, selon mon opinion d'expert, n'avait pas grand-chose à envier aux camps de travail que ces prisonniers de guerre avaient laissés derrière eux. J'aurais peut-être réussi à m'apitoyer sur leur sort, si je n'avais pas été encore plus inquiet pour mon propre bien-être, dans la mesure où la perspective de me mêler à un grand nombre de *plenis* n'était pas sans risque. Même après un intervalle de six ou sept ans, il se pouvait très bien que je sois reconnu et dénoncé par un « camarade-tueur », un renégat ou un collaborateur. Après tout, pour les détenus du camp de Johannesgeorgenstadt, je m'étais vendu aux Popov et j'étais parti en Russie suivre une formation antifasciste à Krasnogorsk. La précarité de ma position m'apparut pleinement lorsque j'interrogeai un des policiers du camp sur la nécessité réelle de leur présence.

« Des Allemands rentrant chez eux savent sûrement se comporter correctement.

— Là réside justement le problème, répondit le policier. Ils ne sont pas rentrés, n'est-ce pas. Du moins, pas chez eux. Certains ont tendance à s'énerver en s'apercevant qu'ils vont devoir rester ici, parfois pour une durée de six ou huit semaines. Mais arranger tout ce dont ils auront besoin pour vivre dans la nouvelle république peut prendre pas mal de temps. Et puis il y a les prisonniers bien décidés à régler de vieux comptes. Des types en ayant dénoncé d'autres aux Popov. Des mouchards. Ce genre de chose. Privation de liberté, telle est la mesure appliquée pour de tels agissements s'ils ont abouti à faire qu'une personne soit encore plus maltraitée par les Popov, et on inculpe leurs auteurs au titre de l'article 239 du code pénal allemand. Actuellement, il y a plus de deux cents affaires en cours impliquant d'ex-prisonniers de guerre. Bien sûr, il s'agit seulement de celles dont nous avons connaissance, mais il arrive très souvent que quelqu'un dans le camp soit retrouvé mort, la gorge tranchée, et que personne n'ait rien vu ni entendu. Ce n'est pas du tout exceptionnel. Dans ce camp, on compte pas moins d'un meurtre par semaine. »

Naturellement, je n'avais guère envie d'informer les services de renseignement français de mes propres craintes. Je n'étais pas pressé de retourner à la Santé, pas plus d'ailleurs que dans aucune autre des cinq prisons où j'avais séjourné depuis mon départ de La Havane. Et je me raccrochai à l'espoir que, quoi qu'il advienne, les Franzis me protégeraient aussi longtemps qu'ils me considéreraient comme leur meilleure chance d'identifier et d'arrêter Edgard de Boudel.

Que je n'aie jamais vu ni entendu parler d'un dénommé Edgard de Boudel n'était pas la question.

Je faisais ce que m'avaient dit les Américains à Landsberg. Et, après avoir regagné ma chambre à la pension Esebeck de Göttingen, je rédigeai une note à l'intention de mes patrons de la CIA leur décrivant l'ampleur de mes progrès : comment les Français m'avaient écouté brosser un portrait de De Boudel en même temps que je leur brossais un autre portrait, celui d'Erich Mielke ; et qu'ils semblaient avoir tout avalé de ce que je leur avais raconté sur Mielke – et qui était entièrement faux – à cause de ce que je leur avais dit sur Edgard de Boudel, et qui était vrai. Une opération que Scheuer qualifiait de joli coup double. Les Français – et, plus important, l'agent soviétique que les Américains savaient être au cœur du SDECE à Paris – seraient plus enclins, supposait-on, à croire à mes mensonges et à mes affabulations concernant Mielke si tout ce qui leur était dit à propos de De Boudel coïncidait avec ce qu'ils savaient sur lui ou soupçonnaient fortement. Et la cerise sur le gâteau était un tuyau (que leur avaient fourni les Britanniques, qui le tenaient bien sûr des Américains) selon lequel Edgard de Boudel se préparait à débarquer en Allemagne en se faisant passer pour un ancien prisonnier de guerre, du fait qu'il avait cessé d'être utile aux Russes en Indochine où, comme commissaire politique, il avait aidé le Viêt-Minh à interroger et à torturer un grand nombre de soldats français, qui, pour la plupart, restaient détenus jusqu'à l'achèvement des négociations de Genève. Tout ce que j'avais à faire, c'était d'identifier de Boudel, et les Français, estimait-on, me traiteraient, moi et mes informations sur Mielke, comme de l'or en barre. À cette fin, avant mon « extradition » de Landsberg à Paris, j'avais soigneusement étudié les seules photos connues de De Boudel. On espérait que ces deux photos, jointes à ma connaissance de la vie d'un prisonnier de guerre allemand – sans parler de mon passé d'inspecteur à la Kripo –, me permettraient de le désigner aux Français, qui, dès lors, voueraient une admiration sans bornes à mes talents d'agent secret. Car Edgard de Boudel était un des hommes les plus recherchés de France.

Naturellement, j'étais légèrement préoccupé par ce qui risquait de m'arriver si j'échouais à identifier de Boudel, aussi j'en fis également état, évoquant ma crainte persistante qu'il ait pu changer davantage que son nom et son identité si, comme le croyaient les Américains, les Russes avaient l'intention de l'infiltrer dans la société ouest-allemande avec l'idée de le réactiver pour leur servir d'agent à une date ultérieure. J'avais fort peu, voire aucune chance de succès si de Boudel avait subi une intervention de chirurgie esthétique. Je mentionnai aussi ce qui était désormais évident : que j'étais étroitement surveillé.

Lorsque j'eus fini d'écrire, je me rendis dans le salon pour parler à Vigée, qui était l'officier responsable de l'opération Göttingen du SDECE.

« Si ça ne vous dérange pas, j'aimerais aller à l'église.

— Vous n'aviez pas dit que vous étiez pratiquant.

— Parce que j'aurais dû ? » Je haussai les épaules. « Écoutez, ce n'est pas pour une messe, ni même une confession. Je désirerais seulement m'asseoir dans l'église un moment et prier.

— Qu'est-ce que vous êtes ? Catholique ? Protestant ? Quoi ?

— Protestant luthérien. Ah oui, et je voudrais acheter du chewing-gum. Pour m'empêcher de fumer autant.

— Tenez, dit-il en me tendant un paquet de Hollywood, j'ai le même problème. »

Je fourrai une des tablettes de chlorophylle vertes dans ma bouche.

« Est-ce qu'il y a une église luthérienne près d'ici ? demanda-t-il.

— On est à Göttingen. Il y a des églises partout. »

Saint-Jacobi était une église à l'aspect étrange. Pour ne pas dire excentrique. Le corps de l'édifice était assez quelconque, fait d'une jolie pierre rosâtre avec des perpendiculaires d'un rose plus sombre. Mais le clocher, le plus haut de Göttingen, n'avait rien de banal. C'était comme si le couvercle d'un coffre à jouets rose s'était subitement ouvert, laissant jaillir une chose verte au bout d'un gigantesque ressort gris. Ou comme si un apprenti Jacques indolent avait jeté une poignée de haricots magiques sur le sol, lesquels avaient poussé si rapidement que la tige avait forcé le simple toit de l'église. Une métaphore du nazisme peut-être sans équivalent dans toute l'Allemagne.

L'intérieur à rayures rose bonbon n'offrait pas moins de similitude avec un conte de fées. À peine aviez-vous aperçu les piliers que vous aviez envie de les lécher, ou de casser un morceau de l'autel médiéval en triptyque et de le manger comme un pain de sucre.

Je m'assis sur le premier banc, inclinai la tête devant les dieux amnésiques de l'Allemagne et fis semblant de prier, vu qu'il m'était déjà arrivé de prier et que je savais parfaitement à quoi m'en tenir.

Au bout d'un moment, je regardai autour de moi et,

constatant que Vigée était occupé à admirer l'église, je collai sous le banc, à l'aide de mon chewing-gum Hollywood, la lettre destinée à mes patrons de la CIA. Après quoi je me levai et me dirigeai lentement vers la porte. J'attendis patiemment que Vigée m'ait emboîté le pas, puis nous sortîmes dans les rues à la Rumpelstilzchen[1].

---

1. « Nain Tracassin », conte populaire allemand.

31

Allemagne, 1954

Le calme régnait à la pension Esebeck, et il n'y avait pas grand-chose d'autre à faire que manger et lire les journaux. Mais *Die Welt* était le seul journal que j'avais envie de lire. M'intéressaient surtout les petites annonces figurant en dernière page. À mon second matin à Göttingen, je découvris le message destiné à VERT-DE-GRIS que j'attendais. Il s'agissait de quelques versets de l'Évangile selon saint Luc : 1 : 44-45 ; 2 : 3 ; 6 :1 ; 1 : 40 ; 1 : 37 ; et 1 : 74.

CAR VOICI, AUSSITÔT QUE LA VOIX DE TA SALUTATION A FRAPPÉ MON OREILLE, L'ENFANT A TRESSAILLI D'ALLÉGRESSE DANS MON SEIN.

HEUREUSE CELLE QUI A CRU, PARCE QUE LES CHOSES QUI LUI ONT ÉTÉ DITES DE LA PART DU SEIGNEUR AURONT LEUR ACCOMPLISSEMENT.

TOUS ALLAIENT SE FAIRE INSCRIRE, CHACUN DANS SA VILLE.

IL ARRIVA, UN JOUR DE SABBAT APPELÉ SECOND-PREMIER, QUE JÉSUS TRAVERSAIT DES CHAMPS DE BLÉ. SES DISCIPLES

ARRACHAIENT DES ÉPIS ET LES MANGEAIENT, APRÈS LES
AVOIR FROISSÉS DANS LEURS MAINS.

ELLE ENTRA DANS LA MAISON DE ZACHARIE, ET SALUA
ÉLISABETH.

CAR RIEN N'EST IMPOSSIBLE À DIEU.

DE NOUS PERMETTRE, APRÈS QUE NOUS SERIONS DÉLIVRÉS
DE LA MAIN DE NOS ENNEMIS, DE LE SERVIR SANS CRAINTE.

Ayant brûlé la transcription que j'avais faite du message, j'allai à la recherche de Vigée et le trouvai dans
un petit jardin entouré d'un mur et qui donnait sur le
canal. Comme d'habitude, il paraissait ne pas avoir
dormi : il avait les yeux mi-clos pour se protéger de la
fumée de sa cigarette, et dans la paume de sa main
reposait une minuscule tasse de café, telle une pièce de
monnaie. Il me considéra avec son expression d'indif-
férence coutumière, mais, comme auparavant, lorsqu'il
se mit à parler, ce fut en ponctuant ses propos d'un
acquiescement ferme ou d'une brève secousse de la tête.

« Alors vous avez fait la paix avec Dieu, c'est ça ? »

Son allemand était hésitant, mais grammaticalement
correct.

« J'avais besoin d'un peu de temps pour réfléchir,
répondis-je. À quelque chose qui s'est passé à Berlin.
Dimanche.

— Avec Elisabeth, c'est ça ?

— Elle veut se marier. Avec moi. »

Il eut un haussement d'épaules.

« Félicitations, Sébastien.

— Rapidement.

— C'est-à-dire ?

— Elle m'a attendu pendant cinq ans, Émile. Et
maintenant que je l'ai revue... eh bien, elle n'a pas

485

l'intention d'attendre plus longtemps. Bref, elle m'a posé un ultimatum. Elle oubliera tout de moi à moins que je ne l'épouse avant le week-end.

— Impossible, répliqua Vigée.

— C'est ce que je lui ai dit, Émile. Malgré tout, elle ne plaisante pas. J'en suis persuadé. Je n'ai jamais vu cette femme dire quelque chose qu'elle ne pensait pas. »

Je pris une des cigarettes qu'il m'offrait.

« Voilà qui n'est pas très courtois, fit-il observer.

— Les femmes sont ainsi. Et moi également. Jusqu'à présent, rien de ce qu'offre ce monde n'était jamais assez bon pour moi. Mais j'ai fortement l'impression qu'Elisabeth est différente. En fait, je le sais. »

Ôtant un brin de tabac de sur sa langue, Vigée l'examina d'un œil grave comme s'il pouvait constituer la réponse à tous nos problèmes.

« Je me disais, Émile : le train de prisonniers de guerre ne sera pas là avant mardi soir. Si je pouvais passer dimanche avec Elisabeth à Berlin… Juste quelques heures. »

Vigée posa sa tasse de café et se mit à secouer la tête.

« Non, écoutez-moi, s'il vous plaît. Si je pouvais passer quelques heures avec Elisabeth, je suis sûr que j'arriverais à la convaincre de patienter. Surtout si je venais avec quelques cadeaux. Une bague peut-être. Rien de coûteux. Juste un témoignage de mes sentiments pour elle. »

Il continuait à secouer la tête.

« Oh, allons, Émile, vous connaissez les femmes. Tenez, il y a une boutique pleine de bijoux à prix réduit au coin de la Speckstrasse. Si vous pouviez me prêter quelques marks – de quoi acheter une bague –, je réussirais certainement à la persuader d'attendre. S'il ne s'agissait pas de ma dernière chance, je ne vous le demanderais pas. Nous pourrions être de retour lundi soir. Vingt-quatre heures pleines avant même l'arrivée du train à Friedland.

— Et si vous décidiez de ne pas revenir ? dit-il. Il est très difficile de ramener quelqu'un de Berlin à travers la frontière verte. Qu'est-ce qui vous empêcherait de rester là-bas ? Elle n'habite même pas dans le secteur français.

— Au moins, promettez-moi d'y réfléchir. Il serait vraiment regrettable que ma déception me brouille la vue mardi soir.

— Ce qui signifie ?

— Je veux vous aider à mettre la main sur Edgard de Boudel, Émile. Sincèrement. Mais il est normal qu'il y ait de petites concessions de part et d'autre. Surtout dans une situation comme celle-ci. Si je dois travailler pour vous, il vaut sûrement mieux que je vous sois totalement redevable. Qu'il n'y ait aucun nuage noir entre nous. »

Il sourit, d'un vilain petit sourire, et jeta sa cigarette par-dessus le mur, dans le canal. Puis, d'un geste vif, il empoigna les revers de ma veste d'une main et me gifla à toute volée sur les deux joues.

« Vous avez sans doute oublié la Santé. Vos amis boches, Oberg et Knochen, et leur sentence de mort. »

Il me gifla de nouveau pour faire bonne mesure.

Me forçant à garder mon calme, je dis :

« Avec votre femme ou votre sœur, ça marcherait peut-être, Franzi, mais pas avec moi, pigé ? » Je saisis la main qu'il brandissait près de mon oreille et la tordis brutalement. « Je ne permets à personne de me gifler à moins que je ne lui aie glissé une main dans la culotte. À présent, ôtez vos pattes de ce costume français de pacotille avant que je vous apprenne la Méthode à la dure. »

Je le regardai droit dans les yeux et, voyant qu'il semblait se détendre un peu, je lâchai sa main pour l'obliger à retirer ses doigts de ma veste. C'est alors qu'il m'expédia un crochet du droit qui fit osciller ma tête tel un punching-ball. Il aurait probablement remis ça sans ma présence d'esprit, ce qui est une autre façon de dire que je cognai violemment la dure enveloppe osseuse de celui-ci contre l'arête de son long nez crochu.

Le Français hurla de douleur et lâcha ma veste. Pressant ses doigts sur le côté de son nez, il recula de quelques pas jusqu'à ce qu'il ait atteint le mur du jardin.

« Écoutez, dis-je, cessez d'essayer de m'astiquer le menton et calmez-vous, Émile. Je ne demande pas le retour de l'Alsace-Lorraine, seulement un malheureux dimanche après-midi avec la femme que j'aime. Une sorte de congé pour raisons familiales, c'est tout. Ce qui ne m'empêche nullement de vous aider à trouver votre traître. Je vous aide, vous m'aidez. À moins que vous ne vouliez que je suive un cours à l'université, ce n'est pas comme si j'avais grand-chose à faire avant mardi soir prochain.

— Je crois que vous m'avez cassé le nez.

— Non. Il n'y a pas assez de sang. Fiez-vous à quelqu'un qui a cassé quelques nez en son temps. Encore que rien de la taille de cette tour Eiffel que vous avez sur la figure. » Je secouai la tête. « Bon, je suis désolé de vous avoir frappé, Émile, mais, au cours de ces neuf derniers mois, un tas de gens n'ont pas hésité à me bousculer, et j'en ai légèrement ras le bol, vous comprenez. Je dois regarder ma tête tous les matins, Franzi. Ce n'est pas ce qu'on fait de mieux dans le genre, mais je n'en ai pas d'autre. Et il va falloir qu'elle me fasse encore un peu d'usage. Alors je n'aime pas beaucoup qu'on pense pouvoir la bourrer de coups à sa guise. Je suis un type sensible. »

Il s'essuya le nez et acquiesça, mais l'incident continua à flotter dans l'air entre nous comme une odeur de houblon grillé s'échappant d'une brasserie. Et, pendant un moment, nous restâmes plantés là bêtement, sans savoir quoi faire.

Ça aurait pu être pire. Durant un bref instant, j'avais réellement songé à le balancer par-dessus le mur et à le flanquer dans le canal.

Il alluma une cigarette et se mit à la fumer comme si cela pouvait améliorer son humeur et détourner son attention de son nez, qui, maintenant qu'il avait épongé le sang, avait déjà meilleur aspect qu'il n'aurait pu le supposer.

« Vous avez raison, fit-il. Il est sûrement possible de trouver une solution. Après tout, comme vous dites, il s'agit juste d'un dimanche après-midi, c'est bien ça ? »

J'opinai.

« Oui, juste un dimanche après-midi.

— Très bien. On va régler le problème. Je vous le répète, je suis prêt à tout pour capturer de Boudel. »

Y compris me mentir, pensai-je. Une fois que j'aurais rempli mon objectif en identifiant de Boudel,

qui pouvait dire ce que les Français feraient de moi :
me renvoyer à la Santé, aux Amerloques, voire aux
Russes. Après tout, la France s'efforçait de caresser
l'Union soviétique dans le sens du poil en matière de
politique étrangère, et la restitution d'un prisonnier de
guerre évadé n'était pas hors des limites de sa perfidie.

« Et une bague ? demandai-je, comme si une telle
babiole avait une réelle importance pour Elisabeth ou
pour moi.

— Oui, répondit-il. Je suis certain qu'on peut
arranger ça également. »

32

Allemagne, 1954

Le samedi, Grottsch et Wenger me ramenèrent à Berlin comme convenu ; et le dimanche, je retournai à la Motzstrasse, sauf que cette fois mes deux gardes du corps insistèrent pour m'accompagner jusqu'à la porte d'Elisabeth.

Je la laissai m'embrasser chastement sur la joue, puis je fis les présentations.

« Voici Herr Grottsch. Et Herr Wenger. Ils sont responsables de ma sécurité pendant que je suis à Berlin, et ils tiennent à faire un petit tour dans ton appartement, histoire de s'assurer qu'il n'y a pas de problème. »

Elisabeth fronça les sourcils.

« Ce sont des policiers ?

— En quelque sorte.

— Tu as des ennuis ?

— Pas de quoi s'inquiéter, je t'assure, dis-je d'un ton doucereux. C'est juste une formalité. Néanmoins, ils ne nous laisseront certainement pas tranquilles avant d'avoir jeté un bon coup d'œil. »

Elisabeth haussa les épaules.

« Si c'est vraiment nécessaire, à ton avis. Mais il n'y a personne d'autre ici. J'imagine mal ce que vous croyez pouvoir découvrir, messieurs. Ce n'est pas Hohenschönhausen, vous savez. »

Grottsch se figea, le front plissé.

« Comment connaissez-vous Hohenschönhausen ? demanda-t-il, soupçonneux.

— Je vois que tes amis ne sont pas de Berlin, Bernie, répondit Elisabeth. Mon cher monsieur, tout le monde à Berlin connaît Hohenschönhausen.

— Tout le monde sauf moi, dis-je sincèrement.

— Ah bon, fit-elle. Tu te souviens de l'usine Heike ?

— Celle de traitement de viandes ? Au coin de la Freienwalder Strasse ? »

Elle acquiesça.

« Les services de sécurité de la RDA occupent à présent tout le secteur.

— Je croyais qu'ils étaient à Karlshorst.

— Plus maintenant.

— Vous semblez en savoir long sur ce sujet, Fräulein, fit remarquer Wenger.

— Je suis une Berlinoise. Les communistes font comme si l'endroit n'existait pas et nous autres faisons semblant de ne pas le remarquer. C'est un arrangement qui convient très bien à tout le monde. Un arrangement d'un genre très berlinois. Comme avec le siège de la Gestapo dans la Prinz Albrechtstrasse. Tu te souviens ? »

Je hochai la tête.

« Bien sûr. C'était l'immeuble que personne ne voyait. »

Elle se tourna vers Grottsch et Wenger avec un froncement de sourcils.

« Eh bien ? Allez-y. Fouillez. »

Les deux hommes parcoururent l'appartement sans rien trouver. Lorsqu'ils furent entièrement satisfaits, Grottsch annonça :

« Nous attendrons dehors. »

Sur ce ils s'en allèrent.

J'éloignai Elisabeth de la porte au cas où ils écouteraient puis l'emmenai dans la cuisine où nous nous étreignîmes tendrement.

« Qu'est-ce qui t'a pris ? dis-je. De parler de la Stasi comme ça ?

— Je ne sais pas. C'est sorti tout seul, pour ainsi dire.

— N'empêche, tu t'es drôlement bien rattrapée, à mon avis. J'avais complètement oublié les viandes Heike. Dans l'armée, on vivait de ce truc.

— Ce qui explique sans doute qu'ils l'aient fusillé. Richard Heike.

— Qui ? Les Russes ? »

Elle acquiesça.

« C'est quoi, ces types ?

— Deux gorilles travaillant pour le renseignement français.

— Mais ils sont allemands, non ?

— À mon avis, les Franzis préfèrent nous confier leur sale besogne.

— Et c'est ce que tu fais.

— À vrai dire, je ne sais pas ce que je fais.

— Très rassurant.

— J'ai raconté aux Français que je devais venir ici

pour te demander de m'épouser. Que tu m'avais posé un ultimatum.

— Ça; ce n'est pas une mauvaise idée, Gunther. » Elle s'arracha à mon étreinte et se mit à faire du café. « Vivre seule ne m'enchante pas tellement. Être seule à Berlin, ce n'est pas comme être seule ailleurs. Ici, même les arbres ont l'air abandonnés.

— Tu veux dire que tu aimerais vraiment m'épouser ?

— Pourquoi pas ? Tu as été gentil avec moi, Gunther. Une fois en 1931. De nouveau en 1940. Une troisième fois en 1946. Et une quatrième fois l'année dernière. Ça fait quatre fois en vingt-trois ans. Mon père a fichu le camp de chez nous quand j'avais dix ans. Mon mari… ben, tu te souviens comment il était. Prodigue de ses poings, mon Ulrich. J'ai un frère que je n'ai pas vu depuis une éternité. » Elisabeth sortit un mouchoir dont elle se tamponna les yeux. « Je ne m'en étais pas rendu compte jusqu'alors, mais tu as été une des rares personnes constamment présentes dans ma vie, Bernie Gunther. Peut-être la seule. » Elle renifla bruyamment. « Bonté divine !

— Et tes Américains ?

— Eh bien quoi ? Est-ce qu'ils sont là, en train de boire du café dans ma cuisine ? Hein ? Est-ce qu'ils m'envoient de l'argent d'Amérique ? Non. Ils m'ont baisée le temps qu'ils étaient ici, comme font les Yankees, puis ils sont rentrés à Wichita et à Phoenix. Ah oui, il y en a eu un autre dont je ne t'ai pas parlé. Le major Winthrop. Bon, lui, il me donnait effectivement de l'argent, sauf que ce n'était pas comme si je lui en demandais ou que j'en avais envie, si tu vois ce que je veux dire. Il avait l'habitude de le poser sur le buffet,

494

ce qui lui a permis, lorsqu'il est allé retrouver sa femme à Boston, d'avoir la conscience tranquille parce qu'on n'avait jamais eu de vraie liaison. Du moins, pas à ses yeux. J'étais juste une petite croqueuse de chocolat qu'il voyait quand il avait besoin de quelqu'un pour lui tailler une pipe. » Elle se moucha, mais les larmes continuaient à venir. « Et tu me demandes pourquoi je veux me marier, Gunther. Il n'y a pas que Berlin qui est une enclave, moi aussi. Et si je ne fais pas quelque chose, rapidement, je ne sais pas ce que je vais devenir. Tu veux un ultimatum ? Eh bien, en voilà un. Tu veux que je t'aide ? Alors aide-moi. Tel est mon prix. »

Je hochai la tête.

« Une chance que je ne sois pas venu les mains vides. »

Je lui tendis l'écrin contenant la bague que Vigée m'avait donnée. Achetée, prétendait-il, dans une boutique d'occasion de Göttingen, mais, pour ce que j'en savais, il avait aussi bien pu la voler au nain Alberich.

Elisabeth ouvrit la boîte. La bague n'était pas de l'or du Rhin, mais, au moins, on aurait dit quelque chose de précieux, même si, en réalité, j'avais déjà vu des diamants plus convaincants sur des cartes à jouer. Non que ça semblât avoir beaucoup d'importance pour elle. D'après mon expérience, les femmes aiment l'idée de bijou quelle que soit la tête qu'il a. Si elles vous ont à la bonne, elles seront presque toujours contentes de voir une bague, sans distinction de taille ni de couleur.

Retenant son souffle, elle l'ôta prestement de l'écrin.

« Si elle ne te va pas, dis-je maladroitement, il y a moyen d'arranger ça, je suppose. »

Mais la bague était déjà à son doigt et paraissait lui aller assez bien, moyennant quoi elle se remit à pleurer. Pas de doute. J'avais un réel talent pour rendre les femmes heureuses.

« Pour que tu sois au courant, dis-je. Ma femme est morte, deux fois. La première après la Première Guerre et la seconde un peu après la Seconde. Ce n'est pas un palmarès dont puisse s'enorgueillir un mari. Si une troisième guerre éclatait, tu aurais probablement intérêt à divorcer rapidement. Sans compter que, en toute franchise, j'ai toujours été plus doué pour retrouver les maris des autres ou pour coucher avec leurs femmes. Quoi d'autre ? Ah oui, je suis un perdant-né. C'est important que tu le saches, je pense. Ça explique en tout cas ma situation actuelle, qui n'est pas sans danger, mon ange. Comme tu l'auras sûrement compris. Un homme ne travaille pas pour ses ennemis, sauf s'il n'a guère le choix en la matière. Voire pas le choix du tout. Un coupe-papier bon marché, voilà ce que je suis. Que les gens prennent quand ils ont une enveloppe à ouvrir et qu'ils reposent ensuite. Sans que j'aie mon mot à dire sur la question. Aussi loin que je m'en souvienne, c'est tout ce que j'ai été alors que je me croyais plus que ça. En vérité, nous ne sommes que le fruit de nos actes, passés et présents, non ce que nous aurions aimé être.

— Tu te trompes, dit-elle. Peu importe ce que nous avons fait ou ce que nous faisons. L'important, c'est ce que les autres pensent de nous. Si tu es en quête de sens, alors en voilà. Laisse-moi t'apporter ça. Pour moi, tu seras toujours un type bien, Gunther. À mes yeux bruns, tu as toujours été là pour moi quand j'avais besoin de quelqu'un. Peut-être qu'il ne nous en faut pas davantage. Tu veux un plan ou un but, alors ne cherche pas plus loin, j'ai ce qu'il te faut, m'sieur. »

Je souris, émerveillé par sa force intérieure. Pas à dire, c'était bien une Berlinoise. Sans doute avait-elle fait partie de ces femmes qui, armées d'un seau, avaient dégagé la ville de ses décombres en 1945. Violée un jour, reconstruisant le lendemain, telle une princesse troyenne dans une pièce écrite par un Grec à la tête en marbre. Faite de la même étoffe que cette aviatrice allemande qui volait sur des fusées pour Hitler[1]. On pourrait dire que c'est la raison pour laquelle je l'embrassai – comme il convient, cette fois –, mais cela aurait très bien pu être également parce qu'elle était aussi sexy que des hauts de bas noirs. Surtout quand elle me fixait des yeux. Par ailleurs, la plupart des Allemands préfèrent les femmes ayant un solide coup de fourchette. Ce qui ne veut pas dire qu'Elisabeth était grosse, ni même corpulente ; seulement bien pourvue.

« Tu te demandes s'il y a eu une réponse à ta lettre, je présume, dit-elle.

— Ça commençait à me démanger.

— Bon. Alors je tiens au moins à voir des égratignures, avec les tribulations que j'ai dû faire pour l'avoir. Je n'ai jamais eu aussi peur. »

Elle ouvrit un tiroir de cuisine et en sortit une lettre qu'elle me tendit.

« Je finis de faire le café pendant que tu la lis. »

---

1. En 1942, Hanna Reitsch vola à Augsbourg sur le premier avion-fusée au monde, le Messerschmitt Me 163 *Komet*, ce qui lui valut d'être décorée de la croix de fer de première classe.

33

Allemagne, 1954

À l'ouest, il y avait la ville ; à l'est, seulement des prés verts à perte de vue ; et, au milieu, la ligne de chemin de fer. La gare, juste au sud du camp de réfugiés, était, comme toutes les constructions de Friedland, parfaitement banale. En brique rouge, avec deux toits rouges – trois si l'on comptait l'espèce de chapeau de magicien surmontant la tour carrée en coin où habitait le chef de gare. Près de la porte d'entrée de la maison s'étendait un petit jardin de fleurs, méticuleusement entretenu, et aux fenêtres en ogive des deux étages supérieurs pendaient des rideaux fleuris bien propres. Il y avait également une horloge, un panneau d'affichage avec un horaire et un arrêt d'autobus. Tout semblait soigné, ordonné, et presque aussi assoupi qu'il aurait dû l'être. Sauf aujourd'hui. Aujourd'hui n'était pas un jour comme les autres. La capitale de la RFA avait beau être l'improbable ville de Bonn, aujourd'hui, et de façon non moins improbable, tous les regards allemands étaient tournés vers Friedland, en Basse-Saxe. Car aujourd'hui allait voir le retour au foyer d'un millier de prisonniers de guerre détenus par les Soviétiques, à bord d'un train parti vers sa destination lointaine plus de vingt-quatre heures auparavant.

En cette fin de soirée, l'humeur était aux grandes espérances, voire à la fête. Devant la gare, une fanfare jouait déjà un choix d'airs patriotiques qui soient en même temps politiquement acceptables pour des oreilles britanniques, dont c'était la zone d'occupation. Du train, il n'y avait encore aucun signe, mais, en ce soir d'automne, plusieurs centaines de personnes s'étaient rassemblées sur le quai et autour de la gare pour accueillir les rapatriés. On aurait dit qu'on s'attendait à voir l'équipe ouest-allemande de la Coupe du monde de la FIFA rentrant, victorieuse, du « miracle de Berne » et non un train transportant des membres de la SS et de la Wehrmacht, dont aucun n'avait jamais espéré pouvoir sortir de Russie et qui ignoraient complètement que l'Allemagne avait remporté la Coupe du monde ou même que Konrad Adenauer, l'ancien maire de Cologne, à qui ils devaient leur liberté, était maintenant chancelier d'une seconde république – cette fois-ci, la République fédérale d'Allemagne. Mais quelques habitants, désireux de faire savoir aux rapatriés le rôle crucial joué dans leur libération par le chancelier, arboraient une pancarte sur laquelle on pouvait lire : MERCI À VOUS, DOKTOR ADE-NAUER. Je me serais bien gardé de les contredire, même si j'avais parfois l'impression que le Herr Doktor en question était résolu à devenir un nouveau roi d'Alle-magne non couronné.

D'autres pancartes présentaient un caractère nette-ment plus personnel, sinon pathétique. Entre dix et vingt hommes et femmes portaient des écriteaux où étaient inscrits des renseignements sur un parent disparu, écriteaux parmi lesquels celui d'une vieille dame à lunettes me rappelant ma défunte mère paraissait typique :

LE CONNAISSEZ-VOUS ? UNTERSTURMFÜHRER RUDOLF (ROLF) KNABE, 9ᵉ SS-PANZERDIVISION « HOHENSTAUFEN » (1942) ET 2ᵉ SS-PANZERKORPS (1943). AUX DERNIÈRES NOUVELLES, SE TROUVAIT À KOURSK EN JUILLET 1943.

Je me demandai ce qu'elle savait au juste sur ce qui s'était passé à Koursk ; c'est-à-dire que cette région avait été le théâtre de la plus grande et de la plus meurtrière bataille de chars de toute l'histoire, qui avait probablement marqué le début de la fin pour l'armée allemande.

Certains, peut-être moins optimistes, tenaient de petits cierges ou ce qui ressemblait à des lampes de mineur, ce que j'interprétai comme un hommage rendu à ceux qui ne devaient jamais revenir.

Sur le quai de la gare à proprement parler se trouvaient ceux qui, comme Grottsch, Vigée, Wenger et moi-même, remplissaient des fonctions plus officielles. Membres du VdH et d'autres organisations d'anciens combattants, policiers, hommes d'Église, bénévoles de la Croix-Rouge, soldats de l'armée britannique et un grand nombre d'infirmières, dont quelques-unes attirèrent mon regard las. Tous faisant face au sud, le long de la voie en direction de Reckershausen et, au-delà, de la RDA.

« Allons, allons, dit Vigée, notant mon intérêt pour les infirmières. Vous êtes presque un homme marié.

— Les infirmières m'ont toujours attiré. Jusqu'ici je pensais que c'était l'uniforme, mais maintenant, je ne sais plus. Peut-être est-ce seulement de la compassion pour quiconque doit se salir les mains à la place de quelqu'un d'autre.

— Est-ce si sale ? D'aider quelqu'un qui en a besoin ? »

Je jetai un coup d'œil au policier allemand que Vigée avait amené avec lui de façon à ce que, si j'identifiais de Boudel, il puisse être arrêté immédiatement et extradé vers la France.

« D'accord, oubliez ça. Je n'ai encore jamais eu à dénoncer qui que ce soit, c'est tout. Je suppose qu'il y a là-dedans quelque chose que je n'aime pas beaucoup. Qui sait ? » J'attaquai une nouvelle tablette de chewing-gum. « Bon, si je vois ce type, qu'est-ce que vous voulez ? Que je lui fasse la bise ?

— Contentez-vous de nous l'indiquer, répondit patiemment Vigée. L'inspecteur se chargera du reste.

— Pourquoi tous ces chichis, Gunther ? demanda Grottsch. Je croyais que vous aviez été policier.

— J'ai été flic, c'est vrai. Il y a plusieurs milliers de nuits de ça. Mais c'est une chose que d'arrêter un vieux cheval de retour et c'en est une autre lorsqu'il s'agit d'un ancien camarade.

— Jolie distinction, répondit le Français. Mais guère valable dans le cas présent. Un camarade qui vend son âme à l'autre camp n'est guère digne de confiance. »

Des acclamations fusèrent le long du quai alors que nous distinguions au loin le sifflement d'une locomotive à vapeur qui approchait.

Tout excité, Vigée serra le poing, gonflant son biceps.

« D'ailleurs, qui vous a refilé ce tuyau ? demandai-je. Que de Boudel serait à bord de ce train ?

501

— Les services secrets anglais.

— Et comment l'ont-ils su ? »

Le train était à présent en vue, une locomotive noire et brillante enveloppée de fumée grise et de vapeur blanche, comme si une porte de cuisine s'était ouverte tout grand en enfer. Elle tirait non pas des wagons à bestiaux, ce qui aurait été plus représentatif d'un convoi russe de PG, mais des voitures de passagers ; et je compris aussitôt qu'à leur entrée en Allemagne les prisonniers avaient été transférés dans un train allemand. Certains se penchaient déjà par les fenêtres ouvertes, faisant des signes de la main aux gens qui couraient le long de la voie ou attrapant les bouquets de fleurs qu'on leur lançait dans les bras.

Avec un nouveau sifflement, le train s'arrêta en gare, et, au milieu des cris et des applaudissements, les hommes vêtus d'uniformes usés et rapiécés s'étirèrent pour toucher ceux qui se tenaient sur le quai. Les Russes n'avaient pas fourni les noms des prisonniers voyageant à bord. Avant que quiconque fût autorisé à descendre, ces derniers durent attendre patiemment tandis que des représentants de la Croix-Rouge montaient dans chaque voiture dresser une liste pour le bénéfice de la police, du commandant du camp de réfugiés et du VdH. Ce n'est qu'au bout d'une demi-heure, cette besogne achevée, qu'on donna enfin la permission aux hommes de débarquer. Une trompette se fit entendre, si bien que, pendant un moment, il sembla que l'heure avait réellement sonné où, sortant de leurs tombes, les morts allaient ressusciter. Et, de fait, quand ils se déversèrent du train dans leur vert-de-gris délavé, ils ressemblaient à des cadavres qu'on a récemment mis en terre, tellement leur corps était maigre, leur sourire édenté, leur chevelure blanche et vieilli leur visage tanné. Certains étaient crasseux et nu-pieds. D'autres semblaient abasourdis de ne pas se retrouver dans un monde cruel ou entourés de fil barbelé et de steppe déserte. Beaucoup durent être évacués du train sur des civières. Une forte odeur de corps mal lavés emplissait l'air pur de Friedland, mais personne ne paraissait s'en soucier. Tout le monde souriait, y compris quelques-uns des prisonniers, mais la plupart pleuraient, tels des enfants volés rendus à leurs vieux parents après de longues années passées dans une forêt obscure.

D. W. Griffith ou Cecil B. DeMille n'aurait pas pu diriger une scène de foule plus émouvante que celle qui se déroulait sur un quai de gare d'une petite ville allemande. Même Vigée avait l'air au bord des larmes. Pendant ce temps, la fanfare se mit à jouer le *Deutschlandlied* – plusieurs prisonniers au regard halluciné entonnèrent les paroles interdites –, et, de l'autre côté des champs, à deux ou trois kilomètres de là, les cloches de l'église de Gros Schneen sonnèrent à toute volée.

J'entendis un des prisonniers raconter à quelqu'un sur le quai qu'ils avaient appris seulement la veille qu'on allait les libérer.

« Ces types, fit remarquer Vigée. On a l'impression qu'ils reviennent de l'enfer.

— Non, répondis-je. En enfer, on vous dit ce qui va vous arriver. »

J'ouvrais l'œil, mais je savais qu'il y avait très peu de chances que je repère de Boudel parmi cette marée humaine grouillant à l'intérieur de la gare. Vigée le savait également. Il pensait que nous aurions davantage de succès le lendemain matin, quand les prisonniers défileraient au camp ; il semblait donc que j'allais devoir réitérer mon expérience du Vernet et examiner les hommes de près. Ce qui n'était pas fait pour me réjouir, et j'espérais contre toute attente que nous pourrions apercevoir de Boudel à la gare : que je le verrais avant qu'un de mes anciens camarades me voie. À cette fin des plus hypothétiques, je pénétrai dans la gare et grimpai l'escalier puis me penchai par la fenêtre de l'étage supérieur pour avoir une meilleure vue de cette masse de soldats allemands débordant d'allégresse. Vigée suivit, puis Grottsch, Wenger et le policier.

Je n'avais pas vu autant d'uniformes depuis le camp de travail de Johannesgeorgenstadt. Ils submergaient le quai comme une mer grise.

Exhibant sa chaîne de fonction et distribuant du schnaps d'un double magnum en terre cuite, le maire de Friedland passait entre les réfugiés comme un bourgmestre d'Hamelin cerné par une horde de rats et de souris. Je pouvais l'entendre crier à tue-tête : « Santé ! », « À votre libération ! » et « Bienvenue au pays ! ». Près de lui, un sergent de la Wehrmacht entourait une vieille femme de ses bras ; tous deux pleuraient sans pouvoir s'arrêter. Son épouse ? Sa mère ? C'était difficile à dire, le sergent paraissait lui-même si vieux. Tous paraissaient vieux. On avait du mal à reconnaître dans ces vieillards les fières troupes d'assaut qui avaient mené en Russie la folle opération Barbarossa de Hitler.

Debout à côté de moi, une femme jetait des œillets sur les têtes grises en dessous.

« N'est-ce pas merveilleux ? dit-elle. Je n'aurais jamais pensé que je verrais le jour où nos gars finiraient par rentrer. Le cœur de l'Allemagne bat à Friedland.

Ils sont de retour. De retour du monde impie du bolchevisme. »

J'acquiesçai poliment, mais je gardai les yeux braqués sur les visages dans la foule sous la fenêtre.

« C'est la pagaille complète ! s'exclama le policier, qui s'appelait Moeller. Comment diable voulez-vous retrouver quelqu'un là-dedans ? La prochaine fois que des prisonniers arriveront ici, ils feraient mieux de les ramener en bus du poste frontière de Herleshausen. Au moins, ça mettrait un semblant d'ordre. On se croirait en Italie, pas en Allemagne.

— Laissez-leur leur pagaille, rétorquai-je. Pendant quatorze ans, ces types ont enduré l'ordre et la discipline. Ils en ont plein le dos. Alors laissez-les jouir d'un moment de désordre. Ça les aidera peut-être à se sentir de nouveau des êtres humains. »

Fleurs, fruits, bonbons, cigarettes, schnaps, café chaud, étreintes et embrassades, on prodiguait à ces hommes tous les signes d'affection. Je n'avais jamais vu autant de joie sur le visage d'autant d'Allemands depuis juin 1940. Et deux choses m'apparaissaient clairement : que seule la République fédérale pouvait se vanter d'être la représentante légitime de la nation allemande ; et que tous regardaient ces individus – quels que soient les atrocités et les crimes qu'ils avaient commis en Russie et en Ukraine – comme des héros et rien d'autre.

Mais non moins claire était la réalité du problème auquel je me trouvais à présent confronté. Car, parmi les visages souriants et marqués par la fatigue que j'avais sous les yeux, il y en avait un qui m'était familier à Johannesgeorgenstadt. Un Berlinois nommé Walter Bingel, avec qui je m'étais lié d'amitié dans le train nous emportant de la prison du MVD vers Stalingrad. Ce même Bingel qui m'avait vu quitter le camp dans une berline Zim, accompagné de deux communistes allemands du K-5, et qui pensait que j'avais conclu un marché avec eux pour sauver ma peau. Et si Bingel était à bord du train, alors il y en avait très probablement d'autres de Johannesgeorgenstadt qui, grâce à lui, avaient le même souvenir de moi. Si ça continuait, l'inspecteur allait être obligé de m'arrêter moi aussi.

Les yeux perçants de Vigée virent les miens s'attarder sur le visage de Bingel.

« Vous reconnaissez quelqu'un ? demanda-t-il.

— Pas jusqu'à maintenant, mentis-je. Franchement, ces hommes font beaucoup plus vieux que leur âge. Je doute fort que j'arriverais à reconnaître mon propre frère là-dedans. Si j'en avais un.

— Ma foi, c'est plutôt bon pour nous, non ? fit remarquer le Français. Un type qui a passé ces six ou sept dernières années à travailler pour le MVD devrait trancher sur le reste de ces mecs. Après tout, de Boudel fait seulement semblant d'être un prisonnier de guerre. Il n'a pas été dans un camp de travail, comme eux. »

J'acquiesçai. Le Français avait raison.

« Pouvons-nous avoir une copie de la liste de noms dressée par la Croix-Rouge ? » demandai-je.

Vigée adressa un signe de tête à Moeller, qui partit en chercher une.

« Quand même, je ne pense pas qu'il utilise son vrai nom, et vous ?

— Non, évidemment que non. Mais il faut bien commencer quelque part. En général, le travail de police démarre avec une liste ou une autre, même s'il s'agit d'une liste de ce que vous ne savez pas. Parfois, c'est aussi important que ce que vous savez. En fait, la tâche d'un flic est d'une simplicité enfantine, sauf que ce n'est pas du cousu main.

— Ne vous en faites pas ! fit Vigée. Nous avons toujours su que nos chances de trouver de Boudel à la gare étaient minces. Le réveil au camp de réfugiés demain matin. C'est là-dessus que je mise.

— Oui, je pense que vous avez raison. »

Nous regardâmes Moeller se frayer un chemin tant bien que mal à travers la foule jusqu'à un des représentants de la Croix- Rouge. Il dit quelque chose et les représentants opinèrent.

« Où l'avez-vous déniché ? demandai-je.

— À Göttingen, répondit Vigée. Pourquoi ? » Il alluma une cigarette et d'une chiquenaude envoya l'allumette sur les têtes des hommes en dessous, comme pour exprimer son mépris à leur égard. « Il ne vous semble pas à la hauteur ?

— Je ne saurais le dire.

— Peut-être n'est-il pas le policier que vous avez été, Gunther. » Vigée gonfla ses joues et poussa un soupir. « Tout ce qu'il a à faire, c'est d'arrêter l'homme que vous identifierez. Pas besoin d'être un super flic pour ça, n'est-ce pas ? ajouta-t-il d'un ton sarcastique. Vous devriez peut-être lui donner quelques tuyaux. Lui dévoiler vos petits secrets criminalistiques.

— Qui sont fort simples, par-dessus le marché. J'avais l'habitude de me lever le matin et de me coucher le soir. Et, dans l'intervalle, je tâchais de m'occuper et de ne pas faire de bêtises.

— Vraiment ? C'est tout ce que vous avez à offrir ? Après toute une carrière de détective.

— N'importe quel imbécile peut résoudre un crime, Français. C'est de le prouver qui est exténuant. »

Moeller se mit à faire demi-tour à travers la foule en direction de la porte de la gare, pour s'apercevoir qu'il n'arrivait pratiquement pas à avancer. Il leva la tête et, nous voyant, Vigée et moi, il brandit les bras en souriant d'un air d'impuissance.

Je lui retournai son sourire et hochai la tête avec affabilité comme si je comprenais son problème. Mais, pendant tout le temps que je le regardais, j'essayais de deviner à quel genre de policier j'allais avoir affaire le lendemain matin, lorsque Walter Bingel m'accuserait d'avoir été un collaborateur et un traître.

34

Allemagne, 1954

Nous attendîmes que tous les prisonniers de guerre soient partis pour le camp et que la plupart des habitants aient quitté la gare. Vigée fut, je pense, impressionné que j'aie insisté pour rester jusqu'à la dernière minute, sans soupçonner, naturellement, que la vraie raison tenait davantage au fait que j'essayais de passer inaperçu. Avant que nous montions dans la Citroën qui nous ramènerait à notre pension de Göttingen, Moeller me remit une liste de vingt pages de noms, de grades et de numéros matricules.

« Tous les hommes qui se trouvaient dans ce train », dit-il inutilement.

Je fourrai la liste dans la poche de mon manteau, puis parcourus du regard la salle des guichets et, au-delà, le quai où s'attardaient quelques personnes dont l'espoir de retrouver un proche depuis longtemps perdu de vue persistait contre toute vraisemblance. Certaines pleuraient. D'autres demeuraient simplement assises, seules, plongées dans un chagrin stoïque et muet. J'entendis quelqu'un dire :

« La prochaine fois, Frau Kettenacher. Ce sera sûrement pour la prochaine fois. Il paraît qu'il faudra peut-
être encore un an avant qu'ils soient tous rentrés. Et
que les SS seront les derniers. »

Avec douceur, le propriétaire de la voix – un pasteur
des environs, supposai-je – aida la vieille femme à se
lever, ramassa l'écriteau gisant sur le sol puis la guida
vers la sortie du quai.

Nous suivîmes à une distance respectueuse.

« La pauvre, murmura Moeller. Je sais ce qu'elle
ressent. J'ai un frère aîné qui est toujours prisonnier.

— Pourquoi ne pas en avoir parlé ? Et s'il avait
rappliqué ici ? Qu'est-ce que vous auriez fait ? »

Moeller haussa les épaules.

« Je l'espérais vaguement. C'est à cause de ça qu'on
m'a désigné pour ce boulot. Mais maintenant que j'ai
vu le camp de réfugiés, je m'interroge. Il doit y avoir
de meilleures façons de traiter nos hommes, Herr Gunther. Vous ne croyez pas ? »

J'opinai.

« Ils ne sont pas si à plaindre que ça, fit observer
Grottsch. Chaque semaine, le commandant du camp à
Friedland reçoit de toute l'Allemagne des centaines de
lettres de femmes seules cherchant un nouveau mari. »

Nous entassant tous les cinq dans la voiture, nous
prîmes la direction de Göttingen, à une quinzaine de
kilomètres de là.

Assis à l'arrière, j'allumai l'éclairage de plafond et
parcourus avec nervosité la liste de noms, en quête
d'autres détenus de Johannesgeorgenstadt. Et il ne me
fallut pas longtemps pour repérer le nom du général
SS Fritz Klause, l'officier supérieur du camp. Manifestement, les radiations là-bas n'étaient pas aussi mor-
telles qu'on me l'avait laissé entendre. Cela dit, un

homme peut faire de la haine qu'il voue à son ennemi une couverture suffisamment chaude pour le maintenir en vie même pendant un hiver russe.

« Moi aussi, j'aimerais bien qu'on m'écrive pour proposer de m'épouser, grommela Wenger tout en conduisant. Ou du moins, pour prendre la place de la bonne femme que j'ai déjà.

— Je me demande ce qu'ils penseront, dit Moeller. De la nouvelle Allemagne.

— Ils se diront, j'imagine, qu'elle n'est pas vraiment assez allemande, remarqua Grottsch. Ça a été mon impression en rentrant d'un camp de prisonniers britannique. Je continuais à chercher l'Allemagne. Et tout ce que j'ai trouvé, ce sont de nouveaux meubles, de nouvelles bagnoles et des jouets pour les petits Américains.

— Faites demi-tour, m'écriai-je. Il faut qu'on revienne. »

Assis à côté de Wenger sur la banquette de devant, Vigée lui ordonna de s'arrêter. Puis il pivota pour me regarder.

« Découvert quelque chose ?

— Possible.

— Expliquez-vous.

— Au moment où nous nous en allions, il y avait une femme à la gare, désireuse d'avoir des informations sur un de ses proches. Elle avait marqué toutes les coordonnées sur un écriteau.

— Oui, fit Vigée. Comment s'appelait-elle ?

— Kettenacher. Mais il y avait aussi un Kettenacher dans le train. Qui figure sur la liste établie par la Croix-Rouge.

— Ce n'est pas un nom rare dans cette partie de l'Allemagne, objecta Moeller.

— Non, rétorquai-je. Mais le fils de Frau Kettenacher servait dans les blindés. Il était Hauptmann. Capitaine, comme moi. Richard Kettenacher. 56ᵉ corps de Panzer. Aux dernières nouvelles, il participait à la bataille de Berlin.

— Il a raté sa mère dans la foule, suggéra Moeller. Ce sont des choses qui arrivent.

— Et tous ses camarades ? demandai-je. Est-ce qu'ils l'auraient ratée eux aussi ?

— On y retourne, dit Vigée à Wenger d'un ton fébrile. Tout de suite. »

Wenger fit demi-tour.

« Laissez-moi voir cette liste », dit le Français.

Je la lui passai en montrant un nom.

« Que devrait-on faire, à votre avis ? demanda-t-il. Aller directement au camp ? Et s'il s'éclipsait avant d'arriver là-bas ?

— Non. S'il est ici, c'est parce qu'il a besoin d'être enregistré officiellement. Il lui faut des papiers. Dans le cas contraire, les services de sûreté russes auraient pu lui faire franchir clandestinement la frontière dans Berlin. Il lui faut son certificat de libération. Des cartes de rationnement. Un document d'identité. Toutes choses indispensables pour s'insérer dans la société allemande. Devenir quelqu'un de nouveau. Il ne va pas s'éclipser. »

Je réfléchis un instant.

« Nous devons parler à la mère du véritable capitaine Kettenacher. Cette vieille dame que nous avons vue à la gare. Nous avons besoin qu'elle nous donne une photographie de son fils. Ainsi, quand vous vous rendrez demain au camp, Moeller et vous, et qu'il essaiera de vous jeter de la poudre aux yeux, vous n'aurez qu'à sortir la photo et la question sera réglée. Si vous voulez, je me charge de parler avec elle. Après tout, je représente le VdH.

— À vous entendre, on dirait que vous n'avez pas l'intention de venir au camp de réfugiés. Pourquoi ?

— Parce que, à mon avis, il vaut mieux que vous me gardiez en réserve, répondis-je d'un ton onctueux. Réfléchissez, Émile. Vous arrêtez Kettenacher sur la présomption qu'il est en réalité de Boudel. Il nie, bien entendu. Vous l'emmenez donc à la pension Esebeck et vous lui mettez sous le nez la photographie du vrai Kettenacher. Il continue à nier : il doit y avoir une confusion. Une erreur administrative. Il y avait deux capitaines Kettenacher. Vous le laissez s'enferrer. C'est alors que je sors de derrière le rideau : "Salut, Edgard. Tu te souviens de moi ?" Je suis votre atout, Émile. Mais vous ne devez pas me jouer avant la fin. »

Vigée hochait la tête.

« Vous avez raison, évidemment. Mais comment retrouver Frau Kettenacher ? »

Je haussai les épaules.

« Je suis détective, vous vous rappelez ? Si retrouver les gens était si difficile que ça, on ne demanderait pas aux flics de le faire chaque jour de la semaine. » Je souris à Moeller. « Soit dit sans vouloir vous offenser, inspecteur.

— Il n'y a pas de mal.

— Alors, où est-ce que je vais ? grommela Wenger. Et si la vieille n'habite pas Friedland ? Et qu'elle a déjà quitté la ville ?

— Le pasteur semblait la connaître, répondit Vigée.

— Oui, mais il n'y a pas d'église à Friedland.

— Il y en a une à Gros Schneen, indiqua Moeller.

— Retournez à la gare, dis-je. On verra bien si quelqu'un se souvient d'eux. Sinon, on avisera. »

Le chef de gare, un personnage voûté, anémique, était en train de balayer après la cohue. Son parterre de fleurs avait été piétiné, sans quoi il aurait peut-être été de meilleure humeur. Il secoua la tête lorsque je l'interrogeai sur Frau Kettenacher, mais il se souvenait très bien du pasteur.

« C'était le révérend Overmans, de l'église de Hebenshausen.

— Où est-ce ?

— À deux ou trois kilomètres au sud. Vous ne pouvez pas vous tromper. C'est encore plus petit qu'ici, à Hebenshausen. »

Wenger se dirigea vers le sud, et l'on se retrouva bientôt dans un bled répondant à la description du chef de gare. Nous arrivâmes juste à temps pour voir un bus quitter la place du village et le pasteur s'éloigner de l'arrêt en compagnie de la vieille dame, toujours munie de son écriteau. Derrière l'arrêt se dressait une grande maison à colombages et, derrière la maison, un petit clocher d'église carré. Le pasteur et la vieille dame pénétrèrent dans la bâtisse et quelques lampes s'allumèrent.

Wenger arrêta la voiture.

« Moeller, dis-je. Venez avec moi. Et ne dites rien. Vous autres, attendez ici. »

Le pasteur fut surpris de nous trouver là à une heure aussi tardive, jusqu'à ce que j'explique que j'appartenais au VdH et que nous avions manqué Frau Kettenacher à la gare.

« J'ai essayé de voir toutes les familles de cette partie de la Basse-Saxe ayant un proche disparu, dis-je. Mais je ne crois pas avoir déjà rencontré cette dame.

— Ah, c'est parce qu'elle est de Cassel, expliqua le pasteur Overmans. Frau Kettenacher est de Cassel. Je suis son beau-frère. Elle a logé chez moi pour pouvoir être à la gare ce soir.

— Je suis vraiment navré que votre fils n'ait pas été dans le train, dis-je à celle-ci. Afin d'éviter à l'avenir de nouveaux déboires, nous faisons pression sur les Russes pour qu'ils nous fournissent de plus amples détails sur les prisonniers qu'ils détiennent encore. Et quand ils seront libérés. »

Le pasteur, un homme au visage couleur brique et aux cheveux blancs, lança à travers la pièce aux meubles sombres un regard à la silhouette affaissée, assise sur une chaise vétuste.

« Eh bien, ce serait fabuleux, hein, Rosa ? »

Frau Kettenacher hocha la tête en silence. Elle portait encore son manteau et un chapeau qui ressemblait à un casque de préposé à la défense passive. Elle dégageait une forte odeur de naphtaline et d'amertume.

Je continuai avec ma cruelle supercherie. Si j'avais raison et qu'Edgard de Boudel utilisait effectivement le nom du Hauptmann Richard Kettenacher, cela ne pouvait signifier qu'une chose : que le vrai capitaine était mort, et depuis déjà pas mal de temps. Je réussis à me persuader que sa cruauté et celle des services de renseignement russes qui avaient concocté cette fable étaient plus cruelles que la mienne ; mais tout juste.

« Cependant, repris-je d'un ton grave, les autorités soviétiques ne sont pas réputées pour leur zèle à tenir des registres. Je le sais, j'ai moi-même été prisonnier. Lorsque nos soldats sont rapatriés, c'est la Croix-Rouge allemande, et non les Russes, qui établit lesquels ont été effectivement libérés. Pour cette raison, nous nous efforçons actuellement de constituer nos propres dossiers de personnes encore manquantes. Et, bien que ce ne soit probablement pas le meilleur moment pour poser de telles questions, je me demandais si je ne pourrais pas avoir quelques précisions sur ce parent toujours porté disparu. » Je souris avec tristesse au pasteur. « Votre neveu, n'est-ce pas ?

— Oui », répondit-il, et il me répéta le nom, le grade et le numéro matricule de l'homme ; et ses états de service durant la guerre.

Je les notai consciencieusement.

« Je ne voudrais pas abuser de votre temps. Avez-vous des documents personnels ? Un livret de solde, par exemple ? Tous les soldats ne gardaient pas leur livret de solde sur eux comme ils auraient dû le faire. Beaucoup le laissaient à la maison, bien à l'abri, afin que leur épouse puisse réclamer l'argent. Je connais ça. Ou peut-être un livret militaire. Une carte du parti. Ce genre de chose. »

Frau Kettenacher ouvrait déjà un sac en cuir marron ayant la forme et la taille d'un petit coracle.

« Mon Richard était un brave garçon, dit-elle avec un accent saxon à couper au couteau. Jamais il n'aurait dérogé à l'obligation d'avoir son livret de solde sur soi. » Elle sortit une enveloppe en papier kraft et me la tendit. « Mais vous trouverez tout le reste là-dedans. Sa carte du parti national-socialiste. Sa carte de SA. Son certificat d'inscription à la guilde des artisans. Son permis de voyageur de commerce. Il avait suivi une formation d'ouvrier métallurgiste, voyez-vous. Puis il est devenu représentant et il vendait les objets qu'il fabriquait. Son passeport. Ça, c'est quand il est allé en Italie pour affaires. Son attestation de victime des bombardements – l'appartement de Richard à Cassel a été bombardé, vous savez. Et sa femme a été tuée. Une fille charmante, vraiment. Et aussi son carnet militaire. »

J'essayai de contenir mon euphorie. La vieille dame me donnait tout ce qui aurait permis d'identifier le vrai Richard Kettenacher. Quelques-uns de ces documents ne comportaient pas seulement une photographie, mais aussi la signature, le groupe sanguin, les détails des examens médicaux, la taille de ses masque à gaz, casque, képi et bottes, la mention des blessures, des maladies graves et des décorations militaires.

« L'inspecteur ici présent vous délivrera un reçu pour ces documents, dis-je. Et il veillera à ce qu'ils vous soient restitués le plus vite possible.

— Ça m'est bien égal. Tout ce qui m'intéresse, c'est que mon Richard me soit rendu sain et sauf.

— Oui, s'il plaît à Dieu », dis-je en empochant l'histoire de la vie du disparu.

Dès que Moeller eut rédigé un reçu, nous laissâmes le pasteur et la vieille dame pour retourner à la voiture.

« Eh bien ? » demanda Vigée.

J'inclinai la tête.

« J'ai tout. »

Je brandis l'enveloppe de la vieille.

« Tout. Le double de Kettenacher ne pourra jamais passer à travers tout ça. C'est l'avantage des documents nazis. D'un côté, il y en a des montagnes. Et de l'autre, il est pratiquement impossible de les contredire.

— Espérons qu'il ne s'agit pas du vrai, répliqua Vigée. S'il était aveugle, il n'a peut-être pas pu voir sa mère. Et peut-être que ses yeux à elle ne sont plus aussi bons et qu'elle n'a pas pu le voir non plus. » Il examina les documents. « Espérons que vous ne vous trompez pas. J'ai horreur des déceptions. »

35

Allemagne, 1954

Le lendemain matin, je restai à la pension à Göttingen pendant que Vigée et certains des autres allaient arrêter l'homme se faisant passer pour Kettenacher. Je demandai la permission d'aller à l'église, mais Grottsch me répondit que Vigée avait ordonné que nous ne bougions pas avant son retour.

« J'espère que c'est lui, ajouta-t-il, qu'on puisse retourner à Hanovre. Je ne supporte vraiment plus Göttingen.

— Pourquoi ? C'est une petite ville assez agréable.

— Trop de souvenirs. Je suis allé à la fac ici. Ma femme également.

— Je ne savais pas que vous étiez marié.

— Elle a été tuée lors d'un raid aérien. En octobre 1944.

— Désolé.

— Et vous ? Vous avez été marié ?

— Oui. Elle est morte aussi. Mais beaucoup plus tard. En 1949. Nous avions un petit hôtel, à Dachau. »

Il eut un hochement de tête.

« Dachau est une très jolie ville, dit Grottsch. Enfin, ça l'était, avant la guerre. »

Pendant un moment, nous partageâmes en silence le souvenir d'une Allemagne qui s'était volatilisée et qui, probablement, ne reviendrait plus. Pas pour nous, en tout cas. Et certainement pas pour nos pauvres épouses. Les conversations étaient souvent comme ça en Allemagne : les gens s'interrompaient au beau milieu d'une phrase en se rappelant un endroit qui avait disparu ou quelqu'un qui était mort. Il y avait tant de morts qu'on pouvait parfois sentir physiquement le chagrin dans les rues, même en 1954. La tristesse accablant le pays était presque aussi sombre que pendant la Grande Dépression.

Nous entendîmes une voiture s'arrêter devant la pension, et Grottsch alla voir s'ils avaient notre homme. Quelques minutes plus tard, il revint, l'air inquiet.

« Bon. Ils ont attrapé quelqu'un. Oui, pour ça, ils ont attrapé quelqu'un. Mais si c'est Edgard de Boudel, il parle mieux l'allemand que n'importe quel Franzi que j'aie jamais rencontré.

— Bien sûr. Il le parlait déjà couramment quand je le connaissais. Son allemand était même meilleur que le mien. »

Grottsch haussa les épaules.

« En tout cas, il prétend mordicus être Kettenacher. Vigée est en train de lui montrer les documents du vrai Kettenacher. Vous avez jeté un œil à sa carte du parti ? Ce type achetait des timbres de don depuis 1934. Et vous avez vu les cicatrices de duel en travers de sa joue, sur les photos ? »

J'opinai.

« C'est vrai. Il ressemblait comme deux gouttes d'eau à l'image que tout le monde se faisait d'un nazi. Surtout maintenant qu'il est mort.

— Pourquoi ai-je l'impression que vous n'étiez pas membre du parti ?

— Ça a vraiment de l'importance à présent ? Si je l'étais ou pas ? » Je secouai la tête. « Pour nos nouveaux amis – les Français, les Ricains, les Tommies –, on était tous des putains de nazis. Alors peu importe qui l'était et qui ne l'était pas. Ils voient tous ces vieux films de Leni Riefenstahl et qui pourrait les blâmer ?

— Il n'y a jamais eu un moment où vous avez cru en Hitler, comme les autres ?

— Oh si. Bien entendu. Pendant environ un mois à l'été 1940. Lorsqu'on a flanqué une déculottée aux Français en six semaines. J'ai cru en lui alors. Qui n'en a pas fait autant ?

— Oui. Ça a été la meilleure période pour moi aussi. »

Peu après, on entendit des voix s'élever, et, quelques minutes plus tard, Vigée entrait dans la pièce. Il paraissait en colère et tout essoufflé, et il y avait du sang sur le dos d'une de ses mains comme s'il avait tabassé quelqu'un.

« Ce n'est pas Richard Kettenacher, déclara-t-il. C'est quasiment certain. Mais il jure ses grands dieux ne pas être Edgard de Boudel. C'est donc à vous de jouer maintenant, Gunther. »

Je haussai les épaules.

« Très bien. »

Je suivis le Français dans la cave à vins où Wenger et Moeller surveillaient notre prisonnier.

Les photos que m'avaient montrées les Américains

étaient bien sûr en noir et blanc. De plus, ayant été prises à une certaine distance, elles avaient été agrandies, ce qui les rendait légèrement floues et granuleuses. Sans doute le vrai de Boudel n'aurait-il pas ménagé ses efforts pour se rendre méconnaissable. Il aurait perdu du poids, teint ses cheveux, se serait laissé pousser la moustache, éventuellement. À l'époque où j'étais un flic en uniforme, j'avais arrêté pas mal de suspects sur la base d'une photographie ou d'un signalement. Mais c'était la première fois que j'étais obligé de le faire pour sauver ma peau.

L'homme était assis sur une chaise. Il portait des menottes et avait les joues rouges comme si on l'avait frappé à plusieurs reprises. Il paraissait la soixantaine, mais il était probablement plus jeune. En fait, j'en étais certain. Dès qu'il me vit, il se fendit d'un sourire.

« Bernie Gunther. Je n'aurais jamais pensé avoir le plaisir de te revoir. Dis à ce crétin de Français que je ne suis pas l'homme qu'il cherche. Cet Edgard de Boudel sur lequel il n'arrête pas de me poser des questions. »

Il cracha par terre.

« Pourquoi ne pas t'en charger ? répliquai-je. Dis-lui ton vrai nom et peut-être qu'il te croira. »

Il fronça les sourcils sans rien dire.

« Reconnaissez-vous cet homme ? me demanda Vigée.

— Oui, je le reconnais.

— Et c'est lui ? C'est de Boudel ?

— D'ailleurs, qui est ce de Boudel ? s'enquit le prisonnier. Et qu'est-ce qu'il est censé avoir fait ? »

Je hochai la tête.

« Oui, ce n'est pas une mauvaise idée. Essayer de découvrir quels actes a commis ce type recherché, et, s'ils se révèlent un peu moins atroces que ceux dont tu t'es rendu coupable, lever la main. Pourquoi pas ? Oui, je vois très bien comment tu imagines que ça pourrait fonctionner.

— J'ignore de quoi tu parles, Gunther. J'ai passé ces neuf dernières années dans un camp russe de prisonniers de guerre. Alors on peut bien me reprocher ce qu'on voudra, je considère avoir payé ma dette, et plutôt deux fois qu'une.

— Comme si j'en avais quelque chose à faire.

— J'exige de connaître le nom de cet homme, intervint Vigée.

— Qu'est-ce que tu en dis ? fis-je à l'adresse du prisonnier. Nous savons tous les deux que tu n'es pas Richard Kettenacher. Je suppose que tu as fauché son livret de solde et que tu as échangé la photo de la page intérieure – que tu as collée avec du blanc d'œuf. En général, les Russes ne faisaient pas très attention au tampon dans le coin. Tu as cru qu'un nouveau nom et un service différent suffiraient à dépister les chiens, parce que tu savais qu'après Treblinka quelqu'un viendrait t'alpaguer. Toi et Irmfried Eberl, n'est-ce pas ?

— Je ne sais pas de quoi tu parles.

— Moi non plus, se plaignit Vigée. Et ça commence à m'énerver.

— Permettez-moi de faire les présentations, Émile. Voici le major Paul Kestner. Autrefois membre de la SS et commandant adjoint du camp de la mort de Treblinka en Pologne.

— Absurde, protesta Kestner. Des conneries. Tu ne sais pas de quoi tu parles.

— Du moins, jusqu'à ce que Himmler soit mis au courant de ses agissements. Même lui a été horrifié par ce qu'il avait manigancé avec le commandant. Vol, meurtre, torture. Ce n'est pas vrai, Paul ? Tellement horrifié qu'on vous a virés de la SS, Eberl et toi, raison pour laquelle vous vous êtes retrouvés dans la Wehrmacht, à défendre Berlin et à essayer de vous racheter pour vos crimes passés.

— Ridicule, répondit Kestner.

— Vous ne détenez peut-être pas Edgard de Boudel, Émile, mais vous avez là un des pires criminels de guerre d'Europe. Un individu responsable de la mort d'au moins sept cent cinquante mille Juifs et Tsiganes.

— Des conneries. De pures conneries. Et ne crois pas que j'ignore ce dont il s'agit en réalité, Gunther. C'est à propos de Paris, n'est-ce pas ? Juin 1940. »

Vigée fronça les sourcils.

« Eh bien, qu'est-ce que c'est que ça ?

— Il a tenté de m'assassiner, répondis-je.

— Je le savais ! » s'exclama Kestner.

Vigée indiqua la porte d'un signe de tête.

« Dehors. Il faut que je vous parle. »

Lui emboîtant le pas, je sortis de la cave à vins, grimpai les marches et m'avançai dans le petit jardin clos près du canal. Vigée nous alluma une cigarette à chacun.

« Paul Kestner, hein ? »

J'acquiesçai.

« J'imagine que la Commission des crimes de guerre des Nations unies sera ravie de le mettre sous les verrous, fis-je observer.

— Vous croyez que j'en ai quoi que ce soit à branler de tout ça ? rugit-il, hors de lui. Combien de putains de Juifs il a tués. Je m'en contrefous. Je me contrefous de Treblinka, Gunther. Ou du sort de quelques Tsiganes pouilleux. Tout ce qui m'intéresse, c'est de trouver Edgard de Boudel. Pigé ? Tout ce qui m'intéresse, c'est de trouver l'homme qui a torturé et tué près de trois cents Français en Indochine. »

Il s'était mis à crier, battant l'air de ses bras, mais il ne m'empoigna pas par mes revers, et je sentis que, même furieux et désappointé, il se tenait maintenant à carreau avec moi.

« Alors demain, nous allons retourner à ce camp de réfugiés à Friedland, examiner tous les hommes un par un et mettre la main sur de Boudel. Compris ?

— Ce n'est pas ma faute s'il ne s'agit pas de notre homme, répondis-je en me mettant à crier à mon tour. On a fait tout ce qu'on pouvait. De plus, en supposant que votre information soit exacte et que de Boudel ait vraiment voyagé à bord de ce maudit train, il devrait logiquement se trouver dans le camp.

— Vous avez intérêt à prier pour que ce soit le cas, ou on est tous les deux dans la merde. Pas seulement vous, mais moi aussi. »

Je haussai les épaules.

« Peut-être bien que je le ferai.

— Quoi ?

— Prier. Prier pour me barrer de cet endroit un moment. Ne plus vous avoir dans les pattes, Émile. » Je secouai la tête. « J'ai besoin d'espace pour respirer. Me remettre les idées en place. »

Il sembla faire un effort pour se contrôler puis il acquiesça.

« D'accord. Je suis désolé. Ce n'est pas votre faute, vous avez raison. Écoutez, allez vous promener en ville. Retournez à l'église. Je demanderai à quelqu'un de vous accompagner.

— Et lui ? Kestner ?

— On le ramènera au camp de réfugiés. Les autorités allemandes décideront ce qu'il faut faire de lui. Pour ma part, je n'ai pas de temps à perdre avec les Nations unies et leur stupide Commission des crimes de guerre. Je ne veux pas le savoir. »

Tout en marmonnant en français, il s'éloigna, probablement avant que l'un de nous se sente obligé de voler de nouveau dans les plumes de l'autre.

J'allai retrouver Grottsch, qui, à ma grande surprise, s'efforça d'excuser le Français en expliquant que sa fille était malade. Nous prîmes nos manteaux, puis nous sortîmes dans le soleil automnal. Göttingen était plein d'étudiants, ce qui me rappela que ma propre fille, Dinah, devait être en première année de fac à présent. Du moins, je l'espérais.

En nous baladant, nous tombâmes, Grottsch et moi, sur les ruines de la synagogue de la ville dans l'Obere-Masch Strasse, entièrement détruite par un incendie en 1938, et je me demandai combien de Juifs de Göttingen avaient trouvé la mort à Treblinka, aux mains de Kestner, et si neuf ans dans un camp soviétique de prisonniers de guerre constituaient réellement une punition suffisante pour le meurtre de sept cent cinquante mille personnes. Peut-être, après tout, n'existait-il aucun châtiment terrestre à la hauteur d'un tel crime. Mais s'il n'y en avait pas ici, alors où ?

Nos pas nous ramenèrent à l'église Saint-Jacobi. Je m'arrêtai pour regarder la vitrine d'une boutique en face, mais, au moment où je m'en allais, je m'aperçus que j'étais tout seul. Je m'immobilisai, jetai un regard circulaire, m'attendant à voir Grottsch s'avancer dans ma direction, mais il n'était nulle part. Pendant un moment, je songeai à prendre le large. L'idée de me rendre au camp de réfugiés de Friedland et d'être vu par Bingel et Krause ne m'excitait pas plus que la veille ; si bien que la seule chose qui me retint d'aller directement à la gare de chemin de fer fut le manque d'argent et de savoir que mon passeport se trouvait à la pension Esebeck. J'en étais encore à me demander ce que j'allais faire quand je me rendis compte que j'étais serré de près par deux types portant de petits chapeaux bien propres et des imperméables sombres et courts.

« Si vous cherchez votre ami, dit l'un, il a dû s'asseoir pour se reposer. Vu qu'il s'est senti brusquement très fatigué. »

Je continuai à inspecter les parages, cherchant Grottsch, comme si ce qui lui était arrivé me préoccupait vraiment, lorsque je remarquai deux autres types derrière moi.

« Il dort dans l'église. »

L'homme parlait bien l'allemand, mais ce n'était pas sa langue maternelle. Il avait des lunettes à monture épaisse et fumait une pipe à tuyau métallique. Il en tira une bouffée, et un nuage de fumée obscurcit un instant son visage.

« Il dort ?

— Une piqûre hypodermique. Rien à craindre. Ni pour lui ni pour vous, Gunther. Alors du calme. Nous sommes vos amis. Il y a une voiture au coin qui attend de nous emmener faire un petit tour.

— Supposez que je ne veuille pas aller faire un tour ?

— Pourquoi supposer quoi que ce soit de ce genre alors que nous savons tous les deux ce que vous voulez ? De plus, je détesterais avoir à vous faire une piqûre comme à votre ami Grottsch. Les effets du thiopental peuvent persister de façon gênante pendant plusieurs jours après l'injection. » Il me tenait à présent par le bras et son collègue par l'autre, et nous tournions déjà l'angle avec la Weender Strasse. « Une autre vie vous attend, mon vieux. De l'argent, une nouvelle identité, un nouveau passeport. Tout ce dont vous rêvez. »

La portière d'une grosse berline noire s'ouvrit devant moi. Un homme vêtu d'une veste en cuir et coiffé d'une casquette assortie se tenait dans mon dos. Un autre, à quelques mètres en avant, s'arrêta à hauteur de la portière puis se tourna pour me faire face. J'étais en train de me faire kidnapper, et par des zèbres qui en connaissaient un rayon.

« Qui êtes-vous ? demandai-je.

— Vous nous attendiez sûrement, répondit l'homme à côté de moi. Après votre message. » Il sourit. « Vous n'imaginez pas l'émoi qu'ont provoqué vos informations. Pas seulement ici en Allemagne, mais aussi au quartier général. »

Me penchant en avant pour monter dans la voiture, je sentis une main sur le haut de ma tête, juste au cas où je tenterais de résister au dernier moment et où je me cognerais contre l'encadrement de la porte. Les flics et les espions du monde entier sont toujours pleins de sollicitude. Deux hommes restèrent à faire le guet à l'extérieur, jetant des coups d'œil à la ronde jusqu'à ce que tous ceux qui devaient se trouver dans la bagnole y soient, puis, une fois les portes fermées, nous démarrâmes, et tout fut terminé, sans plus d'histoires que si nous allions faire des courses de dernière minute dans la ville voisine.

Au bout de quelques instants, je vis que nous roulions vers l'ouest et je poussai un soupir de soulagement. Au moins, je savais maintenant qui me kidnappait et pourquoi.

« Détendez-vous et profitez du voyage, mon ami. Désormais, vous faites partie du gratin. Tels sont mes ordres, Gunther, mon vieux pote. Je dois vous traiter comme un personnage très important.

— Voilà qui changera agréablement de la dernière fois où j'ai été l'invité de vous autres Américains. Franchement, il y a quelque chose qui ne m'a pas beaucoup plu là-dedans.

— Et qu'est-ce que c'était ?

— Ma cellule. »

36

Allemagne, 1954

Deux heures et demie plus tard, nous étions à Franc-fort et, franchissant le Main, nous nous dirigeâmes vers le nord de la ville. Notre destination était un gigantesque immeuble de bureaux en marbre de couleur miel, aux lignes courbes, avec six ailes carrées lui conférant une allure quasi militaire, comme si, d'un instant à l'autre, les employés et secrétaires à l'intérieur allaient aban-donner leurs machines à écrire et leurs comptomètres pour actionner des canons antiaériens sur les toits plats. Je n'y avais encore jamais mis les pieds, mais je le reconnus d'après les vieilles bandes d'actualités et les magazines. Achevé en 1930, lé Poelzig-Ensemble, ou complexe Poelzig, avait été le plus vaste bâtiment de bureaux d'Europe et le siège social de la firme IG Farben. Cet ancien symbole de l'économie et de la modernité allemandes avait abrité pendant la guerre les projets de recherche nazis relatifs à la fabrication de pétrole et de caoutchouc synthétiques, sans parler du Zyklon B, le gaz mortel utilisé dans les camps de la mort. C'était à présent le quartier général du Haut

Commissariat américain pour l'Allemagne (le HICOG) et, semble-t-il, de la CIA.

La voiture passa deux postes de contrôle, puis nous nous garâmes avant de pénétrer sous un porche faisant penser à un temple. Derrière, des portes en bronze et, de l'autre côté, un immense hall avec un grand drapeau américain, quelques soldats et deux escaliers en spirale recouverts d'aluminium. Devant l'ascenseur continu, je fus invité à embarquer et à débarquer au neuvième étage. Non sans une certaine nervosité – car je n'étais jamais monté dans un de ces engins inquiétants –, j'obtempérai.

Le neuvième étage différait considérablement de ceux du dessous. Il n'avait pas de fenêtres. La lumière venait de lucarnes au lieu des bandes de vitrage, ce qui procurait sans doute aux occupants soucieux de sécurité un surcroît de discrétion. Le plafond était également plus bas, et je me demandai si une des qualités requises pour devenir un espion américain en Europe n'était pas d'avoir des centimètres en moins.

Assurément, l'homme auprès duquel on m'introduisit n'était pas grand, sans être petit non plus. Il n'avait rien qu'on aurait pu décrire, ne présentant aucune particularité à tous égards, ou presque. Il ressemblait, je suppose, à un professeur américain, si ce n'est qu'il parlait l'allemand couramment. Il portait un blazer, un pantalon de flanelle gris, une chemise bleue boutonnée jusqu'au col et un nœud papillon aux couleurs d'une sorte d'association ou d'université – bordeaux avec de petits écussons. Les présentations, toutefois, ne furent guère instructives, dans la mesure où il semblait ne pas avoir de nom, uniquement un titre. Il était « le Chef », et c'est tout ce que j'ai jamais su à son sujet. En revanche, je reconnus les deux hommes qui m'attendaient eux aussi dans cette salle de réunion sans fenêtres. Les agents spéciaux Scheuer et Frei – étaient-ce leurs vrais noms ? Je n'en avais toujours aucune idée – patientèrent jusqu'à ce que le Chef ait noté leur présence pour m'adresser un signe de tête avec une courtoisie muette.

« Êtes-vous déjà venu ici ? demanda-t-il. Je veux dire, quand cet immeuble appartenait à IG Farben.

— Non. » Je haussai les épaules. « En fait, je m'étonne de le trouver encore là. Apparemment intact. Une construction de cette taille, d'une telle importance pour l'effort de guerre nazi. Je pensais qu'il avait été réduit à l'état de gravats, comme à peu près tout dans cette partie de l'Allemagne.

— Il existe deux versions à ce sujet. Asseyez-vous, asseyez-vous. Selon la première, l'US Air Force aurait interdit que l'immeuble soit bombardé en raison de sa proximité avec le camp de prisonniers de guerre alliés de Grüneburgpark. La seconde laisse entendre qu'Eisenhower avait prévu de faire de ce bâtiment son futur quartier général en Europe. Apparemment, il lui rappelait le Pentagone. Et, pour être franc, j'avoue qu'il lui ressemble un peu. Alors peut-être est-ce la véritable explication, en définitive. »

Je tirai une chaise d'une longue table en bois foncé, m'assis et attendis que le Chef en arrive au motif de ma présence en ces lieux. Mais, visiblement, il n'en avait pas encore fini avec Eisenhower.

« Toutefois, l'épouse du président ne partageait pas son enthousiasme. En particulier, elle avait une dent contre une grande statue de femme en bronze : un nu installé à l'époque sur le bord du bassin. Elle estimait qu'il ne convenait pas à des installations militaires. »

Le Chef laissa échapper un gloussement. « Je me demande combien de soldats en chair et en os elle a vraiment rencontrés. » Il fronça les sourcils. « J'ignore où est allée la statue en question. Le bâtiment de Hoechst, peut-être ? De fait, ce nu avait sans cesse l'air d'avoir besoin de médicaments, hein, Phil ?

— Oui, patron, répondit Scheuer.

— Vous devez être fatigué après votre voyage, Herr Gunther, me dit le Chef. Je tâcherai donc de ne pas vous importuner plus qu'il ne faut. Voulez-vous un café ?

— Merci. »

Scheuer s'approcha d'un buffet où des accessoires pour le café avaient été disposés avec soin sur un plateau.

Le Chef s'assit et me considéra avec un mélange de curiosité et de méfiance. S'il y avait eu un jeu d'échecs sur la table, cela nous aurait peut-être facilité les choses. Néanmoins, une partie était en cours, et nous savions tous les deux de quoi il s'agissait. Il attendit que Scheuer – Phil – ait posé une tasse de café devant moi pour commencer.

« Le Zyklon B. Vous en avez entendu parler, je présume. »

Je fis un signe de tête affirmatif.

« Tout le monde croit qu'il a été mis au point par IG Farben. Mais ils l'ont simplement commercialisé. Il a été conçu en réalité par une autre société de produits chimiques appelée Degesch, qui finit par passer sous le contrôle d'une troisième entreprise chimique appelée Degussa. En 1930, Degussa, ayant besoin de réunir des fonds, vendit la moitié de ses parts dans Degesch à son principal concurrent, IG Farben. Et d'ailleurs, le produit proprement dit, les cristaux exterminant les insectes à la vitesse d'un cyclone, d'où son nom, était fabriqué par une quatrième firme appelée Dessauer Werke. Vous me suivez jusque-là ?

— Oui. Encore que je commence à me demander pourquoi.

— Patience. Vous allez comprendre. Par conséquent, Dessauer vendait le produit pour Degesch qui le vendait à Degussa qui vendait les droits de commercialisation à deux autres sociétés chimiques. Je ne prendrai même pas la peine de vous donner leurs noms. Cela ne servirait qu'à vous embrouiller. Ainsi, IG Farben ne possédait en fait qu'une part de vingt pour cent dans le gaz, la part du lion étant détenue par une autre entreprise, la Goldschmidt AG d'Essen.

« Pourquoi est-ce que je vous raconte tout ça ? Laissez-moi vous expliquer. Quand je me suis installé dans cet immeuble, j'ai éprouvé un certain malaise à l'idée de respirer le même air que les énergumènes qui avaient inventé ce gaz empoisonné. Alors j'ai décidé d'essayer d'en savoir plus. Et j'ai découvert que, contrairement à ce qu'on prétendait, IG Farben n'avait pas grand-chose à voir avec ce gaz. J'ai découvert également qu'en 1929 les services de santé publique des États-Unis utilisaient du Zyklon B pour désinfecter les vêtements des immigrés mexicains et les trains de marchandises à bord desquels ils se trouvaient. À la station de quarantaine de La Nouvelle-Orléans. Entre parenthèses, ce produit est encore fabriqué à l'heure actuelle, en Tchécoslovaquie, dans la ville de Köln. Baptisé Uragan D2, il sert à désinfecter les trains empruntés par les prisonniers de guerre allemands. Pour regagner leur patrie.

« Voyez-vous, Herr Gunther, j'ai la passion de l'information. Certains qualifieraient ce genre de chose de bagatelles, mais pas moi. J'appelle ça la vérité. Ou le savoir. Ou même, quand je suis assis dans mon bureau, le renseignement. J'aime les faits, mon cher monsieur. Les faits. Qu'ils concernent IG Farben, le Zyklon B, Mickey Messer[1] ou Erich Mielke. »

J'avalai une gorgée de café. Il était infect. Du jus de chaussettes. Je fis mine de prendre mes cigarettes, pour me rappeler que j'avais fumé la dernière dans la voiture.

« Donnez une cigarette à Herr Gunther, voulez-vous, Phil ? C'est bien ce que vous cherchiez, n'est-ce pas ?

— Oui, merci. »

Scheuer me l'alluma avec un briquet plaqué Dunhill avant d'en allumer une pour lui. Je remarquai que les écussons sur son nœud papillon étaient les mêmes que ceux qui ornaient celui du Chef, d'où je conclus qu'ils ne partageaient pas seulement un service, mais aussi un milieu social. L'Ivy League, probablement.

« Votre lettre, Herr Gunther, était fascinante. Surtout dans le contexte de ce que Phil m'a raconté et de ce que j'ai lu dans le dossier. Mais c'est mon travail de savoir s'il s'agit bien de faits. Oh, je ne veux pas insinuer par là que vous nous mentez. Mais, au bout de vingt ans, les gens peuvent facilement commettre des erreurs. C'est normal, non ?

— Absolument. »

---

1. Allusion à la célèbre chanson « Die Moritat von Mackie Messer », en français « La Complainte de Mackie », dans *L'Opéra de quat'sous* de Bertolt Brecht et Kurt Weill.

Il considéra mon café intact avec un dégoût par procuration.

« Horrible, n'est-ce pas ? Le café. Je me demande comment on peut s'habituer à cette lavasse. Phil, trouvez quelque chose de plus fort pour Herr Gunther. Que buvez-vous ?

— Un schnaps serait très bien, répondis-je, jetant un regard alentour tandis que Scheuer allait chercher une bouteille et un petit verre dans le buffet et les posait sur la table. Merci.

— Dessous de verre », fit le Chef d'un ton sec.

Des dessous furent apportés et glissés sous la bouteille et sous mon verre.

« Cette table est en noyer, expliqua le Chef. Le noyer marque autant qu'une serviette de damas. Bon. Vous avez votre cigarette. Vous avez votre boisson. Tout ce que je vous demande, ce sont des faits. »

Dans ses doigts il tenait une feuille de papier dépliée sur laquelle je reconnus ma propre écriture. Il plaça une paire de lunettes demi-lunes sur son nez retroussé et examina la lettre avec une curiosité désinvolte. C'est à peine s'il en parcourut le contenu avant de la laisser tomber sur la table.

« Naturellement, je l'ai lue. Plusieurs fois. Mais maintenant que vous êtes là, je préférerais que vous me disiez en personne ce que vous avez écrit aux agents Scheuer et Frei dans votre lettre.

— Pour voir si je m'écarte de la version manuscrite ?

— Nous nous comprenons parfaitement.

— Eh bien, les *faits*, les voici, dis-je en réprimant un sourire. Comme condition de ma collaboration avec le SDECE… »

Le Chef grimaça.

« Qu'est-ce que ça veut dire au juste, Phil ?

— Service de documentation extérieure et de contre-espionnage », répondit Scheuer.

Le Chef eut un hochement de tête.

« Continuez, Herr Gunther.

— J'ai accepté de travailler pour eux s'ils me permettaient d'aller à Berlin voir une vieille amie. Peut-être la seule qui me reste.

— Elle a un nom ? Cette amie ?

— Elisabeth.

— Prénom ? Adresse ?

— Je ne veux pas qu'elle soit mêlée à ça.

— Ce qui signifie que vous ne voulez pas me le dire.

— Exact.

— Comment et quand avez-vous fait sa connaissance ?

— En 1931. Elle était couturière. Et sacrément douée avec ça. Employée dans le même magasin de tailleur que la sœur d'Erich Mielke, magasin où avait travaillé également la mère de Mielke, Lydia Mielke, jusqu'à sa mort en 1911. Le père d'Erich avait pas mal de difficultés à élever seul quatre enfants. Sa fille aînée devait bosser toute la journée et préparer les repas de la famille. Elisabeth, qui était son amie, lui donnait parfois un coup de main. Il y a même eu une époque où Elisabeth était comme une sœur pour Erich.

— Où habitaient-ils ? Vous vous souvenez de l'adresse ?

— Stettiner Strasse. Un immeuble grisâtre à Gesundbrunnen, dans le nord-ouest de Berlin. N° 25.

C'est Erich qui m'a présenté à Elisabeth. Après que je lui ai sauvé la peau.

— Racontez-moi ça. »

Je m'exécutai.

« Et c'est alors que vous avez rencontré le père de Mielke.

— Oui. Je me suis rendu au domicile de Mielke pour tenter de l'arrêter, et le vieux m'a décoché un coup de poing, de sorte qu'il m'a fallu l'arrêter, lui. C'est Elisabeth qui m'avait donné l'adresse et elle n'était pas très contente que je la lui aie demandée. Ce qui fait que nos rapports ont pris un sérieux coup dans l'aile. Et ce n'est que beaucoup plus tard, à l'automne 1940, je pense, que nous avons renoué ; et l'année suivante que nous avons repris notre relation.

— Vous n'en avez jamais parlé quand vous avez été interrogé à Landsberg, dit le Chef. Pourquoi ? »

Je haussai les épaules.

« À ce moment-là, ça ne semblait guère d'actualité. J'avais presque oublié qu'Elisabeth connaissait même Erich. Notamment parce qu'elle lui avait toujours caché que nous étions amis. Erich n'aimait pas beaucoup les flics, c'est le moins qu'on puisse dire. J'ai commencé à la revoir au cours de l'hiver 1946, à mon retour du camp russe de prisonniers de guerre. On a vécu ensemble un moment, jusqu'à ce que je finisse par retrouver ma femme, à Berlin. Mais j'ai toujours eu beaucoup d'affection pour elle et elle pour moi. Récemment, alors que je me trouvais à Paris, j'en suis venu à repenser à elle et à me demander si elle allait bien. On pourrait dire, je suppose, que je me suis mis à nourrir des pensées romantiques à son sujet. Je vous le répète, je ne connais personne d'autre à Berlin. J'ai donc décidé de lui rendre visite le plus rapidement possible pour savoir si on ne pouvait pas faire une nouvelle tentative, elle et moi.

— Et comment ça s'est passé ?

— Bien. Elle n'est pas mariée. Elle a eu une liaison avec un soldat américain. Plusieurs, je pense. Dans tous les cas, c'étaient des hommes mariés, et ils sont partis retrouver leur femme aux États-Unis, la laissant dans l'âge mûr et avec la peur de l'avenir. »

Je me versai un verre de schnaps et le bus à petites gorgées pendant que le Chef m'observait attentivement, comme pour soupeser mon histoire des deux mains, s'efforçant de déterminer s'il y croyait peu ou prou.

« Elle était à la même adresse qu'en 1946 ?

— Oui.

— Nous pouvons toujours demander aux Français, vous savez. Son adresse.

— Allez-y.

— Il est possible qu'ils se disent en toute logique que vous avez filé là. Il est même possible qu'ils lui rendent la vie difficile. Vous y avez songé ? Nous pourrions la protéger. Les Français ne sont pas toujours aussi sentimentaux qu'on le prétend.

— Elisabeth a survécu à la bataille de Berlin. Elle a été violée par les Russes. En outre, elle n'est pas du genre à faire une piqûre de thiopental à un quidam dans les rues de Göttingen en plein jour. Lorsque Grottsch débitera son histoire, les Français penseront, j'imagine, que les Russes m'ont épinglé. Après tout, c'est ce que vous vouliez leur faire croire, non ? Ça ne me surprendrait pas le moins du monde que vos hommes aient parlé russe au moment où ils lui sont tombés dessus. Histoire de sauver les apparences.

— Au moins, dites-moi si elle vit à l'Est ou à l'Ouest.

— À l'Ouest. Les Français m'ont fourni un passeport au nom de Sébastien Kléber. Vous pourrez vérifier que je suis effectivement venu par le Checkpoint Alpha à Helmstedt et que je suis entré à Berlin au point de passage de Dreilinden. Sans en ressortir pour aller à Berlin-Est.

— Très bien. Donnez-moi des nouvelles d'Erich Mielke.

— Mon amie Elisabeth prétend avoir rencontré le père de Mielke, Erich lui aussi. Qu'il est toujours vivant et qu'il se porte bien. D'après elle, il aurait dans les soixante-dix ans. Ils sont allés boire un café au Kranzler. Il lui a expliqué qu'il vivait en RDA, mais qu'il ne s'y plaisait pas. Qu'il regrettait le football et son ancien quartier. Tandis qu'elle me racontait ça, elle ignorait complètement, de toute évidence, ce que fabriquait Erich junior. Qui il était et quoi. Tout ce qu'elle a dit, c'est qu'il allait voir son père de temps à autre pour lui donner de l'argent. Et, le connaissant, j'ai supposé que ça devait être en cachette.

— De temps à autre. À savoir ?

— Régulièrement. Une fois par mois.

— Pourquoi ne pas l'avoir dit ?

— Je l'aurais peut-être fait si vous m'en aviez laissé le temps.

— A-t-elle précisé où habitait Erich senior ? En RDA ?

— Un village nommé Schönwalde, au nord-ouest de Berlin. Il lui a déclaré qu'il avait là une maison assez agréable, mais qu'il s'ennuyait à Schönwalde. Que c'était un trou sinistre. Naturellement, elle savait qu'Erich senior avait été un communiste fervent, aussi elle lui a demandé si vivre à l'Ouest signifiait qu'il avait quitté le parti. À quoi il a répondu qu'il en était arrivé à la conclusion que les communistes ne valaient pas mieux que les nazis.

— Il lui a dit ça ?

— Oui.

— Nous avons vérifié, vous savez, et il n'y a pas trace d'un Erich Mielke habitant Berlin-Ouest.

— Le père de Mielke ne s'appelle pas Mielke. Son nom est Erich Stallmacher. Mielke était un enfant illégitime. D'ailleurs, le père ne se sert pas du nom de Stallmacher non plus.

— Vous a-t-elle dit quel nom il utilisait ?

— Non.

— Communiqué une adresse ?

— Stallmacher n'est pas stupide à ce point-là.

— Mais il y a quelque chose. Quelque chose que vous souhaitez monnayer.

— Oui. Stallmacher a mentionné à Elisabeth un restaurant où il aime bien aller déjeuner le samedi.

— Et votre idée est ? Quoi exactement ?

— Ça, c'est votre domaine de spécialisation, Chef, pas le mien. Je n'ai jamais été un très bon agent de renseignement. Je n'ai pas l'esprit assez tordu pour être vraiment efficace dans votre monde. Je faisais un meilleur policier, je pense. Plus doué pour percer à jour une entourloupe que pour en inventer une.

— Je vois que vous avez une piètre opinion du renseignement.

— Seulement des gens qui y travaillent.

540

— Nous inclus.

— Vous particulièrement.

— Vous préférez les Français ?

— Il y a quelque chose de sincère dans leur hypocrisie et leur égoïsme.

— En tant qu'ancien policier berlinois, que proposeriez-vous ?

— Suivre Erich Stallmacher depuis son restaurant favori jusqu'à son appartement. Et y tendre un piège à Erich Mielke.

— Risqué.

— Pour sûr. Mais, maintenant que vous m'avez emballé, vous allez le faire quand même. Vous n'avez pas le choix, pas après avoir en partie sapé toute cette propagande noire que j'ai distillée aux Français comme quoi Mielke était votre agent ; et, avant ça, un agent des nazis. Sans la cerise sur le gâteau – que je leur balance de Boudel –, ils ne trouveront peut-être plus le tissu de mensonges que je leur ai servi sur Erich aussi convaincant.

— Il est vrai que nous aimerions bien mettre la main sur Mielke. Avec son père dans notre poche, peut-être même pourrions-nous faire de lui cet espion dont vous avez brossé le portrait aux Français. Il va de soi que nous devrons ternir votre réputation auprès d'eux. De manière à ce qu'ils se fassent de nouveau une impression juste de Mielke. À savoir qu'il était et a toujours été un parfait salaud de communiste.

— Vous voyez. Je savais bien que vous trouveriez un moyen de contourner ces petits problèmes.

— Et vous. Que désirez-vous en échange de votre collaboration ? »

Je fronçai les sourcils.

« Je peux vous montrer où est le restaurant. Peut-être même vous avoir une table.

— Nous aurons besoin de plus d'aide que ça. Après tout, vous avez rencontré Erich Stallmacher. Il vous a flanqué son poing dans la figure. Vous l'avez arrêté. Vous l'avez sûrement bien regardé ce jour-là. Non, Herr Gunther, nous voulons davantage qu'une table dans le bistrot favori de Stallmacher. Nous voulons que vous l'identifiiez. »

Je souris d'un air las.

« Quelque chose de drôle ?

— Vous n'êtes pas le premier reponsable du renseignement à me demander ça. Heydrich avait eu la même idée.

— Je me suis souvent interrogé sur Heydrich. On a prétendu que c'était le nazi le plus futé de la bande. Vous le pensez aussi ?

— Il est vrai qu'il avait une compréhension instinctive du pouvoir qui faisait de lui un nazi extrêmement efficace. Vous aimez les faits ? Alors en voici un à propos de Reinhardt Heydrich que vous apprécierez peut-être. Son père, Bruno, enseignait la musique après avoir été une sorte de compositeur. Dix ans avant la naissance de son fils, Bruno Heydrich écrivit un opéra intitulé *Le Crime de Reinhardt*. Ah oui, et en voici un deuxième. Heydrich a été assassiné sur l'ordre de Himmler.

— Pas possible ?

— J'étais chargé de l'enquête.

— Intéressant.

— Plus intéressant pour moi en ce moment : le fric qu'on m'a confisqué au moment où j'ai été arrêté à Cuba. Et aussi le bateau qu'on a saisi. C'est une partie du prix pour mon aide. En fait, c'est le prix que nous avions fixé à Landsberg pour que je débite des salades aux Français. De sorte que vous ne faites qu'approuver ce qui l'avait déjà été par vos sbires. Je veux que ce bateau soit vendu et la totalité de l'argent versée sur un compte en Suisse, comme nous en étions convenus. Je veux également un passeport américain. Et, pour livrer Erich Mielke, la somme de vingt-cinq mille dollars.

— C'est beaucoup.

— Dans la mesure où je m'apprête à vous apporter sur un plateau le chef adjoint de l'appareil de sécurité de l'Allemagne de l'Est, je dirais que le double serait encore bon marché.

— Philip ?

— Oui, patron ?

— Un prix qui en vaut la peine, d'après vous ?

— Pour Mielke ? Oui, patron. C'est ce que j'ai toujours pensé, depuis le début de toute cette opération.

— Parce que je voudrais que vous jouiez le rôle de Monsieur Loyal dans le spectacle de Herr Gunther, vous savez ?

— Non, patron.

— Eh bien, je suppose que vous le savez à présent, hein, Philip ? »

Scheuer parut gêné d'être mis ainsi sur la sellette.

« Oui, patron.

— Vous aussi, Jim. »

Frei leva les sourcils, mais acquiesça tout de même. Je me versai de nouveau du schnaps.

« Pourquoi pas ? dit le Chef. Nous aurions tous bien besoin d'un verre. Vous ne pensez pas, Phil ?

— Si, patron. C'est aussi mon avis.

— Mais pas du schnaps, hein ? Pardonnez-moi, Herr Gunther. Il y a un tas de choses que j'admire dans votre pays. Mais nous ne sommes pas très portés sur le schnaps à la CIA.

— J'imagine qu'il est difficile de garnir de pointes un verre aussi petit.

— Détrompez-vous. » Le Chef sourit. « Hmm. On peut dire que vous avez le sens de l'humour, pour un Allemand. »

Philip Scheuer rapporta une bouteille de bourbon et trois verres.

« Vraiment, vous ne voulez pas essayer, Herr Gunther ? me demanda le Chef. Pour fêter le marché que vous avez passé avec Ike[1].

— Pourquoi pas ?

— Bravo. On réussira quand même à faire de vous un Américain, mon cher. »

Mais c'était précisément ce qui me tracassait.

---

1. Surnom du président Eisenhower.

37

Berlin, 1954

La plupart des gens passent leur vie à accumuler des biens. Il semble que j'aie passé la mienne à les perdre ou à me les faire barboter. La seule chose qui me restait d'avant la guerre, c'était une pièce d'échecs cassée, faite en os – la tête d'un cavalier noir provenant d'un jeu d'échecs Selenius. Pendant les derniers jours de la République de Weimar, ce cavalier noir avait été constamment en usage au Romanisches Café, où j'avais joué une ou deux fois avec le grand Emmanuel Lasker. Un habitué, jusqu'au moment où les nazis l'avaient obligé, son frère et lui, à quitter l'Allemagne pour toujours, en 1933. Je le revoyais encore, penché sur un échiquier, avec ses cigarettes et ses cigares, et sa moustache en guidon. Généreux à l'excès, il refilait des tuyaux ou faisait des parties de démonstration à quiconque en exprimait le désir. Lors de son dernier jour au Romanisches Café – il alla à Moscou puis à New York –, Lasker fit cadeau à tous ceux qui étaient venus lui dire au revoir d'une pièce d'échecs du plus beau jeu de l'établissement. Je reçus le cavalier noir.

Vu la manière dont on s'est servi de moi au fil des années, il m'arrive de penser qu'un pion noir aurait été plus adéquat. Cela dit, en soi, un cavalier même cassé donne l'impression d'avoir plus de valeur qu'un simple pion, ce qui explique probablement que je me sois efforcé de le garder à travers les épreuves. Le petit socle en os s'était détaché pendant la bataille de Königsberg pour s'égarer peu de temps après ; mais, par je ne sais quel miracle, la tête du cavalier était demeurée en ma possession. J'aurais pu appeler ça mon porte-bonheur, sauf que la chance ne m'avait jamais particulièrement favorisé. D'un autre côté, j'étais toujours dans la course, et quelquefois il ne vous en faut pas plus. Tout – absolument tout – peut arriver du moment que vous restez dans la course. Et, par la suite, comme pour me rappeler ce principe, je me surprenais fréquemment à serrer la tête du petit cavalier noir dans mon poing, comme un musulman se sert d'un chapelet pour prononcer les quatre-vingt-dix-neuf noms de Dieu et se rapprocher de lui pendant la prière. Sauf que ce n'était pas de Dieu que je désirais me rapprocher, mais de quelque chose de beaucoup plus terrestre. La liberté. L'indépendance. Le respect de soi-même. Ne plus être le pion des autres dans une partie qui ne me concernait pas. Certainement, ce n'était pas trop demander.

Le vol de Francfort à Berlin à bord d'un DC-7 prit un peu moins d'une heure. Voyageaient avec moi Scheuer, Frei et un troisième type – celui avec des lunettes à la monture épaisse qui m'avait kidnappé à Göttingen : il s'appelait Hamer. Une Mercedes noire nous attendait devant l'aéroport de Tempelhof. Alors qu'on s'éloignait, Scheuer indiqua le monument commémorant le pont aérien de Berlin en 1948 qui occupait le centre de l'Adlerplatz. En béton, plus haut que le bâtiment de l'aéroport lui-même, il était censé symboliser les trois couloirs aériens qui avaient permis d'apporter du ravitaillement lors du blocus soviétique. On aurait plutôt dit la statue d'un fantôme de bande dessinée, les bras levés, se penchant pour faire peur à quelqu'un. Et, comme je jetais un coup d'œil en arrière, me parut nettement plus intéressant le sort de l'aigle nazi qui surmontait la façade centrale des locaux de l'aéroport. Aucun doute : l'aigle avait été américanisé. Quelqu'un avait peint sa tête en blanc, si bien qu'il avait l'air à présent d'un aigle chauve yankee.

Nous roulâmes vers l'ouest à travers le secteur américain, propre et apparemment prospère, avec des tas de magasins aux vitrines en verre laminé et des cinémas tout neufs aux couleurs criardes projetant les derniers films hollywoodiens : *Fenêtre sur cour, Le crime était presque parfait* ou encore *Sur les quais.* L'Ihnestrasse, près de l'université et de l'immeuble Henry-Ford flambant neuf, présentait à peu près le même aspect qu'avant guerre. Beaucoup de châtaigniers et de jardins bien entretenus. Les drapeaux américains étaient nouveaux, bien entendu. Il y en avait un grand sur le mât devant le club des officiers américains de la Harnack Haus – autrefois la résidence des invités de l'Institut Kaiser-Wilhelm. Scheuer m'expliqua avec fierté que le club possédait un restaurant, un salon de beauté, un coiffeur et un kiosque à journaux, et promit de m'y emmener. Mais je ne pense pas que le Kaiser aurait approuvé : il n'avait jamais tellement aimé les Américains.

Nous logions dans une villa située un peu plus bas dans la rue. De ma lucarne à l'arrière, on pouvait voir un petit lac. Les seuls bruits étaient les oiseaux dans les arbres et les sonnettes des vélos des étudiants allant à l'université libre de Berlin ou en revenant, tels de petits messagers d'espoir pour une ville que j'avais du mal à aimer de nouveau, en dépit du service rapide fourni avec la chambre sous la forme d'un valet obséquieux en veste blanche qui proposa de m'apporter du café et un beignet. Je refusai les deux et demandai une bouteille de schnaps et des cigarettes. Le pire, c'était la musique : des haut-parleurs invisibles diffusaient une chanteuse à la voix sirupeuse qui semblait me suivre depuis la salle à manger, à travers le hall et jusque dans la bibliothèque. Elle n'était pas particulièrement forte et envahissante, mais elle était là quand on n'en avait pas besoin. Je posai la question au valet. Il s'appelait George et il me répondit qu'il s'agissait d'Ella Fitzgerald, comme si c'était une raison suffisante.

Le mobilier avait l'air d'origine, ce qui était très bien, même si la fontaine d'eau de la bibliothèque détonnait quelque peu, de même que les éructations périodiques montant de ses profondeurs comme un énorme renvoi. On aurait dit le bruit de ma conscience.

Le restaurant Am Steinplatz se trouvait au 197 Uhlandstrasse, au sud-ouest du Tiergarten, et datait d'avant la guerre. À voir son extérieur vétuste, on doutait qu'il puisse être suffisamment bon pour avoir légitimement sa place dans le guide de Berlin de l'armée américaine ; pourtant, il était très apprécié des officiers américains et de leurs petites amies allemandes. Il y avait un bar, avec une salle à manger servant un

mélange de cuisines traditionnelles américaine et berlinoise. Tous les quatre – moi et les trois Ricains –,
nous occupions une table le long de la devanture dans
la salle à manger. La serveuse portait des lunettes et
avait les cheveux plus courts que la normale, à croire
qu'ils étaient en train de repousser à la suite de quelque
désastre personnel. Bien qu'allemande, elle commença
par parler en anglais, comme si elle savait que rares
étaient les Berlinois qui avaient les moyens de payer
les prix marqués sur le vaste menu. Nous comman-
dâmes du vin et à déjeuner. La salle était plus ou moins
déserte, ce qui laissait supposer qu'Erich Stallmacher
n'était pas encore là. Mais elle se remplit rapidement,
jusqu'à ce qu'il n'y ait plus qu'une table de libre.

« Il ne viendra probablement pas, remarqua Frei.
Pas cette fois. D'après mon expérience, c'est toujours
comme ça dans ce genre d'expédition. La cible ne vient
jamais la première fois.

— Espérons que tu ne te trompes pas, répondit
Hamer. La nourriture ici est tellement super que je ne
demande pas mieux que de revenir. Autant de fois que
nécessaire. »

La pluie martelait la vitrine embuée du restaurant.
Un bouchon sauta d'une bouteille. Les officiers à la
table voisine s'esclaffèrent bruyamment, comme des
types habitués à rire dans de grands espaces, à la
rigueur sur un cheval, mais pas dans de petits restaurants de Berlin. Ils allèrent jusqu'à trinquer, avec plus
de panache et de fracas qu'il n'était nécessaire. Dans
la cuisine, quelqu'un cria qu'une commande était prête.
Je regardai la montre de Scheuer – la mienne se trouvait toujours dans un sac en papier à Landsberg. Il était
une heure trente.

« Je vais peut-être aller vérifier au bar, annonçai-je.

— Bonne idée, approuva Scheuer.

— Passez-moi de quoi acheter des cigarettes, lui dis-je. Pour la forme. »

Je gagnai le bar, achetai des cigarettes anglaises au serveur et jetai un coup d'œil autour de moi pendant qu'il me cherchait du feu. Plusieurs clients jouaient aux dominos dans une petite alcôve en arrière-salle. Un chien était couché près d'eux. Sa queue remuait par intermittence. Installé dans un coin, un vieil homme faisait durer une bière tout en lisant l'édition de la veille de *Die Zeit*. Je pris un schnaps sur le pouce avec la monnaie, allumai ma cigarette et retournai dans la salle à manger tandis qu'une machine à café hurlait comme un vent arctique. Je m'assis, écrasai ma cigarette, coupai un morceau de mon *schnitzel* intact et dis :

« Il est là.

— Bon Dieu ! s'exclama Frei. Je n'y crois pas.

— Vous êtes sûr ? demanda Hamer.

— Je n'oublie jamais un homme qui m'a collé un pain.

— Vous ne pensez pas qu'il vous a reconnu ? dit Scheuer.

— Non. Il porte des lunettes de lecture. Et il y en a une autre paire dans sa poche du haut. À mon avis, il est presbyte d'un œil et myope de l'autre. »

Une horloge murale bavaroise sonna la demi-heure. À la table d'à côté, les Américains repoussèrent leurs chaises avec les mollets. Sur le plancher du restaurant, on aurait dit un roulement de tambour.

« Bon, qu'est-ce qui se passe maintenant ? demanda Hamer.

— On s'en tient au plan, répondit Scheuer. Gunther va le suivre et nous suivrons Gunther. Il connaît cette ville mieux qu'aucun d'entre nous.

— J'aurais besoin d'argent supplémentaire. Pour l'U-Bahn ou un tram. Et, si je vous perds, il me faudra peut-être prendre un taxi pour regagner l'Ihnestrasse.

— Vous ne nous perdrez pas, rétorqua Hamer avec un sourire confiant.

— Tout de même, dit Scheuer. Il a raison. »

Il me tendit quelques billets et un peu de monnaie. Je me levai.

« Vous allez vous asseoir dans le bar ? demanda Frei.

— Non. À moins que je ne tienne à ce qu'il me reconnaisse plus tard. Je me mettrai dehors pour l'attendre.

— Sous la pluie ?

— C'est l'idée générale. Vous feriez bien d'éviter le bar. Nous ne voudrions pas qu'il ait l'impression que quelqu'un s'intéresse à lui.

— Tenez, dit Frei. Vous pouvez prendre mon chapeau. »

Je l'essayai. Comme il était trop grand, je le lui rendis.

« Gardez-le. Je me dissimulerai sous un porche de l'autre côté de la rue et je surveillerai de là. »

Scheuer essuya un cercle de buée sur la vitre.

« Et nous, nous vous surveillerons d'ici. »

Hamer regarda mes aliments à moitié consommés.

« Vous autres Allemands, vous mangez trop, de toute façon. »

Faisant mine de ne pas avoir entendu, je dis :

« C'est moi qui le file. Pas vous. Si vous pensez que je l'ai perdu, ne paniquez pas. Gardez vos distances. Et n'essayez pas de le retrouver à ma place. Je sais ce que je fais. Tâchez de vous en souvenir. C'était mon gagne-pain, ce genre de truc. S'il entre dans un autre immeuble, attendez dehors, ne me suivez pas à l'intérieur. Il se peut qu'il ait des copains guettant à une fenêtre.

— Bonne chance, dit Scheuer.

— Bonne chance à nous tous », répondis-je avant de vider mon verre de vin et de sortir du restaurant.

Pour la première fois depuis un bon bout de temps, je marchais d'un pas élastique. Les choses avaient l'air de plutôt bien se goupiller. La pluie ne me dérangeait pas le moins du monde. C'était bon de la sentir sur mon visage. Rafraîchissant. Je pris position dans l'entrée d'un immeuble noir de suie sur le trottoir d'en face. Une entrée glaciale. Une vraie planque de flic. Soufflant sur mes ongles faute de gants, je m'adossai au mur. Jadis, voilà longtemps de ça, j'avais habité à seulement cinquante ou soixante mètres de là où je me tenais, dans un appartement de la Fasanenstrasse. Durant le long été torride de 1938, lorsque toute l'Europe poussait un soupir de soulagement parce que la menace d'une guerre avait été écartée. C'est du moins ce que nous pensions. Ayant affirmé que l'histoire était de la foutaise, Henry Ford ajoutait que la plupart d'entre nous préfèrent vivre dans le présent et ne pas penser au passé. Ou quelque chose de ce genre. Mais, à Berlin, le passé était nettement plus difficile à éviter.

Un homme descendit les escaliers de l'immeuble et me demanda une cigarette. Que je lui donnai, et nous bavardâmes un moment, pendant lequel je gardai néanmoins un œil sur les deux portes de l'Am Steinplatz. À l'autre bout de l'Uhlandstrasse, près de la place du même nom, se dressait un hôtel appelé le Steinplatz. Les deux établissements appartenaient aux mêmes propriétaires ; à la confusion de tous les Américains, ils partageaient également le même numéro de téléphone. La confusion de tous les Américains m'allait à merveille.

Il cessa de pleuvoir et le soleil apparut. De même que mon gibier quelques instants plus tard. Il marqua un temps d'arrêt, leva la tête vers le ciel qui se dégageait et alluma une pipe, ce qui me donna l'occasion de l'examiner de nouveau.

Il portait un vieux manteau en loden, un chapeau avec une plume d'oie glissée dans la bande de soie, et on pouvait entendre les clous de ses chaussures depuis l'autre côté de la rue. Corpulent, il commençait à se dégarnir et arborait à présent une paire de lunettes différente. Il existait sans l'ombre d'un doute une forte ressemblance avec Erich Mielke. De plus, l'homme était à peu près de la même taille. Il vérifia ses boutons de braguette comme s'il était allé aux toilettes et se dirigea au sud, vers la Kantstrasse. Au terme d'un intervalle convenable, je lui emboîtai le pas, une main sur la tête de mon petit cavalier.

Je me sentais encore mieux maintenant que je marchais seul. Enfin, presque seul. Je jetai un coup d'œil circulaire et en aperçus deux – Frei et Hamer – à une trentaine de mètres derrière moi, chacun sur un trottoir. Ne voyant pas Scheuer, je supposai qu'il était allé chercher la voiture, pour qu'ils n'aient pas à marcher si, finalement, nous traquions notre homme jusqu'à son repaire. Les Américains n'aimaient pas plus marcher que sauter un repas. Depuis que je m'étais mis à passer du temps avec eux, j'avais remarqué que l'Américain moyen – si tant est que ces gus étaient des Américains moyens – mangeait deux fois plus que l'Allemand moyen. Chaque jour.

Dans la Kantstrasse, l'homme tourna à droite en direction de la Savignyplatz ; tout à coup, près du S-Bahn, une rame s'arrêta dans la station aérienne au-dessus de sa tête et il s'élança au trot. J'en fis autant et réussis à acheter un billet puis à monter dans la rame juste avant que les portes se referment, et nous voilà partis, direction le nord-est, vers le vieux Moabit. Hamer et Frei n'eurent pas autant de chance. Au moment où la rame démarrait, je les vis grimper en courant les escaliers de la station de la Savignyplatz. Je leur aurais peut-être même souri si ce que j'étais en train de faire ne m'avait pas paru aussi crucial pour mon avenir et ma prospérité.

Je m'assis et regardai droit devant moi par la fenêtre. Toute la bonne vieille formation de flic se mit de nouveau en branle : la façon d'effectuer une filature sans se signaler à l'attention. Pour l'essentiel, il s'agissait de garder ses distances tout en suivant un type susceptible de se trouver derrière vous aussi bien que devant ; ou, en l'occurrence, dans le compartiment voisin. Je pouvais le voir par la vitre de séparation, continuant à lire son journal. Ce qui, bien sûr, me facilitait la tâche. Et de penser que j'avais la situation bien en main rendait d'autant plus savoureuse la déconfiture que, très probablement, les Américains n'allaient pas tarder à connaître. Scheuer, je le trouvais presque sympathique, mais Hamer et Frei, c'était une autre affaire. Je détestais tout particulièrement Hamer, ne serait-ce qu'à cause de son arrogance et parce qu'il semblait éprouver une réelle aversion pour les Allemands. Bon, nous avions l'habitude. Mais c'était énervant tout de même.

Sans bouger la tête, je roulai les yeux d'un côté comme une marionnette de ventriloque. Nous arrivions à la station Zoo, et j'observais le journal dans le compartiment adjacent pour voir s'il allait se replier, mais il resta droit et le demeura aux stations Tiergarten et Bellevue ; mais, à Lehrter, il finit par s'abaisser, et le lecteur se leva pour sortir.

Il descendit les marches et se dirigea vers le nord, avec le port Humboldt à sa droite. Plusieurs péniches amarrées ensemble en une volumineuse flottille oscillaient doucement sur l'eau bleu acier du secteur britannique. De l'autre côté de ce même port se trouvaient l'hôpital de la Charité et le secteur soviétique. Au loin, des gardes-frontières est-allemands ou peut-être russes étaient en faction à un poste de contrôle au carrefour d'Invalidenstrasse et du canal. Mais nous allions au nord, remontant la Heidestrasse jusqu'au secteur français, où nous tournâmes à droite dans la Fennstrasse avant d'atteindre le triangle de la Weddingplatz. Je marquai un temps d'arrêt pour contempler les ruines de la Dankeskirche, l'église où je m'étais marié avec ma première femme, puis je lançai un dernier regard à mon homme alors qu'il allait se terrer dans un grand immeuble de la Schulzendorfer Strasse surplombant la vieille brasserie désaffectée.

Il n'y avait pas de circulation sur la place, ou à peine. Presque aussi fauchés que les Britanniques, les Français n'avaient pas d'argent à consacrer à la relance du commerce allemand dans le quartier, sans parler de restaurer une église bâtie pour remercier Dieu d'avoir sauvé leur vieil ennemi mortel, l'empereur Guillaume Ier, d'une tentative d'attentat en 1878.

M'approchant de l'immeuble situé au coin de la Schulzendorfer Strasse, je jetai un coup d'œil dans la Chausseestrasse. Là, le point de passage de la Liesenstrasse se trouvait tout près, juste de l'autre côté du mur de la brasserie probablement. Puis j'examinai les noms au-dessus des cordons de sonnette en cuivre, tout en me disant qu'Erich Stahl était suffisamment proche d'Erich Stallmacher pour que notre petite opération clandestine se déroule maintenant comme prévu.

38

Berlin, 1954

Nous déménageâmes dans une petite planque minable de la Dreysestrasse, à l'est de l'hôpital de Moabit, dans la zone britannique, planque qui, d'après Scheuer, se trouvait aussi près de l'appartement de Stallmacher qu'on pouvait l'espérer pour le moment sans mettre la puce à l'oreille des Russes ou, en l'occurrence, des Français. On avait seulement dit aux Britanniques qu'on surveillait un individu suspecté de faire du marché noir.

Le plan était simple : en tant que Berlinois, je contacterais le propriétaire de l'immeuble de la Schulzendorfer Strasse pour lui proposer de louer un des logements vides, cela en me servant du nom de jeune fille de ma femme. Le propriétaire en question, un avocat de Wilmersdorf à la retraite, me fit faire le tour de l'appartement – qu'il avait meublé lui-même – et qui était beaucoup mieux à l'intérieur qu'il n'en avait l'air de l'extérieur. Il m'expliqua que l'immeuble avait appartenu à son épouse, Martha, qui l'avait administré jusqu'à ce qu'elle soit tuée par une bombe, l'année précédente, alors qu'elle allait sur la tombe de sa mère à Oranienburg.

« Ils ont dit qu'elle ne s'était rendu compte de rien, raconta Herr Schurz. Une bombe américaine de deux cent cinquante kilos gisait là depuis près de dix ans sans que personne l'ait remarquée. Un fossoyeur creusait à une vingtaine de mètres ; il a dû la heurter avec sa pioche.

— Quel dommage, dis-je.

— Il paraît qu'Oranienburg est truffé de projectiles non explosés. À cet endroit, le sol est mou, vous comprenez, avec une couche de gravier dur en dessous. Les bombes pénétraient dans la terre, mais pas dans le gravier. » Il eut un haussement d'épaules puis il secoua la tête. « Apparemment, il y avait un tas de cibles à Oranienburg. »

J'opinai.

« L'usine Heinkel. Et des installations pharmaceutiques. Sans parler d'un centre de recherche soupçonné de fabriquer la bombe atomique.

— Êtes-vous marié, Herr Handlöser ?

— Non, ma femme est morte elle aussi. D'une pneumonie. Mais elle était malade depuis déjà pas mal de temps, alors ça n'a pas été un choc aussi brutal que ce qui est arrivé à la vôtre. »

M'approchant de la fenêtre, je regardai dans la rue.

« C'est un grand appartement pour une personne seule, fit remarquer Schurz.

— Je songe à prendre deux ou trois locataires pour m'aider avec le loyer, répondis-je. Si vous n'y voyez pas d'inconvénient. Des membres d'une école biblique américaine.

— Je suis ravi de l'entendre. Voilà de quoi le secteur français a besoin actuellement. Davantage d'Américains. Ce sont les seuls à avoir de l'argent. À ce propos... »

Je comptai quelques billets dans sa main avide. Il me donna un trousseau de clés. Après quoi je regagnai la planque de la Dreysestrasse.

« En ce qui concerne le propriétaire, annonçai-je, on peut emménager demain.

— Vous n'avez pas parlé de Stahl, ou de Stallmacher, répliqua Scheuer.

— J'ai fait exactement ce que vous m'aviez dit. Je n'ai même pas posé de questions sur les voisins. Eh bien, qu'est-ce qui se passe maintenant ?

— On s'installe et on surveille constamment la crèche, répondit Scheuer. On attend qu'Erich Mielke rende visite à son papa puis on monte leur faire un petit coucou. »

Frei éclata de rire.

« Salut, nous sommes vos nouveaux voisins. Ça vous intéresserait de passer à l'Ouest ? Vous et votre paternel.

— Qu'est devenue votre idée de faire de lui votre espion ?

— Pas assez de marge de manœuvre. Nos chefs veulent savoir ce que les dirigeants est-allemands ont actuellement en tête, pas ce qu'ils penseront dans un an. Donc on s'empare de lui et on le ramène aux États-Unis pour l'interroger.

— Vous oubliez la femme de Mielke, Gertrud, non ? Et est-ce qu'il n'a pas un fils à présent ? Frank ? Il ne voudra sûrement pas les abandonner.

— Nous ne les oublions pas du tout, rétorqua Scheuer. Mais il y a de fortes chances que lui le fasse. D'après tout ce que nous savons à son sujet, il n'est pas du genre sentimental. D'ailleurs, il peut toujours demander qu'ils viennent à l'Ouest eux aussi. Ce n'est pas comme si un mur allait les arrêter.

— Et s'il ne veut pas partir ?

— Alors tant pis.

— Vous allez le kidnapper ?

— Ce n'est pas un mot que nous utilisons, répondit Scheuer. La Constitution des États-Unis autorise des exceptions d'ordre public aux procédures normales d'extradition. Mais, à mon avis, il n'y aura pas de problème. Dès qu'il nous verra tous les quatre, il saura que la partie est finie et qu'il n'a pas le choix, en l'occurrence.

— Et une fois que vous l'aurez ramené ? Que se passera-t-il ensuite ? »

Scheuer sourit.

« Je ne veux même pas y penser avant que nous le tenions, Gunther. Mielke est la grande baleine blanche pour la CIA en Allemagne. Si nous le capturons, nous aurons suffisamment d'huile à mettre dans nos lampes pour voir ce que nous faisons dans ce pays au cours des années à venir. Il est possible que la Stasi ne se remette pas d'un coup pareil. Cela pourrait même nous aider à gagner la guerre froide.

— Plutôt, oui, dit Hamer. Mielke est un personnage sacrément important. Il n'y a pas grand-chose que ce salopard ignore sur les projets des communistes en Allemagne. Envahiront-ils ? Resteront-ils de leur côté de la clôture ? Jusqu'où sont-ils prêts à aller pour conserver le terrain qu'ils ont déjà conquis ? Ou encore quel est le degré d'autonomie de l'actuelle direction est-allemande par rapport à Moscou ? »

Frei me tapa amicalement sur l'épaule.

« Gunther, vieille branche, vous nous aidez à attraper ce salaud et votre avenir est assuré, vous entendez ? Lorque Ike vous recevra pour vous remercier, mon ami allemand, vous vous sentirez encore plus américain que nous. »

Hamer fronça les sourcils.

« Gunther devrait peut-être demander des précisions à sa copine, vous ne croyez pas ? Est-ce que Mielke vient le week-end ? Au début ou à la fin du mois ? On risque d'attendre des semaines dans l'appartement avant que ce Boche se pointe. »

Mais Scheuer secouait la tête.

« Non, il vaut mieux laisser les choses en l'état. De plus, j'ai l'impression que Gunther a déjà éprouvé les limites de sa relation avec la dame. S'il lui pose de nouvelles questions sur Mielke, elle ne va pas tarder à se demander qui l'intéresse le plus, elle ou lui ? Et je ne voudrais pas qu'elle devienne jalouse. Les femmes jalouses sont imprévisibles. »

Il alla à la fenêtre de la planque, écarta légèrement le voilage gris-blanc et regarda dehors au moment où une ambulance remontait à toute allure la Bendlerstrasse en direction de l'hôpital, sa sirène retentissant avec fureur.

« Ça me fait penser », dit-il. Il se tourna vers Frei. « Tu t'es occupé de cette ambulance ?

— Oui.

— Ce n'est pas pour nous. » Il me jeta un coup d'œil. « C'est pour le colis.

— Vous voulez dire Mielke.

— Exact. Mais, à partir de maintenant, on ne se sert plus de ce nom. Pas jusqu'à ce qu'il soit dans une aile privée de l'hôpital militaire américain de Lichterfelde.

— Je suppose que vous allez lui donner du thiopental à lui aussi.

— Seulement si nous y sommes forcés.

— Ce n'est pas qu'il soit rationné », remarqua Frei.

Hamer éclata de rire.

« Pas pour nous, en tout cas.

— Au fait, dis-je, n'hésitez pas à me payer incessamment.

— Vous l'aurez, votre fric pourri, répliqua-t-il.

— J'ai déjà entendu ça. » Je le gratifiai d'un sourire sarcastique avant de me tourner vers Scheuer. « Écoutez, tout ce que je demande, c'est de voir une lettre du genre de banque suisse qui vous traite comme un numéro parmi d'autres. Et je ne veux que ce qui m'appartient.

— Et d'où est-ce que ça venait ? dit Hamer.

— Ce ne sont pas vos oignons. Mais puisque vous me le demandez aussi poliment, Hamer, je l'ai gagné au jeu. À La Havane. Vous pouvez me payer les vingt-cinq mille dollars à titre de bonus si et quand vous aurez le colis.

— Le jeu. Ouais, bien sûr.

— Lorsqu'on m'a arrêté à Cuba, j'avais un reçu comme attestation.

— Les SS faisaient la même chose quand ils dépouillaient les Juifs.

— Si vous insinuez que c'est ainsi que je me suis procuré mon pognon, vous vous trompez. Comme vous vous trompez sur à peu près tout, Hamer.

— Vous l'aurez, votre argent, affirma Scheuer. Ne vous tracassez pas pour ça. On s'occupe de tout. »

Je hochai la tête. Pas parce que je le croyais, mais parce que je tenais à ce qu'il croie que l'argent constituait désormais ma motivation alors que ce n'était pas le cas. Plus maintenant. Je serrai le cavalier noir dans ma poche de pantalon et décidai d'imiter sa marche sur l'échiquier. De me déplacer obliquement, d'une case sur le côté puis de deux en avant. En position fermée, qu'est-ce que je pouvais faire d'autre ?

39

Berlin, 1954

Le lendemain après-midi, nos sacs et valises bouclés
– la mienne était la plus petite –, nous nous préparâmes
à quitter la pension de la Dreysestrasse pour nous
rendre dans l'appartement de la Schulzendorfer
Strasse. Aucun de nous n'éprouvait de regrets de fiche
le camp de là. La logeuse possédait plusieurs chats,
qui n'étaient guère enclins à pisser dehors. Même les
fenêtres ouvertes, l'endroit empestait la maison de
retraite. Nous nous entassâmes dans une fourgonnette
Volkswagen à l'apparence relativement neuve, nous,
nos bagages et notre attirail. Scheuer conduisait, tandis
que j'occupais le siège du passager, donnant des indi-
cations, et que Hamer et Frei se débattaient à l'arrière
avec les bagages en se plaignant bruyamment. Suivait
à quelques mètres l'ambulance contenant ce que
Scheuer appelait la « sécurité » : des malabars de la
CIA avec des pétards et des radios à ondes courtes.
D'après le plan de Scheuer, l'ambulance se garerait à
brève distance de la Schulzendorfer Strasse de façon

que, le moment venu, les malabars en question puissent nous aider à nous saisir d'Erich Mielke.

Je dis à Scheuer de prendre la Perleberger Strasse en direction du nord afin de franchir le canal par le Fennbrücke, mais, un vieil immeuble s'étant écroulé au coin de la Quitzowstrasse, de l'autre côté de la rue, la police et les pompiers nous obligèrent à descendre la Heidestrasse vers le sud.

« On ferait mieux de ne pas traverser le canal dans l'Invalidenstrasse, dis-je à Scheuer. Pour des raisons évidentes. »

Située sur la rive est du canal, la rue se trouvait en RDA, et une fourgonnette presque neuve pleine d'Américains – sans parler d'une ambulance bourrée de types armés – ne manquerait pas d'attirer l'attention inopportune des Grepos.

« Remontez l'Invalidenstrasse jusqu'à Alt-Moabit et tournez ensuite à droite dans la Rathenower Strasse. Il nous faudra traverser le canal au Föhrer Brücke. S'il est toujours là. Ça fait un moment que je ne me suis pas baladé dans le coin. Chaque fois que je viens à Berlin, ça n'a plus le même air que la fois précédente. »

Scheuer se mit à invectiver les deux à l'arrière.

« C'est pour ça que Gunther a le siège. Ainsi, il peut nous dire où aller.

— Moi, je sais bien où j'aimerais lui dire d'aller », grommela Hamer.

Scheuer me regarda avec un grand sourire.

« Il ne vous aime pas beaucoup.

— Pas de problème. J'éprouve la même chose à son égard. »

Dans Rathenower Strasse, nous passâmes devant un vaste édifice sinistre, en forme d'étoile, sur la gauche.

« Qu'est-ce que c'est ? demanda-t-il.

— La prison de Moabit.

— Et l'autre bâtiment ? »

Il voulait parler de la grande construction à moitié en ruine, au nord de la prison, une sorte d'énorme forteresse bordant la Turmstrasse sur près d'une centaine de mètres.

« Ça ? C'est l'endroit où toute cette fichue histoire a commencé. La cour criminelle centrale. En mai 1931, il y avait des voitures de police garées tout le long de la rue. Et des flics partout, dans et à l'extérieur du bâtiment. Mais principalement à l'extérieur, parce que c'est là que la plupart des membres des troupes d'assaut nazies étaient rassemblés. Deux mille. Peut-être plus. Et les journalistes se pressaient autour des grandes portes de l'entrée.

— Un procès important avait lieu, hein ?

— Le procès du Tanzpalast Eden. Un cas assez banal, en fait. Quatre nazis avaient tenté de buter des communistes dans une salle de bal. En 1931, des incidents semblables se produisaient presque quotidiennement. Non, ce qui rendait cette affaire si exceptionnelle, c'était le témoin à charge, c'est pour lui qu'il y avait autant de flics et de nazis sur place. Ce témoin était Adolf Hitler. Le procureur voulait montrer qu'il était l'esprit maléfique dissimulé derrière ce genre de violences entre nazis et communistes. Hitler n'arrêtait pas de proclamer en public son engagement en faveur de la loi et de l'ordre, et l'accusation entendait faire la preuve du caractère mensonger d'une telle allégation. Hitler avait donc été appelé à témoigner.

— Vous y étiez ?

— Oui. Encore que je m'intéressais davantage aux quatre prévenus et à ce qu'ils avaient à dire concernant un autre meurtre sur lequel j'enquêtais. Mais je l'ai vu, oui. Qui pouvait prédire que ce serait la seule et unique fois où il aurait à répondre de ses crimes devant une cour de justice ? Il arriva dans la salle vêtu d'un costume bleu, et, pendant une dizaine de minutes, il joua les braves citoyens respectueux de la loi. Mais, peu à peu, comme les questions se poursuivaient, il commença à se contredire puis à perdre son sang-froid. Il était interdit aux SA, assura-t-il, de commettre ou de provoquer quelque violence que ce soit. Beaucoup de ses réponses suscitèrent même des rires sur les bancs du public. Pour finir, après avoir déposé pendant près de quatre heures, il perdit tout son calme et se mit à fulminer contre le procureur.

« Or, selon la législation allemande, le serment intervient à l'issue du témoignage et non avant. Et, lorsque Hitler jura que ses déclarations étaient la pure vérité, à savoir qu'il appliquait des méthodes légales et démocratiques pour conquérir le pouvoir politique, bien peu le crurent. Pas moi, en tout cas. Il ne faisait aucun doute pour tous ceux qui se trouvaient dans la salle qu'il fermait complaisamment les yeux sur les brutalités des SA, et c'est probablement à cette minute que j'acquis la certitude que jamais je ne pourrais devenir un nazi ni suivre un aussi fieffé menteur que Hitler.

— Eh bien, pourquoi avez-vous dit que c'est là que l'histoire a commencé ?

— L'histoire de Mielke. Ou plutôt, mon histoire de Mielke. Si je n'avais pas été à la cour criminelle centrale ce jour-là, je ne me serais peut-être pas dit que ça valait la peine d'aller à la prison de Tegel deux semaines plus tard pour interroger un des quatre prévenus SA. Et si je n'étais pas allé à Tegel ce jour-là, je n'aurais peut-être pas vu des SA sortir d'un bar de Charlottenburg en se bousculant et je ne les aurais peut-être pas filés. Auquel cas, je n'aurais jamais rencontré Erich Mielke et je ne lui aurais pas sauvé la vie. Voilà ce que je voulais dire.

— Compte tenu de la suite des événements, répliqua Hamer, on se serait tous beaucoup mieux portés si vous l'aviez laissé se faire étriper.

— Mais ça signifie que je n'aurais jamais eu le plaisir de faire votre connaissance, agent Hamer, répondis-je.

— Laissez tomber l'"agent", Gunther, dit Scheuer. À partir de maintenant, nous sommes simplement des gentlemen, d'accord ?

— Est-ce que ça inclut Herr Hamer ?

— Continuez à me faire marcher, Gunther, espèce d'enfoiré de Teuton, rugit Hamer, et vous allez voir où ça vous mène. Je souhaiterais presque qu'Erich Mielke ne vienne pas. Histoire de vous rabattre le caquet. Sans parler du plaisir de vous voir passer à côté de vingt-cinq mille dollars.

— Il viendra, dis-je.

— Comment pouvez-vous le savoir ? demanda Hamer.

— Parce qu'il aime son père, bien sûr. Je ne m'attendais pas à ce que vous compreniez ce genre de chose, Hamer. Pour aimer votre père, encore faudrait-il que vous le connaissiez.

— Hamer, fit Scheuer. Je vous ordonne de ne pas répondre. Et vous, Gunther, ça suffit comme ça. » Il montra du doigt la chaussée devant nous. « Par où maintenant ?

— À gauche dans la Quitzowstrasse et ensuite à droite dans la Putlitzstrasse. »

Nous roulâmes en direction de l'ouest avec la Berliner Ring à notre droite, avançant au même rythme que le petit train rouge et jaune qui se dirigeait dans un cliquetis métallique vers la station de la Putlitzstrasse, de sorte que nous filions le long du bas-côté herbeux et de la voie envahie par la végétation telles deux boules de billard. Avec ses hautes fenêtres cintrées et sa tour, la station en brique rouge faisait davantage penser à une abbaye médiévale qu'à un terminus.

La nuit approchait rapidement, et, sous le regard verdâtre des lampadaires semblables à des mantes religieuses du Föhrer Brücke, nous pénétrâmes dans Wedding. Avec ses fabriques de textile, ses brasseries et ses gigantesques usines électroniques, Wedding avait été jadis le cœur industriel de Berlin et un bastion communiste. En 1930, quarante-trois pour cent des électeurs de Wedding, dont beaucoup n'allaient pas tarder à se voir privés de leur emploi par la Grande Dépression, avaient voté pour le KPD. Autrefois, cela avait été l'un des *bezirke*[1] les plus peuplés de Berlin ; à présent, avec les longues nuits d'hiver approchant à grands pas et sans aucun signe de la reprise économique apparue dans le secteur américain, Wedding semblait presque désert, comme si tout avait été emporté sur les navires des conquérants. Certes, Berlin

----

1. « District ». Formée depuis le 1er janvier 2001 de 12 districts, Berlin en comportait auparavant 23.

s'était toujours couchée tôt, surtout en hiver, mais jamais en fin d'après-midi.

Au moment où nous tournions dans la Triftstrasse, Scheuer se mit à tambouriner sur le volant sous l'effet de l'excitation.

« Je n'arrive pas à croire qu'on va vraiment attraper ce type ! s'exclama-t-il. Qu'on va attraper Mielke.

— Putain, ouais ! » lança Frei avec un beuglement.

À les entendre tous les trois, on aurait dit une équipe de basket essayant de se stimuler avant un match.

« Si seulement vous saviez, Gunther, de quoi ce fumier est capable. Il se plaît à pratiquer lui-même la torture. Vous étiez au courant ? »

Je secouai la tête.

« Les Bauer, continua Scheuer, un membre du parti depuis 1932 ; il a été arrêté en 1950, et Mielke l'a battu comme un chien. Les Russes ont condamné Bauer à mort et, s'il est toujours en vie, c'est uniquement à cause de la disparition de Staline. Et Kurt Müller, le chef du KPD de Basse-Saxe : la Stasi l'a attiré à Berlin-Est en prétextant une réunion du parti puis l'a accusé d'être un trotskyste. Mielke l'a torturé également. Ce pauvre Müller a passé ces quatre dernières années en cellule d'isolement dans la propre prison de la Stasi à Halle. Le Bœuf rouge, comme on la surnomme. Et j'aime mieux ne pas vous raconter ce qu'il a fait aux agents de la CIA qu'ils ont capturés. Mielke est un vrai gestapiste. Il paraît qu'il a un buste de Dzerjinski dans son bureau. Vous savez ? Le chef de la première police secrète bolchevique. Croyez-moi, à côté de ce Mielke, votre ami Heydrich fait figure d'amateur. Si nous capturons Mielke, nous pouvons paralyser toute la Stasi. »

J'avais déjà entendu ça – ou quelque chose d'approchant – et je m'en foutais. C'était leur guerre, pas la mienne. La Stasi pensait sans doute que les « fascistes » de la CIA ne valaient pas mieux.

Au bout de la Triftstrasse, je dis à Scheuer de tourner à droite dans la Müllerstrasse.

« Juste devant, c'est la Weddingplatz », indiquai-je.

Comme on arrivait à l'immeuble, au coin de la Schulzenstrasse, Hamer, s'agenouillant derrière nous, déclara :

« Quel dépotoir ! Je ne peux pas imaginer qu'on ait envie de se tirer d'une baraque à Schönwalde pour habiter ici. »

Scheuer, qui était allé lui-même à l'appartement, répondit :

« Vraiment, ce n'est pas si mal à l'intérieur.

— N'empêche, je ne pige pas. »

Je haussai les épaules.

« C'est parce que vous n'êtes pas berlinois, Hamer. Le père d'Erich Mielke a vécu toute sa vie dans ce quartier. C'est dans le sang. Comme d'appartenir à une tribu ou à un gang. Pour un vieux communiste tel que Stallmacher, il représente le cœur du communisme allemand. Pas de commissariats de police à Berlin-Est. Et ça ne m'étonnerait pas du tout qu'il ait de vieux copains dans les parages. Pour les Berlinois, c'est une chose qui compte énormément. La communauté. Je suppose que vous ne connaissez pas trop ça chez vous. Il faut faire confiance à ses voisins si on veut vivre en bon voisinage. »

Scheuer arrêta la fourgonnette et pivota sur son siège. À quelques mètres, l'ambulance contenant notre sécurité s'était arrêtée également.

« Très bien, ouvrez vos oreilles, déclara Scheuer. Il s'agit d'une surveillance. Et il se pourrait que nous restions ici un moment avant qu'Erich junior se pointe. Alors aucune allusion à la Compagnie[1]. Encore une fois, ni titres ni dénominations internes. Et personne ne profère de gros mots. À partir de maintenant, nous sommes des membres d'une école biblique américaine. Et la première chose qu'on va sortir de cette fourgonnette, c'est une caisse de bibles. Très bien. Allons-y et attrapons ce salaud. »

Mais, alors que nous entrions dans l'immeuble et que nous montions en groupe les marches de pierre, j'espérais presque qu'Erich Mielke ne viendrait pas et que tout demeurerait comme avant. Mon cœur battait à présent la chamade. Était-ce seulement l'effort de grimper deux escaliers avec une caisse de bibles dans les bras, ou autre chose ? Je voyais déjà la scène qui nous attendait et je ne pouvais pas m'empêcher d'éprouver des remords. Je me disais que, si j'étais resté à Cuba, je n'aurais pas atterri dans les mains de la CIA, ce qui aurait peut-être évité tout ça. Qu'à cet instant même, je serais peut-être en train de lire un bouquin dans mon appartement du Malecón, ou de savourer les plaisirs qu'on pouvait retirer du corps d'Omara à la Casa Marina. Mister Greene était-il toujours là, à jongler avec des paires de nichons ? Il arrive qu'on ne connaisse pas son bonheur. Et, pour la première fois depuis une éternité, je songeai à cette pauvre Melba Marrero, la petite *chica* rebelle qui avait tiré sur le marin à bord de mon bateau. Se trouvait-elle dans

---

1. Un des surnoms donnés à la CIA.

une prison américaine ? Je l'espérais pour elle. Ou l'avait-on réexpédiée à La Havane, à la merci de la police locale corrompue, comme elle l'avait craint ? Auquel cas, elle était très probablement morte.

Qu'est-ce que je fichais là ?

« Pourquoi avez-vous suggéré des bibles ? » maugréa Hamer en posant la caisse qu'il portait sur le palier devant la porte de l'appartement du premier étage. Il regarda le battant avec un déplaisir manifeste. « Vous êtes certain de cette piaule, Gunther ? J'ai déjà vu des taudis plus séduisants.

— En fait, répondis-je, il y a une très jolie vue sur les usines de gaz de la fenêtre du salon. »

Mais, dans mon imagination, je ne voyais que la CIA entourant Mielke au moment où il arrivait pour rendre visite à son père et je n'entendais que leurs rugissements de plaisir tandis qu'ils le propulsaient dans l'appartement, refermaient les menottes sur ses poignets, lui enfonçaient un sac en toile sur la tête et le faisaient trébucher sur le sol. Peut-être qu'ils lui flanqueraient des coups de pied en l'injuriant, tout comme on m'avait flanqué des coups de pied en m'injuriant, jusqu'à ce qu'un ressort se casse en moi, de la manière dont ils avaient voulu qu'il se casse. Et je compris que j'avais fini par me changer en ce que j'abhorrais ; que j'avais franchi la frontière invisible de la dignité et de l'honneur ; que j'étais sur le point de devenir le fasciste que j'avais toujours détesté.

« Arrêtez de vous plaindre, dit Scheuer en lançant un regard anxieux vers le haut de l'escalier, à l'étage supérieur où, croyait-il, était situé l'appartement d'Erich Stallmacher. »

Je trouvai le trousseau de clés que m'avait remis le propriétaire, en glissai une dans la robuste serrure Dom. La clé tourna, et je poussai la lourde porte grise. Une forte odeur d'encaustique accueillit nos narines au moment où nous pénétrions dans l'appartement. J'attendis dans l'entrée relativement spacieuse que le dernier des Amerloques fût à l'intérieur, puis je refermai la porte. Après quoi je la verrouillai soigneusement.

« C'est quoi, ce bordel ? »

La voix de l'agent Hamer tremblait légèrement.

L'agent Scheuer se tourna vers la porte verrouillée pour se faire assommer d'un coup de pistolet Makarov sur la nuque.

L'agent Frei avait déjà les menottes. Il était pâle et paraissait inquiet.

Ils étaient six à nous attendre dans l'appartement. Vêtus de costumes gris bon marché, avec chemises et cravates noires. Tous armés de pistolets – des automatiques russes aux poignées en plastique également bon marché, mais non moins meurtriers pour autant. Ils affichaient des visages impassibles, comme si eux aussi étaient faits de plastique russe bon marché, fabriqué en grande quantité dans une usine volée en Allemagne puis réassemblée sur une rive orientale de la Volga. Aussi froid que ce fleuve étaient leurs yeux gris-bleu, et, pendant un instant, je me vis en eux : des flics accomplissant leur devoir ; ne prenant aucun plaisir à ces arrestations, mais agissant rapidement et avec l'efficacité de professionnels endurcis.

Les trois Américains auraient peut-être dit quelque chose si leur bouche n'avait pas été bourrée de tissu et solidement bâillonnée par du ruban adhésif, de sorte qu'il n'y avait que leurs yeux larmoyants pour m'adresser des reproches, même s'ils n'en étaient pas moins amers.

J'aurais peut-être dit quelque chose moi aussi, sauf que les hommes menottés descendaient déjà les escaliers, chacun entre deux membres de la Stasi, comme si on les conduisait au peloton d'exécution. Leur aurais-je parlé que j'aurais probablement invoqué les mois de mauvais traitements que j'avais endurés entre leurs mains, sans parler de mon désir d'échapper à leur contrôle et à leur influence, mais cela ne semblait guère opportun ni, en l'occurrence, proportionné à ce que je venais de leur infliger. Peut-être aurais-je même fait allusion à la croyance aveugle de tous les Américains qu'ils avaient le droit pour eux – y compris quand ils se trompaient – et à l'irritation éprouvée par le reste du monde d'être en butte à leurs jugements ; mais, ce faisant, j'aurais peut-être poussé le bouchon un peu loin. Non pas que je refusais qu'on me juge – pour un Allemand, dans les années cinquante, c'était sans doute inévitable. Simplement, je n'avais pas envie de me prosterner devant tout ce que les Yankees étaient supposés avoir fait pour nous, quand il me paraissait on ne peut plus clair, à moi et à beaucoup d'autres Allemands, qu'ils ne l'avaient fait que pour eux, en réalité. Du reste, n'avaient-ils pas prévu un traitement très similaire pour Mielke lui-même ?

« Où est-il ? demandai-je à un des flics de la Stasi.

— Si vous parlez du camarade général, il attend dehors. »

Je sortis de l'appartement et descendis à leur suite, tout en me demandant comment ils allaient s'y prendre avec les types de la sécurité dans l'ambulance de la CIA ; ou s'étaient-ils déjà occupés d'eux ? Mais nous n'avions pas atteint le rez-de-chaussée que nous passâmes par une porte menant vers l'arrière de l'immeuble avant d'emprunter un escalier de secours pour nous retrouver dans une cour de la taille d'un terrain de tennis, fermée des quatre côtés par de grands bâtiments noirâtres, pour la plupart en ruine.

Nous traversâmes la cour, et, dans la lumière déclinante, nous franchîmes une porte basse dans le mur de la vieille brasserie de la Schulzendorfer Strasse. Les pavés bougeaient sous nos pieds et, à certains endroits, il y avait des nids-de-poule remplis d'eau. Dans l'un d'eux, la lune ondulait telle une pièce en argent égarée. Les trois Américains n'offraient aucune résistance. À mes yeux expérimentés, ils semblaient avoir déjà acquis la posture des prisonniers de guerre : tête basse, démarche lourde et chancelante. Un petit affluent de la Spree marquait la limite de la cour voisine. À l'extrémité sud se dressait une construction aux fenêtres sales et cassées, des mauvaises herbes poussant sur le toit ; à moitié effacée, une publicité « Dentifrice Chlorodont » était peinte sur le mur de brique. Il m'aurait fallu tout un tube de ce truc pour faire passer le mauvais goût que j'avais dans la bouche. Dans le mot « Dentifrice » se découpait une porte qu'ouvrit un des types de la Stasi. Nous pénétrâmes dans un bâtiment sentant le moisi, et probablement pire. S'approchant d'une des fenêtres crasseuses, le chef d'équipe regarda attentivement dans la rue.

Il attendit prudemment pendant près de cinq minutes puis, ayant jeté un coup d'œil à sa montre, il sortit une lampe torche qu'il braqua vers le bâtiment d'en face.

Presque aussitôt, trois brefs éclairs d'une petite lampe verte répondirent à son signal, et une porte s'ouvrit de l'autre côté de la rue. Les trois prisonniers américains furent poussés sans ménagement, et c'est seulement lorsque je passai ma propre tête par l'embrasure que je me rendis compte que nous étions dans la Liesenstrasse et que le bâtiment sur le trottoir opposé se trouvait dans le secteur russe.

Alors que le dernier Américain traversait la rue dans l'obscurité enveloppante pour s'engouffrer à l'intérieur du bâtiment, j'aperçus une silhouette corpulente debout sur le seuil. Elle inspecta la rue dans un sens et dans l'autre puis me fit un signe de la main.

« Venez. Venez vite. »

C'était Erich Mielke.

40

Berlin, 1954

Il était plus petit que dans mon souvenir et plus râblé également ; un solide gaillard, bien campé sur ses jambes, aux allures de pugiliste. Des cheveux courts et fins, de même que sa bouche, qui s'efforçait de sourire, avec pour seul résultat de lui donner une expression sardonique, ou quelle que soit la manière de qualifier un type capable de rire de choses que les autres ne trouvent pas amusantes du tout.

« Venez, répéta-t-il. Ça va. Vous ne courez aucun danger. »

La voix semblait plus grave et plus râpeuse que je ne me la rappelais. Mais l'accent était pratiquement identique à ce qu'il avait toujours été : celui d'un Berlinois hargneux et sans instruction. Je ne donnais pas cher des trois Américains lorsqu'il les interrogerait.

Je regardai de chaque côté de la Liesenstrasse. L'ambulance de la sécurité de la CIA n'était nulle part, et il s'écoulerait probablement des heures avant qu'ils comprennent que l'équipe de gros bras censés monter la garde s'était fait enlever juste sous leur nez. Je devais le reconnaître, l'opération de la Stasi avait été aussi propre et nette qu'un œuf fraîchement pondu. Certes, le plan était le mien, mais c'est Mielke qui avait eu l'idée de fournir un garde-frontière est-allemand ressemblant à son propre père que les agents de la CIA fileraient et qui les conduirait à l'appartement de la Schulzendorfer Strasse où attendraient les kidnappeurs de la Stasi.

La rue était déserte, mais, dans l'obscurité, je continuais à hésiter.

Une légère impatience pointa dans la voix de Mielke. Nous autres Berlinois pouvons devenir impatients même avec un nouveau-né.

« Allons, Gunther. Si vous aviez quoi que ce soit à craindre de moi, vous seriez menotté comme ces trois fascistes. Ou mort. »

Convaincu par cet argument, je traversai.

Mielke portait un costume bleu nuit qui paraissait de bien meilleure qualité que ceux de ses hommes. Ses chaussures étaient certainement beaucoup plus onéreuses. Elles avaient l'air faites main. Une cravate tricotée marine ressortait avec élégance sur une chemise bleu clair.

Il se tenait dans l'entrée d'une ancienne boutique de fleuriste. On avait condamné les fenêtres, mais, sur le sol jonché de bouts de verre, était posée une lanterne dispensant suffisamment de lumière pour qu'on puisse distinguer des vases pleins de fleurs pétrifiées, ou même sans fleurs du tout. Une porte ouverte au fond de la boutique laissait voir une cour, et, dans cette cour, se trouvait garée une camionnette grise qui, imaginai-je, contenait déjà les trois agents américains. La boutique puait le tabac et la pisse de chat – un peu comme la pension que nous venions de quitter. Mielke ferma la porte et mit une casquette en cuir, qui ajouta une touche proprement prolétarienne à son apparence. Bien qu'il y eût un gros cadenas, il ne verrouilla pas la porte, ce dont je me félicitai. Il était plus jeune que moi et probablement armé, et ça ne m'aurait pas beaucoup plu d'avoir à me bagarrer pour sortir de là.

Nous nous installâmes sur une paire d'antiques chaises en bois qui auraient été mieux à leur place dans une vieille salle paroissiale.

« J'aime bien votre bureau, dis-je.

— Il est très commode pour le secteur français. Où la sécurité est quasiment inexistante, ce qui en fait l'endroit idéal pour de petites expéditions entre notre zone et la leur sans que quiconque soit au courant. Bizarrement, je me rappelle être venu dans cette boutique de fleuriste étant gosse.

— Vous ne m'avez jamais semblé du genre romantique. »

Il secoua la tête.

« Il y a un cimetière le long de la rue. Un des membres de la famille de mon père y est enterré. Ne me demandez pas qui. J'ai oublié. »

Il sortit un paquet de Roth-Handel et m'en offrit une.

« Pour ma part, je ne fume pas. Mais je me suis dit que vous auriez peut-être les nerfs à vif.

— Très obligeant de votre part.

— Gardez le paquet. »

J'extirpai un peu de tabac du bout de la cigarette que je serrai fortement entre le pouce et l'index, comme quand on n'aime pas vraiment le goût. Ce qui était le cas, mais une clope est une clope.

« Qu'est-ce qui va leur arriver ? Aux trois Amerloques ?

— Ça vous préoccupe vraiment ?

— À ma grande surprise, oui. » Je haussai les
épaules. « Appelez ça une conscience coupable si vous
voulez. »

Il fit un geste vague.

« Ils risquent de passer de sales quarts d'heure
jusqu'à ce qu'on ait découvert ce qu'ils savent. Mais
on finira par les échanger contre quelques-uns des
nôtres. Ils sont beaucoup trop précieux pour qu'on les
envoie à la guillotine, si c'est à ça que vous pensiez.

— Vous ne faites plus ce genre de truc, tout de
même ?

— La guillotine ? Pourquoi pas ? C'est rapide. » Il
sourit avec cruauté. « Une balle aurait l'air un peu trop
laxiste avec des ennemis de l'État. Et d'ailleurs, c'est
bien plus rapide que la chaise électrique. L'année dernière, Ethel Rosenberg a agonisé pendant vingt minutes.
Il paraît que sa tête a pris feu avant qu'elle meure. Alors,
dites-moi, qu'est-ce qui est le plus humain ? Les deux
secondes qu'il faut au couperet pour tomber ? Ou vingt
minutes sur la chaise de Sing Sing ? » Il secoua la tête.
« Mais non. Vos trois Américains. Ils n'attendront pas
de livraison de pain. »

Devant mon air perplexe, il ajouta :

« Pour ne pas provoquer d'inquiétudes inutiles chez
l'ensemble de nos citoyens, nous envoyons notre guil-
lottine à travers la RDA à bord d'une camionnette de
boulanger, depuis la boulangerie de Halle. Pain complet.
C'est meilleur pour la santé.

— Ce même vieux Erich. Vous avez toujours eu un

curieux sens de l'humour. Je me souviens qu'un jour, dans un train pour Dresde, j'ai failli mourir de rire.

— Il semble que c'est vous qui avez ri le dernier, cette fois. La façon dont vous vous y êtes pris m'a beaucoup impressionné. Ce Russe, ce n'était pas un zigoto facile à tuer. Mais j'ai été encore plus impressionné par la manière dont vous vous êtes occupé de tout ensuite. Comment vous avez remis l'argent à Elisabeth. Franchement, jusqu'à ce que j'aie votre lettre, je ne me doutais pas un instant qu'elle et vous étiez devenus amis à ce point. Dans tous les cas, je suppose que la plupart auraient gardé l'argent pour eux.

« Et ça m'a fait réfléchir, continua Mielke. Je me suis demandé : quel genre d'homme ferait une chose pareille ? Visiblement, un homme qui n'était pas le fasciste attendu que j'avais imaginé. Un homme possédant des qualités cachées. Un homme qui pourrait même m'être utile. Vous ne le savez pas, mais il y a trois ou quatre ans, j'ai essayé en fait d'entrer en contact avec vous, Gunther. Au sujet d'un boulot pour moi. Et je me suis rendu compte que vous aviez disparu. J'ai même entendu dire que vous étiez parti pour l'Amérique du Sud comme tous ces salauds de nazis. Aussi, lorsque Elisabeth est venue avec votre billet à mon bureau dans Hohenschönhausen, j'ai été très agréablement surpris. Et encore plus surpris quand j'ai lu la lettre ; ainsi que par la folle audace de votre proposition. Un stratagème de vrai maître espion, si j'ose dire, et je vous félicite d'avoir réussi. Qui plus est, au nez et à la barbe des Américains. C'est presque la meilleure partie. Ils ne vous le pardonneront pas de sitôt. »

Je ne dis rien. Il n'y avait pas grand-chose à dire. Je tirai donc sur ma cigarette en attendant la fin. Le match demeurait indécis. Qu'avait-il l'intention de faire ? Tenir sa part du marché comme il l'avait promis dans la lettre qu'il m'avait adressée ? Ou me doubler comme auparavant ? Du reste, est-ce que je méritais mieux ? Moi, l'homme qui venait juste de trahir trois autres hommes.

« Bien sûr, à cause d'Elisabeth, je savais pouvoir vous faire entièrement confiance. Si vous aviez été une créature des Américains, vous leur auriez dit où elle habitait et ils l'auraient placée sous surveillance. Pour me griller.

— Griller ?

— C'est ce qu'on dit quand on fait savoir à quelqu'un – quelqu'un dans le milieu du renseignement – qu'on n'ignore rien de lui et que toute sa vie s'est envolée en fumée. Le griller. Ou même, d'ailleurs, quand on ne le lui fait pas savoir.

— Eh bien, je suppose qu'ils n'en étaient pas à leur première tentative. »

Je lui répétai alors en partie ce que j'avais déjà raconté dans le message qu'Elisabeth lui avait remis : que la CIA m'avait préparé à faire avaler au SDECE français qu'il avait été un espion d'abord des nazis et ensuite de la CIA, tout en laissant entendre à ce même SDECE que j'étais peut-être en mesure d'identifier un traître nommé Edgard de Boudel, qui avait travaillé pour le Viêt-Minh en Indochine. Mais surtout, si je le lui répétai, c'était dans le but d'obtenir des réponses à quelques questions que je me posais.

« Les Amerloques pensaient qu'il y avait un espion communiste au sein des services de renseignement français et qu'il serait peut-être plus enclin à me croire, quand je leur disais que vous jouiez sur les deux tableaux, si je faisais la preuve de ma fiabilité en identifiant Edgard de Boudel à son arrivée à Friedland comme prisonnier de guerre rentrant d'un camp soviétique.

— Mais les Amerloques ont mis cette idée au rancart lorsque vous leur avez annoncé que vous aviez trouvé un moyen pour qu'ils me capturent en personne, dit Mielke. C'est bien ça ? »

J'acquiesçai.

« Ce qui laisse votre réputation intacte, probablement.

— Espérons-le, hein ?

— Y a-t-il un espion au sein du renseignement français ?

— Plusieurs, admit Mielke. Vous pourriez aussi bien demander s'il y a des communistes en France. Ou si Edgard de Boudel s'est vraiment battu aux côtés de la SS puis du Viêt-Minh.

— Et c'est le cas ?

— Oh oui. Et il est dommage que les Américains aient parlé de lui aux Français maintenant. Quelqu'un dans le GVL – la nouvelle organisation de renseignement de Gehlen – a dû les avertir. Voyez-vous, nous avions passé un accord avec le GVL et le chancelier Adenauer. Le gouvernement allemand autoriserait Edgard de Boudel à rentrer en Allemagne contre le feu vert au retour d'un des nôtres. La situation est celle-ci : de Boudel est atteint d'un cancer inopérable. Mais le malheureux souhaite mourir dans sa France natale, et ça semblait le meilleur moyen. Le ramener subrepticement en Allemagne dans un rapatriement de prisonniers de guerre et ensuite en France sans que personne proteste.

— Entre la CIA et le GVL de Gehlen, ce n'est pas le grand amour, fis-je remarquer.

— Apparemment.

— Le fils allemand semble avoir tourné le dos à son père américain.

— Oui, en effet, dit Mielke. Étrangement, Elisabeth et vous êtes les seules personnes à savoir pour mon père. C'était donc un vrai coup de génie, mon pote. Parce que, en fait, une bonne partie de ce que vous avez imaginé comme pouvant être vrai est vrai. On ne se voit plus beaucoup, en réalité.

— Est-ce qu'il vit à l'Est ?

— À Potsdam. Mais il n'arrête pas de se plaindre. C'est drôle à quel point votre suggestion qu'il revienne vivre à Berlin-Ouest était proche de la vérité. Encore que vous êtes berlinois. Vous connaissez l'histoire. "Je n'ai pas d'amis à Potsdam", qu'il fait. Son éternelle rengaine. "Écoute, papa, que je lui réponds, rien ne t'empêche d'aller à Berlin-Ouest voir tes camarades et de rentrer ensuite." Entre parenthèses, les camarades en question – ses copains – pensaient que j'étais mort. C'est ce que je lui avais demandé de leur raconter dès 1937. Alors je lui dis : "Vois tranquillement tes amis à l'Ouest et vis tranquillement à l'Est. Ce n'est pas comme s'il y avait un mur ou je ne sais quoi." Évidemment, depuis que la frontière intérieure a été fermée, il a peur que la même chose ne se produise à Berlin. Qu'il se retrouve coincé du mauvais côté. » Mielke poussa un soupir. « Et il y a aussi d'autres raisons. Des raisons père-fils. Votre vieux est toujours en vie ?

— Non.

— Vous vous entendiez bien avec lui ?

— Non. » Je souris tristement. « On n'a jamais appris.

— Dans ce cas, vous savez de quoi je parle. Mon père est un communiste allemand de la vieille école et, croyez-moi, ce sont les pires. La grève des travailleurs, l'an passé, l'a complètement achevé. Des fauteurs de troubles pour la plupart. Dont un certain nombre de contre-révolutionnaires. Plus quelques provocateurs de la CIA. Mais lui ne voyait pas du tout les choses comme ça. »

Je jetai ma cigarette par terre sans plus y toucher, mais Mielke l'écrasa sous le talon de sa chaussure faite main comme la tête d'un contre-révolutionnaire.

« Puisque nous nous parlons à cœur ouvert, dit-il. Il y a un truc que je ne comprends pas.

— Allez-y.

— Pourquoi l'avoir fait ? Pourquoi les avoir trahis ? Pour moi. Vous n'êtes pas plus communiste que vous n'étiez nazi. Alors, pourquoi ?

— Vous m'avez déjà posé une question semblable, vous vous souvenez ?

— Oh, je m'en souviens. Je n'ai pas compris non plus à ce moment-là.

— On pourrait dire qu'après voir passé six mois dans des prisons américaines successives, je me suis mis à les haïr. On pourrait le dire, mais ce ne serait pas vrai. Naturellement, les meilleurs mensonges renfermant une part de vérité, ce n'est pas entièrement faux. On pourrait dire ensuite que je ne partage pas leur vision du monde, et ce ne serait pas entièrement faux non plus. À certains égards, je les admire, mais je déteste aussi leur façon de ne jamais respecter leurs propres idéaux. Je pense que j'aurais beaucoup plus de sympathie pour les Ricains s'ils étaient comme tout le monde. On arriverait peut-être à leur pardonner plus facilement. Mais ils prêchent la munificence de leur foutue démocratie et les vertus immuables de leurs libertés constitutionnelles, quand, dans le même temps, ils essaient de baiser votre femme et de vous faucher votre montre. Quand j'étais flic, on infligeait des peines plus sévères aux inculpés dont on se serait attendu à mieux lorsqu'ils s'avéraient être des escrocs. Avocats, policiers, hommes politiques, des individus occupant des postes de responsabilité. Les Américains sont comme eux. Des escrocs qui devraient avoir plus de jugeote.

« Mais on pourrait dire aussi que je suis fatigué de tout ce foutu cirque. Pendant vingt ans, j'ai été forcé de travailler pour des gens que je ne pouvais pas sentir. Heydrich. Le SD. Les nazis. Le CIC. Les Perón. La mafia. La police secrète cubaine. Les Français. La CIA. La seule chose que j'aie envie de faire, c'est de lire le journal et de jouer aux échecs.

— Mais comment savoir si je ne vais pas vous obliger à turbiner pour moi ? » Mielke eut un petit rire. « Depuis que vous m'avez envoyé cette lettre, vous êtes à mi-chemin de travailler pour la Stasi désormais.

— Je ne travaillerai pas pour vous, Erich, pas plus que je ne travaillerai pour eux. Si vous me forcez, je trouverai un moyen de vous trahir.

— Et si je menaçais de vous faire fusiller ? Ou de vous expédier en taule dans l'attente d'une livraison de pain complet ? Que se passerait-il ?

— Je me suis posé la question. Supposons, me suis-je dit, qu'il menace de te tuer à moins que tu bosses pour la Stasi ? Eh bien, j'ai décidé que j'aimais mieux mourir aux mains de mes propres compatriotes que devenir riche à la solde d'étrangers. Je ne m'attends pas à ce que vous compreniez, Erich. Mais c'est comme ça. Alors allez-y, je suis prêt.

— Bien sûr que je comprends. » Mielke se frappa fièrement la poitrine. « Avant toute chose, je suis allemand. Berlinois. Comme vous. Bien sûr que je comprends. Et donc, pour une fois, je vais tenir ma promesse, envers un fasciste.

— Ainsi, vous pensez toujours que je suis un fasciste.

— Vous ne le savez pas vous-même, Gunther, mais c'est ce que vous êtes. » Il se donna une tape sur le crâne. « Là-dedans. Vous avez beau ne pas avoir adhéré au parti nazi, dans votre tête, vous croyez au pouvoir centralisé, au droit et à la loi, et vous ne croyez pas dans la gauche. Pour moi, un fasciste, c'est tout ce que vous serez jamais. Mais j'ai dans l'idée qu'Elisabeth a quelques espoirs pour vous. Et, en raison de ma haute considération pour elle... De mon amour pour elle...

— Vous ?

— En tant que sœur, oui. »

Je souris.

Mielke parut surpris.

« Oui. Pourquoi souriez-vous ? »

Je secouai la tête.

« Laissez tomber.

— Mais j'aime les gens, dit-il. Tous les gens. C'est pourquoi je suis devenu communiste.

— Je vous crois. »

Il fronça les sourcils puis me lança un trousseau de clés de voiture.

« Comme convenu, Elisabeth a quitté son appartement et vous attend au Steinplatz Hotel. Alors, dites-lui bonjour pour moi. Et arrangez-vous pour prendre soin d'elle. Sinon, j'enverrai un assassin vous faire la peau. Vous allez voir si je vais me gêner. Quelqu'un de plus malin que le précédent. Si je vous laisse partir, Gunther, c'est uniquement à cause d'Elisabeth. Son bonheur a plus d'importance pour moi que mes principes politiques.

— Merci.

— Il y a une voiture dans la Grenzstrasse. Allez à droite puis à gauche. Vous verrez une Type 1 grise. Dans la boîte à gants, vous trouverez deux passeports à vos nouveaux noms. Malheureusement, nous avons dû utiliser une photo datant de l'époque où vous étiez un *pleni*. Il y a des visas, de l'argent et des billets d'avion. Je vous suggère de vous en servir. Les Amerloques ne sont pas stupides, Gunther. Ni les Français. Ils vont se lancer à vos trousses les uns et les autres. Alors quittez Berlin. Quittez l'Allemagne. Partez pendant qu'il en est encore temps. »

C'était un bon conseil. J'allumai une autre cigarette et m'en allai sans un mot.

Je tournai à droite de la boutique puis contournai l'extrémité du cimetière. Toutes les tombes avaient disparu, et, dans la nuit brumeuse, on ne distinguait rien d'autre qu'un champ grisâtre. Avait-on enlevé uniquement les tombes et les monuments en marbre, ou avait-on déplacé aussi les cadavres ? Rien ne durait jamais ce qu'il devait durer. Plus maintenant. Pas à Berlin. Mielke avait raison. Il était temps que je bouge moi aussi. Tout comme ces cadavres berlinois.

La Coccinelle Volkswagen était là où Mielke l'avait

dit. La boîte à gants contenait une grande et épaisse enveloppe en papier kraft. Sur le tableau de bord était fixé un petit vase avec de minuscules fleurs dedans. Je ris en le voyant. Peut-être Mielke aimait-il les gens, après tout. Je n'en jetai pas moins un coup d'œil au moteur et sous le châssis, au cas où le véhicule aurait été piégé. Ça ne m'aurait pas étonné de lui qu'il envoie des fleurs funéraires avant que je sois vraiment mort.

En l'occurrence, ce sont les seules fleurs funéraires que j'aie jamais aimées.

NOTE DE L'AUTEUR

Erich Mielke (1907-2000) fut ministre de la Sécurité d'État de la République démocratique allemande de 1957 à 1989. En 1993, il fut reconnu coupable du meurtre, commis en 1931, des officiers de police Paul Anlauf et Franck Lenck. Il fut condamné à six ans de prison et libéré sur parole au bout de moins de deux ans. Le lecteur désirant en savoir plus sur Mielke pourra suivre avec profit ce lien YouTube vers un des incidents télévisés les plus fameux de l'histoire allemande :

http://www.youtube.com/watch?v=jlALofQ-l4c

Six jours après la chute du Mur de Berlin, Mielke prit la parole devant les membres du Parlement de la RDA. Certains d'entre eux protestèrent énergiquement lorsqu'il se mit à les appeler camarades, comme il en avait l'habitude. Mielke tenta de se justifier en déclarant : « Mais j'aime... j'aime tous les gens... » L'assemblée éclata de rire, car il était l'un des hommes les plus haïs et les plus haineux de toute l'Allemagne de l'Est, craint y compris parmi le personnel de son propre ministère.

Quiconque souhaite en apprendre davantage sur les épouvantables conditions de détention régnant dans les camps de Gurs et du Vernet devrait lire *La Lie de la terre*, l'excellent livre d'Arthur Koestler, qui n'a rien perdu de sa force d'indignation. Koestler avait été emprisonné pendant plusieurs mois au Vernet après la défaite de la France en 1940. Le *Guardian* a qualifié son ouvrage de plus important paru sur l'effondrement de la France, et je ne peux que souscrire à ce jugement.

La meilleure étude sur la SS française est celle de Robert Forbes, *Pour l'Europe : les volontaires français de la Waffen-SS* (2005). Les membres de la division SS Charlemagne furent les derniers défenseurs du *Führerbunker* de Hitler en mai 1945.

Mon histoire préférée de la collaboration et du nazisme français réside dans le documentaire de Marcel Ophuls, *Le Chagrin et la Pitié* (1969).

Je suis tout particulièrement redevable à l'ouvrage éclairant de Cécile Desprairies, *Ville lumière, années noires* (2008).

Deux livres remarquables ont été consacrés aux Einsatzgruppen SS. Tout aussi dérangeants chacun à leur manière. *Extermination : la machine nazie* (2002), de Richard Rhodes, demeure l'étude la plus lisible et la plus terrifiante sur le sujet, et j'en recommande vivement la lecture. Ainsi que *The Nuremberg SS-Einsatzgruppen Trial, 1945-1958* (2009) de Hilary Earl, et je suis redevable à ce travail pour des informations sur le sort invraisemblable des vingt-quatre accusés des Einsatzgruppen.

Parmi eux, treize furent condamnés à mort, dont quatre exécutés le 7 juin 1951. Il s'agit des derniers des deux cent soixante-quinze criminels de guerre pendus en République fédérale d'Allemagne. Sur les vingt autres accusés à ne pas avoir été pendus en juin 1951, tous avaient été relâchés ou mis en liberté conditionnelle en 1958. Un fait que je continue de trouver incroyable.

Non moins incroyable me semble le destin de Martin Sandberger, qui commandait l'Einsatzkommando 1a (faisant partie de l'Einsatzgruppe A). Jusqu'à sa mort dans une maison de retraite de Stuttgart, le 30 mars 2010, à l'âge avancé de quatre-vingt-dix-huit ans, Sandberger était le dernier criminel de guerre de haut rang connu encore en vie. Docteur en droit, il se rendit coupable du massacre de quelque 14 500 Juifs et communistes, ce qui lui valut d'être condamné à mort en 1951. Sa peine fut ensuite commuée en emprisonnement à perpétuité ; et Sandberger fut libéré sur parole en février 1958.

La prison de Landsberg cessa d'être utilisée par les Américains comme centre de détention des criminels de guerre en 1958. Elle abrite aujourd'hui le ministère de la Justice bavarois.

Le meilleur livre sur la bataille de Königsberg est celui d'Isabel Denny, *The Fall of Hitler's Fortress City* (2007).

J'ai une dette de reconnaissance à l'égard d'un certain nombre de livres consacrés aux camps soviétiques de prisonniers de guerre. Les plus remarquables sont ceux de Stefan Karner, *Im Archipel GUPVI* (1995), et de Georg Schinke, *Red Cage* (1994). Le meilleur ouvrage sur le retour des prisonniers de guerre allemands est celui de Frank Biess, *Homecomings* (2006).

Edgard de Boudel est un personnage fictif fondé sur deux personnages historiques français, militaires l'un et l'autre, inquiétés par la justice : Edgar Puaud et Georges Boudarel.

Helmut Knochen et Carl Oberg furent graciés par Charles de Gaulle et libérés en 1962. Oberg mourut en 1965, Knochen en 2003.

Philip Kerr
dans Le Livre de Poche

Ancien policier, Bernie Gunther est détective privé. À Berlin, à la veille des Jeux olympiques de 1936, les SA se chargent de rendre la ville accueillante aux touristes. Un industriel, Hermann Six, propose à Bernie de rechercher les bijoux qui ont disparu du coffre-fort de sa fille assassinée.

Septembre 1938. Engagé par une riche veuve pour retrouver l'individu qui la fait chanter, Bernie se trouve plongé dans les méandres de la médecine psychiatrique… avant de se voir chargé par Heydrich de neutraliser le tueur qui s'attaque à des adolescentes dans les rues de Berlin.

1947. Bernie Gunther est contacté par un colonel du renseignement soviétique dans le but de sauver de la potence un nommé Becker, accusé du meurtre d'un officier américain. À Berlin puis à Vienne, tandis que la dénazification entraîne la valse des identités et des faux certificats, Bernie va devoir prouver que son passage sur le front de l'Est n'a pas entamé ses capacités.

La Mort, entre autres n° 32077

1949. Sa femme se meurt, et Bernie Gunther craint que le matricule SS dont il garde la trace sous le bras ne lui joue de sales tours. Une cliente lui demande de retrouver son époux nazi, et le voici embarqué dans une aventure qui le dépasse.

Une douce flamme n° 32433

1950, Bernie Gunther débarque à Buenos Aires sous un nom d'emprunt. La ville est infestée d'exilés nazis. Le chef de la police charge Bernie d'une enquête qui lui rappelle une affaire non élucidée, alors qu'il était détective à la Kripo berlinoise : une jeune fille retrouvée mutilée, une autre disparue.

Hôtel Adlon n° 32820

Berlin, 1934. Bernie est responsable de la sécurité de l'Hôtel Adlon. Or le patron d'une entreprise de construction y est assassiné après avoir passé la soirée avec un homme d'affaires américain véreux, ami de hauts dignitaires nazis.

La Paix des dupes n° 32732

Octobre 1943 : Roosevelt, Churchill et Staline doivent se
rencontrer à Téhéran pour discuter du sort de l'Allemagne…
et se partager l'Europe. Partout, agents secrets, sbires et
traîtres de tous bords s'en donnent à cœur joie. Meurtres,
complots, projets d'attentats se succèdent. Jusqu'au jour J,
où rien ne se passe comme l'Histoire l'a écrit.

Une enquête philosophique n° 33132

Un meurtrier sadique s'attaque férocement à des femmes.
L'inspecteur « Jake » Jacowicz mène l'enquête. C'est une
dure à cuire dont la particularité est de détester les hommes.
Son adversaire figure sur une liste ultrasecrète de criminels
sexuels potentiels, tous affublés d'un nom de philosophe.